트래비스 엘버러(Travis Elborough)
영국을 대표하는 대중문화사학자. 1971년 영국 잉글랜드에서
태어나 『가디언』, 『타임스』, 『BBC 히스토리 매거진』 등
주요 매체에 활발히 기고하며 웨스트민스터대학교에서
학생들을 가르치고 있다. 저자는 자신의 관심 주제를 중심으로
역사·철학·과학·문화 등 다양한 방면에서 종횡무진하며 정보를
찾아내 촘촘히 엮는 작업을 이어 가고 있다. 『거의 모든 안경의
역사』에서는 안경에 골몰해 깊고 세밀하게 파고들며 '안경 덕후'의
진면모를 선보인다. 저서로는 버스의 역사를 톺아본 『우리가
사랑한 버스』(The Bus We Loved), 바이닐레코드의 흥망을 다룬
『LP여 안녕』(The Long Player Goodbye), 도심 속 녹지 공간의
의미를 짚은 『공원에서의 산책』(A Walk in the Park) 등이 있다.

장상미
대학에서 의류학을 전공하고 대학원에서 시민사회 운동을
공부했다. 번역 자원 활동을 하던 시민단체에서 상근 활동가로
일하며 출판번역을 시작했다. 옮긴 책으로 『재난 불평등』,
『가려진 세계를 넘어』, 『온 세계가 마을로 온 날』 등이 있다.

거 의   모 든
안 경 의   역 사
Through The
Looking Glasses

거의 모든 안경의 역사

보이지 않는 것을 보게 하는 도구의 위대한 탄생

트래비스 엘버러 지음

장상미 옮김

책을 쓰는 동안 자주 찾아뵙지 못한 나의 부모님께

일러두기
각주는 각각 지은이주(⊙)와 옮긴이주(※)로 구분했습니다.

한 국 의
독 자 들 에 게

불꽃놀이·경연·화려한 뮤지컬 공연·시선을 사로잡는 대
형 스포츠 경기 등 말 그대로 눈을 뗄 수 없는 근사한 장면
을 바라볼 때 '장관'spectacle이라는 말을 쓴다. 마찬가지
로 매력적이고 멋져 보이는 사람에게는 '보기 좋다'good
looking고 말한다. 역사 속에서 안경spectacles과 안경류
eyeglasses에 관한 인식은 대체로 보기 좋은 물건보다는
그저 유용한 시력 보조기 정도에 그쳤다. 세계를 더 잘 보
도록 도와주는 기기로서는 좋지만, 우리 외모를 더 멋지게
만들어 주는 데는 별 도움이 안 되는 물건이었다. 물론 가
끔은 대단히 유행을 타고 명성을 누리는 때가 있었다. 사람
들은 모두 부와 취향과 안목을 드러내고 멋져 보이려고 안
경을 쓰곤 했다. 안경은 단지 쓰는 것이 아니라 연구 대상
이 될 만큼 언제나 놀라움을 안겨 주는spectacular 물건이
었다. 안경의 역사가 시작된 이래로 끊임없이 안경 애호가

가 존재해 온 이유다. 하지만 지금만큼 안경 애호가가 전성기를 누린 시절은 없었던 것 같다. 긴 세월에 걸쳐 무수한 선구자가 있기는 했지만, 이제는 시력이 좋아 안경이 전혀 필요 없는 사람이라도 유행에 민감한 자신을 드러내는 패션 아이템으로 도수 없는 안경을 쓰는 시대가 왔다.

잘나가는 기업 임원 대상으로 '능력자 안경'이라는 디자이너 안경테가 나와 잠시나마 화제가 된 적이 있다. (12장 참고) 기업 임원까지는 아니더라도 최소한 수완 좋고 트렌드에 민감한 사람으로 보이기 원하는 사람 사이에서는 분명 그랬다. 하지만 잘 만든 안경 한 벌에는 시력을 보완하는 것만 아니라 세상을 더 선명히 살펴볼 근사한 틀을 제공하는 진정한 '능력'이 있다. 멋지게 보이고 보기도 잘 본다는 확신을 품고 중요한 일에 집중하게 해 주는 것이다. 이 점은 최근 한국의 아나운서 임현주가 아주 잘 보여 주었다. 2018년 MBC 『뉴스투데이』 아나운서 임현주가 둥그런 안경을 쓰고 아침 뉴스를 진행했는데, 한국에서는 여성 아나운서가 안경을 쓰고 뉴스를 진행한 일이 최초였던 터라 전 세계 언론의 관심이 쏟아졌다. 이후에 임현주는 기자에게 이렇게 설명했다. 아침 뉴스를 진행하려면 새벽 2시 40분에 일어나야 하는데 콘택트렌즈를 끼고 속눈썹을 붙이고 뉴스를 진행하다 보면 눈이 너무 건조하고 피로해서 생방송에서 대본을 읽기 어려울 때가 많았다, 속눈썹을 붙이는 데 들이는 시간도 얼마 안 되는 소중한 방송 준비 시간을 갉아먹었다, 그래서 안경을 썼다, 그 결과 뉴스에 더 집중할 수 있었고, 피로가 덜해 눈 상태도 더 나아졌다, 처음 안경을 쓰고 뉴스에 등장하기까지는 "용기가 조금 필요했다". 남성은 괜찮지만 유독 여성 아나운서는 안경을 써서는 안 된다는 금기를 깨는 행동이었으니 말이다. 그런데 시청자와 소셜미디어 이용자 사이에서 대단히 긍정적인 반응이 나왔고, 그 후로 임현주는 계속 안경을 쓰고 화면에 등장했다. 젊은 여성 안경 착용자에게 그 모습은 상당히 큰 힘이 되었을 것이다. 자신의 능력을 십분 발휘하는 동시에 말 그대로 진정 '똑똑하게' 보이기를 바란다면 안경은 전혀 걸림돌이 아니며, 결국 모든 일은 인식 그 자체에 달려 있다는 사실을 보여 주면서.

턴브리지웰스의 안경테 제조사 웰비의 광고.

만물은 고유한 목적이 있고, 그 목적을 달성하는
데 꼭 필요합니다. 코를 보세요. 안경을 걸치게끔
만들어 놨으니 우리가 안경을 쓰는 겁니다…….
　－볼테르 소설 『깡디드』에서 팡글로스 박사의 말

들 어 가 는   말
:   어 느   근 시 의
모   험

첫 안경에 관해 기억나는 것이 별로 없다. 놀라운 일이다. 그 안경이 나타나면서 인생이 완전히 바뀌었고, 그 후로 평생 이런저런 안경에 의지해 살아왔다. 그런데도 갑자기 안경을 써야 할 정도로 시력이 지독히 나빠진 그 순간이 어땠는지 잘 떠오르지 않는다. 사랑하는 반려동물을 떠나보내며 사람도 언젠가는 죽는다는 사실을 눈치챈 순간이라든지, 시험에서 낙제하거나 학교 축구부 가입에 실패해 정신적·신체적 결함이 있다고 공개적으로 확인받은 경험과 맞먹을 정도로 어린 시절 겪은 대단히 충격적인 순간 중 하나였을 게 틀림없는데도 말이다.

　　그 시절 아이가 보기에 안경은 교사나 부모·이웃 또는 신문 읽는 사람이 쓰는 물건이었다. 차를 몰거나 담배를 피우고 술을 마시는 것과 마찬가지로 아이보다는 어른의 세계에 훨씬 더 가까워 보였다. 우리 학교에서 나와 같은 학년 중에 안경을 쓰는 아이는 아마 한두 명밖에 없었을 것이다. 그리고 어른의 물건이라고 하더라도, 안경은 보통 청소년이 빨리 갖고 싶어 안달하는 담배·술·자동차와는 달랐다. 눈에 쓰는 의족이랄까, 불안정한 다리를 지탱하는 보행 보조기처럼 약한 눈을 지탱하는 안경은 쓰는 사람을 어른스럽게 만드는 정도가 아니라 무서울 정도로 확 늙게 만든다는 인식이 있었다.

생각해 보면 몇 가지 전조가 있었다. 텔레비전에서 『닥터 후』※를 방영하는 매주 토요일 저녁, 나는 톰 베이커가 언제나처럼 폐광이나 환풍 통로 안에서 사악한 외계인을 기발하게 처치하는 모습을 하나라도 놓치고 싶지 않아 소파 뒤에 쪼그려 앉지 않고 화면 가까이 다가앉고는 했다. 뒤뜰이나 공원에서 크리켓·테니스를 할 때는 아무리 애를 써도 공이 내 뜻대로 잡혀 주지 않았다. 여름 방학에 웨스트컨트리에 갔을 때도, 교육열 높은 부모님이 손으로 가리키는 역사 유적이나 자연 풍광은 내가 어디에 서 있건 날씨가 어떻건 상관없이 희끄무레하게 보일 때가 많았다. 도로 표지판·버스 노선번호와 관련한 사건도 심심찮게 벌어졌

※영국 BBC에서 1963년에 시작해 현재까지 방영하고 있는 과학 드라마로, 타임머신을 타고 시간 여행을 하는 외계인 타임로드(닥터 후)와 지구인이 만나 온갖 신비한 모험을 겪는 이야기다.

다. 그런 일을 계속 겪은 끝에 나는 드디어 기적적으로, 안경을 쓰게 되었다.

확실치는 않지만, 내 기억이 맞는다면 학교에서 건강검진 같은 것을 받은 후였다. 천을 씌운 똑딱이 양철통에 담겨 내 앞에 도착한 그 안경은 단단한 갈색 플라스틱 재질의 사각형 테를 두른 평범한 국민보건서비스National Health Service(이하 NHS) 안경⊙이었다.

내 코에 안경이 내려앉은 사건이야 다소 흐릿한 개인사적 문제라 쳐도, 앞으로 살펴보겠지만 안경의 유래는 최초 발명자가 누구인지조차 아직 알지 못할 정도로 훨씬 더 모호한 문제로 남아 있다. 그렇다 해도 나로서는 안경 없는 삶은 거의 상상할 수 없다. 미국광학협회가 2020년 4월 집계한 바에 따르면 오늘날 전 세계 성인 안경 착용자가 4억 명에 달한다고 하는데, 이들도 아마 나와 같은 처지일 것이다. 도리스 레싱은 종말론적 소설 『생존자의 회고록』에서 세상이 무너져도 반드시 지켜야 하는 직업 중 하나가 바로 중고 안경을 수리하는 안과 의사라고 했다. 이와 비슷한 작품으로 린 베너블의 소설을 원작으로 한 텔레비전 드라마

⊙『닥터 후』에서 열두 번째로 재생성한 외계 종족 타임로드 역을 맡은 배우 피터 카팔디는 자신이 맡은 배역과 이 안경을 동일한 사회·역사적 틀에 넣어 설명한 바 있다. "『닥터 후』 없이 산 적은 없어요. 비틀스·NHS 안경·안개와 함께 제 성장기의 일부가 되었죠. 깊숙이 들어오다 못해 아예 제 DNA 안에 녹아들었어요."

NHS frames

All plastic frames are generally available in a choice of colours, including two-tone colours for the 924.

Sides may be either:
- ordinary 'hockey-end' shape
- curled

Curl sides stay on well, so are useful for children, and active sports.

A special tie-on side is available for very young children.

The designs of some NHS frames may vary slightly from those shown.

Children's frames

Plastic
● ordinary sides	No. C524	
● curl sides	No. C525	

Plain nickel
● curl sides	No. C121	
● ordinary sides	No. C122	
● tie-on sides	No. C127	

Covered nickel
● ordinary sides	No. C222	
● curl sides	No. C223	
● tie-on sides	No. C227	

Adults' frames*

Plastic
● ordinary sides	No. 524	£2.05 †
● curl sides	No. 525	£3.28

Plastic with special bridge (for special fitting needs)
● ordinary sides	No. 614	£8.19
● curl sides	No. 615	£9.01

Plastic half-eye with ordinary sides
● without pad bridge	No. 814	£7.10
● with pad bridge	No. 824	£3.47

Ladies plastic
● ordinary sides	No. 924	£3.30

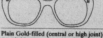

Plain Gold-filled (central or high joint)
● curl sides	No. 321	£12
● ordinary sides	No. 322	£10.95

Gold-filled with cellulose acetate trim
● curl sides	No. 421	£12.40
● ordinary sides	No. 422	£11.40
● half-covered curl sides	No. 423	£13.05

(centre-joint style illustrated)

Plain Gold-filled half-eye
● ordinary sides	No. 722	£9
● curl sides	No. 721	£10.05

* These prices may change but are correct at the time of going to press.

† This is the only frame that can be supplied free of charge to patients who are entitled to free glasses (see page 2).

This leaflet gives general guidance only and should not be treated as a complete and authoritative statement of the law.

Leaflet G.11/April 1985	**Effective from 1 April 1985**	**Replaces leaflet G.11/April 1984**
Issued by the Department of Health and Social Security.		

Prepared by the Department of Health and Social Security and the Central Office of Information.
Printed in the UK for HMSO. Dd 8832218/J0119NE (HSSH)   2000M   APR 85.

NHS가 제공한 안경 안내문.

『환상특급』의「책벌레」편도 내게 큰 충격을 안겨 주었다. (여기서 주인공 헨리 비머스 역을 맡은 배우는 나중에 애덤 웨스트가 주연한 텔레비전 드라마 『배트맨』에서 펭귄 역할로 등장한 버지스 메러디스였다.) 근시인 비머스는 아내에게 꼼짝 못 하고 사는 은행원으로, 오로지 책 읽을 시간이 늘기만을 바라는 인물이다. 어느 날 수소폭탄이 터져 지구상에 홀로 살아남는 바람에 드디어 소원을 이루는데, 두꺼운 렌즈를 끼운 비머스의 안경이 하필 공공도서관 계단에 떨어져 박살 나고 만다. 이제는 읽을 수도 없는 책더미 한가운데 들어앉아 흐릿한 눈으로 책을 들여다보는 비머스의 뺨 위로 눈물이 흘러내린다.

따지기 좋아하는 사람들은 비머스가 쓴 안경이 근시보다는 원시 교정용 안경에 가까워 보인다고 지적했다. 게다가 아주 심한 근시라 해도 멀리 떨어진 물체를 알아보기가 어려울 뿐이지 가까이 들여다보면 글씨 정도는 대충 읽을 수 있다. 하지만 이런 트집을 잡아 본들 안경 없는 삶을 상상하며 움츠러든 안경잡이의 마음을 풀기는 쉽지 않다. 머리카락을 자르면 힘을 잃는 가자의 눈먼 삼손처럼, 우리 같은 사람은 안경을 잃으면 눈을 잃는 거나 마찬가지인 경우가 많다. 그리고 「책벌레」에서 비머스가 그랬듯이 잠깐 내려놓았던 안경을 찾느라 주위를 더듬거리는 데 상당한 시간을 흘려보내기 일쑤다. 아내와 나는 불을 끄기 전에 까만 뿔테 안경 두 벌을 침대 옆 탁자에 조심스레 올려 두는데, 그 덕에 우리 집 안방에서는 매일 밤 텔레비전 쇼 『두 로니』※의 오프닝 화면 같은 장면이 연출된다.

학교 진학 상담사들은 시력이 20/20※※이 안 되면 경찰이 될 수 없다고 했다. 시력이 온전하지 않은 사람은 법 집행자로서 신뢰를 얻을 수 없다는 듯한 규정이었다. 안경을 쓰는 것은 애초에 볼 수 없었을 것을 보게 되는 것이니 아무래도 비정상적이고 부정직한 속임수에 가깝다는 인식은 놀랍게도 처음 안경이 등장한 중세부터 꾸준히 이어져 왔다. 의학계에서 안경에 대한 반감은 뿌리가 깊다. 기록상 제일 먼저 안경을 작심하고 비난한 사람은 '근대 안과학의 창시자' 게오르크 바티쉬다. 1583년 드레스덴에서 눈과 안구 질환의 형성에 관한 연구를 담은 책 『안과 진료』를 펴낸 바티쉬는 이렇게 썼다. "안경은 쓰지 않는 편이 훨씬 낫고 더 유용하다. 본래 사람은 눈앞에 무언가가 있을

※1971년부터 1987년까지 로니 바커와 로니 코빗이 진행한 BBC 텔레비전 토크쇼로, 두 사람이 쓴 뿔테 안경이 이리저리 떠다니는 오프닝 타이틀로 유명하다.
※※한국에서는 1.0에 해당하는 시력 측정값으로, 자세한 설명은 2장에 나올 예정이다.

때보다 아무것도 없을 때 대상을 더 잘 보고 인지하기 때문이다. 눈이 네 개씩이나 필요한 처지가 되느니 두 눈을 잘 보존하는 편이 훨씬 낫다." 250년 후 바티쉬와 같은 입장에 선 요한 볼프강 폰 괴테는 안경 쓴 사람과 대화한 후 분통을 터트리며 이렇게 썼다. "안경을 쓴 탓에 눈이 부셔서 그의 눈을 제대로 볼 수 없었다. 영혼을 비추는 두 눈을 들여다볼 수 없게 만드는 사람과 대화해 봐야 무슨 소용이 있나?"

전혀 다른 사람처럼 보일 만큼 착용자의 외모를 바꾸어 놓는 것도 감점 요인이 되곤 했다. 1885년에 수필가 L. 히긴스는 안경을 "기분 나쁜 부속품"이라고 비난했고, 1990년 검안사 노번 B. 젠킨스 박사는 "소녀와 부인의 외모를 완전히 망치는" 물건이라고 말했다. 가까운 2010년만 해도, 안경사 단체인 시력보호협회가 영국 여성 3천 명을 대상으로 설문한 결과 안경 착용자 중 절반이 안경을 쓰면 자신이 더 못나 보인다고 답했다. 3분의 2가 밤에 외출할 때 안경을 벗어 두며, 절반은 데이트할 때 안경을 쓰지 않는다고 했다.

이탈로 칼비노가 쓴 단편소설 「어느 근시의 모험」에

는 안경을 쓰고 새로운 세상을 맞이한 근시의 사연이 담겨 있다. 고향에 몇 년 만에 돌아간 주인공은 드디어 예전 학급 친구들이며 함께 당구 치던 무리의 얼굴을 확인하지만, 정작 그 친구들은 아무도 주인공을 알아보지 못한다. 주인공은 안경이 "일종의 가면이었다"고 인정하는데, 이처럼 안경을 변장술로 바라본 가장 유명한 작품은 만화 『슈퍼맨』이다. 거기서 안경은 진실과 정의를 추구하는 크립톤 출신 외계인 칼 엘, 즉 슈퍼맨과 그 대체 자아인 어리바리한 신문기자 클라크 켄트를 구분하는 도구로 쓰인다.

『슈퍼맨』은 1930년 미국 오하이오주 클리블랜드에서 미국 작가 제리 시걸과 캐나다 출신 삽화가 조 슈스터가 그린 작품이다. 두 사람은 고등학교 때 만났는데, 둘 다 동유럽 유대인 이민자 가정 출신에다 안경잡이였다. 그런데도 안경 착용자 입장에서 켄트라는 인물은 꽤 불편한 존재였다. 슈퍼맨이 인간 세상에 몰래 끼어 살 수 있게 해 주는 인물이고 좋은 사람인 것도 틀림없지만, 매사 서툴고 앞을 잘 못 보는 데다 날지도 못하고, 보통 슈퍼히어로가 하듯이 나쁜 놈을 때려잡는 행동도 하지 않는다. 간단히 말해 초인이 아니라 너무나도 평범한 인간일 뿐이다. 영웅적인 역할은 언제나 안경을 벗은 칼 엘이 맡는다.

켄트는 영리하고 어휘력도 좋아 『데일리플래닛』 기자로서 손색없는 인물로 그려졌다. 슈스터와 시걸이 머리를 잘 썼다. 만화가 인기를 얻으려면 반드시 언론 매체를 타야 하는데, 유능한 기자인 슈퍼히어로를 마다할 편집자가 어디 있겠는가? 안경은 배운 자의 전유물로써, 필사본을 채식하고 성경 해설서를 베껴 써야 하는 수도사들이 제일 먼저 발명하고 사용했을 정도로 학문적 배경을 지닌 물건이다. 영국에서 안경 쓴 인물을 표현한 듯한 조형물 중에서 가장 오래된 것은 윌트셔주 솔즈베리의 세인트마틴성당 처마 돌출부에 새겨진 수녀상이다. 성별 표식이 뚜렷하지 않아 어쩌면 평수사일 수도 있는 이 조각의 제작연도는 1430년대로 추정하는데, 어쩌면 그보다 한 세기는 더 오래되었을 수도 있다.

역시 앞으로 살펴보겠지만, 이후 수 세기 동안 크기와 형태가 다양한 시력 보조 기구가 등장해 나름의 전성기를 누렸다. 운 좋게도 내 사춘기와 맞물린 최근 수십 년 사이에는 데이비드 실비언, 로이드 콜, 모리시Morrissey 같이 당당하게 안경을 쓰고 다니는 지적인 외모의 팝스타가 출현했다. 그 안경 덕에 닉 커쇼나 케니 로긴스 같은 동시대 가수와 헷갈릴 일이 없었다. 한때 밴드 더 스미스의 프런트맨으로서, 보청기를 당당히 드러내고 글라디올러스 꽃잎을 흩뿌리며 지저귀는 듯한 목소리로 「This Charming Man」을 부르던 모리시가 스티븐 약슬리레넌※ 지지자로 변모해 '영국 우선' 배지를 달고 다니는 모습을 지켜보기란 참으로 괴로운 일이었다. 모리시가 인종주의 폭력배에게 괴롭힘 당할 가능성이 가장 높은 당사자인 책벌레·얼간이·외톨이로부터 그만큼 추앙받았다는 사실을 이해하기 어려울 정도다. 돌이켜 보면 그 자체가 징후였다. 어쨌든 1980년대에는 채식주의에 동참하고 50년대식으로 올려붙인 머리에 헐렁한 청바지나 카디건을 입고 안경을 쓰는 것이 이 가수와 그룹을 향한 열정을 표현하는 방식이었다.

모리시는 사실 "훨씬 더 일찍" 안경을 써야 하는 상태였지만, 본인 표현에 따르면 열세 살에 "쓰는 사람을 끔찍한 녹색 괴물로 만들어 길에서 총을 맞게 할 수도 있는 고약한 물건"인 안경을 쓰도록 "강요"당했다. 그런 안경을 쓰고 무대에 오르기로 마음먹은 것은 그저 필요해서였을 뿐, 실제로는 콘택트렌즈를 끼기도 했다. 그래도 안경은 보청

※Stephen Yaxley-Lennon, 영국에서 공공연하게 인종차별을 주장하는 극우주의자로, 주로 토미 로빈슨이라는 이름을 사용한다.

기·시든 꽃·채식과 함께 모리시라는 팝스타를 구성하는 핵심 요소가 되었고, 수많은 추종자가 그 모습을 모방했다. 모리시는 1987년 잡지 『멜로디메이커』의 게리 르보프에게 이렇게 말했다. "NHS 안경을 썼어요. 지금도 쓰고 있죠. 특별한 표식이나 배지 같은 게 아니었단 말이에요. 그런데 갑자기 다들 스미스를 따라 하느라 필요치도 않은 안경을 쓰고는 온갖 벽에 부딪히고 다니더라고요. 다른 밴드는 리바이스의 후원을 받아서 공연 다니던데, 저희는 안경회사를 찾아봐야 할 것 같아요."

우리처럼 벽에 부딪히지 않으려고 안경을 써야 하는 입장에서는 사회적 인식이 한결 나아져 안경이 유행을 타기까지 하는 현상이 반가웠다. 크롬비 롱코트에 닥터마틴 부츠와 블랙진, 적당히 바랜 티셔츠를 거의 교복처럼 즐겨 입고 '얼터너티브' 인디 차트 하위권을 맴도는 적당히 무명인 그룹을 좋아하던 내 또래 청년 문화와 어우러지니 더욱 그랬다.

그 시절부터 안경은 내 정체성의 핵심으로 자리 잡았다. 세상을 보는 도구로써만이 아니라 타인의 눈에 비친 내 모습으로서도 그랬다. 채링크로스가 버스정류장에서 술

취한 어떤 남자가 수 퍼킨스와 꼭 닮았다며 내게 청혼한 적도 있었다. 마흔일곱 살에 이르러, 나는 2년 가까이 미루던 현실을 결국 받아들이게 되었다. 적지 않은 재정적 부담을 감수하고 다초점 렌즈를 맞추기로 한 것이다. 이 특수한 안경을 사느라 겪은 고통이라고는 지갑이 얇아지는 정도가 다였지만, 자부심에 커다란 멍이 드는 것은 피할 수 없었다. 이제껏 세월은 내게 꽤 너그러운 편이었다. 머리는 여전히 풍성한 갈색이고 치아도 전부 온전하다. 하지만 두 눈만큼은 내 나이를 있는 그대로 보여 주고 있었다. 안경사가 재치있게 설명했듯이, 그 모습 또한 내 것이었다. 영혼을 드러내는 창으로써 내 눈은 늘 어느 정도 결함이 있었다. 하지만 이제 보니 내 눈은 결함이 있다는 사실 자체보다는 내가 여전히 젊은 남자라는 소중한 환상을 깨트림으로써 나를 무너뜨리고 있었다.

윌리엄 셰익스피어의 희곡 『뜻대로 하세요』에서 '인생의 일곱 단계'라는 유명한 연설을 하는 제이퀴즈는 여섯 번째 단계를 "콧잔등에 안경을 걸치고 허리춤에는 돈주머니를 찬", "깡마른 늙다리 광대"로 묘사한다. 안경을 쓴다는 것은 곧 괴팍한 늙은이가 된다는 뜻이다. 물론 나는 지금껏 여러 차례 나이대에 맞는 안경을 바꿔 쓰며 살아왔다. 그러나 안경이 막 생겨났을 때는 노안을 교정하는 용도로만 쓰였다. 안과의와 안경 제작자가 젊은 근시에게도 안경을 씌울 생각을 하기까지는 몇백 년이 더 흘러야 했다. 앞으로 밝히겠지만, 안경을 제자리에 단단히 붙들어 두려고 귀에 걸치는 안경다리처럼 아주 간단해 보이는 요소가 자리 잡는 데만도 암흑시대에서 계몽주의, 산업화 시대를 넘어 구글 글래스의 디지털 증강 현실에 이르는 과정만큼이나 지난한 세월이 필요했다.

안경이라는 틀을 통해 우리는 인간 경험의 거대한 전환을 가늠할 수 있다. 지식 확산을 돕는 도구로써 안경은 르네상스의 근간을 제공하고 과학적 합리주의의 길을 열었다.

처음 안경을 만들어 낸 사람은 잡다한 물건을 제작하는 공인이었다. 그러나 안경은 정통파와 이단, 왕당파와 혁명파, 저항 세력과 독재 세력, 예술가·작가·발명가·건축가·장인의 눈을 밝혀 주어 결국 우리를 둘러싼 세계에 관한 인식뿐 아니라 물리적 형태까지도 모두 바꾸어 놓았다. 거의 천년에 걸쳐 우리가 더 오래, 더 잘 볼 수 있게 해 주고, 안경 없이는 허물어지고 말았을 사람에게 시력을 부여해 줌으로써 인류의 역사를 진정으로 변화시킨 장치다. 안경이 없었다면 안경잡이가 쓴 책도 없을 테니 도서관이 텅 비었을 것이다. 이 글을 쓰며 사용한 컴퓨터도 없었을 것이고, 컴퓨터에 담긴 가장 근본적인 기능을 뒷받침하는 과학도 탄생하지 못했을 것이다. 시력 보조 기구에 의지해야 하는 사람의 기여가 없었다면 일상의 그 어떤 일도 가능하지 않았을 것이다. 안경을 한 번도 써 본 적 없는 사람이라 할지라도 모두 다 중세 이후 안경잡이가 구축한 사회의 혜택을 받고 있다.

이 책에서 나는 이러한 역사의 일면과 수 세기에 걸친 안경 발달 과정을 연결해 보여 주려 한다. 정기 시력검사에서 녹내장일지도 모른다는 소견을 들었던 일도 이 책을 구상하는 데 영향을 주었다. 글을 쓰는 도중에 호머턴병원과 무어필즈안과병원에서 여러 차례 검사를 받은 결과 녹내장은 아닌 것으로 드러났다. 무어필즈병원 의사는 "계속 주시하고 있을 것"이라고 건조하게 덧붙이긴 했다.

집필을 마치기 전에 코로나19가 터졌다. 인터넷에 떠도는 불확실한 일설에 따르면 이 대유행병이 눈병을 고치려고 박쥐를 이용하는 한방 치료를 받다가 생긴 것이라고 했다. 전 총리 수석 보좌관 도미닉 커밍스가 시력이 온전한 지 확인하겠다고 스펙세이버스 같은 안경원에 예약을 하는 게 아니라 뒷좌석에 아이를 태우고 더럼주 버나드성까지 운전을 하는 바람에 영국에서 가장 유명한 자가격리 위반자가 되는 어처구니없는 일도 일어났다. 시력 감퇴가 코로나 감염 후유증의 하나로 알려진 탓이었다.

하여간, 앞으로 나올 내용은 나의 근시안적 기벽과 집착이 빚어낸 안경의 생애와 연대에 관한 기록이다. 원한다면 안경잡이를 위한 안내서로 보아도 좋은, 변덕스러운 내 짧은 소견으로 포착한 결과물이다. 그 시야는 때로 흐릿하거나 아예 초점이 어긋나기도 하겠지만, 바라건대 안경이 진정으로 눈을 뜨게 해 주는 도구임을 보여 줄 수 있기를.

1 부

1 장
화 경 그 리 고
신 성 한 시 력

인류 역사 전체를 놓고 보면 안경은 비교적 최근에 나타난 물건이라 할 수 있다. 안경이 "문명의 핵심 요소는 아니"라는 입장을 고수한 영국 검안사 아이다 만과 앤투어네트 피리는 그 이유를 다음과 같이 다소 짓궂게 설명했다. "플라톤이나 아리스토텔레스, 공자나 무함마드, 샤를마뉴나 정복자 윌리엄. 이 중 누구도 안경을 써 본 적 없지만, 그래도 세상은 지금과 거의 다를 바 없이 흘러갔다. 철학도 종교도 전쟁도 모두 다." 두 사람이 말하는 '지금'은 1946년이고 "거의 다를 바 없이"라는 표현은 아무리 봐도 미심쩍기는 하지만 어떤 의도로 한 말인지는 이해할 수 있다. 우리는 안경 없이도 수천 년 동안 아무 탈 없이 잘 살아왔다. 하지만 영리한 누군가가 안경을 발명했고, 바퀴나 드라이클리닝이 등장했을 때처럼 우리의 생활 방식은 돌이킬 수 없이 달라졌다. 한편으로는 지금 시점에서 꽤 간단해 보이는 발상을 하기까지 그렇게 오랜 시간이 걸렸다는 점이 놀랍기도 하다. 결국 우리 조상들은 눈이나 광학에 관심이 없었을 뿐 아니라 유리 제조술도 전혀 익히지 못했다는 말이 된다. 유리 제조술은 적어도 4천 년 전에, 운 좋게도 기본 재료인 모래·석회·소다가 풍부한 티그리스와 유프라테스강 유역에 자리 잡은 메소포타미아 문명권에서 처음 나타났다.

1853년 영국의 고고학자 오스틴 헨리 레이어드가 현재 가장 오래된 렌즈로 추정되는 기원전 750년경의 수정 원반을 찾아낸 곳도 바로 그곳이다. 님루드(또는 레이어드) 렌즈로 불리는 이 수정은 이라크 모술 외곽 지역에 있는 니네베 왕국 유적 발굴 도중에 나타났다. 당시 상부 메소포타미아에 속했던 이 지역은 신아시리아제국의 수도로서 잠시나마 고대 세계에서 가장 큰 도시였다. 대영박물관에서 보관 중인 이 수정은 한쪽 면은 볼록하고 다른 한쪽은 평평한 타원형으로, 갈고 다듬은 흔적이 확연하다. 보기에도 그렇고 실제로도 간단한 돋보기로 쓸 만하다. 투박하긴 하지만 이처럼 뚜렷이 드러나는 광학적 특성 때문에 곧바로 렌즈라는 이름이 붙었다. 그 후 170여 년이 흐르는 동안 이 수정의 원래 용도를 두고 온갖 주장이 쏟아져 나왔다. 그중 가장 특이한 것은 아시리아인이 목성의 위성과 토성 고리를 관측할 때 사용하던 원시 망원경이었을 거라는 주장이었다. 하지만 볼록 면이 너무 고르지 않아 관측용으로 쓰기 어렵다는 점 때문에 이 주장에 동의하는 학자가 거의 없었다. 최근 고고학 연구에서는 이 수정이 렌즈가 아니라 전혀 다른 목적으로 만든 물건일 거라는 의견이 설득력을 얻고 있다. 가구의 일부에 끼워 넣는 장식품이었을 가능성도 있다. 아시리아인이 수정 또는 유리를 돋보기로 쓰거나 불 피우는 데 활용할 줄 알았다고 전문가도 확신할 만한 추가 증거는 남아 있지 않다.

반면에 고대 그리스인이 불을 피울 때 수정과 유리를 아주 잘 활용했다는 증거는 넘쳐 난다. 기원전 322년경 아리스토텔레스의 제자로 스승의 뒤를 이어 학당 리케이온의 수장이 된 소요학파 철학자 테오프라스토스는 제목 그대로 불에 관해 쓴 논문 「불에 대하여」에서 이른바 '화경'burning glass이라는 물건을 햇빛에 비추면 불을 붙일 수 있다고 썼다. 2천 년 후 윌리엄 골딩이 쓴 소설 『파리 대왕』에서도 당연한 듯 이 기법이 등장한다. 소설 속에서 무인도에 고립된 소년들이 구조자의 시선을 끌려고 피기의 안경으로 모닥불을 피우는 장면이다.

이와 달리 기원후 77년 로마 역사가 대ㅅ플리니우스는 저서 『박물지』에 아픈 눈을 치료할 때 사용하는 돌 또는 유리에 관해 기록했다. 녹주석이나 에메랄드처럼 희귀한 반투명 암석 조각 스마라그디에 일종의 진정 기능이 있는 듯하다고 말이다. 네로가 검투사 경기를 관람할 때 이런 종류의 돌을 옆에 두었다며 분노에 가득 차 서술한 내용이 한참 이어진다. 이 대목을 근시인 황제가 경기를 좀 더 또렷이 관람하려고 일종의 렌즈를 사용했다는 뜻이라고 해석하는 경우가 있다. 그러나 이 가설을 뒷받침할 만한 추가 자료가 거의 없다. 더러는 황제가 좀 더 은밀하게 경기를 관람하려고 거울을 사용했다는 뜻으로 보기도 한다. 그도 아니면, 예전에 신문 편집자가 초록색 챙모자※를 썼듯이 원형 경기장에서 내리쬐는 햇빛으로부터 연약한 눈을 보호하는 데 에메랄드를 썼을 거라고 보는 의견도 있다.

살인적인 분노와 미칠듯한 질투심으로 유명한 로마의 가장 악명 높은 폭군 네로가 피 튀기는 시합을 굳이 초

※19세기 말, 백열등이나 촛불 아래서 문서 작업을 할 때 눈 피로를 덜려고 쓰던 선캡 형태의 반투명 모자로 편집자·회계사 등이 주로 사용했다.

록색 렌즈를 통해 바라보았을 것 같지는 않다. 그러나 에메랄드와 녹주석이 눈 건강에 특효가 있다는 믿음 자체는 고대에 널리 퍼져 있었던 것으로 보인다. 몇 세기 앞서 테오프라스토스 역시 그 돌에서 나는 초록빛이 눈에 좋다고 추천한 바 있다. 시력 보호용으로 늘 가까이 두고 필요할 때마다 들여다보려고 에메랄드와 녹색 돌로 반지를 만들어 끼는 방법이 유행하고 있다면서. 한편 기원전 3세기경 『아리스토텔레스의 난제들』로 알려진 당대의 과학 문제를 정리한 익명의 그리스 철학 편찬자들은 단단한 물체를 계속 들여다보면 눈이 피로해지는데 에메랄드처럼 투명한 초록 물체는 "수분을 상당량" 함유하고 있어 시야를 덜 가로막기 때문에 눈에 덜 해롭다고 설명했다. 그러나 이런 기록 어디에도 그 돌을 실제 렌즈 형태로 발전시키려는 뚜렷한 발상은 찾아볼 수 없다.

그렇다면 이제 우리는 한때 네로의 스승이었지만 점점 편집증이 심해지는 황제에 대항해 역모를 꾸몄다는 혐의로 기원후 65년에 결국 자살을 강요당한 로마의 정치가이자 역사가, 스토아학파 사상가 세네카에게 시선을 돌려보아야 한다. 저서 『자연의 탐구』에서 세네카는 물을 통해 물체를 바라보면 "모든 것이 훨씬 더 커 보이는" 현상을 묘사한다. 나아가 "물을 가득 채운 유리구 또는 구체"를 통해 바라보면 "아무리 작고 알아보기 힘든 글씨도 더 크고 선명하게" 변한다고 썼다. 어쩌다 한번 실험해 보고 적은 것 같지는 않으니, 그렇다면 이는 실생활에서 사용하는 돋보기를 묘사한 최초의 기록이라 할 수 있다. 말년에 공직 생활에서 배제되었을 뿐 아니라 로마에서 사실상 추방당한 채 연구와 저술에 몰두한 세네카 자신도 이런 장비에 크게 의존했으리라는 것도 쉽게 짐작할 수 있다.

다만 시력이 매우 좋지 않은 제국의 사상가·유력자·도전자라고 할지라도 당대에 돋보기 또는 그 비슷한 물건을 아주 폭넓게 활용했으리라 무작정 믿을 수는 없는 이유가 있다. 암송과 구술이 보편적인 문화에서 로마 고위층은 젊은 비서와 속기사, 글을 아는 노예를 얼마든지 부릴 수 있었다. 율리우스 카이사르, 키케로, 호라티우스, 대플리니우스와 "눈 침침한" 조카 소小플리니우스 같은 이들이 직접 펜을 들거나 양피지를 읽을 일은 거의 없었다.

예를 들어 대플리니우스의 방대한 저작물은 낭독자와 서기를 솜씨 좋게 활용한 덕에 탄생한 것이다. 플리니우스가 생애 마지막으로 한 일 중 하나가 운명적이자 치명적이었던 구조 활동을 하러 연기 자욱한 헤르쿨라네움 해안으로 떠나기 전에 서기에게 베수비오 화산 폭발 과정을 멋지게 설명해 준 것이었다.

우리 입장에서 보면 이런 환경이 안경 발명을 막아선 걸림돌이었다. 로마인은 물을 가득 채운 구체나 거칠게 다듬은 수정석을 더 발달시킬 필요가 없을 정도로 실용적이며 매우 효율적인 체계를 갖고 있었다. 시력이 나빠 고생하는 사람을 위해 더 좋은 렌즈를 만드는 수고를 하려는 사람이 혹시 있더라도 그걸 쓸 사람을 찾지 못해 개발 의욕을 잃어버리게 되는 사회였다. 이 구조가 중세까지 거의 변함없이 이어졌다.

눈과 눈이 감지하는 대상의 관계를 놓고 다양한 설명이 각축했던 점도 고대 안경 개발을 가로막은 또 다른 걸림돌이었다. 고대 그리스 시대부터 눈이 작동하는 방식에 관해 상반된 설명을 내놓은 두 학파가 논쟁을 주도했는데, 양쪽 모두 상류층과 영향력 있는 웅변가의 지지를 받으며 자기에게 유리한 주장을 펼쳤다. 한쪽은 플라톤과 유클리드처럼 눈이 능동적으로 움직인다고 믿은 유출론자다. 이들은 시각이 마치 횃불에서 광선이 뻗어 나오듯 눈에서 뿜어져 나온 빛 또는 불꽃 줄기가 앞에 있는 물체를 인지한 결과라고 보았다. 반대쪽은 소크라테스 이전 철학자인 데모 크리토스 그리고 아리스토텔레스, 에피쿠로스, 로마의 루크레티우스 같은 유입론자로, 눈이 물체 자체에서 나오는 무언가를 받아들이는 기관이라고 보았다. 뒤의 세 사람은 물체에서 아주 작은 입자 형태의 복제품이 흘러나와 공기를 타고 눈으로 날아든다는 기발한 이론을 제시했다.

특히 아리스토텔레스는 『티마이오스』에 담긴 플라톤의 시각 이론을 걸고넘어졌다. 플라톤이 주장한 대로 정말로 우리 눈에서 빛이 나온다면 어째서 어둠 속에서는 볼 수 없는가? 따라서 "눈에서 나온 무언가로 인해 시각이 작동한다는 가정은 이치에 맞지 않는다"라고 결론짓고, 반대로 눈이 광선을 받아들여야 한다고 주장했다.

우리 눈이 불빛을 뿜어내어 세계를 포착한다는 발상은 지금 듣기에는 B급 과학 영화에서나 나올 듯한 소리다. 그러나 결국에는 인간의 자의식과 경험주의가 더 잘 녹아 들어 간 유출론 측의 시각 이론이 르네상스 시대까지 광학 분야를 주도했다.

이것은 보통 문제가 아니었다. 의학 창시자 중 한 사람으로서 사후 1500년이 지나도록 영향을 미친 그레코로만 시대 의사 겸 철학자 클라우디오스 갈레노스가 유출론 측 시각 이론을 지지했기 때문이다. 기원후 129년생으로 마르쿠스 아우렐리우스 황제의 주치의를 맡았던 갈레노스는 통념과 달리 소변을 생성하는 기관이 방광이 아니라 신장임을 증명했고 동맥이 피를 운반한다는 사실도 밝혀냈다.

　눈에 관해서 갈레노스는, 근대 광학 사학자 A. 마크 스미스가 제대로 평가했듯이 최초로 "시각에 관해 진실로 체계적인 해부학·생리학적 해석"을 제시했으며 "해부학적 사실에 입각한 이론 검증을 고집한" 의학 이론가이자 해부학자였다. 눈의 근본적 특성에 관한 갈레노스의 설명은 17세기에 이르도록 깨지지 않았다. 갈레노스는 주로 소의 눈을 해부 시료로 사용해 망막·각막·홍채·포도막·눈물관을 구분했다. 그리고 눈 두 개로 하나의 상을 보는 이유, 즉 양안시 문제를 풀고자 애썼다. "물체가 스스로 무언가를 우리에게 보내어 특유의 정체를 표현하는 것인가, 아니면 거꾸로 우리에게서 어떤 감각적 힘이 물체에 가닿기를 기다리는 것인가"라는 의문에 대해서는 산을 바라보고 거리와 크기를 파악하는 방법을 숙고한 끝에 후자 쪽의 손을 들어 주었다. 산이라는 형상이 눈동자 안에 들어가려면 크기가 엄청나게 줄어들어야 하는데, 그보다는 인간의 감각적 힘이 산에 다다라 그 거대함을 감지하는 편이 더 타당해 보인다는 이유였다.

하지만 갈레노스의 생리학 전반에는 고대 그리스에서 발생해 스토아학파에 유입한 프네우마 사상, 즉 공기와 불의 생명력이 모든 생명체를 움직인다는 관념이 깔려있었다. 프네우마의 핵심 요소는 "생명의 숨 또는 바람" 혹은 "영혼"이다. 이 개념을 거듭 고찰한 갈레노스는 뇌에서 나온 '시각 프네우마'가 외부로 나가지는 않고 비어 있는 시신경을 통해 눈으로 이동한 결과 시각이 성립한다고 보았다.

고대 이집트 제5왕조 시기로 추정되는 기원전 2465년~기원전 2323년경 석상에도 새겨져 있을 만큼 오래된 질병인 백내장이 각막과 수정체 사이에 생겨난 막 때문에 시력을 잃는 증상임을 관찰한 후에는 수정체가 "시각의 핵심 기관"이라는 매우 논리적인 결론을 내렸다. 이 개념도 르네상스 시대가 절정에 달한 1600년대에 이르러 요하네스 케플러가 마침내 망막의 기능을 입증할 때까지 다른 이론에 흔들리지 않고 남아 있었다. 이미 안경이 널리 퍼진 시대였지만, 시각을 교정하는 렌즈의 기능에 담긴 원리는 1604년 케플러가 책 『천문학의 광학적 측면』을 펴내기 전까지 이론적 추정에 머물러 있었다.

중세가 끝나기 4세기 전쯤 안경이 등장한 데는 의사나 철학자보다는 유리 공인이 지닌 제작 기술이 더 크게 기여한 듯 보인다. 하지만 이런 시각은 안경을 처음 발명하고 널리 보급하는 과정에 숨은 식자층의 역할을 간과하는 것이다. 1980년 움베르토 에코가 내놓은 대단히 현학적인 추리소설 『장미의 이름』이 바로 이 주제를 다룬 작품이다.

교황청이 로마에서 프랑스 아비뇽으로 자리를 옮기고, 물질계 및 신학의 문제를 놓고 여러 탁발 수도회와 논쟁을 벌이던 1327년, 북부 이탈리아에 있는 베네딕도회 수도원에서 수사 여섯 명이 끔찍하게 살해당하는 사건이 벌어진다. 이 수수께끼의 해결을 맡은 사람은 프란치스코회 소속 방문 수사인 배스커빌의 윌리엄으로, 이름에서 드러나듯 셜록 홈스를 형사한 인물이다.⊙ 여기서 배스커빌은 돋보기가 아니라 최신식 안경을 쓰고 등장한다.

소설은 사건 발생 시점으로부터 오랜 세월이 흐른 뒤,

⊙아서 코난 도일은 작가가 되기 전에 에든버러에서 의사 자격을 얻고 사우스시에서 수련한 후 빈에 가서 안과학을 공부했는데, 그 시기에 셜록 홈스 시리즈를 처음 발표했다. 1891년에는 런던으로 돌아와 어퍼워폴가에서 안과의로 개업했지만 잘 풀리지 않았다. 그래도 얼마 안 가 갑자기 홈스 시리즈의 인기가 치솟은 덕에 개원 실패의 부담을 덜 수 있었고, 후속편 요청이 밀려들자 도일은 글쓰기에 전념하려고 완전히 의료계를 떠났다.

홈스의 왓슨 격으로 배스커빌을 도왔던 멜크의 아드소가 들려주는 이야기 형식으로 진행된다. 살인 사건이 일어나던 당시 베네딕도회 소속 수련 수사이던 청년 아드소는 필사 서기 겸 시자인 방문 수사였다. 이제는 나이 든 수사가 되어, 그 옛날 스승님이 헤어지기 전에 억지로 건네준 안경을 쓰고서야 드디어 오래전 겪은 일을 기록할 수 있게 되었다고 고백한다. 스승님이 언젠가 자신에게 안경이 필요할 날이 오리라고 내다본 게 틀림없다고 씁쓸하게 덧붙이면서. 젊은이답게 무지했던 당시 아드소는 눈앞에서 벌어지는 알 수 없는 일들을 일부러 외면했다. 살인자를 추적하는 흔한 과정만큼이나 숨겨진 단서를 찾아내는 것이 중요한 이 소설에서 누구보다 명확히 단서를 알아보는 특별한 능력을 지닌 사람은 배스커빌이다. 그게 바로 형사가 하는 일이긴 하지만.

에코가 설계한 이 소설 구조 속에서 안경은 살인자를 포착할 뿐 아니라 악행과 선행을 모두 기록할 수 있도록 돕는 장치로 쓰인다. 또한 안경이 탄생했다는 것은 이전에는 불가능하던 방식으로 세계를 바라볼 수 있는 시대가 도래했음을 의미한다. 소설에서 배스커빌의 안경이 주목을 받는 장소는 수도원 유리 세공인인 모리몬도 사람 니콜라의 작업장이다. 거기서 수사와 아드소는 의미심장하게 벤치에 앉아 은으로 틀을 짠 성보 상자에 광물과 색유리를 붙이고 있는 모리몬도를 발견한다. 성십자가 조각이라든지, 불경한 자와 불신자의 손에 비참한 최후를 맞이한 어느 경건한 성인의 손가락뼈 같은 것을 보관하는 상자 말이다. 배스커빌의 안경을 처음 본 모리몬도는 20여 년 전 피사 출신 조르다노 형제라는 사람에게 들은 안경 이야기를 신나게 읊어 댄다.

이 대목에서 에코는 안경 및 안경 제작 방식에 관해 우리가 가진 가장 오래된 자료를 제시하며 경의를 표한다. 1306년 도미니코회 소속 수사 지오다노 다 피사 또는 리발토가 강론했다는 내용이다.

신학자·문헌학자·교수이자 '지극히 거룩한 구속주회' 창시자인 지오다노는 1260년 피사에서 태어났다. 또는 피사에서 가까운 리발토성에서 태어났다는 설도 있다. 인근 성 카타리나 수도원과 볼로냐 및 파리의 대학에서 공부한 후, 동년배 중에서 아주 유명하고 혁신적인 강론자가 되었다. 군중 속으로 직접 걸어 나가 자신의 출생지인 토스카나 사투리가 섞인 이탈리아어로 강론함으로써 일반 대중의 귀를 사로잡았다.

지오다노는 시에나·비테르보·페루자에서 강의와 설교를 하다가 1303년에 피렌체 산타마리아 노벨라 수도원의 교장이자 주 강론자로 임명받았다. 피렌체에서 거리의 미치광이 강론자 같은 존재가 된 그는 거의 매일같이 성령의 부름에 따라 열렬히 몰입하는 군중 앞에 나서서 거침없이 강론을 설파했다. 그러면 몹시 감동한 하느님이 강론을 인정한다는 뜻으로 종종 이마에 불붙은 듯 빨간 십자가가 나타나게 했다고 전한다. 워싱턴의 대통령 선거 출마자 홍보물에 찍히는 "제가 승인한 메시지입니다"※의 성스러운 버전이라 할 이 표식은 이후 지오다노를 표시하는 도상으로 자리 잡는다. 중세 후기부터 오늘날까지 이 강론자를 그린 그림에는 거의 예외 없이 이마에 커다란 주홍색 십자 표시가 붙어 있다. 지오다노는 1311년 새로 강의를 맡은 파리의 소르본대학으로 가던 중 피아첸차에서 사망해 피사의 성카타리나성당에 묻혔는데, 그곳에도 이런 초상화가 걸려 있다. 벗겨진 정수리에 붉은 반점이 있는 지오다노의 모습은 소련의 마지막 지도자 미하일 고르바초프와 놀랄 만큼 닮았다. 아니면 적어도 텔레비전 풍자 인형극 『스

※I Approve This Message, 미국 대선에서 후보자가 공식 승인한 홍보물임을 알리려고 삽입하는 문구로, 상호 비방이나 공격적인 내용을 담은 선거 홍보물로 인해 분쟁이 유발되는 경우가 많아 2002년 법제화되었다. 특히 대통령 선거 기간에는 텔레비전 광고가 수시로 나오기 때문에 시민들이 피로감을 호소하거나 장난삼아 흉내 내기도 한다.

피팅 이미지』에 등장하는 고르바초프 인형과 말이다. 사후 지오다노를 헌신적으로 숭배하는 추종자가 넘쳐나자 1838년에는 교황 그레고리오 15세가 시복을 하기에 이른다. 그러고도 2백 년 가까운 세월이 더 지난 지금까지, 군중에게 직접 하느님의 말씀을 전했다는 찬사와 신묘한 기적을 행했다는 평판 외에 지오다노에게 늘 따라붙은 또 하나의 상찬이 있다. 세상이 안경에 눈을 뜨도록 도운 사람이라고.

지오다노가 했던 그 많은 강론 내용은 대부분 유실되고 말았지만, 1303년에서 1306년 사이에 안경을 언급한 강론 내용은 완벽하게 보존되어 있다. 기독교 속죄 기간인 사순절마다 강론한 내용을 담은 '피렌체 사순절'이라는 기록물이다. 부활절을 앞두고 한 달 동안 이어지는 사순절에는 자선·금식이나 간소한 식단·육신의 금욕을 실천하는 전통이 있다. 지오다노가 속한 도미니코회는 금욕을 맹세하고 그리스도의 고난을 따라 자기 몸에 체벌을 가하는 행위를 반대하지 않는 집단인 만큼 이런 실천을 특히 중시했다.

이런 사순절 강론에서 지오다노는 특정한 물질적 대상을 칭송했다. 불필요한 사치가 아니라 당당히 누릴 만한 편의이자 학습에도 도움이 되는 물건으로써, 학구적인 도미니코회에서라면 누구나 환영할 물건이라고 스스로 판단한 게 틀림없다. 나중에 살펴보겠지만 이런 입장은 당대뿐만 아니라 한참 뒤까지도 보편적으로 인정받지 못했다.

자, 그럼 이제 성실한 서기들이 기록한 당시 강론 내용을 읽어 보자. "안경 제작 기술을 밝혀낸 지 겨우 20년밖에 지나지 않았습니다. 시력을 높여 주는 이 기술은 세상에서 가장 유용한 것이라 할 만하지요…… 바로 제가, 그 안경을 직접 보았고, 처음 만든 사람과 이야기도 나눴습니다."

지오다노의 말을 믿는다면, 또 학문적으로 그 진실성을 의심할 근거가 없다면 최초의 안경은 1286년 무렵에 탄생했다는 뜻이 된다. 그리고 당시 이 강론자의 행적을 고려하면 최초의 안경 제작자는 분명 피사 시내 또는 근방에서 일하던 장인일 것이다.⊙ 피사 유래설을 지지하는 사료는 또 있다. 그 설교로부터 7년 후, 지오다노와 함께 피사의 성 카타리나 도미니코회 수도원에 머물던 수도사 알레산

⊙안경과 망원경의 기원을 연구하는 데 수십 년을 바쳐 명성을 얻은 이탈리아 광학 사학자 빈센트 일라디(1925~2009)에 따르면, 지오다노는 1280년에 수련 수사로 피사의 성 카타리나 수도원에 들어갔고 1284년에서 1286년 사이에 파리와 볼로냐에서 공부했는데, 피사에는 시에나에서 교수 경력을 시작하던 1287년 이전에 돌아갔을 가능성이 크다. 지오다노가 설교 중에 볼로냐도 파리도 언급하지 않은 점 역시 피사의 손을 들어 줄 또 다른 증거다. 일라디는 만약 지오다노가 상업과 학문이 발달한 그런 거대 성채 도시에서 안경을 발견했다면 분명 그 사실을 언급했을 것이라고 추론했다. 하지만 그렇다고 당시 두 대학 도시에 안경이 알려지지 않았다고는 하지 않았다.

드로 델라 스피나Alessandro della Spina가 "안경을 처음 제작한 사람"을 만났을 뿐 아니라 그 기술을 연구해 복제물을 제작했다는 기록이다.

1313년 최초로 성 카타리나 연대기를 작성한 수도사 바르톨로메오 다 산 콘코르디오는 간단한 인물화와 함께 기록으로 남길 만큼 가치 있는 삶을 살았다고 평가한 수사 명단을 작성했는데, 거기에 당시 사망한 지 얼마 안 된 델라 스피나가 있었다.

산 콘코르디오는 델라 스피나가 "노래와 글쓰기, 필사본 채식을 잘하는", "점잖고 괜찮은 사람"이라고 썼다. "기술을 익힌 사람"이 할 법한 "모든 일"을 맡을 수 있고, "완성된" 물건을 보면 "만드는 방법을 알아내는" 사람이었다. 연대기에 따르면 안경을 "처음 만든 사람은 따로 있는데", 그 사람이 "제조법을 알려 주려 하지 않았다." 그래서 델라 스피나가 "안경을 만들고, 그 제조법을 기꺼운 마음으로 모두에게 공개했다"고 한다.

이름 모를 안경 발명자가 이룬 업적은 역사에서 완전히 사라지고 말았다. 지금 관점에서는 델라 스피나가 잠재적으로나마 지식재산권을 침해했다고밖에 할 수 없지만, 오히려 그동안 이 일을 언급한 작가들은 최초의 안경 제작자가 독점 판매권을 지키려는 불합리한 욕구 때문에 자신의 발명품을 "공개"하기를 꺼렸다고 비난했다.

가난의 서약을 대단히 중시하는 결사체의 일원인 델라 스피나가 재정적 이득을 취하려고 이런 행동을 했을 가능성은 매우 낮다. 발명자가 더 가난해지기를 바랐을 리도 없다. 물론, 그 발명자가 워낙 구두쇠 같은 인간이라 직원을 학대하고 독점권을 이용해 터무니없는 가격을 받아먹는 중세판 안경계의 스크루지가 아니었다면 말이다. 혹시 그랬다면 그 사람의 콧대를 꺾어 올바른 길로 인도하려한 수사의 의도적 행동이라고 설명했을 것이다. 중요한 것은 지오다노가 강론에서 안경을 언급하기로 마음먹었다는 사실이다. 그날 지오다노가 피렌체 민중에게 전하고자 했던 하느님의 말씀 가운데 안경은 좋은 소식에 해당했다. 도미니코회는 1216년 설립 당시부터 여기저기 돌아다니며 맹렬히 복음을 전하는 교단이었다. 창시자 성 도미니코는 마르코 복음서에서 그리스도가 제자들에게 "온 세상에 가서 모든 피조물에게 복음을 선포하여라"고 한 말씀을 수도회 설립 원칙으로 삼았다. 또한 "그리스도를 섬기는 데에 인류의 모든 학습 자원을 활용해야 한다"고 주장했으며, 델라 스피나의 행동도 정확히 이에 부합한다.⊙ 분명 성

⊙성 도미니코의 문장에는 수도회의 외향적인 특성을 드러내는 상징으로 횃불을 입에 문 개가 그려져 있다.

경 연구나 필사본 채식 기술 같은 데에 안경이 도움이 되리라 보고, 그러면 주님의 일을 더 많이 해내고 복음도 더 널리 전파할 수 있으리라 예측했을 것이다. 결국 수사가 안경 제조 지식을 공유하는 것은 신자로서의 의무에 해당했다.

어찌 되었든 간에 안경 제작 비법이 오랫동안 비밀로 남았을 가능성은 별로 없다. 수천 년 걸려 마침내 전면에 등장한 최초의 안경은 동물 뼈나 목재·금속으로 길쭉한 손잡이가 달린 틀을 두 개 만들고 렌즈를 끼워 서로 연결한 것에 불과했다. 그런 다음 불안정하나마 코에 걸쳐두기만 하면 되었다. 뒤에서 설명하겠지만, 렌즈를 구하고 다듬는 기술도 필요하기는 했을 것이다. 그래도 안경의 기본 구조는 광학 사학자 빈센트 일라디가 지적했듯이 당대의 "장인"이나 "델라 스피나처럼 손재주 있는 수사"라면 "누구라도" 한번 보기만 하면 어렵지 않게 복제할 수 있는 수준이었다.

『장미의 이름』에도 이런 시각이 녹아들어 있다. 수수께끼의 핵심이 담겨 있을지 모를 고대 양피지를 해독하지 못하도록 (누군가) 배스커빌의 안경을 빼돌린다. 형사는 어쩔 수 없이 유리 세공인 모리몬도에게 새 안경 제작을 맡긴다. 소설 초반에 배스커빌은 그 안경이 "위대한 장인인 아르마티 사람 살비노로부터 얻은 것"이라고 말한다. 이 역시 안경의 길고 모호한 역사 속에서 한동안 아르마티가 안경 발명자로 널리 알려졌던 사실을 아는 사람이라면 고개를 끄덕이도록 에코가 넣어 둔 단서다. 1950년 역사가 에드워드 로젠이 이 이야기가 허구임을 거의 의심의 여지 없이 입증한 후로 아르마티라는 지명은 안경 연대기에서 밀려나 그저 흥미로운 한 가지 일화로 남게 되었지만 말이다. 로젠의 말에 따르면 아르마티 이야기는 "피렌체의 열렬한 애국자"이던 페르디난도 레오폴도 델 밀리오레가 처음 지어내고 퍼트린 것이었다. 도시국가 피렌체를 향한 애정이 너무 컸던 나머지 모든 반대 증거를 무릅쓰고 델라 스피나마저도 "피사가 아니라 피렌체인"이라 주장한 인물이다.⊙ 밀리오레가 이런 주장을 펼친 것은 1684년에 출간한 피렌체 역사 연구서에서 산타마리아 마조레성당을 묘사하던 중이었다. 건축 연도가 못해도 9세기까지 거슬러 올라갈 정도로 피렌체에서 상당히 오래된 축에 속하는 그 성당은 여러 차례 복원을 거쳤고, 밀리오레가 태어나기 전에 전체적으로 재건되었다. 그 과정에서 일부 기념물이 유실된 점을 지적하며 밀리오레는 이렇게 썼다.

⊙로젠은 피사에 스피나라는 구역이 있는데 델라 스피나 가족의 성이 거기서 유래한 것으로 보이며, 시내에 폰테 델라 스피나라는 다리도 있다고 덧붙였다.

그 성당을 재건축하는 도중에 파괴된 비석이 또 하나 있다. 그것은 (……) 안경을 최초로 발명한 사람이 누구인지 알려 주는 상당히 귀중한 물건이다. 안경 발명자는 이 나라(피렌체) 귀족으로, 예리한 사고력이 필요한 모든 주제를 아우르는 천재로서 명성이 드높았다. 바로 귀족 가문 아르마토가의 자제 메세르 살비노 델리 아르마티다. (……) 평상복 차림을 한 이 남자의 동상 뒤에는 커다란 돌판이 서 있었는데, 거기에는 다음과 같은 문구가 빙 둘러 새겨져 있었다.

피렌체 사람 아르마토의 아들 살비노 델리 아르마티, 안경 발명자 여기 잠들다. 하느님이 죄를 사하시기를. 서기 1317년.

공교롭게도 살비노의 비석에 새겨져 있었다고 한 '발명자'라는 단어가 문헌학계의 주의를 끌었다. 14세기에는 사실상 사용되지 않았고 16세기까지도 그리 널리 쓰이지 않은 단어라는 주장이 나온 것이다. 물론 비문이 후대에 추가되었을 수는 있다. 하지만 만약 그렇더라도 최초의 안경 발명자로 살비노의 이름을 언급한 사람이 밀리오레 전에는 아무도 없었다는 게 영 이상하다.

그리하여 이제는 안경 개척자 후보 명단에서 살비노의 이름을 삭제할 수 있게 되었지만, 진정한 안경 발상지가 피사인지 여부는 아직도 불확실하다. 관건은 렌즈의 품질과 당시 근방을 압도하는 기술력이 베네치아에 있었다는 사실이다. 베네치아는 지금도 세계 최고 품질의 유리 제품을 생산하는 지역이다. 중세, 특히 1202년에서 1204년에 걸친 이른바 4차 십자군 전쟁 후 베네치아 장인은 이탈리아의 다른 경쟁자보다 지정학적·기술적으로 유리한 위치에 있었다. 어찌 보면 이 모든 일은 성유물을 향한 당대의 집착이 빚어낸 결과라고 할 수 있다.

이 이야기를 풀려면 품이 좀 들겠지만, 폭넓은 관점에서 안경의 역사를 살피자면 반드시 해야 할 작업이다. 여기서 우리는 다시 『장미의 이름』으로 돌아가, 배스커빌과 아드소가 모르몬도와 처음 만나는 장면에서 그 유리 세공인이 성유물함과 씨름하고 있었던 사실을 떠올려 볼 필요가 있다.

뼈 를 깎 는
노   력

현대인이 보기에, 중세 사람들이 어디서 났는지 모를 신체 일부와 나무 조각·옷가지 따위에 신비한 능력이 있다고 믿었다는 사실은 고문 끝에 맞이하는 끔찍하고 때 이른 죽음·미신·잘 속아 넘어가는 순진함·불결한 위생 상태 등 당대 유럽을 암흑시대라 부를 근거를 한층 더할 따름이다. 더구나 그런 유물에 손을 대거나 무릎 꿇은 이유가 전염병, 그러니까 1346년부터 유행한 바로 그 흑사병을 막기 위한 것이었다니 대체 얼마나 후진적이고 야만적인 시대였단 말인가? 성십자가 조각을 다 모으면 로마에서 예루살렘까지 다리를 놓을 정도로 많다는 사실을 어떻게 모를 수 있었 단 말인가?

그러나 중세 사학자 제임스 로빈슨이 말했듯이, 성인 과 성유물 숭배는 "중세를 나타내는 특징 중 하나"다. 그 기원은 가톨릭교회 초기와 로마 제국 치하에서 순교한 그리스도의 사도와 초대 기독교인으로까지 거슬러 올라간다. 고대 로마 역사가 타키투스에 따르면, 기독교 박해를 공식적으로 시작한 이는 기원후 64년 로마 대화재의 책임을 기독교인에게 떠넘기려 한 네로 황제다. 불타는 도시를 구경하다 지친 눈을 에메랄드로 식히며 내렸을 네로의 그 명령을 거의 모든 후계자가 적극적으로 계승했다. 이처럼 집요하게 이어지던 기독교 박해는 기원후 313년 밀라노 칙령을 통해 예배의 자유를 허용한 콘스탄티누스 황제 대에 와서야 끝이 났다. 그러자 희생당한 신자의 무덤과 유해를 은밀히 숭배해야만 했던 지역이 이제는 영광스러운 죽음 또는 고립의 현장으로서 순례의 대상이 되었다. 신과 직접 만나게 해 줄 것이라는 언약 아래 고이 보존한 유물도 공개적으로 숭배할 수 있게 되었다. 나아가 숭배 대상의 무덤이나 사망 현장 주변, 생전의 행적을 기리는 지역에 사원, 즉 교회를 세우는 이교도적 관습이 로마 황제 중 최초의 기독교인인 콘스탄티누스 시대에 확립되었다. 로마 교회 중에서 가장 유명하다고 할 성베드로대성당은 콘스탄티누스가 예수의 최고 사도 베드로의 신성한 유골을 묻은 무덤 위에 지은 교회로, 덕분에 이후 수 세기에 걸쳐 다른 지역에서도 영적 영향력이 비슷하거나 덜한 다른 사도를 위해 이처럼 엄청난 수고를 들이는 것을 정당화할 수 있었다.

　　한편 순교자가 없었던 베네치아 공화국에서 가장 유명한 건축물인 산마르코대성당은 외부에서 들여온 성유물을 기반으로 지은 것이다. 복음서 저자이며 성 바오로의 비서였다고도 하는 마르코의 유해다. 전설에 따르면 성 마르코의 유해는 원래 무슬림 치하인 알렉산드리아에 안치되어 있었는데, 이미 부패한 유해를 독실한 기독교인 선원 몇 명이 빼돌렸다고 한다. 이교도의 교리를 잘 알고 있었던 터라, 유해를 운반할 때 이슬람교의 금기를 한층 자극하려고 시신을 담은 통 위에 돼지비계를 한 겹 덮어 지역 세관원의 눈길을 피했다는 것이다.

그러나 당시는 이미 콘스탄티누스의 모친 헬레나로 인해 성유물 산업이 활황을 누리던 때였다. 기원후 326년, 제국의 최고위 여성으로서 예루살렘 성지 순례를 떠난 헬레나는 그리스도의 생애와 사역·죽음·부활의 모든 현장을 샅샅이 조사했고, 마침내 기적적으로 성십자가의 상당 부분과 그리스도 처형 당시 사용한 못 같은 대단히 진귀한 유물을 확보했다. 관련자 모두가 만족하는 가운데, 헬레나는 이 십자가 조각과 못 한두 개를 아들에게 보냈다. 당시 콘스탄티누스는 수도를 동쪽에 위치한 그리스 도시 비잔티움으로 옮기며 제국 통합을 목전에 두고 있었다.

이따금 티베르강을 기독교인의 피로 채우곤 하던 로마와 달리 비잔티움, 또는 나중에 콘스탄티노폴리스로 이름을 바꾸는 그 도시에는 순교자가 매우 드물었다. 지나친 보상 심리에 빠진 콘스탄티누스와 후계자들은 신의 가호 아래 제국의 미래를 탄탄히 다지고자 도시를 이제껏 어디에도 없던 가장 거대한 성유물 보관소로 만들어 나갔다.

이렇게 모아 둔 유물 더미가 1204년 콘스탄티노폴리스를 약탈한 십자군을 통해 베네치아로 넘어갔다. 그중에서 세례자 요한의 두개골과 성 제오르지오의 팔은 즉시 산마르코성당에 재안치되었다. 그리고 결정적인 물건이 있었으니, 1999년 베네치아 유리 제조에 관한 연구에서 역사학자 W. 패트릭 매크레이가 "경이로운 수정 세공품 몇 점"이라고 칭한 작품들이다. 이런 작품이 베네치아 장인에게 자극을 주어 유리 제조술이 크게 발전했다. 베네치아 유리 생산에 직접적으로 영향을 끼치고 공화국에 이익을 안긴 요인은 이외에도 더 있었다. 십자군 원정으로 베네치아는 지중해 동부와 에게해 서부 지역을 따라 일련의 무역 기지를 확보했는데, 이를 통해 레반트 지역※과 그 너머까지 쉽게 접근할 뿐 아니라 결국에는 중국에까지 다다를 수 있게 되었다. 마르코 폴로가 베네치아인이었던 것은 우연이 아니다.

흔히 듣기로, 중국이 유럽보다 약 한 세기 앞서 안경을

※현재 레바논·시리아·팔레스타인 등이 위치한 서아시아 지역을 가리킨다.

발명했기 때문에 13세기 말에는 이미 제조법이 잘 알려져 있었고, 그 기술을 베네치아로 전한 사람이 당시 중국을 방문한 폴로라는 설이 있다.

최근까지도 무역업자이자 탐험가로 잘 알려진 폴로가 사실은 보스포루스 해협 너머로는 나가 본 적도 없으며 『동방견문록』에 묘사한 기이한 장소와 사람·동물에 관한 이야기는 죄다 거짓말이라는 비난이 있었지만, 지금은 무조건 중세 시절의 공상가로만 치부하지는 않는 분위기다. 다만 현존하는 『동방견문록』의 모든 판본을 샅샅이 살펴보아도 그리고 학자들이 마치 일생의 소명이라도 되는 양 세심하게 옮겨 놓은 다양한 번역본에서도 안경에 관한 내용은 단 한 줄도 나타나지 않았다. 그래도 당대 유리 제작자들이 내놓은 결과물에서 대체로 드러나듯이, 베네치아는 동방에서 건너온 신선한 발상을 대단히 적극적으로 받아들였다. 안경과 중국에 얽힌 의문은 나중에 또 다룰 예정이지만, 지금 우리의 관심사는 머나먼 동방이 아니라 인근 지역의 사정이 공화국 장인에게 어떤 영향을 끼쳤느냐 하는 점이다.

사이프러스·시리아·알렉산드리아와 새로이 무역 관계를 맺은 베네치아인은 레반트 인근에서 훨씬 순도 높은 유리를 생산하는 혁신적인 기술을 접했다. 전통적으로 유리의 핵심 재료는 주로 모래에서 추출하는 규산이었다. 그러나 모래 품질이 제각기 다르고 철·칼슘·산화알루미늄이 섞여 있는 경우 완성한 유리의 색과 모양이 달라질 수도 있다. 따라서 규소 순도가 높을수록 더 좋다. 대플리니우스는 로마의 유리 제작자가 바로 이런 이유로 시리아 해안에 있는 벨루스강의 모래를 높이 쳤다고 기록했다. 더 순도 높은 규소를 얻으려고 석영 파편이나 수정을 분쇄해 쓰기도 했다. 하지만 순수 규소의 녹는점은 1,700도시로 당시 용광로로 녹일 수 있는 수준이 아니어서 알칼리성 용융제를 첨가해 녹는점을 낮추어야 했다. 베네치아인이 이전까지 구할 수 있었던 알칼리성 물질은 로마 시대부터 이집트의 카이로와 알렉산드리아 사이에 있는 와디 엘 나트룬 사막 지대에서 채굴한 천연 혼합광물 나트론이 전부였다. 그러나 매크레이에 따르면, 이 시기 레반트에서 다량의 유리 재료와 소다가 풍부한 식물 회분이 들어온 덕에 베네치아의 유리 제작 기술이 마침내 최고조에 달하게 되었다. 그 재료를 들여올 수 있었던 것은 "전적으로" 4차 십자군 전쟁을 통해 형성한 무역 관계 덕이라고 매크레이는 말한다.

서아시아에서 들여온 기술로 만든 베네치아산 유리

에는 이슬람 예술의 영향도 함께 스며들었다. 특히 베네치아가 이후 유리 불기 공예를 선도할 수 있었던 것은 시리아와 이집트에서 발생한 전통을 받아들여 개선한 덕이었다. 나중에는 거꾸로 베네치아 상선이 유리 제품을 싣고 동쪽으로 가서 크레타의 올리브유, 사이프러스와 터키의 면, 동인도의 향신료와 바꾸어 갔다. 창문에 끼우는 판유리도 베네치아인이 발전시켰다. 처음 판유리를 개발한 이는 주변 숲에 널린 너도밤나무에서 식물 회분을 구해 용융제로 활용하던 중세 독일의 유리 장인이었다. 그러나 13세기 중반 무렵 베네치아 장인의 손을 거치며 품질이 향상되어 왕궁·부유한 상인의 저택·성당·기부금이 풍부한 교회의 창에 쓰였다.

성당과 교회에서는 유리 제작자에게 점점 더 크고 질좋은 판유리를 내놓으라고 요구했다. 보호용 판유리 안에 성인의 전신 유골이나 뼈 무더기를 넣어 제단 아래에 전시하던 수조 같은 형태의 성유물함을 만들기 위해서였다. 그 신성한 유물은 경배의 눈빛을 충분히 받을 수 있도록 잘 보이는 위치에 두어야 했지만 몸과 마음의 병을 치유하기 원하는 열렬한 순례자의 손이 닿게 해서는 안 되었다. 다소 섬뜩한 이런 유물을 전시하는 풍습은 성경 중에서 가장 난해한 책인 요한 묵시록 중 "나는 하느님의 말씀과 자기들이 한 증언 때문에 살해된 이들의 영혼이 제단 아래에 있는 것을 보았습니다"라는 구절을 문자 그대로 받아들인 데서 비롯했다.

물론 유물은 대체로 전신 유골보다 상당히 작았다. 그리고 콘스탄티노폴리스 약탈의 여파로 신성한 머리카락·피부·뼈·의복·목재·금속 등 아주 작은 유물 조각 수천여 개가 시장에 풀려, 형편이 아무리 어렵더라도 서구 세계의 거의 모든 교회가 자산 수준에 맞는 유물을 구할 수 있었다. 물론 크기가 전부는 아니었다. 지금도 그렇듯이 숭배 대상의 규모가 가치를 좌우하지는 않았다. 중세 기독교판 톱트럼프※에서는 그리스도의 피 한 방울이 후대 순교자의 전신 유골보다 점수가 월등히 높았다. 그러나 제단 아래에 유리판을 댄 대형 성유물함을 만들어 두면 유물이 작아도 세공한 수정판 또는 원반으로 만든 별도의 유물함에 담아 계속 추가할 수 있었다. 그러면 유물이 눈에 더 잘 띄기도 하고, 어느 정도 확대되어 보이는 효과도 있었다. 독일 할베르슈타트성당 보물실에 바로 이런 유물함이 있다. 마치 호기심의 방※※같은 그 유물함은 1220년에서 1225년 사

※Top Trumps, 20세기 후반 영국에서 출시된 카드 게임으로 각 카드에 자동차·책·공룡 등의 그림과 항목별 수치가 써 있는데 참여자들이 서로 같은 그림 카드의 수치를 비교해 승부를 가린다. 대체로 숫자가 크면 이기지만 그렇지 않은 경우도 있다.

※※Cabinet of Curiosities, 르네상스 시대 유럽 신흥 귀족이 각지에서 수집한 귀중품을 보관하던 공간으로 오늘날 박물관의 전신이라

이에 만든 것으로, 성십자가 조각과 면류관 가시 등 초소형 유물 스물한 점이 각기 투명한 수정판으로 둘러싸인 채 내부에 진열되어 있다. 유리 제작 담당 수사들은 이러한 유물함을 제작하면서 확대의 개념을 더 잘 이해하게 되었고, 그 이점을 즉각 알아본 나이 든 필경사와 채식사들은 세공한 수정을 시력 보조 기기 용도로 활용하기 시작했다.

눈 앞 에
펼 쳐 진 현 실

사실 이런 용도의 렌즈에 관해 최초로 글을 쓴 사람은 영국의 철학자이자 신학자인 프란치스코회 수사 로저 베이컨이다. 최초의 안경이 등장한 것으로 추정하는 해로부터 약 20년 앞선 1267년경에 완성한 저서 『대저작』에서 베이컨은 교정용 렌즈의 기본 원리를 이렇게 서술한다. "구체의 일부분처럼 휜 수정이나 유리, 그 밖의 투명한 물질을 볼록한 면이 눈을 향하도록 들고 글씨나 다른 작은 물체를 들여다보면 대상이 훨씬 더 또렷하고 크게 보일 것이다…… 이런 원리로 아무리 작게 쓴 글씨라도 확대하면 노인이나 시

할 수 있다. '예술과 경이로운 호기심이 가득한 방'이라는 뜻의 독일어 '분더카머Wunderkammer'로도 불렸다.

력이 약한 사람도 읽을 수 있으므로 유용하다."

베이컨은 에코가 『장미의 이름』을 쓸 때 배스커빌의 모델로 삼은 인물 중 한 명이다. (또 다른 인물로는 스콜라주의 사상가이며 베이컨과 마찬가지로 프란치스코회 수사인 오컴의 윌리엄William of Ockham이 있다.) 그러나 소설과 달리 이 수사가 이론 수준 이상으로 광학을 접해 본 적이 있을지는 의심스럽다. 베이컨이 이런 렌즈를 직접 사용했다는 주장을 뒷받침할 만한 명확한 증거가 없기 때문에 역사가들은 대체로 이 책에 담긴 내용이 실제 실험 결과가 아니라 철학적 추측이라는 쪽에 무게를 둔다. 또한 베이컨이 쓴 글은 『장미의 이름』에서 배스커빌이 아드소에게 "광학에 관한 논문을 꼭 읽어 보라"며 "아랍인이 쓴 것이 제일 훌륭하다"고 했던 그 글, 즉 10세기에 흔히 라틴어로 알하젠Al-Hazen이라고 불렸던 이슬람의 대학자 아부 알리 알하산 이븐 알하이삼이 저술한 논문을 일부 원용한 것이었다.

현재 이라크 남부에 속하는 바스라에서 기원후 965년에 태어난 이븐 알하이삼은 파티마의 칼리프인 알하킴 비아므르 알라에게 야심 차게 제안했던 나일강 수위 조절 계획이 실패하는 바람에 10년 동안 수감 생활을 해야 했다. 전설에 따르면 한때 끊임없이 짖는 소리가 거슬린다는 이유로 카이로의 모든 개를 죽이라고 명령한 적이 있는 칼리프로서는 그만 하면 관대한 처분이었다. 하여간 갇혀 지내는 시간을 현명하게 활용해 시각과 광학에 관한 이론을 구상하기 시작한 알하이삼은 관련한 고전 기록을 모두 찾아 읽었다. 플라톤·갈레노스·아리스토텔레스 등이 그리스어로 남긴 문헌을 이슬람 필경사들이 아랍어로 번역한 것으로, 이 기록들은 이른바 암흑의 시대, 암울했던 중세를 지나는 동안 서구에서는 아무도 관심을 기울이지 않았지만 바그다드 지혜의 집※ 소속 이슬람 학자들이 애쓴 덕택에 살아남을 수 있었다.(『장미의 이름』에서 극을 이끌어가는 또 하나의 소재인 아리스토텔레스의 '사라진 책'과 같은 문헌들이다.)

이븐 알하이삼은 수감 중에도 허가를 받고 옥에서 나와 일련의 실험을 진행했다. 후대 사람들은 이런 점을 들어 알하이삼을 "근대 과학적 실험의 진정한 창시자"라고 칭송했다. 그리고 연구 결과를 모아 『광학의 서』Book of Optics 라는 일곱 권짜리 대작을 완성했는데, 이 책은 르네상스 시대 이래로 꽤 오랫동안 과학·수학·예술 분야에 걸쳐 폭넓게 영향을 끼쳤다. 1999년에는 이븐 알하이삼의 라틴어 이름 알하젠이 한 소행성 이름으로 명명되기도 했다. 14세기에 이탈리아어 번역본이 나온 후로는 피렌체의 건축가이자 작가인 레온 바티스타 알베르티, 조각가 로렌초 기베르티, 화가 피에로 델라 프란체스카 등이 투시에 관한 이븐 알하이삼의 이론을 흡수했다. 그 결과 평평한 화폭과 장식 벽화에 더욱 강력한 3차원 착시 효과를 일으키는 장면을 가득 채워 넣는 화풍이 널리 퍼졌다.

케플러 시대 이전까지는 인간의 눈에 관한 해부학적 묘사, 특히 각막의 작동 원리에 관한 설명을 이보다 잘 해내는 이가 없었다. 이븐 알하이삼은 최초로 시신경이 시각적 자극을 뇌에 전달할 것이라는 생각을 해내어 시각이 우리 눈에서 뿜어 나오는 광선으로 인해 작동한다는 플라톤과 갈레노스의 유출설을 완전히 뒤집었다. 우리가 눈을 뜨는 짧은 순간에 나온 광선이 머나먼 별까지 어떻게 도달하는지 이해할 수 없고, 만약 그런 체계가 사방에 깔려 있다고 해도 어두운 곳에서 나와 태양을 바라볼 때 눈이 아픈 이유를 설명할 수 없다는 것이다. 따라서 논리적으로 눈에서 빛이 나가는 것이 아니라 거꾸로 빛이 눈으로 들어가는 것이 틀림없다고 결론 내렸다. 이를 바탕으로 구성한 광학 이론은 당대뿐 아니라 이후로도 오랫동안 굴절과 반사의 근본 원리를 가장 정확히 설명해 주었다. 이븐 알하이삼이 보여 준 통찰의 핵심은 태양이나 불같은 원천에서 나오는 빛을 거울만이 아니라 모든 물체가 반사할 수 있다고 가정한 것이다. 그렇다면 대기 상태에 따라 우리 눈에 보이는 형상도 달라지리라 추론했다. 또한 볼록렌즈의 특성에 관해서도 논의한 바 있다.

『광학의 서』는 12세기에 라틴어로 번역되어 당시 수도원과 대학교 도서관에 널리 보급되었다. 덕분에 현실의 베이컨과 소설 속 배스커빌 모두 그 문헌에 정통할 수 있었다. 흥미롭게도 베이컨은 이븐 알하이삼의 저술 중에서 광선총 형태의 시각 모델을 비판한 대목만은 이해하지 못했거나 이해하려 들지 않았다. 저 아랍 사상가가 쏟아 놓은 모든 반대 논거에도 불구하고, 『대저작』에서 베이컨은 여전히 기존의 플라톤식 모델을 변형한 이론을 제시했다. 이븐 알하이삼이 묘사한 볼록렌즈는 두께가 반지름보다 더 두꺼워 독서에 적합해 보이지 않는다. 베이컨은 이 점을 개선해 결국에는 수도원의 이론가가 아니라 솜씨 좋은 장인이 그 구상을 실현하도록 돌파구를 열어 주었다. 그래도 전자, 즉 수도원에서 신비한 문헌을 다루던 필경사·독서가·작가와 같은 이론가들이 그 발명의 혜택을 톡톡히 누리긴 했다.

렌즈를 활용할 만한 분야는 바느질·자수·금속 세공 등 다양한데, 지금까지 안경에 관해 언급한 것으로 밝혀진 가장 오래된 법률 문서에서는 렌즈가 특히 독서에 유용한 물건이라고 콕 집어 서술한다. 1301년 베네치아 크리스털 유리※ 노동자 조합 거래 규정 문서에 담긴 "vitreos ab oculus ad legendum" 즉 "책 읽을 때 눈에 사용하는 유리"라는 문구가 바로 그것이다. 1284년 처음 만들고 다듬어 온 이 규정에서는 유리 제작자가 고급 유리를 크리스털로 바꿔치기하는 행위나 그 반대 행위를 모두 명시적으로 금한다. 여기서 알 수 있는 사실은 당시 베네치아산 유리가 순진한 사람을 속일 만큼 품질이 좋았을 뿐 아니라 독서용 안경으로도 사용되고 있었다는 것이다. 출처가 확실한 이 자료가 존재한다는 사실을 베네치아뿐 아니라, 피사를 제치고 베네치아가 안경 발상지라고 주장하려는 사람 모두가 자랑스러워했다.

스페인의 소설가 하비에르 마리아스가 말했듯, 베네치아는 "보아야 하는" 도시다. 그러나 지형적으로 볼 때 최초로 안경이 쏟아져 나오기에 더 알맞은 도시는 피사다. 오랫동안 레반트 지역과의 무역을 놓고 섬 공화국 베네치아와 겨루며 독자적인 유리 산업을 발달시킨 피사는 티레니

※이 글에서 크리스털 또는 크리스털 유리라고 할 때는 천연광물인 수정석과 달리 제조 과정에 산화납을 첨가하여 청명한 소리가 나고 조각 등 가공하기 쉬운 유리의 일종을 가리킨다.

아 해변으로 불룩 튀어나온 늪지대에 자리 잡은 항구 도시로, 아르노강과 현재 세르키오강으로 부르는 아우세르강 사이에 있다. 애초에 해안 정착지였던 이 도시는 남쪽의 아르노강과 북쪽의 아우세르강에서 흘러내린 충적토가 해양을 잠식함에 따라 점차 내륙으로 변해 갔다. 기원후 1세기까지만 해도 해변에서 4킬로미터가량 떨어져 있던 피사는 10세기가 되자 6.4킬로미터까지 멀어졌고, 현재는 정확히 9.6킬로미터 떨어진 내륙이 되었다. 그 도시에서 가장 이름난 명소인 대성당 종루, 즉 피사의 사탑이 그렇게 기울어진 것도 쉼 없이 이동하는 해안선과 불안정한 충적토 때문이다. 피사시는 1173년에 그 탑을 짓기 시작했지만 거의 두 세기가 흐르도록 완성하지 못하고 있다가 이미 눈에 띄게 기울어진 후인 1298년에야 보수 공사를 위한 1차 조사 작업을 발주했다. 그런데 수평선이 멀어지고 건물이 움직이는 일이 흔한 곳에서 살다 보면 시각적 변화를 더욱 열린 태도로 받아들이게 되는 모양이다. 예를 들어 피사 출신으로 가장 유명한 사람이 갈릴레오 갈릴레이라는 사실이 과연 놀랄 일일까? 종탑에서 중력 실험을 했다고 알려졌으며, 안타깝게도 나중에 이단으로 몰려 입장을 번복하기는 했지만 망원경을 완벽한 수준으로 개선해 별을 관측한 결과 태양계의 중심이 지구가 아니라 태양임을 밝혀내어 우주를 완전히 뒤집어 놓은 사람. 앞에서 언급했듯이 최초의 안경은 볼록렌즈로 만들었기 때문에 가까운 물체의 초점을 맞추기 어려운 원시와 원시 증세를 보이는 노안을 교정할 수 있었다. 노안은 나이가 들수록 눈 안에 있는 수정체가 유연성을 잃어 탄력과 투명도가 떨어져 발생하는 증상이다. 대체로 60세가 되면 망막이 받아들이는 빛의 총량이 10세였을 때의 3분의 1 수준까지 떨어진다. 근시가 있었다거나 하는 기존의 눈 상태와 상관없이 40세가 넘으면 대부분 노안이 온다. 이 증상을 해결하는 가장 흔한 방법은 책·신문·입장권·의류 라벨에 적힌 세탁법 등 초점이 맞지 않는 대상을 전부 팔 길이 정도의 거리로 떨어뜨려 보는 것이다. 이처럼 적당한 거리로 떨어뜨려 놓으면 눈이 초점을 맞추기 좀 더 쉬워진다. 피사시민에게는 물체가 눈앞에서 멀어지는 현상이 너무나 익숙한 일이었던 만큼, 그것을 교정하려는 열망은 도시가 원래 뿌리내렸던 해양으로 돌아가고자 하는 심층의 욕구에서 비롯했을지도 모른다.

신 의   뜻 대 로

최초 발생지가 어디든 간에, 결국 이탈리아에서 품질 좋은 안경 생산지라는 찬사를 받은 곳은 피사도 베네치아도 아닌 피렌체였다. W. 패트릭 매크레이는 그 증거로 14세기와 15세기 곤차가 가문 소장품 명부를 든다. 17세기까지 이탈리아의 롬바르디아와 피에몬테 프랑스의 느베르 지역을 다스린 이 귀족 가문은 베네치아의 무라노 공방에서 고급 유리그릇을 꽤 많이 사들였는데, 유독 안경은 피렌체의 장인에게 주문했다. 한때 그토록 혁신적이던 베네치아의 길드도 결국 자기만의 전통에 매몰되는 바람에 광학렌즈로 쓸 만큼 순도 높은 유리를 개발하고 시장을 지배하는 역할을 피렌체와 후대 보헤미아 지역 제작자에게 넘겨주고 말았다고 매크레이는 주장한다. 빈센트 일라디가 발굴한 1450년대와 1460년대 무렵 문서에도 밀라노 공작이 "신하에게 선물로 나눠 주려고 피렌체산 고급 안경을 수백 벌씩 주문했다"는 기록이 있어 귀족층이 피렌체 안경을 선호했음을 알 수 있다.

또한 당시 사람들은 안경을 민망한 의료 기구가 아니라 "선물할 만한" 귀중품으로 인식했다. 밀라노의 공작이 피렌체에서 제작한 보청기나 의족을 신하에게 선물하는 모습을 상상할 수 있겠는가? 안경을 그린 초기 예술 작품에서도 이런 인식이 드러난다. 현존하는 그림 중 안경 쓴 사람이 등장하는 가장 오래된 작품은 1352년에 도미니코회 소속 프랑스 추기경 생 세르의 위그Hugh of St Cher를 그린 프레스코화다. 어느 연대기 작가는 이 사람을 "위대한 성직자·입법가·개혁자·종교적 수장·신학자·성경 주석가·설교자·작가·정치가·교황의 복심"이라 칭했고, 화가 프라 안젤리코는 "축복받은 해설자, 위그"라고 칭송하며 십자가 처형 장면에 그려 넣기도 했다. 최초의 안경 발명 추정 연대보다 20여 년 앞선 1263년에 사망한 위그를 안경 쓴 모습으로 묘사한 것은 시대적으로 맞지 않는다. 도미니코회 명사 40인을 그린 연작 프레스코화 중 하나인 이 초상화는 토마소 바리시니 다 모데나가 베네치아에서 32킬로미터 떨어진 이탈리아 베네토 지역의 트레비소에 위치한 산 니콜로 수도원의 의뢰를 받아 회의실 벽에 그려 넣은 작품이다. 토마소는 플랑드르 거장들보다 한 세기 앞선 이 시기에 이미 더 사실적인 화풍을 개척한 화가로 인정받는다. 특히 이 연작에서 토마소는 도미니코회 학자·신학자·성인을 각자 수도실에서 책·잉크통·깃펜·원시형 가위 등 자기에게 맞는 용품을 근처에 두고 신성한 임무에 열중하는 모습으로 묘사한다. 위그 외에도 광학 보조기를 지닌 사람이 더 있다. 이탈리아 설교자인 비첸차의 피에트로 이스나르도 다 치암포와 프랑스 루앙의 추기경 니콜라 카네 드 프레빌레는 각각 독서경과 돋보기를 갖고 있다. 위그보다는 1325년에 사망한 추기경에게 안경을 씌웠다면 더 사실적인 작품이 되었을 것이다. 이처럼 토마소가 위그에게 안경을 씌우는 바람에 평생 안경이라는 걸 결코 써 본 적이 없을 온갖 역사적·전설적 인물이 안경을 쓴 채 등장하는 우려스러운 화풍이 생겨난 것이 틀림없다.

그렇긴 해도 위그는 학자였다. 교황 그레고리오 9세의 고문 및 사절로 일하다가 인노첸시오 4세에게 추기경으로 서임받기 전까지 파리대학 신학부 학장으로 재직하며 교회법과 철학을 가르쳤다. "지치는 법이 없는 성실한 성경 해설서 편찬자"라는 평을 들으며 연구에 매진한 결과 1754년 방대한 해설을 담은 여덟 권짜리 성경 해설서를 출간했다. 성경 연구 계보에서 위그는 성경 색인, 최초의 성경 용어 색인 그리고 이른바 성 히에로니무스의 불가타 성경 교정 등 세 가지 중요한 업적을 남겼다.

흥미롭게도 토마소는 이후 산 니콜로 수도원 인근 교

회 프레스코화에 담은 성 히에로니무스에게는 안경을 씌우지 않았는데, 그래도 후기 중세에서 르네상스 시대에 걸쳐 수많은 예술가가 이 그림을 답습했다.

다른 성인들도 그렇지만, 히에로니무스의 삶과 업적, 전설은 화가에게 무궁무진한 시각적 재현의 소재를 제공했다. 마음대로 옷을 갈아입힐 수 있는 "액션 맨" 인형처럼, 화가가 어느 부분을 강조하느냐에 따라서 히에로니무스는 저마다 다른 의상과 장신구를 걸치고 등장한다. 금욕적이며 육체적 순결을 추구하는 측면을 강조한 경우에는 돌로 맨가슴을 때리거나 천사에게 채찍을 맞는 모습으로 나타난다. 다마소 1세의 헌신적인 비서로서, 추기경 자리에 올라 주교관을 쓰거나 화려한 붉은 예복을 입은 모습도 있다. 전설에 따라 영원한 복종을 표현하듯 발밑에 엎드린 사자와 함께 있거나, 그 짐승의 발에서 손수 뽑아 준 가시를 들고 서 있는 사자 조련사로서의 히에로니무스를 그린 작품도 있다. 그러나 약해지는 시력에도 불구하고 헌신적인 필경사 무리의 조력을 받아 성경 전체를 라틴어로 옮기려 애쓴 사람인 만큼, 가장 일반적으로 나타나는 설정은 책과 함께하거나 성직을 수행하는 장면이다. 토마소가 위그를 그릴 때 그랬던 것처럼, 화가의 사고 체계에서 성경 번역은 책·종이·깃펜 그리고 가장자리에 촛불을 올려놓은 수도실 책상 앞이 아니고서는 해낼 수 없는 작업인 모양이다. 이런 그림에서 히에로니무스는 언제나 인간 두개골과 거의 다 탄 촛불을 올려 둔 탁자와 함께 주름 가득한 얼굴로 등장하는데 이는 지상 존재의 덧없음 그리고 하느님과 구원에 가까이 다가간 성인을 상징한다. 게다가 기원후 420년 베들레헴에서 사망한 인물인데도 불구하고 14세기 이후 작품 속 히에로니무스는 안경을 소지한 경우가 많다. 네덜란드 화가 뤼카스 판 레이던, 이탈리아의 리오넬로 스파다, 프랑스 화가 조르주 드 라 투르, 그 밖에 여러 화가의 작품이 그러하다. 그러나 도메니코 기를란다요가 1480년 피렌체 오니산티성당 회중석에 작업한 프레스코화처럼, 히에로니무스의 안경은 책상 위에 올려 두거나 따로 마련한 갈고리에 매우 우아하게 걸어 둔 모습으로 그려진 경우가 더 일반적이다.

이처럼 안경을 갖고 있는 그림이 너무 많았던 탓인지 한때 안경 발명자로 잘못 알려지기까지 한 성 히에로니무스는 안경 제작자의 수호성인이 되었다. 상징성 짙은 종교화의 황금기이던 이 시기에 화가들이 시대를 거슬러 안경을 그려 넣은 성인은 히에로니무스 외에도 구약성경의 예언자 모세에서 부활한 그리스도와 처음 만난 사도인 성 베드로까지 다양했다. 하느님의 지혜를 받아 깨달은 자에게 안경을 그려 넣는 것은 복음 전파에 기여한 특별한 영적 안목과 학문적 열의·성실성을 찬미하는 뜻이었다. 하지만 특정 기독교 분파에서는 여전히 안경을 의심스러운 물건으로 취급했다. 이전에 보이지 않던 것을 보이게 함으로써 진실을 왜곡하는 장치라는 이유다. 결함조차도 하느님이 주신 것이라면 자연히 예정된 생애 주기의 일부분을 교정할 자격이 인간에게 있겠는가? 게다가 농경 위주의 세계에서 시간이란 실제로 계절을 따라 계속 순환하는 것이었으니 말이다.

아무래도 플라톤 사상의 영향을 받은 초기 기독교 교회는 시각에 관해 다소 회의적인 입장을 취했다. 하느님이 "만드신 것이니" "듣는 귀와 보는 눈"은 다 신성하다고 하면서도 그리스도의 영적 가르침을 받아들이는 데는 귀를 중시하는 경우가 많았다. 실제로 「로마 신자들에게 보낸 서간」(10:17)에는 듣는 것이 그리스도인의 믿음의 원천이라는 구절이 있다. "그러므로 믿음은 들음에서 오고 들음은 그리스도의 말씀으로 이루어집니다."

자녀를 염려하는 인자한 노인 같은 격언 같은 신약

속 하느님과 달리 훨씬 더 분노에 차 있는 히브리의 하느님은 '보이기'보다는 주로 '들리는' 존재였다. 구약에서는 거의 '목소리'로만 등장한다. 드물게 모습을 드러내는 경우라 해도 타오르는 덤불로 나타나거나 돌판에 새긴 계명을 내려 주는 정도에 그친다. 신약의 복음서에서 예수는 기적을 행하기를 꺼린다. 말로만 하지 말고 하느님의 초자연적인 능력을 보여 달라는 요구를 여러 차례 거절하면서 설교를 통해 회개하지 않는 자를 설득하려 한다. 예수가 죽었다 살아 돌아오는 기적을 일으키자 사도 도마는 눈으로 본 것을 믿으려 하지 않고 그리스도의 손과 옆구리의 상처를 직접 만져 보아야만 부활을 믿을 수 있다고 고집했다. 킹 제임스 판 「요한복음」에 실린 도마의 일화에서 예수는 의심하는 제자에게 "너는 나를 보았으므로 믿었으나 보지 않고도 믿은 자들은 복이 있도다(킹제임스흠정역 「요한복음」 20:29)"라고 말한다. 믿는다는 것은 단순히 보는 것을 뛰어넘는 행위라는 뜻이 담긴 구절이다. 대부분 문맹이던 중세 기독교인은 종교적 가르침을 사제를 통해 귀로 듣고 암송했다. 거의 읽을 수도 없고 평소 쓰지도 않는 라틴어로.

같은 이유로, 인쇄기가 등장하고 식자층이 폭발적으로 늘기 전인 13세기에서 14세기 사이에는 안경을 찾는 사람이 별로 없었다. 우리가 이미 보았듯이 어떠한 신학적 의심이 들더라도 덮어 두고 지내는 것이 성직자의 당연한 삶과 직업의 원칙이다 보니 이런 장치의 실질적 이점이 드러나기도 어려웠다. 한편 중세 의학계는 환자에게 차라리 회향 씨앗을 복용하라거나, 14세기 런던 외과 의사 아던의 존이 권장했던 것처럼 듣기에도 끔찍한 로션과 물약·연고 같은 것을 눈에 바르라고 권하며 안경을 쓰려는 의지를 꺾었다. 논문 「안과 치료에 관하여」를 쓴 아던은 "시큼한 사람 오줌"에서 나오는 증기와 "햇빛이나 불로 녹인 수탉의 비계를 섞어" 두 번 녹였다 굳혀 만든 연고를 밤마다 바르라고 하면서, 자신도 이 혼합물을 직접 사용해 보았으며 덕분에 70대까지 읽고 쓰며 연구를 지속할 수 있었다고 주장했다.

몽펠리에대학교 의학부 교수로서 의학 저술에서 최초로 안경을 언급한 사람으로 알려진 기 드 숄리아크마저도 안경을 최후의 수단으로만 권했다. 교황궁 외과의로 재직하며 생애 마지막 25년을 아비뇽에서 보낸 드 숄리아크는 1363년 저서 『외과학대전』을 내놓았는데, 그 책의 4장이 이후 두 세기 동안 표준 의학 교과서로 쓰였다. 거기서 드 숄리아크는 회향수에 눈을 담그는 등 노안에 좋은 갖가지 향유 사용법을 제시한 다음 "만약 이런 치료법이 듣지 않는다면, 유리나 녹주석으로 만든 안경을 써 보는 수밖에 없다"고 다소 자포자기한 듯이 덧붙인다.

드 숄리아크가 내놓은 의학적 견해와는 달리 프랑스에서는 14세기에 들어서자마자 안경 제작이 시작된 듯한데, 아마도 필경사·관리·신학자를 대동하고 온 교황의 아비뇽 유수가 길어진 까닭일 것이다. 1465년 루이 11세의 명으로 작성된 파리 수공업자 조사 보고서를 보면 안경 제작자 길드가 바느질 도구 판매상·의자 천갈이 업자와 나란히 등장할 정도로 탄탄히 자리 잡은 상태였다.

드 숄리아크가 넌지시 언급한 것처럼 고급 '녹주석'beryl 수정을 세공해 렌즈로 쓰는 경우가 많다 보니 초기에 프랑스인은 안경을 '베리끌리'bericles라 불렀다. 독일어로 안경을 뜻하는 '브릴레'brille도 어원이 같다. 그러나 렌즈가 달처럼 흰 모양을 가리키는 프랑스어 '루네뜨'lunettes라는 이름이 베리끌리 대신 서서히 퍼져 지금까지도 쓰이고 있다. 렌즈라는 말 자체도 원래 이탈리아에서 농업을 시작한 이래 줄곧 재배해 온 볼록한 구슬 모양 콩인 '렌틸콩'lentils을 가리키는 단어 렌티치아lenticchia의 약자다.⊙

⊙벨기에계 미국인 자가 룩 상트가 쓴 회고록 『정보 제조 공장』에 따르면, 왈른 지역에 있는 베르비에시의 특산 요리 중에 전통적으로 성인의 날에 내놓는 안경 모양 과자가 있는데 그 과자 이름이 루네뜨라고 한다.

세바스천 브랜트, 목판화 「바보배」, 1494년.

영국에는 14세기에 안경을 제작했다는 기록이 없다. 그러나 엑서터 궁 소장품 중 1326년 사망한 영국 고등 재무관 월터 드 스테이플든 주교의 개인 물품 목록에 영국 돈으로 2실링이라 써 붙인 안경이 있다. 주교는 유럽 대륙에서 외교 임무를 수행한 적이 있고 교황 클레멘스 5세의 전속 사제도 맡았으니 유럽 본토에서 안경을 구했으리라 생각할 수 있지만, 영국의 수도사와 장인이 대륙의 동종업계로부터 안경 제작술을 배워 왔을 가능성도 없지 않다. 그러나 가격대로 보아 드 스테이플든의 안경은 시중에서 제일 비싼 물건이었을 것이고, 분명 수정 렌즈와 귀금속 또는 도금한 철제를 사용했을 것이다. (같은 시기 이탈리아에서는 비교적 저렴한 놋쇠나 철·나무테를 댄 안경이 당시 환율로 겨우 6볼로냐 솔디※였다.) 런던에서 처음 안경을 제작한 기록은 한 세기 후에야 나타나지만, 세관 기록을 보면 14세기 말부터 네덜란드로부터 일정량의 안경과 안경집을 수입했음을 알 수 있다. 놀랍게도 1440년대에서 1450년대 사이에는 네덜란드·독일·플랑드르 출신 장인이 많이 거주하던 템스강 남쪽 교외 지역 서더크에 매튜와 폴 반(드) 베센이라는 네덜란드 장인 두 명이 거주하며 일했다는 기록이 있다. 15세기 풍자시 「런던의 빈털터리」에서 웨

스트민스터 홀에 있던 빈털터리 화자에게 "고급 펠트 모자나 독서용 안경"을 사라고 매달리는 행상도 플랑드르 출신이다.⊙

1953년 독일 바인하우젠에 있는 한 수녀원의 성가대석 오크 마루판 아래에서 수세기 동안 먼지 더미에 묻혀 있던 천여 개의 중세 시대 유물을 발견했는데, 그중에 렌즈테 두 개를 못으로 연결한 대못 안경이 많이 있었다. 이런 고고학적 발견을 통해 독일, 오스트리아 및 저지대 국가※에서는 프랑크푸르트(1450년), 스트라스부르(1466년), 뉘른베르크(1478년) 등지에서 안경을 제작했다는 공식 기록이 나타나기 오래전부터 안경이 널리 보급되었음을 확인할 수 있다. 뉘른베르크는 이후 유럽에서 안경을 가장 많이 생산하는 지역이 되었고, 1470년대에는 공교롭게도 독일 인쇄 산업을 선도하는 곳이 되기도 했다. 15세기에 가장 앞선 기술을 선보인 삽화집으로 꼽히는 일종의 세계사 책인 『리베르 크로니카룸』(연대기)은 뉘른베르크에서 화

⊙1974년 런던의 블랙프라이어스 인근 트릭 레인 발굴 중 드러난 중세 쓰레기 더미 속에 대못 안경 잔해가 있었다. 영국에서 발견한 가장 오래된 안경으로, 1440년대 물건으로 확인되었다. 비록 렌즈도 없고 마치 오락실 인형뽑기 기계의 집게처럼 보이는 잔해만 남아 있지만, 원래는 똑같은 원형 틀 두 개가 붙어 있었던 것이 확실하다. 원형 틀은 분할 컴퍼스 같은 금속 공구로 황소의 중수골을 잘라 형태를 잡은 다음 못으로 연결했을 것으로 추정한다.

※현재 네덜란드, 벨기에, 룩셈부르크, 프랑스 북부, 독일 서부를 아우르는 지역이다.

가 알브레히트 뒤러가 수습 생활을 했던 바로 그 공방에서 제작했기 때문에 『뉘른베르크 연대기』로도 알려져 있다.

거 울 에 서
활 자 로

도서 인쇄술의 진화 과정, 특히 요하네스 겐스플라이슈 추르 라덴이 이룬 혁신은 기이하게도 섬유물함을 더 멋지게 꾸미려던 노력과 떼려야 뗄 수 없게 얽혀 있다. 고향 마인츠에 있던 귀족 가문의 저택 이름으로 더 잘 알려진 사람, 구텐베르크 말이다. 1439년 스트라스부르에서 일제히 아헨으로 내려가는 순례자에게 판매할 거울 배지 수천 개를 제작하려고 시작한 그 일은 잘못 끼운 첫 단추, 실패한 시제품, 화가 치민 기존 업계, 법정 소환장과 대규모 재정 지출 등 복잡다단한 경로를 거쳐 결국 무른 금속 활자를 사용하는 구텐베르크 인쇄기를 탄생시키기에 이른다.

현대 독일의 서쪽 제일 끝에 위치해 벨기에·네덜란드와 접하는 아헨은 기원후 790년 샤를마뉴, 즉 카롤루스 대제가 제국의 수도로 삼았던 도시다. 814년 대제가 사망하자 유해를 로마 유황 온천 유적 위에 세운 아헨대성당에 안치했는데, 1165년 프리드리히 1세가 시성식을 거행한 후로 이곳은 중세 순례자에게 가장 성스러운 장소가 되었다. 순금 관에 담긴 샤를마뉴의 소장품만 아니라 마리아가 예수를 낳던 날 입었던 옷과 십자가에 못 박히던 예수의 몸에 둘렀던 옷감, 유해 등 무수한 성유물을 보유한 곳이다 보니 구원받는 데 필요한 점수를 채우려는 사람에게 대단히 매력적인 순례지였다. 이처럼 아헨을 찾는 사람이 많았

필립 갈레, 판화 「안경: 안경의 발명」, 1600년경.

던 탓에 유물 관람 규정이 필요해지자 성당은 1349년에 7년마다 한 번, 2주 동안만 유물을 공개하는 의례를 정했고 오늘날까지 지켜 왔다. 성유물을 향한 믿음이 지금보다 훨씬 열렬했던 중세 시대에 이런 조치는 아헨 방문 욕구를 줄여 주기는커녕 오히려 부채질했다. 1432년 유물 공개 기간에는 잠깐이라도 유물을 보려고 애태우는 순례자가 하루에 만 명 넘게 몰려드는 탓에 한번은 근처에 있던 건물이 무너져 17명이 죽고 백여 명이 다치는 사건이 발생하기도 했다.

순례자들은 수호성인의 모습을 담은 금속 배지를 사서 순례 여정을 지켜 줄 영험한 부적이자 기념품 삼아 내내 달고 다녔다. 그러나 아무리 애를 써도 경배의 대상에 다가가기가 어렵다 보니, 1432년 아덴을 찾은 순례자 중에서 수완 좋은 이들은 휴대용 볼록 거울도 함께 챙겨 다녔다. 시야각이 넓은 거울이 있으면 꽉 들어찬 군중 속에서도 멀리 있는 유물을 볼 수 있을 뿐 아니라, 진심으로 믿는 자가 쐬면 치유 효과가 있다는 그 유물의 광선을 받을 수도 있었기 때문이다. 그러다 갑자기 이 두 물건을 하나로 합치려는 발상이 나왔다. 수호성인 한두 명을 그려 넣은 틀에다 세공한 거울 조각을 끼워 순례자 배지를 만들면 어떨까? 걸림

돌은 오직 아헨의 금 세공인과 금속 가공업자를 총동원해도 수요를 맞출 수 없다는 점뿐이었다. 길드에서는 어쩔 수 없이 그해 유물 공개 기간에만 그리고 이후 7년마다 마찬가지로 유물 공개 기간에 한해 외부인도 순례자 배지를 만들도록 허락하기로 합의했다.

구텐베르크와 동료들이 모든 역량을 투여해 아헨 순례 기간에 판매할 거울 배지 3만 2천 개를 제작하려던 시기가 바로 이때였다. 당시까지 그 정도로 많은 거울을 대량으로 생산해 낸 사례는 없었다는 사실에도 굴하지 않았다. 이 사업에 필요한 기술을 제공한 구텐베르크는 마인츠 대주교의 화폐 제조에 밀접하게 관여하고 그 과정에서 금세공 기술까지 습득한 것으로 추정되는 부친 아래서 자랐다. 실제로 당시 구텐베르크가 무슨 작업을 담당했으며, 어떻게 또는 왜 거울 배지 제작 사업에서 활자 인쇄기 사업으로 넘어갔는지는 여전히 수수께끼다. 그러나 구텐베르크보다 거의 4년 앞선 1444년에 비슷한 인쇄기를 썼다는 설이 있는 아비뇽의 프로코피우스 발트포겔도 그랬듯이 초기 인쇄업자 중에는 금 또는 은 세공업자가 많았다. 영국 최초의 인쇄업자인 윌리엄 캑스턴이 양모 업계에 종사했던 사람이라는 사실이 오히려 특이하다.

인쇄한 글을 통해 궁극적으로 지식을 대량 보급하는 결과를 낳게 될 이 이야기에서 가장 결정적인 사건은 아마도 1439년 또다시 발발한 흑사병 때문에 아헨 순례가 한 해 미뤄진 일일 것이다. 이로 인해 구텐베르크와 후원자들이 순진한 순례자로부터 단숨에 돈을 끌어모을 기회가 날아가고 말았다. 제시간에 거울을 제작하기만 했다면 분명 큰돈이 되었을 텐데 말이다. 이 일로 동업자들과 사이가 멀어진 구텐베르크는 활자 쪽으로 더 확실히 방향을 튼다. 거울 배지 대량생산에 실패하고 마인츠로 돌아가 공방을 운영하던 구텐베르크는 10년이 지난 후 대단히 실용적인 인쇄술을 세상에 내놓는다. 안경과 마찬가지로 이 인쇄술 역시 때가 무르익어 나온 것인 만큼 최초 발명자에 관한 의견이 분분하다. 하지만 여기서 우리는 놀라운 우연의 일치를 발견할 수 있는데, 성유물과 성유물함이 없었다면 안경이 등장하지 못했을 것이며 구텐베르크가 인쇄기를 제작하는 일도 없었을 것이라는 사실이다. 낮은 비용으로 문서를 대량 생산하게 해 준 그 기기로 인해 결국 안경 쓰는 사람이 수백만 명으로 늘어났다는 사실도 흥미롭다.

2 장
근 시 와 인 간 의
세   계

노 안 및 원시 교정용 안경을 발명한 후로도 근시를
위한 안경을 만들려는 사람이 나타나기까지 거의
2백 년이 더 걸렸다는 사실은 왼손잡이가 겪어온 것만큼
이나 다수자의 편견이 작용한 결과다. 말하자면……, 매우
근시안적인 맹목이랄까. 편견은 이런 표현 자체에서도 드
러난다.

멀리 내다보는 능력은 멀리 떨어진 물체를 더 뚜렷이
알아보는 것만이 아니라 예지력과 앞으로 벌어질 일을 재
빨리 판단하는 능력 같은 고귀한 자질과도 관련이 있다.
'예언의 은사'도 마찬가지다. 따지고 보면 이렇게 된 데는

합당한 이유가 있다. 망원경이 등장하기 전에는 강력한 적이 육상으로나 말 또는 배를 타고 다가오는 모습을 빨리 알아볼 수 있으면 후퇴를 한다든지 하는 적절한 대응을 제때할 수 있었다. 미리 경고를 받고 대비하는 이런 사소한 이점을 누릴 수 있는 상대와 전투를 벌인 이들은 제국·대륙·국가·도시를 막론하고 무너져 내리고 말았다.

반대로 근시안이라는 말에는 대체로 지극히 경멸적인 뜻이 담겨 있다. 현재 옥스퍼드 영어 사전을 펼쳐 보면 "예지력 결여 또는 정신적 시각의 한계가 뚜렷하거나 그런 현상을 겪고 있는"이라든지 "예지력 또는 지적 견해 부족" 같은 설명이 눈에 띈다. 심지어 학문적 측면에서 문자 그대로 내린 듯한 정의마저도 이 모양이다. "눈이 초점을 맞추는 거리가 '정상적인' 거리보다 짧음. 멀리 떨어진 물체를 뚜렷이 알아보지 못함. 근시." 작은따옴표는 내가 덧붙인 것이지만, '정상적'이라는 말에는 상당한 가정이 담겨 있다.

현실 세계에 '정상적'인 시력이라는 것이 존재하기 어려운 만큼 차라리 '완벽한' 시력이라고 쓰는 편이 나을 지도 모른다. 그러나 정상 시력이란 20피트(6미터) 떨어진 물체를 뚜렷이 볼 수 있는 상태라는 기준 수치가 있는 개념이다. 예전에 권총 대결을 할 때 확립되었고, 현재 스넬렌 시력검사에서도 동일하게 사용하는 기준이다.

스넬렌 검사표는 네덜란드 안과의사 헤르만 스넬렌이 개발한 것으로, 밀집방진 형태로 배치한 글자가 아래로 내려갈수록 더 작아지는 표이다. 우리에게 20/20 시력(미터법으로는 6/6 시력)이라는 부담스러운 잣대를 안겨 준 바로 그 검사 말이다. 더 정확히 설명하자면 20/20 시력이란 스넬렌 검사에 따른 시력 측정치로, 환자가 시력표로부터 20피트(전통적인 '새벽의 권총 결투'에서 스무 걸음 걷기에 해당한다) 떨어진 거리에서 시력표 하단 특정 가로선 상의 글자(보통 D E F P O T E C로 이어지는 여덟 글자)를 읽을 수 있다는 뜻이다. 같은 거리에서 그보다 더 위에 있는 글자만 읽을 수 있다면 그만큼 시력이 낮은 것이다. 만약 환자가 20/20선 상의 글자는 거의 읽을 수 없지만 바로 윗줄은 읽을 수 있다면 20/25이고 그다음은 20/30, 이런 식으로 점점 더 큰 글자로 옮겨간다. 제일 위에 있는 가로선은 측정 가능한 가장 낮은 시력인 20/200을 가리킨다. 여기 적힌 유일한 글자인 'E'만 읽을 수 있다고 판정받는 경우, 해당 환자는 보통 법 제도상 시각장애인으로 분류된다.

시력이 20/20보다 낮은 경우가 흔하다면 20/20보다 높은 시력을 가진 사람도 있을 것이다. 가장 아랫줄에 있는 제일 작은 글자를 읽을 수 있을 만큼 예리한 시각을 지닌 경우는 흔히 말하는 최적 시력보다 두 배 높은 20/10 시력에 해당한다.

멀리 볼 수 있거나 없거나 하는 능력은 대체로 눈의 크기와 모양에 따라 달라진다. 멀리 떨어진 물체에서 날아온 빛이 망막에 어떻게 도달하고, 시신경을 통해 뇌가 해독할 수 있는 형상을 어떻게 빚어낼 것인가가 여기서 결정된다. 아주 거칠고 삐딱하게 말하자면, 일반적으로 근시는 단어의 뜻과는 정반대로 너무 길고 멀리 보는 눈을 가진 사람에게서 나타난다.

20/20 기준에 들어맞는다는 의미로 적당한 크기의 눈이란 각막 표면에서 망막 중심 지점, 즉 황반까지 길이가 0.945인치(2.4센티미터)인 경우를 가리킨다. 그런 눈에서는 예를 들어 20피트 떨어진 나무에서 나온 광선이 망막에서 또렷한 나무 형태의 상을 형성할 만큼 정확히 굴절될 것이다. 그러나 각막과 황반 사이가 이보다 조금 더 길다면 나무에서 나온 광선이 너무 많이 굴절되어 초점 위치에 도달하지 못할 것이다. 그러면 물체의 상은 망막이 아니라 그

앞의 유리액 부위에 맺힐 것이다.

그 경우 망막에 도달하는 것은 비행운처럼 남은 나무의 잔상이다. 눈이 큰 사람의 뇌는 멀리 떨어진 숲의 일부를 초록색과 갈색이 섞인 흐릿한 상으로 인식할 것이다. 오목렌즈로 만든 안경을 쓰지 않고 이 상태를 교정하는 방법은 실눈을 뜨든지 해서 동공을 좁혀 인위적으로 심도를 부여하거나 나무에 더 가까이 다가가는 방법뿐이다. 가까이 다가가면 나무에서 반사된 광선이 적당히 굴절되어 망막에 초점이 정확히 맞는 상이 맺히겠지만, 근시가 극도로 심한 사람이라면 나무껍질이나 줄기의 한 부분은 볼 수 있어도 적당히 떨어진 거리에서 나무 형태를 온전히 파악하지는 못할 것이다.

이와 반대로 날 때부터 약간 원시인 경우, 수정체가 투명하며 모양체근에 민첩하게 반응하는 어린 시절에는 가까운 물체가 흐릿하거나 잘 보이지 않더라도 초점을 끌어당긴다든지 하는 조절 작용으로 극복할 수 있다. 그러나 나이가 들고 시간이 흐르면서 수정체가 딱딱해지고 모양체근 반응력이 떨어지면 이런 조절 작용이 점점 더 어려워진다. 그래도 나이 든 사람에게 비교적 경미한 원시 증세가 나타나는 것은 대체로 그리 큰 문제가 되지는 않을 것이다.

안경을 처음 발명한 1286년 즈음에는 읽고 쓸 줄 알거나 그러한 능력이 필요할 만한 사람이 극소수였다. 어린 시절 인생이 그렇게까지 끔찍하고 잔인하거나 짧지 않아서 목숨을 부지할 수 있었다 할지라도 기근과 질병·폭력으로 인해 노안이 오기 전에 세상을 떠날 정도로 기대 수명이 낮은 시대였던 터라, 노년층의 독서 보조 기구로 쓰던 초창기 안경의 이용자층은 매우 얇았다. 그래도 전염병학자 마리아 파트리치아 카레리와 디에고 세라이노의 말대로 만약 불우한 동시대인보다 "지주·수도사·바티칸의 일원이 더 잘 먹고 잘 입고 좋은 곳에서 더 나은 의술을 누리며 더 오래 살아남았다"면, 수명이 길었던 집단과 수정 렌즈를 착용하고서라도 문서와 책을 계속 보아야 했던 집단 사이에는 강한 상관관계가 있었을 것으로 짐작할 수 있다.

물론 산업화 이전 시대에는 육체적 특징이 직업 선택을 훨씬 더 크게 좌우했으니, 적어도 수도사 중에는 근시가 대단히 많았으리라 짐작할 수도 있다. 중세 시대 근시는 멀리 내다보는 역할은 맡기 어려웠겠지만 미세한 세부 사항에 집중해야 하는 채식사·서기·필경사·장서 관리인 같은 사제 관련 직업에 필요한 역량은 타고난 셈이었다. 또한 재단사·조각공·직조공·구두 수선공·세공인·공증인·상인으로서도 활약할 수 있었던 반면 사냥꾼·군인·선원·양치기·목동으로 일하기에는 영 마땅치 않았을 것이다. 이런 직업을 가지려면 멀리 떨어진 지평선·전장·바다 혹은 들판을 내다보며 사냥감·적군·해안선 또는 길 잃은 가축을 찾아내는 능력을 갖춰야 했다. 물론 근시는 항상 소수 집단에 속했기 때문에 다소 불평등한 노동 분업으로 인해 영웅적인 역할과는 거리가 먼 직업 영역에 머무를 수밖에 없었다. 결국 이런 직업군은 열린 공간에서 동물이나 무기와 함께 하기보다는 실내 및 작업용 의자 위에서 거의 모든 업무를 수행했다. 그래도 중세 후기로 가면서 서구 사회가 더 정교한 관료제와 무역 조약·농업 기술·인쇄 기법을 발달시킴에 따라 근시는 성직자·변호사·회계사·관리자 등 더 많은 특권과 정치력을 누리는 지위에 오를 수 있었다. 다만 근시가 심각한 데다 출신까지 미천한 경우라면 경제활동이 어려운 노인·병약자·정신이상자가 그랬듯 중세식 병동에 격리당할 수도 있었다. 역사가 토머스 말도나도에 따르면 이런 기관의 기록 문서에서 '시각장애가 심한 사람'은 병약자와 같은 분류에 속했다. 그래도 "불쾌한 존재로 취급"받아 "요새로 둘러싼 정착지 성벽 밖으로 쫓겨나" "잡다한 떠돌이 무리" 사이에서 살아야 했던 무수한 빈곤층 근시보다는 운이 좋은 축에 속했을 거라고 한다.

근시가 이렇게 배척당한 이유는 아마도 계급과 상관없이 교정하지 않은 근시로는 사회 활동을 하기가 훨씬 더 어려워서일 것이다. 지난 시절, 고도로 계층화한 세계에서는 귀족과 마주치면 모자를 벗고 마땅한 경의를 표해야 했다. 지금도 그렇지만 인근의 고용주·동료 노동자·이웃·친구와 우호적인 관계를 유지하려면 공손한 인사와 미묘한 예의범절을 지킬 줄 알아야 했다. 이런 상황에서 적절히 대응하지 못하는 근시는 차갑거나 무례하거나 반항적인 존재로 비쳤을 수 있다. 심각한 시각장애인이거나 그 정도는 아니라도 시력이 좋지 않은 사람은 멀리 떨어진 지인은 고사하고 길 건너편에 서 있는 가족도 알아보기 어려울 수 있다. 시력이 나쁠 뿐인데 무례한 사람이 될 수 있다는 말이다. 시력이 더 좋은 사람 입장에서는 상대가 근시임을 아는 경우라도 혹시 의도적으로 자신을 무시하는 게 아닌지 의심할 수 있다. 근시안은 자기가 보고 싶은 것만 본다는 의혹이다. 또는 대하기 불편하고 책만 들여다보며 힘든 일을 회피하는 게으름뱅이라는 이미 쌓여 있는 부정적 특성에 더해, 근시를 선택적으로 활용해 원치 않는 것을 피하려는지도 모른다고 생각할 수 있다.

오목렌즈로 만든 근시 교정용 안경이 등장한 지 거의 5백 년이 흐른 후에도 다른 면에서는 의학적 전문성을 존중받던 사람이 근시에 대해 만연한 사회적 편견을 고스란히 드러내는 사례가 있었다. 라이스 박사라는 사람은 1930년 발표한 「신체적 결함과 인격」이라는 글에서 근시인 아동은 예외 없이 괴상한 어른으로 자란다며 그 이유를 자세히 설명했다. 아동 발달을 마치 축구 코치 같은 태도로 바라보는 문제의 그 단락은 길어도 그대로 인용할 만하다.

근시인 아이는 잘 보이지 않으니 운동장에서 하는 놀이에 약하다. 시합을 지켜보거나 총구를 들여다보기도 어려우니 사냥을 좋아하지 않을 것이다. 멀리 있는 물체를 잘 볼 수 없어 도보 여행을 좋아하지 않고, 동행으로 환영받지도 못할 것이다. 경주·비행·여행, 그 밖에 어떤 운동도 좋아하지 않을 것이다. 이런 사람은 대체로 극장이나 영화관도 좋아하지 않고, 특히 영화관은 그저 어린이나 바보들의 놀이터라고 생각할 가능성이 높다. 화면이 또렷이 보이지 않기 때문이다. 그러나 학교에서는 상황이 다르다. 평범한 아이나 운동을 좋아하는 소년의 관심을 끄는 들판이나 공원·숲 따위에 끌려다닐 일이 없으니 보는 것도 문제없고 글 읽기는 즐겁기까지 하다. 경기에서 친구를 이길 수 없다는 사실을 알기에 자기가 좌우할 수 있는 지능을 정복하는 데서 커다란 만족감을 얻는다. 결국 정말로 중요한 것은 바로 이것이라고 생각한다. 공놀이·사냥·낚시는 시간 낭비다. 그런 것 좀 못한다고 뭐가 문제지? 아이는 주위를 꼼꼼히 본다. 친구가 실수를 저지르면 이 책벌레는 손을 들며 벌떡 일어선다. 선생님의 마음을 얻는 대신 친구를 잃는다. 모르는 게 없는 공붓벌레라는 평판을 얻고 학기말 시험 기간에만 인기를 누린다. 운동이나 파티에는 관심이 없다. 무리에 끼지 않는다. 지금까지 설명한 이런 아이는 다른 사람과 어울려 놀지 않고 남이 가진 능력을 하찮게 생각하며 자라기 쉽다. 주변 환경에 자기를 맞추지 않고 타협도 하려 들지 않는다. 자기가 생각하는 정의와 옳은 것에 대한 주장이 강할 때가 많아 불쾌한 인물이 될 수 있다.

이 글이 나온 지 불과 몇 년 후, 아이다 만과 앤투어네트 피리도 비슷한 의견을 제시했다. 영화 『월터의 상상은 현실이 된다』의 주인공 월터 미티처럼 망상에 빠지기 쉽다는 뉘앙스를 담아, 근시 아동에게 안경을 씌우지 않으면 위험하다는 주장을 펼쳤다.

학교생활 중 비교적 일찍 근시 증세를 보이는 아이가 안경을 쓰지 않고 자라면, 멀리 내다볼 수 있는 세계에 사는 평범한 아이가 발달에 도움을 받는 여러 가지 요소를 접할 수 없고 아예 이해조차 못 하므로 대체로 특이하고 다소 불쾌한 성격을 지닐 수 있다. 우선 책과 온갖 세세한 부분에 대단히 관심이 높고, 야외 경기를 매우 지루해한다. 공이 약 3미터 앞까지 다가와도 볼 수 없다면 정확히 잡거나 치기가 너무 어려울 것이고 경기를 영 못한다면 흥미도 생기지 않을 테니 이 점은 이해할 만하다. 물론 길에서 친구를 만나도 지나쳐 버리고 현실 세계에 관심을 충분히 기울이지 않아 무뚝뚝하다는 평을 얻으면서도 별 어려움 없이 몇 시간이고 글을 읽으며 꿈꾸듯 거닐 수 있는 책과 환상의 세계에 빠져 살기 좋아하는 처지가 될 수 있다.

근시, 교황이 되다

이런 인식을 고려하면, 교황 레오 10세가 초창기 오목렌즈 안경을 사용한 근시로 유명하다는 사실이 다소 역설적으로 보일 수 있다. 앞에 나온 젊은 근시의 사회생활에 관한 절망적인 예측과 달리 레오 10세는 세상 물정에 밝은 정치가였고, 하느님의 사람치고는 다소 사치스러운 물질적 취향을 지녔으며 엄청나게 열정적인 사냥꾼이었다. 본명은 지오반니 디 로렌초로, 1475년 피렌체의 유력 가문인 메디치가에서 태어난 레오는 심지어 빈센트 일라디마저도 "흔히 내성적 성격에 책벌레 또는 '샌님'이며 사교 활동을 기피한다고 하는 (……) 전형적인 근시의 특성에 맞지 않게", "저속한 놀이와 파티를 즐기는", "향락주의자"였다고 평한 인물이다. 그렇지만 근시와 원시는 눈의 크기에 따른 증세로, 코의 모양이나 머리카락 색깔처럼 대를 이어 물려받는 유전적 조건인 경우가 많다.⊙ 메디치가가 초기에 금융·양모·정치 공작에 뛰어난 성과를 얻는 데에도 근시가 제일 큰 몫을 했다는 주장이 있다. 레오의 선조는 대부분 시력이 나쁘고 신체도 건강하지 않아 군인으로서 성공할 수 없었기에 은행업과 상업 분야에 몰두했다. 재산을 축적

⊙그러나 최근 연구에서는 환경적 요소, 특히 실내에서 지내며 화면이나 책 등 가까운 대상을 들여다보는 행위가 어린 시절 눈의 성장에 영향을 주고 근시가 발생할 가능성을 높일 수 있다고도 한다. 코로나19가 유행하는 동안 재택 교육과 전자 기기를 통한 학습이 전 아동층의 시력에 장기적 영향을 끼칠 위험이 이미 제기된 바 있다. (최근 몇십 년간의 근시 발생률 상승 현상에 관한 더 자세한 내용은 13장을 보라.)

한 메디치가는 극도로 불미스러운 수단을 즐겨 사용하고 예술 및 과학 분야에 돈을 쏟아부은 결과 피렌체 지배 세력으로서 엄청난 정치적 권력을 행사할 수 있었다. 만과 피리가 근시는 "책과 온갖 세세한 부분"에 엄청난 열의를 쏟곤한다고 지적했듯이, 메디치가가 유독 시각 예술과 문학 분야에 집중적으로 후원을 했다는 것 자체가 그 가문이 근시임을 드러내는 가장 강력한 징후일 수도 있다.

레오를 제외하면 메디치가가 근시였다는 증거는 대부분 정황적 해석에 그친다. 그래도 메디치가의 '나쁜 시력'과 '약한 눈'에 관한 설득력 있는 증거가 당대 기록에 넘쳐 난다. 메디치가의 외모를 설명할 때 무수히 등장하는 "아름답고 커다란 눈"이라는 표현도 근시를 암시하는 것일 수 있다. 근시는 안구가 더 크고 동공도 큰 편이기 때문이다. 어쩌면 시력 문제가 아니라 가계에 갑상샘 질환이 있었다는 징후일 수도 있다. 니콜로 마키아벨리가 "예술과 문학의 가장 위대한 보호자"라고 칭송했던 '위대한 로렌초'는 유난히 눈이 아픈 티가 나곤 했다는 기록이 있다. 이 가문의 구성원을 후대에 길이 남길 초상화 제작을 맡은 화가들은 눈에 결함이 있는 경우 그림 속에서 그 특성을 강조하려 애쓴 듯하다. 예를 들어 로렌초의 동생으로 스물다섯 살에 암살당한 '또렷한' 눈의 줄리아노를 그린 브론치노와 보티첼리는 둘 다 눈꺼풀이 반쯤 감긴 상태로 줄리아노를 묘사했다. 한편 "놀랄 만큼 아름다운 눈"을 가졌다는 평을 들었고, 역사상으로는 1494년 프랑스왕 샤를 8세에게 피렌체를 내어 준 까닭에 '불운한 피에로'라 알려진 로렌초의 아들 피에로는 보티첼리와 게라르도 디 조반니 델 포라가 그린 시선을 사로잡는 두 작품에 모습을 남겼는데, 현대인이 보기에 이들 그림 속 피에로의 눈은 아름답다기보다는 개구리처럼 불거져 보인다. 연초록색 눈은 골프공처럼 볼록하고, 상점 앞에 내려진 셔터처럼 무거워 보이는 눈꺼풀이 반쯤 덮여 있다. 눈꺼풀이 그렇게 내려앉은 것은 근무력증때문일 수 있다는 의견이 있다.

그러나 이처럼 눈에 문제가 있는 집안 내력에도 불구하고, 근시를 교정하려고 안경을 썼다고 확실히 알려진 이는 레오뿐이다. 안경 쓴 모습을 그림으로 남긴 적이 없고 1513년 교황으로 선출된 후에 대중 앞에 나설 때는 안경을 벗었다고 전해지지만, 줄리오 데 메디치와 루이지 데 로시 추기경과 함께 등장하는 초상화에서는 금손잡이가 달린 테에 끼운 오목렌즈 한 알을 손에 든 모습으로 그려져 있다. 재위 5년 차에 라파엘로가 그린 이 초상화 속에서 다홍색 천을 깔고 채식한 성경을 올려 둔 책상 또는 탁자 앞에 앉은 레오는 진홍색 모자와 예복을 갖춰 입은 모습이다. 왼손에 렌즈를 들고 비스듬히 앉은 레오의 양옆에는 붉은 예복과 모자를 갖춘 두 주교가 보인다. 그들은 진홍색 벨벳을 씌운 두툼한 방석을 얹고 붉은 술을 둘러 거의 왕좌처럼 보이는 레오의 튼튼한 의자 뒤에 서 있다.⊙ 상황은 좀 모호하다. 탁자 위 성경 옆에 금과 은으로 장식한 조그만 종이 놓여 있는 것을 보면 교황이 종을 흔들어 두 사람을 소환한 듯 보인다. 그러나 퉁퉁한 교황의 얼굴에 비친 불만스러운 표정을 보면 근시 교정용 렌즈를 들고 한창 성경 연구에 빠져 있던 중 뜻하지 않게 방해를 받은 것 같기도 하다. 오른쪽에 있는 줄리오를 향하는 교황의 살짝 찌푸린 눈빛에서 적개심이 느껴진다. 한편 왼쪽에 있는 루이지는 두 손으로 의자를 붙잡은 채 지금 벌어진 상황이 다소 창피하다는 듯 민망한 얼굴로 관람자를 힐끗 바라본다.

아무리 언짢은 기색이 비친다 해도, 어쨌거나 안경을 쓰지도 렌즈를 들여다보고 있지도 않은 걸 보면 레오는 두 사람이 아주 가까이 다가올 때까지 모르고 있다가 겨우 알아챈 상태였을 수 있다. 10센티미터 이상 떨어진 대상을

⊙사실 이 그림은 거의 다 붉은색으로 채워져 있는데, 이는 그리스도의 피와 기독교의 순교와 관련한 색이자 로마 가톨릭교회 상층부를 차지하는 '하느님의 특사'가 입는 옷 색깔이기도 했다. 그러니 라파엘로가 선택할 수 있는 색의 범위는 그다지 넓지 않았다.

또렷이 알아보기 힘들 정도였다고 봐도 될 만큼 레오의 근시는 심각했다. 그래도 레오는 엄청난 과체중이라는 또 다른 장애물에도 불구하고 매년 가을 로마 교외에서 충직한 주교들과 함께 사냥을 즐겼다. 그 육중한 체구를 견딜 만큼 체력이 튼튼한 말을 구해 기동성을 보완한 것과 마찬가지로, 시력의 한계를 극복하려고 보통 '수정 오목렌즈'라고 부르던 광학 장치를 사용했다는 기록이 있다. 1518년 안토니오 데 베아티스가 만토바의 이사벨라 후작 부인에게 보낸 편지를 보면, 최근 사냥을 나간 레오가 근거리에서 사슴을 잡을 때 라파엘로의 그림에 담긴 것과 아주 비슷한 렌즈를 썼다고 들었다는 이야기가 나온다. 사슴은 사냥감을 사거리 안에 가두어 놓으려고 둘러친 천 울타리 안에 갇혀 있었던 것으로 보인다. 탈출하려고 발버둥 치는 가련한 동물을 발견한 교황은 바로 뒤를 쫓았다. 웅크린 사슴에게 다가가서는 말에서 내려 한 손에 긴 창을 들고 다른 손으로는 렌즈를 눈에 댄 채로 뒤뚱대며 몇 발자국 걸어갔다. 사냥감이 뚜렷이 눈에 들어오자 곧장 숨통을 끊으려 달려들었다. 사냥 규칙상으로는 정당한 방식이었다. 그러나 썩 괜찮은 운동으로 보이지도 않고 교황직의 품위를 드높이는 행동도 아니었을 듯하다. 평소 직무를 수행할 때는 결점을 보일

까 봐 대단히 삼갔다는 안경을 동원했다니 말이다.

그러나 교황의 회계장부를 보면 사적으로는 계속 안경을 사용한 것을 알 수 있다. 대관식 직후 3개월 동안 레오는 안경 구매에 56두카트, 외알 안경 하나에 25두카트를 지출했다. 새 교황의 아량을 드러내려고 선물용으로 구입한 것일 수도 있다. 그렇다 해도 귀금속테에 최고급 수정 렌즈를 넣어 만든 가장 호화로운 안경이 1두카트 정도였고 사냥개 사육사 월급이 4두카트였던 점을 생각하면 당시로는 대단히 큰 금액이다.

만약 교황이 전례를 집행하고, 미켈란젤로에게 성구실 제작을 의뢰하고, 가톨릭교회의 관행을 비난하는 95개조 반박문을 게시했다는 이유로 마르틴 루터를 파문하는 등 자신의 일상 업무를 수행할 때도 안경을 쓰기 원했다 하더라도 거기에는 어쨌거나 몇 가지 현실적 문제가 남아 있었다. 왼손잡이가 가위를 사용할 때 겪는 것과 마찬가지로, 안경이 애초에 소수자인 근시가 멀리 볼 수 있도록 교정할 목적이 아니라 노안이 온 고령층이 가까운 물체를 들여다보는 작업을 계속할 수 있도록 도우려고 만든 물건이라는 바로 그 사실 때문에 빚어진 문제다. 이미 앞에서 몇 차례 언급했듯이 이 문제는 거의 두 세기에 걸쳐 이어졌다.

근시용 안경이 있었다는 최초의 증거는 15세기 중반에 작성한 어느 이탈리아 공작가의 문서에서 찾아볼 수 있다. 1451년 8월 24일 아두이노 다 베세라는 사람이 통풍으로 자주 누워 지내야 해서 '통풍 앓는 피에로'라고도 알려진 레오의 조부 피에로 디 코시모 데 메디치에게 보낸 편지다. 1970년대에 들어서야 입수하여 검증한 이 자료는 멀리 보는 렌즈를 장착한 안경에 관한 가장 오래된 기록물로, 메디치가의 근시에 관한 풍문을 고려하면 흥미로운 내용을 담고 있다. 페라라에 있던 아두이노는 피렌체에서 보낸 안경 네 벌 중에서 한 벌이 렌즈가 깨진 채로 왔다며, 나머지 세 벌이 전부 "멀리 보는" 사람이 쓰는 것이니 렌즈가 깨진 한 벌을 근시용으로 바꿀 수 있느냐고 묻는다.

　　이 시기 피렌체에 근시용 안경이 있었다는 더 확실한 증거는 밀라노의 프란체스코 스포르차 공작이 토스카나에 파견한 대사 니코데모 트란체디니 다 폰트레몰리와 주고받은 편지에 담겨 있다. 1462년 10월 21일 자 서신에서, 공작은 트란체디니에게 피렌체가 "이탈리아의 어느 곳보다도 완성도 높은 안경을 제작한다고 알려진 곳"이니, "깨지지 않도록 안경집에 담은" 안경 36벌을 구해달라고 한다. 이 중 12벌은 "멀리 보기에 적합한 젊은이용, 또 다른

(12벌은) 가까이 보기에 적합한 노인용"이고, 나머지 12벌은 공작 표현으로는 "보통 시력"을 위한 것이라고 명시되어 있다. 임무를 완수한 트란체디니는 11월 4일 비서 편으로 서신과 함께 안경을 보낸다. 이 정도 주문량을 능히 소화한 것을 보면 당시 피렌체의 안경 제조업이 상당히 고도화된 대량 제조 체제를 갖추고 있었던 모양이다. 더구나 이제 '노인'용 뿐 아니라 '젊은' 눈, 즉 근시를 위한 안경도 상시로 꽤 적당한 가격에 양산하고 있었음을 알 수 있다. 트란체디니가 최고급품이라고 강조한 공작의 안경 36벌 가격은 겨우 3두카트로, 한 벌당 7솔디 정도이다. 공작과 트란체디니가 뒤이어 주고받은 서신을 보면 대사 자신이 근시였으며 피렌체산 안경을 사용했다는 사실이 드러난다.

따라서 근시를 위한 오목렌즈 안경을 만들기 시작한 때는 1450년보다 훨씬 전이고, 유럽의 안경 제작자라면 누구나 익숙하게 만들던 볼록렌즈를 단지 거꾸로 뒤집은 것에 불과했으므로 같은 시기에 다른 도시의 장인이 제조법을 몰랐으리라고 생각하기도 어렵다. 만들려고 마음만 먹었다면 말이다. 그러나 아직은 실제로 그랬다고 확인할 수 있는 증거가 전혀 나타나지 않았다. 더구나 새로운 회계 체계와 국제 무역이 확산하는 가운데 글을 읽고 쓰는 능력이 점점 더 중요해지는 세상에서 '보통' 시력으로 살다가 나이가 들수록 가까이 들여다보기 힘들어하는 다수를 위한 안경 공급에 모든 역량을 투여하는 판국에 근시는 우선순위에 들 수 없었다.

그러나 이 시기 피렌체의 유리 제작자와 안경 제작자는 지적 예술적 창조성의 도가니에 살고 있었다. 1436년 피렌체 산타마리아델피오레대성당의 돔을 만든 건축가 필립포 브루넬레스키가 공식적으로 확립한 후로 르네상스 예술을 향한 문을 활짝 열어젖힌 선원근법을 탄생시킨 도시였다. 2차원 그림 위에서 더 설득력 있게 거리감을 표현할 방법, 심미적으로 가장 보기 좋은 광경을 형성하도록 건물과 도로를 배치하는 방법 등 원근의 문제는 피렌체 사상가·예술가·장인 모두의 관심사였다. 사실상 근시가 지배하는 도시였으니 광학 분야에서 원근의 문제를 풀어내는 사람에게는 더욱 큰 보상이 기다리고 있었을 것이다. 근시를 보완하는 안경을 만들어 낸 사람은 피렌체 사회에서 가장 부유하고 힘 있는 가문의 후원을 기대할 수 있었다. 상상컨대 바로 이 필요가 근시용 안경을 탄생시킨 요인이었으리라. 메디치가와 오목렌즈 안경 사이에 직접적 인과 관계는 없고 단지 시공간의 우연한 일치가 있을 뿐이라는 점을 잊어서는 안 되지만, 그래도 안경을 만들던 세계의 모든 도시 중에서 근시용 안경을 최초로 만들어 낸 도시가 메디치가가 지배하는 피렌체였다는 사실을 우연으로만 보기는 어렵다.

하지만 이 최초의 근시용 안경을 쓰는 데는 한 가지 문제가 있었다. 비로소 근시에 쓸 만한 렌즈가 생겨나긴 했어도 렌즈를 끼우는 테 자체는 초기 형태와 크게 다르지 않다. 둥근 렌즈 두 개 사이를 못 하나가 아니라 브릿지로 연결하는 방식이 더 많이 쓰이기는 했지만 여전히 금속이나 뼈로 만든 테를 코에 걸치는 형태를 유지하고 있었다. 앉아 있거나 대상을 들여다보며 연구하는 데는 더할 나위 없이 좋았지만, 바깥세상을 돌아다니며 멀리 떨어져 있어 보이지 않던 물체를 바라보거나 말을 타고 멧돼지를 쫓아가려 하면 안경이 제자리에 붙어 있지 않으니 전혀 쓸모가 없었다. 평소 공개 석상에서 안경을 쓰지 않으려 하던 레오가 사냥터에서는 손에 드는 한 알짜리 오목렌즈를 선택한 것도 아마 이 때문일 것이다. 이 문제는 이후 수 세기 동안 안경 착용자와 제작자 모두를 괴롭혔다. 레오가 살던 시대에 나온 개선 방법으로는 머리띠에 안경을 고정하는 방식이 있었는데, 손이 많이 가는 데 비해 대체로 만족도가 낮고 불편했다. 의료계에서 그다지 닐리 쓰지는 않는 듯하지만, 『뉴요커』에 실린 레오 컬럼의 만화에서 의사가 항상 두르고 나오던 일종의 금속 띠에 진찰용 거울을 매단 것과 비슷했다.

왕 의　　눈 을
사　로　잡　다

수많은 종교개혁 역사학자가 냉랭하게 평했듯, 교황 레오 10세의 근시안은 다른 면에서 치명적이었다. 로마의 성베드로대성당 건축 같은 야심 찬 계획을 뒷받침할 재정을 마련하려고 면죄부 판매를 남발하자, 이에 반발해 독일 신학자 마르틴 루터가 일으킨 불복의 기운이 결국 서방 교회를 둘로 갈라놓을 것을 내다보지 못한 것이다. 직무 수행 중에도 안경을 썼더라면 좀 더 긴 안목을 가질 수 있었을지도 모를 일이다. 1521년에는 「마르틴 루터에 맞서 7성사를 옹호함」이라는 글을 써서 루터교에 맞선 헨리 8세의 공로를 치하하며 '신앙의 수호자'라는 칭호를 내려 주었는데,

그 헨리가 로마에 등을 돌리리라고는 상상조차 하지 못했다. 어쩌면 레오와 달리 헨리는 투구에 대못 안경 같은 것을 부착한 갑옷을 입는 군주였기 때문에 세상을 다르게 볼 줄 알았던 게 아닐까.

이 갑옷은 신성 로마 황제 막시밀리안 1세가 영국의 젊은 국왕에게 선물하려고 특별히 주문한 것이다. 인스부르크에 있던 황제의 금 세공인이자 갑옷 제작자인 콘라트 소젠호퍼 공방에서 제작해 1514년 무렵 헨리에게 보낸 이 갑옷은 현재 독특한 투구 부위만 남아 영국 리즈의 왕립 무기고에 보관되어 있다. 잉글랜드 내전 직후 왕비 살해자 헨리의 갑옷 여러 벌이 녹아 사라지던 와중에 이 투구만 살아남은 이유는 오직 그 독특한 형태 때문이었다. 기괴한 사람 머리 모양을 한 투구의 앞면을 이루는 강철 가면에는 코 조각을 부착하고 눈 모양대로 구멍을 뚫어 밖을 내다볼 수 있게 하고 입에는 치아 모양으로 창살을 끼워 놓았다. 게다가 말려 올라간 입술과 매끄럽게 휘어진 광대뼈, 하루 정도 면도를 하지 않은 듯한 우둘투둘한 턱 같은 세부 구조가 섬뜩할 정도로 실감을 더한다. 결정타는 투구에 붙은 구불구불한 두 개의 거대한 금속 뿔로, 악마 바포메트에게 어울릴 만큼 괴기스러운 모습이다.

하지만 눈구멍 위에다 커다란 대못 안경을 달아놓은 탓에 전체적으로는 사악하기보다 무모해 보인다. 둥근 안경테는 구리로 만들었는데, 처음에는 금박을 입혔던 것 같다. 데니스 휘틀리의 소설 『악마의 질주』보다는 비틀스의 애니메이션 『노란 잠수함』에 등장하는 '파란 악당'을 떠올리게 하는 모습이다. 헨리 8세의 후계자인 신교도 에드워드 6세와 구교도인 '피의' 메리 1세까지 모두 좋아했던 익살스러운 궁정 광대 윌 서머스가 그 갑옷을 물려받았다는 풍문이 오랫동안 떠돈 이유도 납득이 간다.

1536년 헨리 8세가 마상 경기 중 사고를 당해 자칫 목숨을 잃을 뻔한 후로 신체적·정신적으로 크게 쇠약해지고 몸도 비대해지는 바람에 갑옷이 제 역할을 할 기간이 꽤 짧아졌다. 그보다 앞선 1524년에 벌인 마상 경기 중에는 오른쪽 눈 바로 위에 상대의 창이 꽂히는 바람에 실명할 뻔했고, 그 때문에 평생 편두통을 앓았을 뿐 아니라 말년에는 안구 통증으로 고통받았다. 사고 후 몸무게와 허리둘레가 늘어난 데 반해 시력은 급격히 떨어졌던 것으로 보인다. 한때 탄탄하던 다리에 염증이 퍼져 거의 움직이기 어려워진 왕은 1544년 독일 측에 안경 열 벌을 한꺼번에 주문했다. 그해 왕실 회계장부에는 "안경 열 벌, 한 벌당 4페니, 3실링

4페니※'라고 쓰여 있다. 이후에도 같은 주문을 반복하는데, 이에 대해 튜더 시대 역사학자 로버트 허친슨은 헨리가 대단히 상습적으로 안경을 잃어버리거나 깨트렸을 것이라고 유추했다.⊙

코에 안경을 고정하려 애쓰면서 궁정의 사실로 몰려드는 무수한 서류를 읽고 서명하느라 극심한 고통을 겪던 헨리를 도우려고, 생애 마지막 2년 동안에는 가장 신임받던 신하 세 명, 즉 앤서니 데니 경, 존 게이츠, 윌리엄 클러크가 특수한 '건조 인장'을 가지고 왕을 대신해 공식 문서에 서명하는 역할을 맡았다. 나중에 밝혀진 사실이지만 헨리의 유언장도 마찬가지였다. 1547년 헨리가 죽은 뒤 꼬박 8개월에 걸쳐 작성한 소장품 목록에 따르면 사망한 왕은 총·대포 또는 포 부속품 9,150개, 태피스트리 2천 점 이상, 접시 2,028개, 테니스 채 7개, "은박으로 장식하고 꼭대기에 돌 9개를 박은 유니콘 뿔 지팡이"와 함께, "책 읽을 때

※3s 4d라고 표기되어 있는데, s는 실링, d는 프랑스의 드니에르로 페니와 같다. 1실링은 12페니에 해당했으므로 환산하면 40페니다.
⊙헨리 재임 중 대법관을 맡았다가 1535년 왕의 이혼과 로마와의 단절을 반대했다는 이유로 처형당한 토머스 모어의 초상화가 남아 있는데, 플랑드르 화파의 작품으로 추정하는 이 그림 속에서 모어는 독서에 푹 빠진 모습이다. 두 손으로 작은 책을 움켜쥐고 있고, 코끝에 걸친 안경은 콧잔등 살이 받쳐주고 있다. 안경 왼쪽 렌즈에 금이 가 있는 것이 특히 눈에 띈다. 이런 세부 요소를 그려 넣은 이유가 종교적·정치적 상황을 제대로 보지 못하는 교황의 무능력을 은유적으로 표현하려 한 것인지 예술적 진실성에서 비롯한 것인지는 알 수 없다. 그러나 이 장면은 부유한 사람조차 책을 계속 읽을 수만 있다면 다소 흠 있는 안경이라도 기꺼이 쓰려 했다는 사실을 보여 준다.

쓰는 넓적한 유리", "글 읽을 때 쓰는 녹색 돌", "글 읽을 때 쓰는 유리", 금박, 뿔 또는 은으로 만든 각종 안경(안경류를 가리키는 단어의 철자도 제각각임) 등 안경 총 41벌과 다양한 독서 보조 기구를 갖고 있었다. 투구에 붙은 안경은 목록에 없는데, 무기류에 포함되었을 수도 있다. 아니면 이미 광대 윌의 손에 넘어간 지 오래여서, 아직 10대도 안 된 헨리의 후계자가 영국 국교회와 왕국의 발전을 진지하게 고민하려 들지 않을 때마다 재주를 부려 기분을 북돋우는 데 쓰였을 가능성이 높다.

헨리 8세가 궁극적으로 마르틴 루터와 동일한 입장을 취했던 단 한 가지 신학적 견해는 성경이 교황의 권위에 우선해야 한다는 점이었다. 그리고 수도원 폐쇄, 성인 및 성유물 숭배 폐지, 제단과 내진 장벽※의 정교한 장식 제거 등 재임 중 헨리가 실시한 종교개혁이 빚은 모든 변화 중에서 인민의 문해력을 키우는 데 가장 크게 기여한 것은 1538년 왕국의 모든 교구 교회에 라틴어가 아니라 영어 성경을 비치하도록 한 명령이었다. 그로 인해 자연스럽게 안경 수요도 늘었다.

국왕 헨리가 투구에 안경을 부착했다면, 그 아래 백성은 모자에 안경을 고정하려 한 경우가 많았던 모양이다.

※성직자가 예배를 주관하는 제단과 신도석 사이를 구분하는 벽으로, 들보와 기둥 같은 구조물을 세우되 제단을 바라볼 수 있도록 벽면은 비워 놓는다. 최근에는 허리 높이의 난간만 세우거나 아예 없애는 편이다.

16세기 초 프랑수아 라블레가 쓴 지극히 외설적인 명작 희극『가르강튀아와 팡타그뤼엘』에 등장하는 자아도취자 파뉘르주가 써서 유명해진 착용법이다. 외설적인 프랑스 풍자극에서 출발하긴 했지만, 대개는 안경에 눌려 불편하기 짝이 없는 코를 쉬게 하려고 짜낸 궁여지책일 따름이었다.

광학 분야의 선구자로, 1628년에 이 문제를 거의 최초로 거론한 책『안경 사용에 관하여』를 쓴 스페인의 베니토 다자 데 발데스는 의사와 제자 사이의 가상 대화를 통해 이 방법을 제시한다. 먼저 의사가 "코가 지나치게 부어오르"지 않게 하려면 안경을 "날개나 판에 부착"하면 편리할 것이라고 하는데, 이 말은 안경을 코에 걸지 않고도 사용할 수 있도록 "모자와 머리 사이에 끼워 넣는" 것을 뜻했을 수 있다. 제자는 귀족이나 왕이라면 몰라도 자기처럼 신분 낮은 사람은 수시로 모자를 벗어 들어야 하니 그 방법은 실용적이지 않다고 응수한다. 의사는 제자의 지적을 수긍하면서도 토머스 모어처럼 "안경을 코끝에 너무 세게 꽂아 말도 편하게 못 하고 체액※※이 빠져나오지도 못하게 하는" 자들을 계속 성토한다. 그러나 "더 유용한 조언을 들은" 모양인지 "손을 자유롭게 쓰려고 귀에다 끈으로" 안경을 거는 방식을 택하는 이들이 있다며 흡족해하는 모습을 보

※※고대 그리스 로마 의학에서는 네 가지 체액이 인간의 몸을 구성하며 이 체액의 균형이 맞지 않을 때 질병이 나타난다고 보았다. 사체액설이라고 하는 이 이론은 중세까지도 영향을 미쳤다.

인다.

　　이러한 안경 착용법은 1600년경 엘 그레코가 그린 페르난도 니뇨 데 게바라의 유명한 초상화에 담겨 후대까지 전해지고 있다. 크레타 출신으로 최초로 스페인 미술대학 학장을 맡았던 엘 그레코는 스페인의 종교재판관으로 취임 후 불과 2년에서 3년 사이에 적어도 240명을 이단으로 판결해 화형시킨 데 게바라 추기경을 교황 레오 10세처럼 진홍색 예복을 입고 집무실의 푹신한 의자에 앉은 모습으로 묘사한다. 턱에는 희끗희끗한 뾰족 수염이 나 있고, 코에는 짧은 브릿지가 달린 까맣고 둥근 안경이 올려져 있다. 안경 양쪽 끝에 붙은 끈 두 개를 귀 앞에서 가로로 V자 형태를 그리도록 교차시킨 다음 머리 뒤쪽에서 묶어 단단히 고정해 둔 모습이다. 안경이 원래 얼굴 일부를 가리는 물건이다 보니 변장 효과가 있기는 하지만, 추기경은 마치 얼굴을 가려 주지 못하는 부실한 가면을 쓴 것처럼 보인다. 그러나 빳빳한 비단옷 주름 표현에 심혈을 기울인 데 비하면 안경은 어쩐지 적당히 대충 처리해 버린 느낌이다. 오래전 포스터 가게 아테나에서 수염과 안경을 덧그리거나 뻔뻔하게 선글라스에 담배까지 그려 넣어 팔던 모나리자 포스터처럼 원래 그림 위에 나중에 장난삼아 그려 넣은 듯한 모

엘 그레코, 「페르난도 니뇨 데 게바라의 초상」, 1600년.

습이다.

　같은 시기 작품으로, 1597년 예비 의료인을 위한 실습 안내서를 쓴 파도바의 철학 및 의학 교수 히에로니무스 카피바키우스 또는 지롤라모 카피바키오의 초상화에도 이런 식으로 머리에 묶는 안경을 쓴 모습이 보인다. 이 그림은 이후 판화 형태로 카피바키우스의 책에 두고두고 여러 판본으로 삽입되었다. 이탈리아와 유럽 대륙의 다른 지역에서도 발견되기는 했지만, 이런 형태의 안경은 주로 스페인 내에서 널리 활용된 듯하다. 스페인에서는 우연히 안경이 등장한 이래로 더 큰 안경을 선호하는 경향이 나타났다. 16세기에서 17세기 초까지 상류층 귀족과 여성 사이에 크게 유행한 후로는 더욱더 널리 퍼졌다. 스페인을 방문한 어느 외국인이 관찰한 바에 따르면 "부유한 사람일수록 더 큰 안경을 쓰는데, 스페인 최고 권력자는 자기 손만 한 안경을 쓸 정도"였다.

　그 밖에 다른 유럽 지역은 이 정도까지 안경에 푹 빠지지 않았다. 게다가 머리에 묶는 끈은 코에서 흘러내리는 안경만큼이나 성가시고 짜증스럽고 불편한 장신구로, 멋 내기 좋아하는 이베리아 사람들이나 좋아할 물건이라고 여긴 탓에 스페인에서 유래한 이 혁신을 받아들이는 지역이

별로 없었다. 독일에서는 여기서 더 나아가 가죽테를 두른 안경도 등장했다. 1600년 무렵 뉘른베르크의 안경 제작자들이 고안한 것으로, 뿔테에 가죽끈을 대어 머리 뒤에서 묶는 방식이라 그림을 보면 마치 고글같이 생겼다. 전에 없던 속도를 즐기던 초창기 자동차 운전자와 인공 비행기구에 잠재하는 전율과 치명적 위험에 별 동요 없이 특유의 매력적인 분위기를 풍기며 무모하게 뛰어들던 제1차 세계대전 비행 고수들이 쓰던 바로 그 물건, 고글의 태곳적 전신이 틀림없다.

그러나 제작비가 더 비싸고 쉽게 해어지고 제자리에 고정하기도 까다로웠을 초기 가죽끈 안경은 당연히 더 단순하고 저렴한 코안경을 대체하지 못했다. 이와 거의 같은 시기에 금속, 특히 구리 선이 등장한 덕에 뉘른베르크의 금속 세공인은 일정한 길이의 선 하나를 몇 차례 비틀고 돌리기만 해도 기본적인 코안경에 필요한 안경테와 브릿지를 만들어 낼 수 있었다. 비용도 뿔테보다, 심지어 가죽테보다도 훨씬 낮았다. 다시 말하지만, 어쨌든 이후로 당분간은 이런 금속 코안경이 노안을 맞이한 안경 착용자 대부분의 필요를 꾸준히 채워 주었다.

흥미롭게도 스페인 외에 전 세계에서 끈을 단 안경이 뚜렷
이 유행한 지역은 동아시아, 특히 중국과 일본뿐이었다.
하지만 이런 종류의 안경을 중국에서 발명했을 가능성이
높다는 믿음은 오래전부터 있었다. 마찬가지로 오래전부
터 최초의 안경이 마르코 폴로 같은 베네치아 무역상을 통
해 중국에서 이탈리아로 전해졌으리라 가정한 역사가들
이 있었다. 대륙 간 결합이라는 그럴싸한 설명과, 종이·도
자기·화약 같은 중국 발명품이 유럽으로 넘어가는 과정을
보여 주는 입증 가능한 근거들로 타당성을 높인 사례를 제
외하고는, 아쉽게도 이를 확인할 증거가 전혀 없다. 굳이
찾자면 안경까지는 아니더라도 최소한 베네치아산 유리
정도는 저쪽으로 넘어갔을 가능성이 좀 더 보이기는 한다.
원나라 순제와 아비뇽의 교황 베네딕토 12세 사이가 가장
원만했던 1330년대에 교황이 파견한 사절단이 최고급 무
라노 유리와 크리스털 제품 등 값진 선물을 한가득 안고 중
국으로 간 사실은 확실히 알려져 있다. 그러나 원의 뒤를
이어 1368년 개국한 명나라는 서방의 접근을 차단했고,
포르투갈인이 인도로 향하던 중에 개척한 항해로가 중국

해안까지 닿아 중국과 유럽 사이의 접촉이 시험적으로 재개되는 1514년까지 이 정책을 계속 유지한다.

이렇게 동방으로 향하는 길을 뚫은 이들 중에는 프란치스코회·도미니코회·아우구스티노회 출신의 반反종교개혁 선교사들이 있었다. 그중에서도 가장 두드러진 집단은 1534년 스페인에서 '이교도 개종'을 목적으로 창립한 예수회 또는 제수이트라는 수도회였다. 1582년 중국 마카오에 예수회 상설 선교회를 설립한 이탈리아인 마테오 리치는 서양인 최초로 명나라 황궁 자금성에 입성했고 공자의 철학을 라틴어로 번역했다. 그리고 명나라 만력제에게 유럽의 시계와 지도 등을 선물로 바쳤다.◉ 당시 중국에 안경을 소개한 사람도 리치 또는 동료 선교사 중 한 명이라는 주장이 자주 제기되곤 한다.

그래도 중국에는 그보다 훨씬 오래전부터 일종의 안경이 있었다고 볼 만한 근거가 많다. 다만 이런 안경은 노안이나 원시·근시를 교정하는 렌즈를 장착한 것은 아니었던 것 같다. 티스톤※이라고 부르는, 음영과 투명도가 다양

◉세계로부터 거의 완전히 고립되어 긴 세월을 보낸 만큼 당시 중국의 지도 제작술은 확실히 자국 중심적이었다. 리치는 나중에 이렇게 회상했다. "중국 지도에는 '세계의 모습' 같은 제목이 붙어 있었지만, 실제로는 중국 내 15개 성으로 전면을 거의 다 채우고 둥그런 가장자리에 있는 가느다란 바다와 점점이 그린 조그만 섬 몇 개에 그동안 들어 본 적 있는 모든 왕국의 이름을 다 적어 놓은 깃뿐이였다. 이 부분을 다 합해도 중국 성 하나의 면적보다 작을 정도였다."

※흑갈색을 띄는 연수정으로 만든 렌즈를 끼운 안경인데, 렌즈 색깔이 마시는 차 색과 비슷하여 티스톤이라고 부른다.

한 원반 형태의 천연 수정석 및 광물을 테에 끼운 물건이었다. 시력 향상을 위해서가 아니라 햇빛이 눈에 내리쬐지 않게 가리거나 충혈된 눈을 진정시키려고 휴식 중에 쓰던 것으로 안경보다는 선글라스에 훨씬 가까웠다. 안타깝지만 어떻게 봐도 최초의 유럽 안경보다 앞선 안경으로 볼 수 없다. 어쩌면 원나라 시대에 베네치아에서 가져간 유리를 중국식으로 독특하게 발전시킨 것일지도 모른다. 기나긴 고립기에 바깥 세계에 나타난 볼록렌즈의 기적을 모른 채 중국 고유의 뿌리 깊은 영적·의료적 전통에 맞추어 발명해 낸 일종의 기적 아닌 기적이랄까.

『1550년~1800년 유럽과 중국의 유리 교역』을 쓴 에밀리 번 커티스는 중국 시인 이불李紱이 독서용 안경에 대해 "이국땅에서 온 기이한 물건"이라고 애정을 담아 쓴 시구를 인용한다. 이불은 예수회가 중국에 도착한 지 거의 2백 년이 지난 1740년에 이 글을 썼는데, 그때까지도 광학렌즈를 장착한 안경이 여전히 특이한 서양 물건으로 보였던 모양이다. 반투명 석영 같은 광물을 틀에 넣은 중국 전통 물품 티스톤은 전혀 그렇지 않았겠지만.

약 50년 후인 1793년, 청나라 건륭제 시절 파견된 영국 대사 매카트니 경의 의사 휴 길런은 광둥에서 안경을 만드는 장인을 만났는데 아직도 "다양한 시력 문제에 맞추어 변형하는 광학 원리를 전혀 이해하지 못하고 있는 듯했다"고 기록했다.

중국 수입품 목록 서류상에는 가톨릭 선교사가 교정용 렌즈를 장착한 안경을 선물로 바친 기록이 18세기까지 줄곧 이어진다. 그런데 길런도 분명히 일기에 썼듯이, 이 몇 세기 동안 중국 안경에 관한 거의 모든 기록에 안경을 고정하는 데 끈이나 줄을 사용했다는 언급이 나타난다. 당시 안경 쓴 중국인을 그린 필묵화와 현존하는 수천 점의 골동품을 보면 시계추처럼 줄 끝에 무게감을 더하는 식으로 밧줄과 도르래를 상당히 정교하게 결합한 물건으로 안경을 고정하려 한 모습이 자주 나타난다. 이 방식은 놀랍게도 중국 일부 지역에서 최근까지 이어 온 전통이다.

번 커티스는 이처럼 안경을 머리에 묶는 방식을 선호하는 문화가 무거운 수정 같은 광물 렌즈를 사용해 온 역사적 경험에서 나왔을 수 있다고 주장한다. 만약 그렇다 해도 동일한 기호가 스페인 땅에서도 나타났다는 점은 흥미로운 우연의 일치다. 결국 예수회가 처음 탄생한 바로 그 땅에서 말이다. 엘 그레코의 초상화 속에서 스페인풍을 받아들인 끈 안경 착용자 페르난도 니뇨 데 게바라가 예수회를 극렬히 반대한 탓에 교황에 의해 스페인의 종교재판관에서 세비야의 주교로 강등당했다는 것도 재미난 사실이다.

그러나 안경에 관한 다음 이야기는 성직자가 아니라 상인들이 이끌어 나갈 예정이다. 종교적 박해로부터 도피하는 자들이 안경의 진보에 중요한 역할을 맡기는 할 테지만.

3 장
깨 어 나 는
안 경 제 조 업

시 티오브런던※ 한복판, 부츠더캐미스트 매장과 캐논가역 맞은편인 캐논가 111번지에 있는 평범한 사무용 건물 전면에는 그다지 멋져 보이지 않는 대리석판 하나가 커다란 유리판 너머 전시되어 있다. 인근의 직장인 대부분이 거들떠보지도 않는 이 돌은 사실 '그 유명한' 런던 스톤이다. 전설에 따르면 이 둥그런 돌은 브리튼 신화 속 최초의 왕 브루투스가 트로이에서 가져온 것으로, 1450년 수도에 침입한 켄트의 반역자 잭 케이드가 이 돌을 지팡이로 두드리고 스스로 '런던의 군주'를 칭했다고 한다. 이 반란 사건을 각색한 셰익스피어 희곡 『헨리 6세』

※로마시대에 처음 생겨난 런던의 오래된 중심가 지역으로 영국 역사의 출발점이기도 하다. 간단히 '시티'라고도 부른다.

2부에서 케이드는 이 돌을 임시 왕좌로도 사용한다. 로마 시대 표석이라거나 작가 윌리엄 블레이크가 시 속에서 섬뜩한 인신 공양 장소로 묘사한 드루이드교의 제단이라거나 고대 브리튼 왕이 즉위 선서를 하던 신성한 운명의 바위라는 등, 이 돌의 정체를 두고 다양한 주장이 나왔다. 그중 가장 터무니없는 소문은 아서왕이 자신의 검 엑스칼리버를 뽑은 바위라는 설일 것이다.

그 밖에 이 장소에 대해 얼마나 미심쩍은 헛소리가 떠돌았던 간에, 런던 스톤의 실제 용도를 서술한 몇 가지 믿을 만한 기록 중 하나가 17세기 후반 안경제작자조합※ 서류에 담겨 있다. 당시 런던에서는 안경 제작과 판매를 동업조합이 독점하고 있었기 때문에 허가 없이 판매한 제품을 부술 때 이 돌을 썼다.

퇴적암과 안경이 맞붙는 이 시합에서 지는 쪽은 당연히 안경이었다. 그런데 그 불쾌한 물품을 "런던 스톤의 남은 부분"에 올려놓고 부수려면 망치가 필요했다. 1671년 8월 3일 불시 단속 중 "품질이 너무 낮아 판매하기 부적합한 렌

※Worshipful Company of Spectacle Makers, 특정 업종명에 '존경할 만한 회사'라는 뜻의 'Worshipful Company of'라는 명칭이 붙은 경우는 중세 시대부터 이어온 상공업자 및 장인의 동업조합 즉 길드를 가리키는 것으로, 제복을 뜻하는 livery를 붙여 'Livery Company'라고도 부른다. 해당 업계를 독점하다시피 하는 만큼 입회 자격이 까다롭고 조합 설립에도 정부의 허가가 필요한 권위 있는 조직이었다. 지금은 환경이 많이 달라졌지만 여전히 존속하는 조합이 있고 신규 업종 동업조합이 생성되기도 한다.

즈와 테로 만든 영국산 안경 242벌"을 자신이 운영하는 바느질 도구 판매점에 보유한 사실이 드러나 재판에 넘겨진 엘리자베스 배그널 부인 사건 판결문에도 쓰여 있듯이 말이다. 앞서 셰익스피어 희곡에서도 중요한 역할을 맡았고, 신성한 런던 땅에서 "함부로 손댈 수 없는" "런던탑의 까마귀 같은"※※ 물건으로 소중히 대접받은 돌을 이런 식으로 사용한다는 것은 격에 맞지 않아 보인다. 그러나 이 요란한 재판을 지켜보던 군중은 시티 당국이 권력을 과시하려고 이런 고정 지물을 활용했던 행위에 담긴 상징성을 충분히 파악했을 것이다.

21세기 현재, 악마는 정보 속에 있다. 거의 모든 사람이 무엇이든 팔 수 있으며, 기존 질서를 흐트러뜨리려는 이들은 가상 공간에서 현실 세계를 관장하는 엉성하기 그지없는 규제를 회피할 방법을 찾아낸다. 산업화 이전 시대에 대세를 이루었던 길드 체제는 오늘날 보기에 놀라울 정도로, 거의 황홀할 정도로 억압적이다. 제품 하나하나를 엄격히 관리한다는 점에서 최초의 감시 자본주의라 할 수 있다. 무엇이 됐든 거래를 하려면 반드시 승인받은 길드의 회원이어야 했다. 14세기 전에는 존재하지 않던 직업인 안경 제작업의 경우, 최초 제작자는 독자적인 단체로 인정받을

※※ 런던탑에 반드시 까마귀 6마리가 살아야 왕국을 지킬 수 있다는 예언을 들은 17세기 국왕 찰스 2세가 보호령을 내린 후로 지금까지도 런던탑 까마귀는 매우 귀하게 보호받고 있다.

만큼 제작자 규모와 전문성이 충분히 늘기 전까지는 기존 길드에 소속되어 일해야 했다. 유럽 대륙에서는 이 과정이 훨씬 더 빨리 진행된 듯하다. 예를 들어 초기에는 거울 관련 업종으로, 나중에는 장난감 제작업으로 묶이던 파리의 안경 제작자는 1465년에 이미 독자적인 길드로 존재했다. 반면 시티오브런던의 동종업계는 같은 시기 발간된 공식적인 거래 조사서 목록에도 등장하지 않을 정도로 미미했다. 어느 정도 규모가 커진 후에도, 1629년 이전까지는 사실상 수도의 술주정뱅이들이 쓰는 모든 안경을 제작하면서도 양조업 길드에 소속된 상태로 만족해야 했다.⊙

안경 제조업이 런던에 밀집한 데는 확실히 현실적인 이유가 있었다. 같은 자재를 쓰는 기술자와 장인이 특정 지역에 모이는 현상이다. 예를 들어 뿔은 술통으로도 쓰지만 안경테를 만들 수도 있는 재료였다. 전통적으로 양조통 자재였던 구리는 선형이면 구부려서 테를 만들 수도 있었다. 물론 가장 두드러진 연결점은 유리 제품이었을 것이다. 게

⊙1516년 시티오브런던 길드, 이 상업적 신분제의 빡빡한 서열 속에서 양조업은 14위에 해당했다. 가장 부유하고 명성 높은 포목업을 필두로 하는 거대 12개 조합보다 2순위 아래였다. 순위가 비교적 낮게 나온 이유는 양조업에 대한 평판이 그다지 좋지 않아서다. 해로운 음료를 판매해서가 아니라 맥주를 정량보다 적게 담거나 용량을 속여 판매했기 때문으로, 당시에 흔한 수법이었다. 착용자의 외모를 바꾸어 놓고 멀리 있는 물체를 가까이, 가까운 물체를 멀리 보이게 하는 안경을 권하는 안경 제작업이 이처럼 기만적이라는 인식이 만연한 길드로 떠밀려 들어갔다는 사실에서 안경 자체에 대한 그 오랜 의구심의 연원을 짐작할 수 있다.

다가 16세기 후반이면 분명 양조업계에서 유리병에 맥주를 담는 방법을 실험하고 있던 때다. 그러나 관련 연구에서는 판매용 병맥주 제작 및 판매가 이보다 한 세기 더 지난 후에야 실현되었다고 본다. 그 시기면 안경 제작자는 이미 독자적인 길을 걷고 있었다.

양조업계의 공식 역사 속 어디에서도 안경 제작에 관한 기록을 찾아볼 수 없다. 한편 안경조합의 공식 역사에서는 1628년 찰스 1세에게 조합 창립 허가를 청원할 때 "친구와 동료" 사이에서 지지자를 모은 로버트 얼트라는 사람이 "런던 브릿지에 있는 가게에서 안경 제작 기술을 익힌" "시티 주민이자 양조업자"라는 사실 정도가 언급된다.

얼트가 활동하던 브릿지는 시티오브런던에 속하기는 하지만, 사우스뱅크와 서더크도 아주 가까웠다. 1450년대에 기록상 영국 최초의 안경 제작자인 반 베센이라는 플랑드르 출신 남자 두 명이 살았던 지역이 바로 여기다. 또한 서더크는 양조업 발생지다. 일찍이 캔터베리※로 향하는 순례길에 속했던 버러 중심가에는 런던을 지나는 여행자를 위한 선술집이 즐비했다. 설화집 『캔터베리 이야기』를 쓴 제프리 초서의 가족은 저지대 국가와 주로 거래하는

※영국 성공회의 중심지인 캔터베리대성당이 있는 곳으로, 성당은 로마 시대에 처음 지어진 후 여러 차례 재건되었다. 1170년 국왕에 맞서 교권을 지키려다 암살당한 후 성인으로 추대된 토머스 베켓 대주교가 묻힌 곳이어서 오랫동안 순례자가 몰렸고 문학 작품에도 자주 등장한다.

포도주 상인이었다. 그러나 대륙에서 통용되던 수준의 맥주를 들여온 이는 이 지역에 정착한 플랑드르 및 네덜란드이민자 집단이었다. 보리 맥아를 발효한 전형적인 맥주의 맛을 더욱 끌어올리려고 쓴맛 나는 홉을 첨가하는 방식이었다.

이런 이야기를 꺼내는 이유는 양조업과 안경 제조업 사이를 잇는 또 하나의 연결고리가 있어서다. 둘 다 주로 저지대 국가에서 영국으로 건너온 이민자가 발전시킨 업종이라는 사실이다. 런던 안경 제작업계가 자립하기로 한 16세기 말에서 17세기 초까지 광학 부문은 북해 건너편에 있는 제방과 양수기의 땅에서 주도하고 있었다. 경제적·문화적으로 떠오르는 동력은 어쨌거나 그쪽에 있었다. 르네상스 시대 베네치아가 그랬듯 국제 무역에 의존하고 새로운 조류를 두려워하다 결국 전에 없던 프로테스탄트 공화국으로 바뀌게 될 나라. 선구자 베네치아가 누렸던 수준에 못지않은 부를 축적하고 경제적 독창성, 지적·예술적 창조성 측면에서 온전히 빛을 발할 시기로 막 진입하고 있던 나라. 최초의 부르주아 시장 자본주의 사회를 이룰 나라. 기민한 주식시장 투기로 얻은 전리품과 노예 및 식민지 착취에 기대어, 이 시기 이 나라를 연구한 사이먼 샤마의 명저 제목을 빌리자면 『수치스러운 부』를 축적한 나라. 네덜란드다.

삼각주 지대에 자리 잡은 칼뱅주의 지역 연합체 네덜란드에서 곧 일어날 모든 혁신 중에서도 진정 세계에 관한 우리의 인식을 통째로 바꾸어 놓았다고 말할 수 있는 것이 두 가지 있다. 그리고 이 두 가지 다 미델뷔르흐에서 렌즈 가공과 안경 제작을 하던 한 장인의 공방에서 생겨난 게 거의 확실하다. 미델뷔르흐는 대부분이 해양 지역인 네덜란드 남서부 제일란트주의 주도이며, 암스테르담과 마찬가지로 벨기에 안트베르펜이 1585년 가톨릭 국가 스페인 군대에 함락당한 후 크게 성장한 도시다.

광학 제품 생산자 한스 리퍼세이는 라인강이 흐르는 독일 서부 베젤 출신이다. 당시 미델뷔르흐는 80년 전쟁 기간 내내 네덜란드와 스페인이 맞붙던 또 하나의 격전지였는데도 강경한 프로테스탄트 지역이면서 인문주의로 들썩이는 미델뷔르흐가 자기 사업을 펼치기 더 좋은 곳이라고 보았던 모양이다. 이 도시에서 안경을 판매하던 리퍼세이는 렌즈 조합 방식을 바꾸는 실험을 하는데, 아마도 이 과정에서 최초의 복합 현미경과 굴절 망원경을 발명한 듯하다. 당연히도 이 두 기기를 최초로 발명했다고 주장하는 또 다른 경쟁자들이 존재했지만 말이다. 실제로 현미경 발명의 공로는 리퍼세이뿐 아니라 미델뷔르흐에서 동업하던 안경 제작자 자카리아스 얀선과 한스 얀선 부자에게도 돌려야 한다. 한편 1608년 리퍼세이가 쌍안경 형태를 포함한 망원경 설계도를 공개적으로 발표하고 특허를 신청하자 피사 태생 천문학자 갈릴레오가 거의 즉시 개선안을 냈다. 상처에 소금을 뿌리기라도 하듯, 갈릴레이는 뒤이어 리퍼세이와 얀선의 미델뷔르흐식 복합 현미경마저도 더욱더 세밀한 측정이 가능하도록 개선했다. 그렇다 해도 계몽주의 시대의 문을 연 것은 네덜란드에서 탄생한 이 두 기기라고 말할 수 있다. 이들 기기가 없었다면 거의 상상도 하기 어려웠을 근대 과학 연구의 태동에 필요한 도구를 제공한 것이다. 노르웨이 작가 칼 오베 크나우스고르가 짚어 냈듯, 망원경과 현미경은 합리적 사고의 핵심에 '눈'을 부여하여 역사적으로 관측 불가능했던 영역 깊이 존재하던 신화적 의미 체계를 대체하도록 도왔다.

그리고 영국에서 이 두 기기를 만들고 판 사람은 네덜란드에서와 마찬가지로 안경 제작자였다. "이나 진드기를…… 가장 완벽하고 크게" 보여 주는 기기라며 감탄했던 새뮤얼 피프스에게 망원경을 판매한 리처드 리브는 안경조합 회원으로서 최초로 왕립학회 공식 과학 기구 제작자로 임명받은 사람이다. 1665년에 나온 획기적인 현미경 관찰 연구서 『마이크로그라피아』의 저자 로버트 훅이 사용한 기기도 리브가 만든 것이었다. 이렇게 광학 기기가 발달한 과정은 맥주와는 거리가 멀어 보인다. 훅이 개미를 제대로 관찰할 수 있을 때까지 움직이지 않게 하려면 브랜디를 먹여야 한다고 쓰기는 했지만 말이다.

그러나 이런 발명품이 점차 궤도에 오르는 사이, 안경조합은 양조업과 거리를 두면서 의도적이건 아니건 간에 과학 및 상업 분야의 진지한 남성과 특이한 여성층을 사로잡는 과업에 착수했다. 리브 같은 이들이 운영하는 매장은 피프스 같은 상류층이 찾던 '계몽의 도구' 그 자체를 제공하는 공간이었다. 망원경으로 치자면 제국적 팽창주의의 도구라고도 할 수 있겠다. 안경조합은 도시의 거리에서 안경을 팔지 못하도록 '떠돌이 행상'을 금지하는 조항을 창립헌장에 명시했다. 그리고 조합원이라도 렌즈 없는 안경테 또는 안경테 없는 렌즈를 팔지 못하게 하여 안경 부품을 거래하는 2차 시장 형성을 막으려 애썼다. 즉 안경조합 소속 제작자에게 살 수 있는 것은 오직 완성품 안경뿐이었다.

그래도 조합 매장은 대부분 안경과 렌즈를 물리적으

로 제조하거나 최소한 조립이라도 하는 공방 기능을 유지했다. 오늘날 우리가 볼 수 있는 전시판매장 또는 초창기 번화가 매장 형태는 이제 막 등장하는 와중이었다. 예를 들어 찰스 1세가 런던의 안경 업계에 증서를 내려 "각 매장의 위치가 더 잘 드러나도록" 건물 위에 간판을 달 권리를 최초로 인정한 해는 1625년이었다. 그때까지 여관과 선술집에만 거의 배타적으로 허용하던 것이었다. 이 시점에 이러한 간판이 등장했다는 점에서 런던이 인구가 계속 늘어나는 주요 도시였다는 점 그리고 잠재적 고객의 방문 가능성을 높여야 하는 새로운 전문 산업이 늘고 있었다는 사실이 드러난다.

실제로 안경조합이 헌장을 마련한 지 2년 후에는 시계 제작자들이 대장장이 조합에서 독립해 자체 길드를 설립했다. 같은 시기 영국 이민자들이 건설한 미국 버지니아주 제임스타운으로부터 정기적으로 '갈색 황금'인 담뱃잎을 들여오게 되고는 담뱃대 제작자 길드도 등장했다. 시계조합이 생기자 전통적으로 안경 제작자가 독점권을 주장하던 시계 유리 세공권을 두고 두 길드 사이에 분쟁이 발생한다. 수학적 해상 측정기기 제조권 분쟁이 뒤따른 건 말할 것도 없다.

안경 제작자들은 자기 매장에서 제조 및 판매하는 제품의 범위를 간판에 표시하곤 했다. 조합원이 건물 밖 간판에 '최고급 금테 안경 및 사분의※', '굴절 현미경' 같은 문구를 써넣었다는 기록이 안경조합 기록물에 담겨 있다. 한편 다른 조합원들은 피타고라스를 연상시키는 '세 개의 안경'이나 '베이컨 수사', '아이작 뉴턴 경' 같은 상징적 인물 이름을 사용하기도 했다. 이 두 가지를 솜씨 좋게 결합한 '아르키메데스와 금테 안경 세 벌'이라는 간판도 있었다. 존 야웰이 1697년 세인트폴 처치야드 매장에 달았던 것으로, 나중에 루드게이트가로 이전할 때도 보존했다. 루드게이트가 주소와 간판 그림이 찍힌 '야웰의 정품 안경원' 명함에는 이 시기 해당 안경원에서 취급하던 각종 안경과 기타 다양한 제품 그림이 가득하다. 야웰은 광학 제품 외에도 각종 기기류를 확보할 수 있었던 듯하다. '주간 및 야간용 거리별 망원경 일체', '신형 이중 현미경', '확대경·고배율 확대경·기상 관측경'뿐 아니라 '크기별 독서용 안경 일체', '확성기' 등이 야웰 매장의 주력 상품이다. 야웰만큼은 못했겠지만 이 시기 다른 안경 제작자들도 어느 정도는 다양한 상품을 취급했다. 그러나 야웰 매장이든 당대의 다른 매장이든 맥주를 취급하는 곳은 어디에도 없었다.

※천체의 고도를 측정하는 도구로, 원주를 사등분하여 90도 각도의 부채꼴에 눈금을 표시한다. 같은 원리로 육분의, 팔분의도 있다.

"왕립학회가 승인한 새로운 방식에 따라 황동 공구로 정밀히 세공한 정품 안경"임을 과시하며, 야웰은 자기 제품이 "젊은이든 60대 노인이든 열여섯 살 때처럼 아무리 작은 글씨도 읽을 수 있도록" 도와준다고 주장했다. 게다가 안경테 재질도 '가죽·뿔·은·귀갑·철' 중에서 직접 고를 수 있었다.

대　륙　발
신 소 재 의　등 장

이 시기에 귀갑은 상당히 새로운 소재였다. 카리브해에서 유럽에 막 들어오기 시작한 실제 대서양 바다거북 껍질로, 정확히는 '별갑'이라고 불러야 맞다※. 19세기에는 런던 세인트캐서린 독에서 분기마다 여는 경매에 엄청나게 많이 올라왔는데, 대부분 바하마산이었다. 이런 경매는 1939년까지 이어졌다.

이 소재를 안경에만 쓰지는 않았다. 지금도 그렇지만 용도가 다양하고 내구성이 좋은 천연 플라스틱인 귀갑은 20세기 들어 결국 베이클라이트 같은 초기 합성 물질에 밀

※귀갑은 거북 껍질, 별갑은 자라 껍질을 가리키는데 거북이 육생 또는 육생과 수생을 겸하는 반면 자라(및 바다거북)는 수생인 점이 다르다.

려나기 전까지 빗, 칼 손잡이, 장신구, 수납장 표면이나 상감 장식, 기타 가구 부위에 두루 쓰였다. 애초에 귀갑을 안경테로 그렇게까지 즐겨 사용하게 된 것도 사실 16세기 스페인 여성들 사이에 귀갑으로 만든 커다란 장식용 빗을 머리에 꽂고 다니는 스타일이 유행한 데서 비롯했다는 주장이 있다.

그렇긴 하지만, 운 나쁜 바다거북의 껍질을 떼어 안경테로 만드는 일은 예쁘기는커녕 엄청나게 오랜 시간을 끓는 물 앞에서 보내야 하는 불쾌하고 고된 작업이었다. 바다거북을 죽일 때는 혹시라도 껍질 윗면이 상하지 않도록 모래 위에 등이 닿게 뒤집어 방치하는 것이 관례였다. 일단 거북이 죽으면 껍질이 퇴색하기 전에 가능한 한 빨리 물에 담가 끓여야 했다. 알다시피 이런 일은 조급하게 달려들수록 효율이 올라가기 마련이라, 실제로는 수많은 바다거북이 산 채로 끓는 물에 담겨 죽어 갔다. 껍질을 벗기고 나면 등판을 색과 두께에 따라 분류했다. 그 상태로 배송된 등판을 가공업자가 사서 여러 번 끓이고 찌고 압착해 유연한 판재로 변형했다. 안경 제작자가 안경테 하나를 만드는 데는 길이 약 15센티미터 너비 약 4센티미터의 판재 한 장이 필요했다. 청결하게 관리하기도 쉽고 다른 금속 소재보다 피부에 닿는 느낌도 더 부드러운 귀갑은 극한 기상에도 휘거나 갈라지지 않았고, 테가 깨지거나 금이 가더라도 다른 조각을 붙여 수리하기도 쉬웠다.

1973년 바다거북이 보호종으로 지정된 후로 천연 귀갑 거래가 금지되었고 지금도 불법이지만 존 야웰 시대는 귀갑이 막 등장한 참이었다. 공교롭게도 안경 제작자가 쓰는 또 다른 안경테 재료인 고래수염과 고래 뼈를 제공해 준 한편 여러 생물 종을 멸종 위기로 몰고 간 또 하나의 대서양 횡단 무역인 고래잡이도 마찬가지다. 하지만 당시 논란을 일으킨 소재는 오히려 가죽이었다. 안경조합 최고 장인직에 올랐던 야웰은 1692년 가죽을 썼다는 이유로 조합으로부터 징계를 받았다.

안경조합 공식 역사가인 프랭크 로는 당시 조합이 가죽테 안경을 단속한 것은 "보다 일반적인 소재인 철제로 안경테를 만드는 데 필요한 기량을 떨어뜨릴" 수 있다는 우려 때문이라고 본다. 뉘른베르크 안경 제작자들이 가죽테를 수십 개씩 양산하던 상황도 영향을 미쳤을 것이다. 이 금지 규정은 아니나 다를까 야웰이 조합 장인으로서 마지막 임기를 마친 직후 해제되었다. 덕분에 1694년 루드게이트가에서 일하던 또 다른 안경 제작자 존 마셜은 조합의 눈치를 보지 않고 당당하게 "그동안 나온 어떤 제품보다 쓸모 있는" 물건이라는 설명을 덧붙여 "뿔테나 귀갑테처럼 깨질 염려가 없는 질 좋은 가죽테 안경"을 광고할 수 있었다. 바로 이 내구성 때문에 안경테 교체나 수리 수요가 떨어질지 모른다는 것이 초기 조합원들이 가죽테를 반대한 이유였다.

그런데도 조합은 1660년대 후반에 갑자기 밀려든 프랑스산 구리테 같은 해외 수입 물품 때문에 골치를 앓았다. 이렇게 승인하지 않은 해외 제품을 판매하는 경우에도 가죽테와 비슷하게 제재를 내렸다. 조합 관리자와 책임자가 규정을 적용하는 태도와 열의는 마치 미국 금주법 시대 연방수사관을 보는 듯하다. 불법 위스키 증류기를 적발하는 금주법 수호자처럼 정의로운 태도로 무장한 채 매장을 급습하고 부적합한 안경류를 찾아 박살 냈다. "존 헤필드 씨 매장에서 프랑스산 흰색 구리테 안경 24벌 발견. 유리는 합의 하에 파괴함." 전형적인 수색 기록 중 하나인 이 문구는 1669년 조합 관리자인 존 래드포드와 존 버니가 참여한 감찰 기록이다. 주로 엘리자베스 배그널 같은 바느질 도구 판매상이 규정을 위반하는 경우가 흔했던 모양인지, 적발 건수가 안경 판매장보다 두 배 가까이 많이 나오곤 했다. 래드포드 및 버니가 설명한 다음 문구와 같이, 이런 사람들은 일단 안경을 판매함으로써 안경 제작자의 영역을 침범했을 뿐 아니라 기준에 못 미치는 제품을 판매하여 규정을 어기기까지 했다. "지킬 씨의 바느질 도구 매장에서 안경알의 한쪽 면만 연마한 안경 두 벌 발견, 합의에 따라 압수함." 흥미롭게도 직조업자들도 부업 삼아 조합의 수색 대상이던 시계 유리 연마 작업을 하는 경우가 꽤 많았던 것으로 보인다.

그래도 조합의 의도는 신성했다. 사업 건전성을 보장하고 조잡한 안경이 시장에 쏟아져 들어오지 못하게 막으려 했을 뿐이었다. 조합 소속 안경 제작자는 어쨌거나 개업 전에 7년이나 수습 생활을 해야 했으니까 말이다. 공방에서 열여섯 살 이하의 수습생을 받을 경우 1기니를 지급해야 했기 때문에, 대개는 열여섯 살에 수습을 시작해 스물세 살 정도 되어야 '조합원 자격'을 얻을 수 있었다. 물론 담당 장인이 만족할 만큼 안경 제작술을 익힌 경우에 한했다. 장인은 수습생을 한 명씩만 둘 수 있었는데, 첫 번째 수습생이 수습을 마칠 즈음이면 두 번째 수습생을 들일 수 있었다. 이러한 도제 체계를 벗어나 사람을 쓰는 경우는 심각한 위반 행위로 간주했고 5파운드 이하의 무거운 벌금을 부과했다. 기록에는 아들 토머스를 몰래 조수로 쓴 런던 마이너리스의 안경 제작자 윌리엄 스펜서에게 벌금 3파운드를 부과한 사례가 있다. "규정에 어긋나게" 토머스가 안경 제작 "수습생"도 아니고 "업계에서 7년 동안" 의무를 수행하지도 않은 것으로 드러나자, 조합은 부친 스펜서에게 "토머스를 더 이상 안경 제작 및 관련 업무"에 고용하지 말라는 명령을 내렸다.

안경조합이 안경 제작 및 판매 자격을 감독하는 데 상당히 애를 쓰기는 했지만, 오늘날 고객 관리라고 부르는 업무에는 아쉬운 점이 많았다. 그때까지도 시력검사를 하지 않았고 고객은 대부분 자기 안경을 직접 골라야 했다. 제작자가 안경을 분류하기 가장 적절하다고 생각한 기준은 연령이었다. 1623년에 스페인의 다자 데 발데스가 최초로 렌즈 강도에 따라 번호를 부여하는 더욱 공식적인 체계를 수립하려는 시도를 했음에도 불구하고, 그로부터 71년이나 지난 후에도 루드게이트가에서 가죽테를 팔던 안경 제작자 존 마셜은 자기 매장에서 안경을 사면 좋은 이유를 이렇게 설명한다. "안경테에 나이를 표시합니다…… 30세 정도인 사람이 60세나 70세용 안경을 가져가는 경우가 있어, 맞지 않는 안경을 사 눈을 다치는 사고를 막기 위한 것입니다."

이 시대에 자기 눈에 잘 맞는 안경을 구하거나 아주 사소한 눈 질환에 적절한 치료를 받는 일이 얼마나 어려웠는지는 앞으로 살펴볼 새뮤얼 피프스Samuel Pepys의 사례에서 생생히 드러날 것이다.

충혈된 눈으로
바라본 세상

1669년 5월 31일, 눈에 온갖 문제를 달고 살던 남자 피프스는 결국 눈이 멀어 버릴까 두려워 일기 쓰기를 포기한다. 앞서 찾아갔던 안경 제작자나 안과의사가 조금만 더 잘했다면 당대 최고의 기록가가 이 지경까지 이르렀을까 싶다.

그때 피프스는 겨우 서른여섯이었다. 하루 일을 끝낼 무렵 촛불 아래서 몰래 쓴 것이기는 해도 9년 반 동안 끈질기게 이어온 일기였다. 당대 속기사들이 사용하던 셸턴 표준 속기법으로 쓴 그 일기는 오직 본인만 알아볼 수 있었다. 아내 엘리자베스가 읽지 못하도록 추가 예방책으로 스페인어·프랑스어·라틴어를 섞어, 주거지·일터·휴식처·

공연장·말이 끄는 교통수단뿐 아니라 예배시간까지 다양한 때와 장소에서 기회를 틈타 하녀·선술집 주모 또는 친구 및 동료의 딸·아내·어머니에게 손을 대거나 혼외 놀음을 벌인 사실을 기록했다.

나중에 피프스의 눈에 문제가 생긴 것은 매독에 걸린 결과일지 모른다는 주장이 있다. 왕정복고 시기 영국에는 매독이 만연했으니 일리가 있는 가설이다. 계급이나 종교를 가리지 않는 병이므로 매춘부도 귀족도 똑같이 감염되었다. 사창가를 뻔질나게 드나드는 귀족이 걸릴 가능성이 아무래도 더 높았겠지만. 게다가 당시에는 반청교도주의 혁명 분위기 속에서 귀족 대다수가 이처럼 방탕한 생활을 했기 때문에 매독이 상당히 널리 퍼졌다. 자유사상가이자 시인인 로체스터 백작 존 윌모트가 겪은 증세를 통해 당시 병증을 구체적으로 그려 볼 수 있다. 감염된 로체스터는 성기에 "어마어마한 궤양"이 생겼을 뿐 아니라 눈에 염증이 나서 시력을 거의 잃었고 코가 심하게 썩어 들어가는 바람에 은으로 가짜 코를 만들어 달았다. 1671년 서신에서는 "눈 때문에 와인도 물도 못 마시는" 상태라 궁정에 못 간 지 오래라고 말한다. 이와 비슷하게 피프스도 눈이 피로하고 쓰라리며 진물이 흐르는 증세 때문에 계속 고통받고 있다고 일기에 썼다. 몇 년 후에는 두통이 생겼고 특정한 불빛이 주는 고통스러운 자극이 점점 강해지고 있다고 기록했다. 모두 매독을 짐작케 하는 증세다.

1664년에는 심각하게 아픈 동생 토머스가 매독 때문에 죽어 가고 있다는 내용이 나온다. 피프스는 결혼도 하지 않은 어린 동생이 죽음을 맞닥뜨린 사실 자체보다 주위의 손가락질을 더욱 두려워했다. 말더듬증 때문에 사회생활에 적응도 못 하고, 아버지의 양복점 사업을 말아먹고 빚까지 진 동생 토머스는 안 그래도 수치스러운 존재였다.

자기 자신이든 남이든 간에, 병에 걸릴까 봐 대단히 염려했던 그 피프스가 매독을 앓았으리라고 보기는 몹시 어렵다. 지독히 고통스러운 방광결석 제거 수술을 받았던 때에는 자신의 배변 활동을 꾸준히 기록했다. 배뇨 상태 그리고 몸을 비우려고 수없이 했던 관장에 관해 지나칠 정도로 상세하게 설명했다. 하지만 일기 어디에서도 당시 유행하던 매독은커녕 그보다 더욱 만연했던 임질에 걸렸다는 표현조차 거의 찾아볼 수 없다. 피프스는 박식한 친구와 의사에게 조언을 들은 다음 안경을 사러 당시 가장 인기 있던 안경 제작자의 매장을 찾았다. 안경조합 회원일 뿐 아니라 장인 자격을 가진 인물이었다. 그런데도 거기서 피프스는 현대 검안사가 들으면 완전히 엉터리라고 할 만한 최악의 조언에 따라 안경을 구매한다.

안경 제작자가 피프스의 여러 가지 증세에 관해 내린 진단 또는 처방은 어느 것 하나 들어맞지 않을뿐더러 난해하거나 모호하거나, 아예 둘 다인 대목도 많다. 학식 있는 사람조차 네 가지 체액이 신체를 관장하며 그 상태에 따라 신체가 작동하거나 문제를 일으킨다고 말하던 시대에 살던 이들이니 놀랍지만은 않다. 피프스도 한동안 실천했던, 배앓이를 막으려면 토끼의 발을 지니고 다니라는 처방이 합당한 의료 행위로 여겨지던 때다. 그러나 피프스에게는 뚜렷하고 고질적인 문제가 있었다. 잠깐이든 오래든 읽고 쓰기가 어렵다는 점인데, 나중에는 겨우 몇 분조차도 버틸 수 없을 정도로 정신적·물리적 고통을 겪었다. 눈은 진물이 나고 충혈되어 촛불이나 하다못해 종이 표면에 반사되는 빛마저도 견디기가 점점 힘들어졌는데, 검안사들은 이 증세를 근거로 피프스가 원시였을 가능성이 높다고 판단한다. 각막의 곡면이 고르지 못한 상태인 난시도 약간 있어서 문제가 더 심각해졌을 거라는 의견도 있다. 난시는 피프스가 살던 동안에는 치료가 불가능한 문제였기 때문이다.⊙

⊙앞으로 살펴보겠지만, 난시 문제는 19세기에 조지 에어리 경이 마침내 난시 교정용 렌즈를 개발하면서 해결이 가능해졌다. 에어리는 왕실 천문관으로 그리니치 천문대에서 일했는데, 그곳은 영국 해군을 크게 개혁한 인물이자 해군사관학교의 실질적 창립자이기도 한 피프스에게 익숙한 곳이었다.

피프스가 처음 눈에 문제가 생겼다고 쓴 날은 1662년 4월 25일이다. 아마도 지나친 음주가 원인일 것으로 추측했다. "건강 문제(음주)로 눈이 너무 아프다. 최근 술 마실 일이 많았다." 당시에는 정말 그 때문이었을 수 있다. 그해 초 피프스는 연극 관람과 와인을 끊겠다고 다짐했지만 맥주는 전과 다름없이 많이 마셨고 2월에 이미 와인에도 다시 손을 댔는데, 괜한 맹세를 했다며 결국 포기한 건 9월이 되어서였다. 술을 한동안 절제하다 다시 마시면 심한 숙취에 시달릴 수 있는 법이다.

하지만 피프스는 절대 오래 참지 못하는 사람이었고, 이후로 눈의 문제가 점점 더 만성화하자 피프스는 술, 그중에서도 맥주를 주범으로 꼽곤 했다. 예를 들어 1665년 7월 24일에는 이렇게 쓴다. "그냥 잠 좀 잘 자려고, 새로운 맥주 맛을 보려고 했을 뿐인데 한쪽 눈에서 진물이 나와 너무 괴롭다." 이듬해 5월에는 "요즘 오른쪽 눈이 따갑고 진물이 가득 찬다"고 토로하면서, "일전에 다른 술집에서 맥주 8실링어치를 마셔서" 그런 거라고 썼다. 한 달 후에는 "술을 좀 마셨더니" 눈에 또 문제가 생겼다고 했다. 피프스는 눈이 좀 나아지기를 바라는 마음에 술집을 또 바꾸었지만, 1666년 12월에 하필 이전에 양조업과 같은 길드에 속했던 안경 제작자를 찾아 나선 걸 보면 아무 소용없었던 모양이다. 이때 피프스가 구하려 한 안경이 앞에서 살펴보았던, 적어도 로마 시대부터 눈에 좋다고 여긴 '초록색 안경'이었다는 점이 꽤 흥미롭다.

1666년 12월 24일. 피프스는 이날도 빼먹지 않고 일기를 썼다. "오늘 저녁, 눈에 좋을까 싶어 초록색 안경을 한 벌 샀다." 안타깝게도, 최소한 첫날에는 그 안경이 피프스가 바라던 만병통치약이 되지 못한 듯하다. 바로 다음 줄에 이런 말이 나온다. "그리고 사무실에 가서 일하는데 여전히 눈 상태가 좋지 않았다." 그런데도 피프스는 한동안 꾸준히 안경을 썼고, 나중에는 특이한 쌍안경 같은 기구를 쓰고 공연 관람과 독서를 시도하기도 했다. 극장에서 이런 도구를 쓰는 것을 부끄러워하지 않은 걸 보면 피프스가 공연 예술을 얼마나 사랑했는지 알 수 있다. 아니면 앞서 했던 맹세와 정반대로 어떤 대가를 치르더라도 무대 위의 매력적인 여성들을 보고 말겠다는 굽힘 없는 열망에서 나온 최악의 행동일 수도 있다.

하지만 시싱레인에 있던 해군위원회 건물 안, 오크 판재를 두른 어두운 사무실은 낮부터 촛불을 켜 두어도 그다지 밝아지지 않았다. 그런 곳에서 밤까지 일하는 경우가 잦았던 피프스는 갈수록 직원의 도움에 더 많이 의지해야 했다. 안경이 등장하기 전, 역시 해군 소속이자 정부 관료였던 대플리니우스를 비롯해 무수한 공직자와 관료들이 수 세기에 걸쳐 이어온 전통에 따라 피프스는 눈을 쉬려고 직원에게 편지를 받아쓰고 보고서를 읽게 했다. 그리고 사무실과 같은 단지에 있던, 그보다 아주 조금 더 밝은 집에서는 괜히 눈의 피로를 더하지 않으려고 아내에게 비슷한 역할을 맡겼다. 피프스는 자기 상태를 기록하려는 뚜렷한 목적으로 계속 일기를 썼다.

그러다 1667년 10월 18일, 피프스는 당시 가장 인기 있던 안경 제작자 존 털링턴을 찾아가 진료를 받으려 했다. 영국광학협회박물관 학예사인 닐 핸들리가 "최초의⋯⋯ 유명 안경사"라 칭한 사람이다. 똑같이 존 털링턴이라는 이름을 가진 부친은 안경조합 창립자 중 한 명으로, 1628년 찰스 1세에게 제출한 최초의 청원서에 서명한 사람이었다. 아들 존은 동료 안경 제작자 사이에서 크게 존경받았고 1665년에서 1668년 사이에는 조합의 장인 직위도 맡았는데, 이 시기 이전 기록은 런던 대화재 당시 모두 불에 타 사라졌다. (그래도 헌장만은 기적적으로 살아남았다.) 운 나쁘게도, 피프스가 이스트치프 매장에 방문했을 때는 털링턴이 외출 중이었던 탓에 딸이 대신 검진을 했다. 핸들리에 따르면 당시는 "안경 제작자 매장에서 아내와 딸이 함께 일하는 것이 일반적"이었고, "사업주가 사망할 경우 (아내와 딸이) 사업을 물려받는 경우가 많았"으며, "조합원 자격도 그대로 이어받았다. (……) 세습이기는 해도 여성으로서는 루크레티아 클라크가 1699년에 최초로 조합원 권리를 획득했다." 아쉽지만 세습이 아니라 독자적으로 여성이 조합원 자격을 최초로 인정받은 시기는 기록이 남아 있지 않다. 그리고 안타깝게도, 이날 털링턴의 딸은 피프스에게 형편없는 처방을 했다.

　일기에 따르면, 그날 오후 피프스는 "아주 젊은 시력" 즉 근시를 위한 오목렌즈 안경이 가장 "도움"되고 "편안"할 거라는 조언에 따라 한 벌도 아니고 "새 안경을 두 벌" 샀다. 2주 후에는 불만에 가득 찬 고객이 되어 "최고의 안경 제작자, 털링턴"에게 따지러 갔다. 그런데 털링턴은 딸의 처방을 더 강하게 밀어붙였다. 1667년 11월 4일 털링턴은 "젊은이용" 안경을 계속 쓰라고 했을 뿐 아니라, 피프스의 눈에 "독서용 안경"만큼 "해로운" 것은 "아무것도" 없다고 상당히 단호하게 말하며 "노인용 안경"을 써서는 안 된다고 했다.

당시 피프스가 겨우 서른네 살이었으니 털링턴 부녀로서는 노안이 온 중년에게 주로 권하는 볼록렌즈로 만든 "노인용 안경"을 쓰기에는 고객이 너무 젊다고 생각했을 수 있다. 그러나 현대식 진단이 맞는다면 원시인 피프스의 시력을 보완하는 데는 바로 그 '노인용 안경'이 적합했을 것이다. 그래도 난시라든지 초점이 맞지 않는 문제 등은 여전했겠지만 말이다. 반대로 오목렌즈 안경은 문제를 더 악화시키기만 했을 게 틀림없다. 결국 피프스는 독서용 안경을 마련했다. 1683년 북아프리카에 있던 영국의 실패한 식민지 탕헤르 정리 임무를 도우려고 함대 제독 다트머스 경과 함께 모로코로 항해했던 과정을 기록한 일명 '탕헤르 일기'에서 피프스는 "여행에서 빼놓을 수 없는 안경"이라는 물건을 챙겼다고 썼다. 이미 50대에 접어들었을 때이니 원시 증세가 있는 사람에게 더 빨리 찾아오는 노안을 겪을 나이가 되기도 했다.

탕헤르 일기는 1669년 일기 쓰기를 멈추었던 피프스가 다시 규칙적으로 쓰기 시작한 첫 번째 기록물이다. 시력 문제가 닥치는 바람에 우리는 제3차 영국-네덜란드 전쟁과 1688년 명예혁명 같은 사건에 관해 피프스만의 독보적인 통찰을 접할 기회를 잃었다. 제대로 된 안경만 구했다면 이런 사건에 대해서도 최전선에서 기록을 남겼을 텐데 말이다. 그러나 이제부터 안경 제작 기술은 훨씬 과학적으로 변모한다.

4 장
해 법 은
가 장 자 리 에

피프스는 런던 최초의 일간지가 탄생한 후인 1703년에 70세의 나이로 사망했다. 엘리자베스 말렛이 『데일리쿠랑』 제1호를 발행한 1702년 당시에는 서리의 아름다운 시골 마을 클래펌에 머물고 있긴 했지만. 그 전해에 건강이 나빠진 탓에 요양차 책을 싸 들고 가정부 겸 간호사 그리고 아마도 연인이었을 스키너 부인과 함께 친구이자 전 직원인 윌 휴어의 집으로 이사한 터였다. 피프스가 죽은 후, 그 자신도 자주 드나들던 시내 여러 커피하우스에는 갖가지 신문과 1709년 창간한 『태틀러』 같은 선정적 잡지가 넘쳐났는데, 18세기 내내 그 수는 계속 늘어났다.

1726년 스위스 귀족 세사르 드 소쉬르가 런던에서는 심지어 "노동자도 커피집에 들러 최신 기사를 읽으며 일과를" 시작하는 것이 꽤 흔한 일이라고 썼을 만큼 가벼운 머리와 맑은 정신으로 지면을 들여다보는 사람이 늘어났고 자연히 안경 수요도 함께 올라갔다.

1720년경 윌리엄 호가스가 그린 판화가 이 연결고리를 잘 보여 준다. 검안사전문학교 웹사이트에도 걸려 있는 이 판화에는 수학자이자 천문학자인 마틴 포크스와 시인·수필가·편집자이며 휘그파 정치인인 조지프 애디슨이 코번트가든의 버튼스 커피하우스에 함께 앉은 모습이 담겨 있다. 버튼스는 애디슨이 만들던 주간지 『가디언』의 본부였다.

잡지사에 편지, 소설, 5행시 등을 투고할 수 있는 사자 머리 장식 우편함이 외벽에 붙어 있는 이 커피점은 조너선 스위프트, 알렉산더 포프 등이 즐겨 찾던 문학가의 소굴인 동시에 이웃한 사창가 매춘부에게 가려는 젊은 남성도 득시글거리는 곳이었다. 그 투고함을 디자인했다고도 알려진 호가스가 그린 판화 속에서, 포크스는 한 손에 코안경을 쥐고 있으며 탁자 위에는 연기가 피어오르는 파이프와 또 다른 안경 한 벌 그리고 "서민원 투표"라는 제목이 붙은 의회 소식지가 놓여 있다.

처음 안경이 발명되던 때부터 착용자를 괴롭혀 온 고질적인 문제이자 그림 속 포크스도 애를 먹고 있는 게 틀림없어 보이는 '안경을 제자리에 고정하는 문제'가 마침내 해결된 시기가 바로 이때다. 해답은 지금 보기에는 믿을 수 없을 만치 뻔했다. 그러나 아마도 아침에 깨어 커피를 마셨을 가능성이 높은 런던의 안경 제작자이자 안경조합 회원 한 명이 어느 날 갑자기 귀의 잠재적 유용성에 퍼뜩 눈을 뜬 결과 안경 가장자리에 다리가 붙게 된 것은 1720년대에 들어서였다.

이제껏 안경에 관한 이야기가 다 그랬듯이, 이 혁신에 관해서도 몇 가지 설이 존재한다. 그중 하나는 1740년대 또는 그보다 10년 이상 앞선 시기에 프랑스의 안경 및 거울 제작자 마르크 토민이 "은제 또는 철제 다리를 관자놀이에 걸어 호흡이 불편하지 않은 안경"을 권했다는 설이다.

시기도 계속 논쟁거리였다. 영국 워릭셔주 웜레이튼의 세인트피터성당에는 튜더 시기에 세운 내진 장벽이 있는데, 그 가장자리 기둥에 왕관을 쓰고 노인용처럼 동그란 안경을 낀 귀족으로 추정되는 인물의 두상이 새겨져 있다.

화이트 앨범을 내던 당시의 존 레넌처럼 조각상의 머리카락이 귀를 다 덮으며 길게 드리워져 있어 단정하기는 어렵지만 말이다. 스코틀랜드 에든버러 외곽의 커클리스톤에도 흥미로운 무덤이 하나 있다. 1727년이라는 연도와 마거릿 실드라는 망자의 이름이 새겨진 비석 양면에는 흔히 보이는 이를 드러낸 해골 대신에 안경다리 같은 부속이 붙은 안경을 쓴 두상이 새겨져 있다. 비교적 외딴 지역에서 이러한 비석 장식이 나타나는 것으로 보아 안경다리가 분명 기록된 것보다 더 이른 시기에 발명되었다고 생각할 수 있다.

그러나 지금까지 밝혀진 바는 1728년이나 1730년에 에드워드 스칼릿이 '관자놀이 안경'이라는 제품을 팔고 있었다는 사실이다. 이보다 더 일렀을 수도 있지만 광고 문구에 확실히 표시된 사례는 그렇다. 닐 핸들리의 표현을 빌자면 옷처럼 착용할 수 있는 안경이라는 점에서 "최초의 안경"eyewear이라 할 만한 물건이다. 그리고 본래 스칼릿의 안경은 머리에 쓰는 또 다른 물건과 함께 사용하도록 고안한 것이었다. 조지 왕조 시대에 신분 높은 사람은 외출 시 반드시 쓰고 다녔던 흰 가발 말이다. 프랑스 귀족 사회에서 유행하다 영국 찰스 2세의 궁정에 처음 등장한 후 널리 퍼진 이 가발은 사실 매독이 낳은 또 하나의 결과물이었다. 매독에 걸리면 염증과 발진이 나고 시력이 떨어질 뿐 아니라 군데군데 머리카락도 빠졌다. 매독을 앓는 동생이 자신의 명성에 해를 끼칠까 걱정했던 일기작가를 다시 불러보자면, 1664년 3월 14일 피프스는 "만약 (동생이) 목숨을 부지하더라도 절대 머리를 내보여서는 안 된다. 그랬다간 내가 엄청난 수치를 당할 것이다."라고 썼다. 피부가 썩어들어가며 풍기는 냄새를 가리려고 라벤더나 오렌지 향을 입히는 경우가 많아서, 가발을 쓰면 여러 가지 죄를 한 번에 감출 수 있었다. 시력 감퇴도 매독 증세 중 하나였기 때문에 스칼릿의 '관자놀이 안경'은 확실히 경쟁력이 있었다. 끝부분을 둥글게 만 금속에 부드러운 벨벳을 대고, 곱슬한 가발이 헝클어지지 않도록 귀가 아니라 관자놀이에 얹는 형태였다. 나중에 다른 안경 제작자들은 이 안경을 변형해 안경다리를 모자 고정용 핀처럼 가발에 꽂을 수 있도록 길게 만들어 달았다.

안경 다리 말고도 스칼릿이 새롭게 도입한 것이 또 있다. 착용자의 연령이 아니라 초점 길이(영국 인치 단위)에 따라 렌즈 번호를 부여하는 방식을 영국에 최초로 소개한 것이다. 스칼릿의 명함에는 "시력 교정용 안경 일체를 제작하며, 모든 광학 전문가가 해당 시력에 정확히 일치한다고 인증한 '렌즈 초점'을 안경테에 표기하는 새로운 방식으로 안경을 제작합니다."라는 문구가 있다. 1691년 롱에이커에서 크리스토퍼 콕의 수습생으로 입문한 스칼릿은 1705년 안경조합 조합원 자격을 얻었고, 1721년에서 1722년 사이에는 조합 장인직을 수행했다. 처음에는 소호의 세인트앤 교회 근처인 딘가에서 올드스펙터클숍을 운영하다가, 나중에 불과 몇백 미터 떨어진 곳으로 지금은 차이나타운이 된 매클즈필드가에서 역시 에드워드로 이름 붙인 아들과 함께 아르키메데스앤글로브를 운영했다. 세인트앤은 당시 막 설립한 교구 교회였다. 1685년 가톨릭 신자이던 프랑스 왕 루이 14세가 낭트칙령을 폐지한 후 종교 박해를 피해 영국으로 건너오는 신교도 위그노가 늘자, 이들을 위해 이듬해인 1686년에 세인트앤 교회가 들어섰다. 스코틀랜드 상인이자 골동품 수집가인 윌리엄 메이틀런드는 이후 세인트앤에 대해 이렇게 썼다. "이 교구 곳곳에 프랑스인이 얼마나 많이 사는지, 외부인이 보기에는 마치 프랑스에 온 듯한 느낌이 들 정도다." 1711년 세인트앤 교구의 인구 8,133명 중 40퍼센트가 프랑스인이었다. 이처럼 국제적인 지역이었던 만큼 거기서 일하는 스칼릿의 명함에도 영어·프랑스어·네덜란드어가 적혀 있었다. 비록 네덜란드어 번역은 영 어설프기는 했지만.

명함에는 왕실 문장과 함께 웨일스 공 부부가 이용하는 곳이라는 문구가 쓰여 있다. 나중에 왕이 되는 조지 2세와 왕비 안스바흐의 카롤라인이다. 1727년 왕자가 왕위에 오른 후에는 아마 명함을 고쳤을 것이다. 그러나 당시 조지는 하노버 왕가 출신인데도 부친과 다툰 후 궁정에서 다소 불명예스럽게 추방당해 10년 동안 스칼릿의 매장과 멀지 않은 소호 지역에 살았다. 그래도 녹음이 우거진 레스터필즈에 지금도 남아 있는 런던 최고급 저택 레스터 하우스에 머물며 고급스러운 생활을 유지했다. 그리고 세인트앤 교회에 다녔다.

스칼릿이 일하던 소호 지역의 또 다른 주민으로서, 레스터 하우스의 왕자 부부의 살롱에 자주 드나들던 손님 중에는 케임브리지 교수로 조용히 살다가 영국 조폐국장 및 왕립학회장이 된 아이작 뉴턴 경이 있었다. 떨어지는 사과로 중력을 발견한 이 사람은 레스터필즈 인근 세인트마틴가 35번지에 살았고, 건물 옥상에 자신이 직접 설계한 망원경을 갖춘 관측실을 차려 두었다.

프리즘을 통과한 빛의 색과 굴절에 관한 논문과 직접

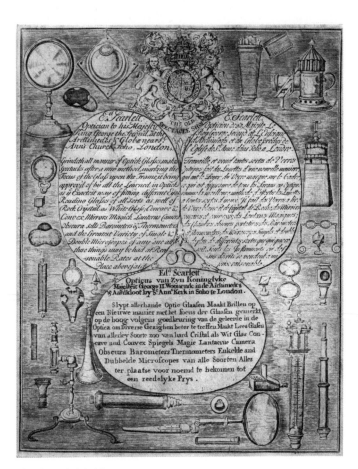

에드워드 스칼릿의 명함.

깎고 연마한 거울로 시제품을 만들어 개발한 고성능 반사 망원경으로 과학 분야에서 명성을 얻기 시작한 뉴턴은 자신을 '광학사'optician(안경사)라고 소개하곤 했다. 수학 전문가를 수학자라고 부르듯이, 그 명칭은 광학 기구 제작자나 판매자를 뜻하는 것이 아니라 광학 분야에 전문성을 가진 사람을 가리키는 것이었다.⊙ 그러나 1730년대에서 1740년대 사이에는 '안경사'optician가 어원학적으로 의료 처치를 하는 의사와 비슷한 뜻을 내포하는 동시에 광학 기구 제작자나 판매자를 가리키는 말로 쓰이는 경우가 특히 프랑스를 중심으로 점점 더 보편화되고 있었다.(프랑스어로 옵티시앵opticien이었다.)

　　언제나 유럽의 유행에 민감했던 스칼릿은 1720년대부터 일찌감치 광고 문구와 명함에 자신을 '안경사'라고 표기했다. 그러나 안경조합 기록에는 1756년이 되어서야 그 단어가 등장한다. 공식적으로는 최초로 '안경사'라는 직함을 쓴 길드 회원 피터 돌런드의 수습생 존 베지가 조합운영회의에 참석했다는 기록이다. 베지라는 성은 유럽 대륙의 갈리아 지역에서 유래한 것이므로 이 수습생은 프랑스·벨기에 또는 네덜란드 출신일 가능성이 있다. 이후 250여 년에 걸쳐 광학 기기 및 안경 분야에서 족적을 남기는 스승

⊙안경조합에는 "'아이작 뉴턴 경'이라는 간판을 단" 매장이 있었다는 기록이 있다.

돌런드도 마찬가지다. 영국의 중심가를 주름잡은 이 이름은 2015년에야 무대에서 내려갔다.

실 크 에 서
안 경 으 로

독실한 개신교인이던 피터 돌런드의 조부 장은 원래 노르망디의 실크 원단 직조공이었다. 이들의 성 돌런드는 "디 홀런드"D'Hollande 즉 "네덜란드의"라는 단어의 오기일 가능성이 높으므로 저지대 국가 출신 초기 이민자였으리라 짐작할 수 있다. 위그노 장인이라면 다들 그랬듯이, 장 돌런드는 17세기 말 시티오브런던 동쪽 끄트머리 스피탈필즈에 모여든 망명 장인 무리에 섞여 들어갔다.

1706년에 태어난 장의 아들 존은 실크보다는 완전히 새로운 세상을 보여 주는 과학에 더욱 매력을 느꼈다. 뉴턴과 고트프리트 라이프니츠가 미적분학을 발명한 덕분에 수학 분야에서 전에는 불가능하던 계산을 할 수 있게 된 시대였다. 뉴턴식 반사망원경과 대물렌즈 덕에 하늘과 대양과 멀리 떨어진 육지를 관찰·기록·탐험할 수 있었고,

더욱 정밀한 복합현미경을 통해 생물학과 식물학의 비밀이 드러났다. 프린슬럿가 주택 중에도 아직 남아 있는 것처럼, 스피탈필즈에 있던 직조 공방의 다락과 위층 작업실에는 복잡한 직기와 바느질 작업을 위해 빛을 최대한 확보하려고 창을 높이 달았다. 이런 창이 달린 공간에서 일을 배우며 하루하루를 보내던 사춘기 시절 존 돌런드는 고개를 들어 유리창 너머 광대한 하늘을 올려다볼 때마다 광학과 천문학의 매력에 사로잡혔을 것이다. 라틴어·그리스어·해부학·기하학 등 폭넓은 분야를 독학한 돌런드는 15세에 이미 직접 해시계를 고안해 제작까지 했다. 그러나 결혼하고 자기 공방을 열고 1731년 아들 피터까지 얻은 후로는 생활을 위해 광학을 향한 열정을 내려놓아야 했다. 그래도 여전히 망원경류 기기의 발전을 열망하던 돌런드는 명확한 금전적 이득보다는 사랑과 헌신에 바탕을 둔 채 20여 년 동안 철저히 비전문가적 취미로 렌즈 세공을 계속했다.

수습 생활을 하던 10대 시절부터 스피탈필즈의 몬머시스헤드에서 모임을 열던 런던수학클럽에 참여했고, 그 밖에 여러 과학 단체의 회원으로 활동한 돌런드는 관련 분야의 핵심 인사들과 알고 지내거나 서신을 주고받았다. 친구이자 때로 경쟁자이던 사람 중에 기기 제작자로서 명성이 높던 존 버드가 있었다. 스트랜드에서 '항해용 사분의'라는 간판을 달고 상점을 운영하던 버드는 한때 실크 원단 직조공이다가 과감히 방향을 전환해 전문가가 된 경우였다. 하지만 돌런드는 직물업을 지켰고 아들 피터에게도 그렇게 하도록 강권했다. 아이는 마지못해 열세 살이던 1744년에 수습 생활을 시작했다. 그러나 피터는 끝내 직조공 일을 직업으로 삼을 수 없었다. 취미에 몰두하는 아버지를 보며 똑같이 자란 피터는 아예 광학 분야에 완전히 몸을 던졌고, 1750년에는 클러큰웰의 바인가에 광학 분야의 매장을 열었다.

이 년 후 스물한 살이 된 피터가 마흔여섯 살인 아버지를 설득해 자신의 사업에 동참하도록 하는 데 성공했으니 분명 잘한 일이었다. 1752년 공식적으로 동업을 시작한 두 사람은 스트랜드가를 벗어나 엑서터 익스체인지 건물 서쪽에 매장을 마련했다. 돌런드 부자는 '금테 안경 및 항해용 사분의'라는 간판을 달아 혁신적인 천문관측 기기와 항해용 기기뿐 아니라, 당연하게도 안경을 판매하는 매장임을 표시했다. 여기서 판매하는 측미계⊙와 육분의 그리고 혁명적이었던 색지움렌즈※를 장착한 망원경 등의 기

⊙하늘에 떠 있는 태양 및 기타 천체의 위치를 측정하는 기기로, 태양의 또는 천체광도계의 기능을 개량한 것이다.
※빛이 렌즈를 통과할 때 파장에 따라 굴절률이 달라 색상별로 맺히는 위치가 달라지는 색수차 현상이 발생하는데, 굴절률이 다른 렌즈를 조합해 이 색수차를 제거한 렌즈를 가리킨다.

기는 제임스 쿡 선장이나 왕실천문관 네빌 매스켈린 같은 사람을 끌어당겼다. 이쯤 되니 실크 직기는 전혀 아쉽지 않았다.

여러 발명품으로 성공을 거두고 수많은 전문가로부터 찬사를 받은 존 덜런드는 1761년 왕립학회 메달을 받고 조지 3세의 안경사로 임명받았다. 조지 3세는 당시 이미 작고한 에드워드 스칼릿의 중요 후원자이기도 했던 조부 조지 2세에 뒤이어 막 왕좌에 오른 상태였다. 하지만 안타깝게도 돌런드는 그해 11월 30일 저녁에 뇌졸중으로 쓰러졌고, 말을 못 하는 상태로 버티다 겨우 몇 시간 만에 사망했다. 자신이 개발한 기기 덕에 이제 그 어느 때보다 쉽고 자세하게 달 궤도와 표면을 관측할 수 있게 된 천문학자가 쓴, 달에 관한 책을 읽던 중이었다.

관자놀이
고정 부속

이 시기 안경조합의 또 다른 중요 인물로는 유리 세공인 돌런드가 비전문가 시절에 의지했던 제임스 아이스코프가 있다. 돌런드 부자가 동업을 시작하던 해에 안경조합 장인직을 맡고 있던 아이스코프는 자신이 만든 기기를 홍보하는 광고지에서 '색지움'이라는 용어를 처음 사용한 사람으로 알려져 있다. 동료들과 마찬가지로 지금은 '힐'이라 부르는 루드게이트가에서 '금테 안경 및 사분의'라는 간판을 달고 매장을 운영하던 아이스코프는 환등기·오페라 안경·온도계·기압계 등 다양한 광학 제품을 제작하고 판매했다. 한편 안경 분야에 남긴 아이스코프의 공로는, 스칼릿이 개발한 관자놀이 고정 부속을 훨씬 길게 늘이고 반으로접을 수 있게 경첩을 단 '2단 연결' 구조를 도입하여 안경다리의 개념을 발전시킨 것이다. 구부러지는 다리 끝부분이 머리 뒤에서 겹치거나 심지어 묶이기까지 하는 형태도 있었다.

아이스코프는 굽은 다리 안경이 "코나 관자놀이를 압박해 혈액순환을 방해하는 탓에 끔찍한 두통을 일으키는 경우가 많다고 비판받는 기존 스프링 안경의 단점을 일소"해 주는 엄청난 장점을 갖고 있다고 주장했다. "윌트셔 목회자의 유난히 활달한 아들"이라는 인상적인 평에 걸맞게, 아이스코프는 안경 쓰기에 관한 개인적인 찬사를 한 줄 한줄 직접 써 내려간 소책자를 두 권 이상 출간했다. 『안경의 특성과 활용에 관한 짧은 이야기: 현재까지 출시된 모든 용도별 안경에 사용하기 적합한 것으로 추천할 만한 렌즈 정보 첨부』와 1752년에 내놓은 후속작 『안경 활용법과 그 이점을 보여 주려고 간추린 눈과 시력의 본질에 관한 짧은 이야기: 각종 시력 문제 치료에 적합한 안경 선택법 첨부』 등 두꺼운 학술서만큼이나 긴 제목을 단 이런 책은 그 시대 관련 서적이 대체로 그러했듯이 자신의 제품을 그럴듯하게 소개하는 카탈로그에 지나지 않았다. 예를 들어 백 년쯤 전 새뮤얼 피프스에게 꼭 맞았을 듯한 고급 렌즈 하나를 소개하는데, "푸른 빛을 띠며 살짝 쨍하는 소리가 나고, 종이 표면의 빛 반사를 막아 주고 모든 물체를 편안히 잘 비춰 주어, 가장 연약한 눈이라도 통증을 느끼지 않고 무엇이든 자세히 들여다볼 수 있게" 해 준다고 설명하는 식이다.

어쨌거나 이곳은 문학·종교·정치·과학·풍자·음란 등 온갖 주제를 다루는 소논문 및 소책자가 넘쳐나던, 새뮤얼 존슨의 질리지 않는 '런던'※이었던 것이다. 최소한 이 리치필드 출신 글쟁이가 직접 만든 사전에 따르면, 당시 그럽가는 "역사 저술가·사전 편찬자·즉흥시인이 잔뜩 몰려든" 곳이었다. 이런 글쟁이들은 최고에서 최저까지 다양한 독학자적 취향에 맞는 글을 내놓아 호기심 가득한 독서 인

※새뮤얼 존슨은 지인과 대화 중에 '런던에 질렸다면 인생에 질린 셈 니다'When a man is tired of London, he is tired of life라고 말한 적이 있 다. 이 문장은 런던과 관련한 수많은 글과 대화에서 지금까지도 자주 인용될 정도로 유명해졌다.

구를 사로잡았다.

　현재 런던에 위치한 영국광학협회박물관에는 글쟁이와 안경 사이의 상징적 관계를 더 잘 보여 주는 물건이 있는데, 바로 존슨이 쓰던 것으로 추정하는 아이스코프식 안경이다. 이 유능한 '박사'는 두 살 때 속칭 '왕의 병'이라는 연주창에 걸리는 바람에 거의 피프스만큼이나 눈 문제를 심하게 겪었다. 연주창은 목 주위 임파선을 따라 구슬 같은 염증이 생기는 병으로, 존슨의 경우 어릴 때 감염된 소젖을 먹은 탓이었을 가능성이 높다.

　그러나 존슨의 눈은 청각 상실·비만·소화불량·더부룩함·통풍·불면증·조증·우울증·(확실치 않지만) 투렛 증후군 등 여러 가지 육체적·정신적 병증이 겹치는 바람에 상태가 더욱 악화되었다. 몸이 엄청나게 비대해진 탓인지 존슨이 쓰던 아이스코프식 안경도 다리가 유난히 넓게 펼쳐지는 모델이다. 거대하고 살집 많은 존슨의 얼굴에 맞추려고 일부러 소금쟁이의 다리처럼 활짝 펼쳐지도록 만든 듯하다. 아니면, 박물관 학예사 닐 핸들리도 인정했듯이 이 안경의 소유자가 존슨이라고 완전히 특정된 것은 아니므로 그와 비슷하게 커다란 머리를 가진 누군가가 주인일 수도 있다. 어느 쪽이든 안경은 잘 맞았을 것이다.

마진 안경과
이중초점 안경

새뮤얼 존슨이 사전을 완성하려고 앞으로 6년 동안 꼬박 작업에 몰두할 고프스퀘어 17번지 2층 방으로 이사하던 1749년 무렵, 플리트가 모퉁이에 매장을 낼 예정이던 안경사 겸 기기 제작자 벤저민 마틴이 한발 먼저 직접 편찬한 사전을 출간했다. 그리고 존슨이 조수 여섯 명의 도움을 받고서야 마침내 완성한 노작을 출간하기 약 한 해 전에 마틴이 편찬한 560쪽 분량의 『새일반영어사전』 2판이 매장에 깔렸다. 이 사전이 2판까지 나올 만큼 반응이 좋았던 것은 나중에 나온 존슨의 사전이 4파운드 10실링이었던 데 반해 6실링이라는 저렴한 가격에 살 수 있었기 때문이다. 그러나 1756년에 존슨의 대작을 한 권으로 요약한 책이 비교적 저렴한 가격인 10실링에 출간되자 판이 완전히 뒤집혔다. 이제는 기억하는 사람이 거의 없을 정도로 마틴의 사전 그리고 저자인 마틴까지도 무대에서 밀려나 어휘사에서 각주로만 남는 신세가 되었다.

그러나 1782년 사망할 당시만 해도 마틴은 "이 시대의 가장 걸출한 수학자"이며 "조국에 영광을 안겨 준 철학자"

라는 찬사를 받았다.⊙ 시계공들이 괜찮은 물건으로 인정하는 추동식 탁상 시계 발명가이자 광학 기기 제작자, 순회 강연자 그리고 잡지 『기술과 과학』의 편집자로서 마틴은 글쓰기와 기기 제작 분야에서 어찌 보면 지나칠 정도로 풍부한 업적을 남겼다. 마틴은 자신이 출시한 수많은 제품에 관해 일일이 소논문·논문·교과서·자화자찬을 담은 전단·광고 홍보지를 쏟아 냈다. 대수학·혜성의 궤도·인공 자석·삼각법·지도·지구·현미경·망원경 등이 다 마틴의 글감이었다. 물론 이런 단어를 설명하는 영어 사전도 포함해서.

그렇지만 플리트가에서 매장을 운영하는 기기 제작자이자 안경사로서 마틴은 가장 특이한, 굳이 따지자면 터무니없는 안경을 고안한 사람이기도 했다. 이 안경의 세부적 특성 역시 1756년 마틴이 쓴 또 다른 소책자※에 담겼다. 이 스물여덟 쪽짜리 소책자는 플리트가 매장에서 구할 수 있었다.

⊙마틴이 죽은 직후, 새뮤얼 존슨의 출생지인 리치필드에 있던 호기심박물관에서 가발 쓴 마틴의 그림을 확보했다. 존슨의 친척이자 괴짜 골동품 수집가이던 외과의 및 약재상 리처드 그린이 대영박물관보다 몇 해 앞서 설립한 박물관이다. 처음에 존슨은 그린의 노력을 대수롭지 않게 보다가 점차 작업에 흥미를 느껴 도끼와 창 그리고 자신이 사전을 편찬할 때 쓰던 잉크 받침대 같은 물건을 기증했다. 현재 마틴의 초상화는 종적을 감추었고, 1785년에 그린이 정기적으로 기고하던 잡지 『젠틀맨스매거진』에 실린 판화만 남아 있다.
※『구조적으로 기술의 규칙에 어긋나고 눈에 매우 해로운 것으로 보이는 속칭 안경spectacles이라는, 시각 안경visual glasses에 관한 소고―시력의 본질 및 새로운 안경 구조에 관한 제언』

마틴은 1704년 서리주 워플스던의 가축 농장에서 태어났다. 당시 서리주는 런던에서 멀지 않은데도 역마차를 타야 주도에 겨우 가닿을 수 있는 시골 지역이었으니 분명 어린 시절 쟁기 끄는 일을 했을 것이다. 하지만 그 점은 시인 로버트 번스와 동인도회사의 대부호 윌리엄 제임스 경도 마찬가지였다. 이들처럼 마틴도 고향을 떠나 스스로 뭔가를 만들어 낼 마음을 먹었다. 그러고는 일찍이 한 평론가가 썼듯이 특히 수학과 철학적 추론 영역에 "완전히 빠져들었다."

힘든 하루 일을 끝낸 후에도 공부에 매진하며 지내던 마틴은 친척으로부터 5백 파운드의 유산을 받아 마침내 농장을 떠날 수 있었던 것으로 추정된다. 1730년에는 결혼을 하고 서섹스 주의 대성당이 있는 유서 깊은 도시 치체스터에서 학교를 운영했다. 처음으로 조그만 광학 기기 매장을 열어 광학 판매업에 뛰어들고 책을 써내기 시작한 곳도 이 도시였다. 그 후 수도 런던의 안경 업계에 도전하기까지는 20여 년이 더 걸렸는데, 그 사이 마틴은 수많은 책을 썼고 꽤 괜찮은 보수를 받으며 자연 및 실험 철학 강의를 하러 전국을 돌아다녔다. 1755년 말 또는 1756년 초, 런던에 가서 새뮤얼 존슨이 살던 고프스퀘어와 왕립학회가 있던 크레인코트에서 아주 가까운 플리트가에 "해들리 사분의 및 시각 안경"이라는 간판 아래 매장을 열 당시에는 쉰이 훌쩍 넘은 나이였다. 그 나이 대 사람이 그렇듯이 마틴에게도 노안이 왔다. 그러자 마틴은 독서용 안경을 써야 할 때가 되어 결국 직접 '마틴의 마진Margins※'이라는 안경을 개발하게 되었다며 자신의 소논문 「시각 안경」에 이렇게 썼다. "독서용 안경을 직접 써 보니, 내가 지닌 광학 기술을 완벽히 구현하면서 눈의 형태와 구조에도 부합하는 안경을 만들어야겠다는 생각이 퍼뜩 들었다."

소책자에서 마틴은 세 가지 이유를 들어 기존 독서용 안경을 혹평한다. 첫째, 보는 대상에 초점을 맞춰야 하는데 렌즈가 그저 평행했다. 둘째, 필요한 양보다 두세 배 이상 빛이 투과해 눈이 상하고 눈물이 고이게 방치했다. 셋째, 이런 안경의 렌즈는 색을 모두 다 투과시켜 "적절한 선명도"를 구현하기 어려웠다.

이에 대한 마틴의 해법은 렌즈 축을 일반적인 독서 거리에 맞게 조정한 안경을 만드는 것이었다. 완전히 이해 못 할 접근법은 아니다. 그러나 과다한 자연광이 "눈에 해롭다"고 믿은 나머지 렌즈 일부를 막으려고 "둥근 뿔 조각"으로 가장자리에 테두리를 덧붙여 도넛 같은 기이한 형태를

※렌즈 표면적을 줄이기 위해 가장자리Margin에 두꺼운 테를 덧붙인 안경이다.

빚어냈다. 게다가 렌즈에는 보라색을 입혔는데, 빛이 광선이 아니라 물리적 입자인 분자로 이루어졌다는 뉴턴의 잘못된 주장을 따른 것이었다. 그 "비범한 기하학자"가 쓴 가시광선 색채에 관한 글에서 읽은 바로는 파장이 가장 짧은 보라색이 눈에 가장 덜 해롭다고 했기 때문이다.

이처럼 색을 입힌 렌즈가 유행하는 데는 아이스코프도 한몫했다. 다음은 앞의 소책자에 아이스코프가 쓴 내용이다. "일반적인 투명 유리는 지나치게 강렬한 빛을 투과시켜 눈에 아주 해로운 것으로 드러났다. 그런 이유로 초록색과 파란색 안경이 좋다고들 한다. 비록 모든 물체에 색이 덧씌워지기는 하지만…… 나는 초록색을 입힌 신형 안경을 만들어 보라는 조언을 들었다……" 그렇지만 마틴은 초록색 렌즈는 저급해 보인다며 일축해 버렸다.

'광학 안경' 또는 '마진'이라 불리던 마틴의 안경이 점차 명성을 얻자 런던의 기존 안경 업계는 이를 기준 위반으로 간주했다. 그러나 수요에 따라 모조품을 만드는 부도덕한 일부 회원과 조합 외부의 더 많은 사람을 막지는 못했다. 마틴의 광고지에는 싸구려 모조품에 주의하라는 경고가 자주 실렸다. 길거리 행상이 모조품을 마틴의 원조품인양 속이려고 안경테에 'BM'이라는 머리글자를 새기는 경

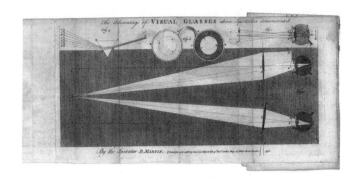

벤저민 마틴의 광학 안경.

우가 있다며 잠재적 구매자에게 주의를 당부하는 내용이었다. 이러한 가짜 상표가 나돈 것을 보면, 명품 디자이너 캘빈 클라인이 시장에 본격적으로 뛰어들기 두 세기 전에 이미 디자이너 안경 시장이 존재했다는 사실을 알 수 있다.

　오늘날 값비싼 유명 브랜드 제품도 그렇지만, 마틴의 광학 안경이 광학적 측면에서 다른 어느 제품보다 나을 게 없었다고 단언하기는 어렵다. 그러나 광고지마다 멋지게 등장하던 그 차단용 테두리와 색칠한 렌즈의 정교한 조합이 과연 어떤 장점을 갖고 있었을지 의문이다. 플리트가 매장 위 간판 자리에는 마틴의 광학 안경의 대형 복제물과 거대한 사분의가 걸려 있었다.

1782년, 마틴은 파산 상태에서 자살을 시도했다가 한 번 실패한 후 죽음을 맞이했다. 사후 판매한 유품 목록을 보면 완성품 안경 5백여 벌 뿐 아니라 조립하지 않은 렌즈와 안경테도 상당히 많았다. 이것만 봐도 마지막에 안타깝게 급락해 버린 마틴의 수익에 그 안경이 얼마나 큰 영향을 끼쳤는지 알 수 있다. 현재 스칼릿의 관자놀이 안경은 단 한 벌밖에 남지 않은 데 반해, '마틴의 마진'은 무수한 모조품이 나와 온 세상에 퍼진 덕에 수백여 벌이 세계 각지의 박물관과 수집가를 통해 낡은 모습 그대로 또는 수리한 상태로 우리 곁에 남아 있다.

희귀성은 확실히 그 시대 골동품의 가치를 결정짓는 중요한 요소다. 2021년 1월 기준, 인터넷 상거래 사이트 이베이에서 렌즈 없는 철테 안경은 개당 250파운드(약 40만 원), 은테는 400파운드(약 65만 원) 선에서 거래되고 있다. 한편으로는 여전히 거래가 이루어진다는 사실만으로도 그 안경이 막 세상에 나왔을 때 누린 엄청난 인기를 실감할 수 있다. 그러나 당시 마틴의 안경을 직접 써 본 사람 중에서 그 가치에 의문을 표한 사람이 많았던 것은 분명하다. 마틴의 소논문에도 '광학 안경'을 깎아내리거나 연약한 눈에 끼치는 그 안경의 미세한 효능을 알아보지 못하는 사람에게 전하는 말이 적혀 있다. 그걸 쓴다고 "더 잘 보이지 않는다"거나, 보통 안경보다 "눈이 더 편한지" 모르겠다거나, 강렬한 빛을 바라볼 때 별 차이를 못 느낀다고 불평하는 고객에게 마틴은 그저 인내심을 가지라며, 시간이 흐르면 그 인내심에 보답을 받을 것이라고 했다.

은퇴한 검안 안경사이자 골동품 안경 수집가로서 마틴의 마진을 네 벌 보유한 워딩의 존 딕슨 솔트에 따르면, 오늘날 전문가들은 이 안경이 '마케팅 사기'에 지나지 않는다는 데 대체로 동의한다. 솔트는 "그 디자인이 렌즈 두께와 무게를 줄이는 데 '도움이 되었'을 거라는 주장이 있었"다며, "'고성능 렌즈라면' 그럴 수도 있었겠지만, 마틴의 마진 렌즈는 실제로 차이가 발생할 만큼 충분히 크지 않았다. 오늘날에는 굴절률이 높은 렌즈도 있고 중심부만 기능하는 달걀 프라이처럼 생긴 수정체 모양 렌즈도 쓸 수 있다. 그러나 현재 사용하는 렌즈의 중심 부위만 해도 마틴 시대 나온 어떤 렌즈보다 더 크다"고 말한다.

마틴의 마진이 지닌 광학적 이점은 의심을 받았던 반면, 같은 시대에 개발된 또 다른 안경 한 가지는 약간 개선된 형태로 현재까지도 쓰이고 있다. 주로 아래쪽은 독서용, 위쪽은 원거리용으로 배율이 다른 두 가지 렌즈를 반씩 결합한 이중초점 안경이다. 이 안경을 발명한 사람으로 자주 거론되는 이는 1750년대 말부터 펜실베이니아·뉴저지·매사추세츠·조지아에 있는 영국 식민지를 대표해 런던에서 17년 동안 로비스트 겸 대리인으로 활동한 미국 공화당원 벤저민 프랭클린이다.

연을 띄워 전기 실험을 하고 대출 도서관을 확산시키고 피뢰침을 개발한 사람인 만큼, 그도 마틴의 마진에 솔깃해 한 벌쯤 샀을 가능성이 있다. 공식 초상화와 만평에서 공히 드러나듯, 원시였던 프랭클린은 말년에 거의 항상 안경을 썼다. 칠면조를 공화국의 국조로 홍보하려는 이 남자를 올빼미 같은 모습으로 그린 만평도 있다. 긴 코와 귀를 덮은 긴 머리가 각각 부리와 날개처럼 보이는데, 직접 보면 더 이해하기 쉬울 것이다. 이런 정치 만평 중에 1764년에 발표한 것으로 프랭클린을 이중초점인 듯한 안경을 쓴 모습으로 묘사한 작품이 하나 있는데, 그걸 본 사람들이 이중초점 안경을 프랭클린이 개발한 게 틀림없다고 믿었던 모양이다. 그러나 잠깐 미국에 돌아갔던 1762-1763년을 제외하면 프랭클린이 런던에 장기 체류한 1757년에서 1775년 사이는 마틴의 마진이 전성기를 누리던 시기이며, 프랭클린이 나이가 들면서 시력이 점차 감퇴한 시기와도 맞물린다.

이 시기 프랭클린은 줄곧 채링크로스 인근 크레이븐가 36번지에서 지냈다. 현재 검안사전문학교에 있는 영국 광학협회박물관에서 불과 몇 건물 떨어진 거리다. 이 박물관은 프랭클린이라고 추정하는 안경 쓴 인물을 그린 1777년 작 유화도 소장하고 있다. 그림 속 안경은 매우 단순한 둥근 철제 코안경이기는 하지만.

그런데 프랭클린이 영국뿐 아니라 미국의 수도이기도 했던 런던에 방문한 것은 이때가 처음이 아니었다. 야심 차고 열정적이며 조숙한 젊은 인쇄업자로 일하던 1724년에 처음 방문했는데, 그 짧은 체류 기간에 「자유와 필요, 기쁨과 고통에 관한 논문」이라는 (……) 다소 형이상학적인 글"을 써 소책자로 출간하고, 왕립학회 사무총장으로 나중에 회장이 되는 핸스 슬론 경에게 "불로 정제한 석면으로 만든 지갑"이라는 물건을 팔며 친분을 쌓기도 했다.

그가 런던을 찾은 제일 큰 이유는 인쇄 장비가 필요해서였다. 당시 식민지 본국(영국)과 북미 식민지 사이의 폭넓은 교역 관계가 드러나는 대목이다. 담배·코코아·사탕수수 같은 원재료는 대체로 미국 및 카리브해에서 나온 반면, 제조업과 완제품 판매는 영국이 계속 독점했다. 이런

관계로 미국 초기 정착자는 안경도 영국에서 수입해 써야
했다.

런던에 처음 방문한 후 프랭클린은 약 10년 동안 신문
『필라델피아가제트』발행인으로서 연재하던 글을 모아
『가난한 리처드의 연감』을 출간해 해마다 놀라울 정도로
큰 이익을 거두며 성공적인 사업가가 되었고, 이후 펜실베
이니아 식민지까지 사업을 넓혔다. 1738년 『필라델피아
가제트』에는 "B. 프랭클린이 판매하는" "갓 들여 온" 영국
안경을 홍보하는 광고가 실렸다.

그러나 처음 이중초점 안경을 몇 벌 주문했을 시기부
터 안경에 대한 프랭클린의 관심은 새로운 국면을 맞이한
다. 여기서 '주문했을'이라는 대목이 중요하다. 렌즈를 둘
로 나누는 발상은 1680년 독일 뷔르츠부르크의 수도사이
자 발명가인 요한 잔이 처음 내놓은 것이었다. 잔은 '카메
라'라는 또 하나의 선구적인 발상도 했다. 프랑스 발명가
니세포르 니엡스가 마침내 카메라로 찍은 장면을 종이에
현상하는 방법을 발견하기 140년 전인 1685년에 『멀리
바라보는 의안, 또는 망원경』이라는 광학 기기 종합 연구
서에서 그 가능성을 제시한 것이다. 혹은 적어도 비슷한 발
상을 했던 것 같다. 잔이 고안한 렌즈 분할 안경은 실물이

나오기까지 카메라만큼 오랜 시간이 걸리지는 않았는데, 그 과정에는 카메라 못지않게 수많은 관련자의 이름이 끼어들었다.

그중 한 사람이 펜실베이니아에서 태어나 런던에서 활동한 광학 기기 제작자 새뮤얼 피어스이다. 피어스는 조지 3세의 궁정 역사 화가이자 왕립학회 2대 회장이던 벤저민 웨스트가 퀘벡 전투를 주제로 1770년경 완성한 명작 「울프 장군의 죽음」을 구상하던 시기에 '분할 안경'을 공급한 사람으로 알려져 있다. 일부 전기작가에 따르면 화가 조슈아 레이놀즈 경도 이중초점 안경을 썼으며, 역시 피어스의 고객이었을 가능성이 있다고 전한다. 그러나 두 화가가 실제로 이중초점 안경을 썼는지는 추측만 무성할 뿐 그 사실을 뒷받침할 증거는 별로 없다.

믿기 어려울 수도 있지만, 피터 돌런드 역시 이런 안경을 이미 제작하고 있었거나 프랭클린에게 제공한 사람으로 물망에 오르는 인물이다. 돌런드앤드애치슨의 공식 역사서 『우로 봐』Eyes Right의 저자 휴 바티킹은 다음과 같이 조심스럽게 말한다. "'뒷받침할 증거는 없지만' 벤저민 프랭클린보다 먼저 이중초점 안경을 발명했다는 이야기가 전해진다." 작은따옴표 부분은 내가 강조한 것인데, 어떻게 봐도 전적으로 인정하는 태도는 아니다. 하지만 바티킹은 뒤이어 프랭클린이 1785년 5월 23일 조지 와틀리에게 보낸 편지에서 자신의 '이중초점 안경'을 미국에서 뭐라고 부르는지 이야기하던 중에 돌런드의 이름을 언급한 대목을 길게 인용한다.

돌런드 씨가 이중 안경이 특정한 눈에만 효과가 있을 거라고 말하는 걸 들으니 이 안경의 구조를 정확히 알지 못하고 있다는 의심이 들었습니다. 제 생각에 볼록한 정도가 균일한 렌즈를 끼워 독서에 적합한 거리에서 가장 선명하게 보이는 안경은 멀리 떨어진 거리에서는 대부분 잘 맞지 않을 것입니다. 그래서 저는 여행 중에 안경을 두 벌 갖고 다녔습니다. 책을 읽다가도 경치를 내다보고 싶을 때가 종종 있었기 때문입니다. 그런데 매번 바꿔 쓰기가 불편하고 늘 챙겨 다니기도 어려워서 한 안경테에 두 가지 렌즈를 반씩 잘라 끼운 안경을 구했습니다. 이것 덕분에 저는 안경을 쓴 채로 눈을 위아래로 움직이기만 하면 가까이든 멀리든 보고 싶은 것이 있을 때 언제든 잘 볼 수 있습니다.

당시 프랭클린은 혁명기를 맞이한 식민주의자들에게 재정과 육해군 병력을 지원하는 임무를 띠고 프랑스에 부임한 미국 최초의 대사로서 파리 근교 파시에 머물고 있었는데, 그때 이중초점 안경이 얼마나 도움이 되었는지 뒤이어 이렇게 설명한다. "안경 하나로 두 가지 렌즈를 쓸 수 있다는 점이 특히 편리합니다…… 식사할 때 음식이 잘 보일 정도의 안경을 쓰면 마주 앉아 이야기하는 상대의 얼굴은 잘 보이지 않습니다. 익숙하지 않은 언어를 들을 때는 화자의 몸짓을 보면 도움이 되므로, 저는 이중초점 안경을 쓴 덕에 프랑스어를 더 잘 알아들을 수 있었습니다."

반면 프랭클린이 새로운 안경으로 '식탁에서의 프랑스어'를 더 잘 이해하기를 원치 않은 듯한 사람이 있다. 나중에 미국 제2대 대통령이 되는 존 애덤스는 파리를 방문한 후에 프랭클린이 외교 업무는 제대로 안 하고 "저녁 만찬과 유흥"을 즐기느라 시간만 허비한다며 질책했다. 프랑스에서 프랭클린은 전기 분야에서 이룬 업적 때문에 '전기 대사'라 불리며 주목받았는데, 애덤스는 여기서는 다들 미국 독립 혁명이 그저 프랭클린 혼자 휘두른 "전기 마술봉" 한 방에 뚝딱 이뤄진 줄 안다며 더욱더 분통을 터트렸다.

프랭클린은 파시에 머문 지 8년 반 만인 1785년 7월에 미국으로 돌아갔고, 1789년 프랑스혁명이 막 일어나는 중이라는 소식을 전해 들었을 때는 임종을 맞이하고 있었다. 속보를 들은 프랭클린은 열렬한 반응을 보였다. 현장에서 뛴 유능한 혁명가는 대체로 남북전쟁 때 영국에 맞서 싸우던 미국인을 지원한 프랑스군 출신으로 밝혀지기는 했지만, 어쨌거나 초기 주동자 중 일부는 개인적 인연도 있고, 과학 진보와 정치적 자유에 대한 프랭클린의 사상에 감화받았다고 말하는 사람들이었으니 말이다. 프랭클린은 곧이어 다가올 공포정치를 눈치 채지 못한 채 1790년 4월 17일에 사망했다. 파리에서는 친구인 오노레 미라보가 혁명기 국민의회에서 위대한 인물의 죽음을 공표했고, 그 삶을 기리며 사흘 동안 애도하자는 제안이 거의 만장일치로 통과되었다.

기 막 힌 외 알 안 경

바스티유 폭동 여파로 일어난 모든 사건 중에서, 적어도 과학자로서 프랑스 궁정에조차 가발 없이 두꺼운 갈색 면직물로 만든 단순한 외투를 입고 갈 정도로 의식적으로 수수한 옷차림을 하고 다닌 벤저민 프랭클린을 가장 당황스럽게 했을 법한 일은 급진적 정치 성향을 띤 프랑스의 멋쟁이 청년 사이에 난데없이 외알 안경이라는 물건이 유행한 현상일 것이다.

영국에서는 에드워드 스칼릿이, 프랑스어권에서는 아마도 마르크 토민이 안경다리를 고안해 안경을 고정하는 문제를 해결한 후로 다른 모양의 안경이나 시력 보조기는 죄다 퇴물이 되었으리라 생각할 법하다. 그러나 이런 안경을 쓰면 양손을 자유롭게 쓸 수 있으니 열 손가락을 바삐 움직여야 하는 업무를 수행하던 사람들이 제일 먼저 썼을 것이고, 비뚤어진 논리에 따라 바로 그런 이유로 안경 쓰는 사람에 대한 낙인이 생겼다. 생업의 흔적을 드러내는 것을 무례하게 여기는 귀족 사회에서 특히 그랬다. 앞에서 살펴보았듯이, 안경이 처음 등장한 중세 시대부터 안경 쓰는 사람은 신체적·정신적 약점이 있다고 여기는 경우가 흔했을 뿐더러, 이후 수 세기 동안 의학계는 안경을 널리 사용하는데 강하게 반대하곤 했다. 이러한 편견 때문에, 18세기 후반 유럽의 가장 부유한 계층에서는 우리의 옛 친구 교황 레오 10세가 사냥 나갈 때 사용했던 것처럼 손으로 드는 시력 보조기에 대한 선호가 뚜렷이 나타났다.

궁중 무도회나 모임에 안경을 쓰고 나타나면 눈살을 찌푸리는 분위기다 보니, 귀금속으로 만든 품위 있는 손잡이에 아담한 렌즈 한두 개를 우아하게 부착해 부채처럼 조심스럽게 들고 써야 했는데, 이 자체가 시력 보조기 못지않게 또 하나의 장식품 또는 보석 노릇을 했다. 그러다 프랑스 혁명 시대가 도래하자 이런 손안경류는 돌이킬 수 없는 구시대의 상징이 되었다. 영화감독 콤비 파웰과 프레스버거가 1946년에 내놓은 영화 『천국으로 가는 계단』에 이런 상황이 잘 드러난다. 영화에서 데이비드 니븐이 연기한 영국인 비행사는 영국 해협 위에서 격추당해 천국으로 가야 했는데 지상의 자욱한 안개 때문에 길을 잃고, 그런 비행사의 목숨을 거두러 천국 특사 컨덕터 71호가 파견된다. 배우 마리우스 고링이 분한 컨덕터는 공포정치 시기에 "머리를 잃은" 멋쟁이 귀족으로, 대단히 과장된 몸짓과 강한 프랑스 억양을 선보인다. 잔뜩 멋 부린 화려한 복장에 막대사탕처럼 끝이 굽은 지팡이를 들고, 도톰한 리넨 스카프를 세심하게 두른 목에다 리본으로 묶어 연결한 조그만 외알 안경도 지니고 있다.

그러나 이런 옷차림은 어쩌면 귀족이 아니라 혁명 말

기 프랑스 청년 사이에 유행한 하위 문화집단인 앵크루아야블incroyables을 묘사한 것일 수도 있다. 여성은 메르뵈이외즈merveilleuses라고 불렸던 이 집단은 1796년 12월 화가 카를 베르네가 그린 캐리커처에 처음 등장했다. 베르네는 이후 기병으로 가득 찬 나폴레옹 전투와 콧바람을 잔뜩 내뿜으며 앞다리를 들어 올린 말의 모습, 말을 타고 하는 경기 장면 등을 그린 화가로 명성을 얻긴 했지만, 『베네지트 예술가사전』에서 간명하게 언급했듯이 초기에는 "동시대 멍청이들"을 "가차 없이" 그려내는 일을 "자신의 소명으로 여겼"다. 그 동시대인들이란 1794년 로베스피에르가 몰락한 후 자코뱅당의 금욕주의에 반발하는 뜻으로 일부러 기괴할 정도로 과장된 방탕한 옷차림을 하고 다니던 사람들을 가리킨다. 앵크루아야블은 머리를 마구 헝클어뜨리고 양쪽 옆머리를 길게 길러 일명 '강아지 귀'라는 헤어스타일을 연출했다. 목에는 흰색 리넨으로 만든 커다란 크라바트※를 둘렀고, 쭉 뻗은 다리뿐 아니라 남성적 부위가 도드라질 정도로 꽉 붙는 바지를 입었다. 메르뵈이외즈가 옷감이 차르르 흘러내리는 그레코로만 조각상의 '고전적인' 느낌을 추구한 것과 마찬가지로, 이렇게 몸에 바짝 달라붙는 남성의 옷차림 또한 고전적인 나체의 고결함

※cravat, 넓고 풍성한 넥타이의 일종이다.

을 드러내려는 의도였다. 그러나 완벽한 차림을 갖추려면 여기다 적절한 장신구를 더해야 했다. 그중에서도 꼭 챙겨야 하는 물건이 지팡이·말 채찍·외알 안경이었다. 이런 장신구는 예의 바른 몸짓과 과장된 말투, 으레 주고받는 문구 등을 완성하는 데 옷보다 더 중요한 도구였다. 베르네는 이들이 사소한 소식이나 정치적 소문에도 일일이 놀란 듯한 몸짓으로 웅얼거리며 "그것 참 놀랍군요!"C'est incroyable! 라고 외치는 습관을 잡아내어 그대로 만화 제목으로 썼다. 앵크루아야블이라는 단어는 곧 요란한 행색을 한 이 젊은 세대를 경멸적인 뜻으로 싸잡아 부르는 말이 되었다. 마찬가지로 멋 부린 젊은 여성을 향한 반어적인 멸칭 메르뵈이즈는 "기막히네요"merveilleuse라는 말이었다. 베르네의 만화는 시대정신을 포착하고 인쇄물과 놀이 문화를 보여줄 뿐 아니라, 주위의 놀림에도 아랑곳하지 않고 멸칭을 자랑스러운 표식으로 받아들이며 대담한 방식으로 주류 정치 세력에 반대 의견을 드러내기를 멈추지 않은 이 젊은 괴짜들의 이름을 길이 남기는 기록물이 되었다. 베르네가 그린 최초의 풍자화에 등장하는 두 젊은 남성 중 한 명은 외알 안경을 들고 과장된 몸짓으로 멋지게 빼입은 상대방의 옷차림을 살펴보는데, 이 장면 때문에 1790년대에 외알

외알 안경.

안경이 마치 명품 훌라후프처럼 엄청나게 유행을 탔다. 제국 시대 나폴레옹마저도 전투 계획안과 지도를 살펴볼 때 렌즈 두 알을 가위처럼 연결해 손으로 드는 형태의 안경을 사용했을 정도였다.

영국에서 외알 안경이라 하면 제일 먼저 떠오를 사람이 섭정 시대 원조 멋쟁이 조지 '보' 브루멜George 'Beau'※ Brummell일 것이다. "깨끗한 리넨, 넉넉하게 챙겨서, 전부 닦아"를 입에 달고 살았던 브루멜은 지나칠 정도로 깔끔을 떠는 인물이었다. 전하는 말로는 매일 다섯 시간에 걸쳐 몸단장하고 샴페인으로 구두를 닦았다고 한다. 그런 브루멜이라면 분명 금테를 두른 조그만 외알 렌즈 너머로 도도하고 냉랭하게 세상을 살펴보기를 좋아했으리라. 목에 두른 실크 리본에 매단 그 안경을 엄지와 검지로 쥐고, 질색한 얼굴로 엄청나게 위험한 무언가를 들여다보는 모습이 눈에 선하다. 분명.

※프랑스어로 아름다운, 멋진을 뜻하는 단어로 당시 패션을 선도하던 조지 브루멜에게 붙은 별칭이다.

왕자와 다툰 데다 늘어만 가는 빚을 피해야 했던 브루멜은 1816년 프랑스로 도피하지만, 거기서 더 많은 돈을 잃고 결국 외모만 아니라 정신적으로도 무너진 상태로 캉의 정신병원에서 비참한 최후를 맞이한다. 그래도 막 건너간 무렵에는 새로운 유행을 흡수하고, 영국에서는 이제 막 인기를 얻기 시작하던 외알 안경도 접했다.

이 외알 안경을 약간 변형해서 나온 것이 손잡이 안경과 단안경이었다. 손잡이 안경은 손잡이와 렌즈 두 개를 깔끔하게 접을 수 있는 형태로, 이전에는 부채처럼 접는 식이었다가 돋보기처럼 마주 접을 수 있게 바뀌었다. 스프링을 장착하는 모델은 1825년 런던 펄트리의 안경사이자 이후 안경조합 장인이 되는 로버트 브레텔 베이트가 처음 도입했다. 단안경은 사슬이나 리본을 단 작고 둥근 유리알을 눈구멍에 끼워 한동안 고정해 사용할 수 있는 형태다. 할리우드 영화에서는 뾰족한 헬멧을 쓰고 구두 굽 소리를 내는 비스마르크처럼 근엄한 장군이나 제1차 세계대전을 주름잡은 '붉은 남작' 같은 조종사의 모습 속에 영원히 남게 된 이 안경의 최초 발명자는 흔히 18세기 프로이센 귀족이자 골동품 수집가인 필립 폰 스토슈라고 하는데, 실제 단안경이처음 나타난 곳은 영국이었던 듯하다. 광학 역사가 J. 윌리엄 로즌솔에 따르면, 19세기 초 영국 귀족 사회에서 단안경을 접하고 자극받은 오스트리아의 안경사 요한 프리드리히 포클렌더가 빈의 부유한 고객들에게 공급하기 시작한 후에야 독일어권에서 모습을 드러냈다고 한다.

외알 안경과 단안경은 특히 젊은 층이 시력 보완보다 장식 용도로 활용했는데, 유행을 좇아 그런 렌즈를 쓰다가는 눈에 문제가 생길 수 있다는 의료 전문가들의 경고가 잇따랐다. 1824년, 런던의 의사 키르히너 박사는 이렇게 썼다. "꾸미기 좋아하는 사람들이 단지 패션 때문에 예쁜 테를 두른 외짝 안경을 쓰는 경우가 많다. 눈에 문제가 있지도 않고, 그런 짓을 해서 닥쳐올 결과도 신경 쓰지 않는 사람들이다. 이런 치명적인 놀이를 계속하다가는 몇 년 안에 분명 한쪽 또는 양쪽 눈의 시력이 나빠질 것이다." 같은 해에 잡지 『내셔널애드버킷』은 「시력과 패션」이라는 제목의 기사에서 특히 외알 안경을 쓰는 여성에 대해 우려를 표했다.

근래 매우 아름답고 섬세해 보이는 부인과 아가씨가 시력에 아무 문제가 없고 더러는 예쁜 눈을 가졌는데도 금색 케이스에 넣어 금색 줄로 목에 연결한 안경(단안경)을 계속 사용하는 모습이 종종 눈에 띈다. 이런 현상이 이제 이 예민한 신체 기관에 어떤 미세한 영향을 끼칠 것인가? 한쪽 눈에만 안경을 쓰다 보면 필연적으로 다른 쪽 눈이 상하고, 쓰다 말다 하면 눈이 나빠지고 활력이 떨어진다. 그래서 나이가 들거나 자연적으로 눈이 상하기 훨씬 전에 양쪽 시력이 모두 떨어져 안경을 벗을 수 없게 된다. 패션이란 참으로 제멋대로이기는 하지만, 절대 본성을 거슬러서는 안 된다. 여성은 검은색 대신 흰색 옷을 입거나, 화관 대신에 깃털을 쓰거나, 허리선을 높이거나 낮추거나, 굽 높은 신발을 신거나 낮은 신발을 신거나 할 수 있다. 이런 것은 다 패션이라 하겠지만 시력이 좋은데 안경을 쓰거나, 피가 머리로 쏠리고 숨쉬기조차 힘들 정도로 끈이나 코르셋으로 허리를 개미처럼 바짝 조이거나, 추운 날씨에 우아한 체형을 살리려고 두꺼운 내복을 벗어 버리거나 하는 것은 본성을 짓밟는 짓이다. 귀부인의 패션을 제대로 제어하지 않으면 여성들은 팔꿈치를 내어놓고 얼어 죽거나 안경을 쓰다가 눈이 멀고 말 것이다.

한편, 1847년 파리의 잡지 『눈건강』에는 단안경이 노화를 유발할 가능성을 경고하는 글이 실렸다. "단지 얼굴을 꾸미려고 올려둘 뿐인 이 작은 유리 조각을 사용하는 사람 100명 중 90명은 분명 안경이 필요치 않다. 그런 사람이 얻는 효과란 근시가 될 위험이 커지고, 여성에게 좌절을 안겨 주는 눈가 주름이 지나치게 빨리 생기는 것뿐이다."

단안경은 인기가 오르락내리락하며 남아 있다가 다음 세기에도 한동안 재전성기를 누린다. 1910년대에 흥청망청 놀던 해맑은 신세대 젊은이들이 지난 시절 외알 안경을 쓰던 앵크루아야블이 그랬듯 경박한 근대성을 드러내고 싶은 마음에 이제는 고풍스러운 양식이 된 이 시력 보조기를 쓰기로 한 것이다. 그러나 18세기에 인기를 누리던 놀이공원 복스홀 플레저가든스가 사라졌듯이, 외알 안경은 아마도 섭정 시대의 추악한 타락상을 대변하는 느낌이 강했던 탓인지 그리 오래 버티지 못하고 더욱 청교도적인 빅토리아 시대를 맞이하며 사라질 운명에 처했다.

그런데도, 공화당 대표이자 이후 영국 총리가 되는 벤저민 디즈라엘리는 적어도 1863년까지 외알 안경을 썼다. 그러다 그해 3월 윈저성의 세인트조지 예배당에서 열린 웨일스 공(훗날 에드워드 7세)과 덴마크 왕녀 알렉산드라의 결혼식에 참석한 디즈라엘리는 식을 더 자세히 보려고 가져간 외알 안경으로 그만 빅토리아 여왕을 뚫어져라 바라보고 말았다. 군주는 아들의 결혼식에서 그런 시선을 받는 것이 달갑지 않았고, 불경을 저지른 일로 너무나 큰 굴욕을 당한 디즈라엘리는 후에 "다시는 감히 그 안경을 사용하지 못했다"고 털어놓았다.

그러나 그때는 어쨌거나 산업화의 수레바퀴가 돌아가는 와중이었다. 다른 모든 산업과 마찬가지로 안경 제조업도 증기기관 시대를 맞이했다. 속도·효율성·자기 계발이 시대의 좌우명이 되었다. 한때 머리를 헝클어뜨린 프랑스의 멋쟁이들이 사랑했던 장신구 따위를 만들 시간은 이제 없었다.

5 장
증기기관에
올라탄 시력

물 기 어린 파랑, 온화한 금색, 미색이 뿌옇게 휘몰아
치는 조지프 말로드 윌리엄 터너의 그림 「비, 증기
그리고 속도」에서 우렁차게 메이든헤드의 다리 위를 지나
는 대서부 철도 기관차의 굴뚝 부분은 공학자 이점바드 킹
덤 브루넬이 쓰던 실크해트처럼 길쭉하고 새까맣다. 미술사
상 최초로 나타난 중요한 철도 그림으로 꼽히곤 하는, 지나
칠 정도로 친숙하면서도 기이한 이 수수께끼 같은 대작에
는 굴뚝 부분이 유난히 또렷하게 그려져 있다. 무쇠로 만든
굴뚝 주둥이 주위에 두터운 연기 기둥은 전혀 보이지 않는
다. 사방이 다 흐릿한 가운데 엔진이 마치 캔버스를 찢고 나

온 듯 또렷이 보인다. 그림 속 그 어느 것도 앞을 가로막지 못한다. 한때 지워졌던 작은 갈색 토끼 한 마리가 바로 앞에서 달아나고 있다. 대자연이 창조한 가장 날랜 동물도 결국에는 인간이 만든 무시무시한 기계에 추월당하고 만다.

이 그림은 터너가 69세이던 1844년에 그려 왕립학회에 전시했는데, 철도 국영화 가능성을 열어 두고 철도회사마다 1마일당 1페니 미만 가격에 탈 수 있는 노선을 하루에 적어도 한 편씩 운영하도록 강제하는 등 폭넓은 규정을 담은 글래드스톤 의원의 철도규제법이 막 통과된 때였다. 수많은 화가의 후기 작품이 그러하듯 이 작품은 당시 대다수 비평가와 관람자를 어리둥절하게 만들었다. 심지어 터너의 가장 충실한 지지자로서 초기 작품의 어지러운 색과 빛에 매료당했던 평론가 존 러스킨조차 경악하고 말았는데, 기법보다 그림에 담긴 주제가 더 큰 논쟁거리였다. 그러나 특히 후기 작품에서 두드러지는 격렬히 휘발되는 형상, 타오르는 진홍색과 노란색, 침침한 갈색과 파란색이 어지럽게 뒤섞이는 기이한 화풍을 두고 터너의 시력에 관한 무성한 추측이 나돌았다. 터너가 죽은 지 20년 후인 1872년, 당시 런던 세인트토머스병원 안과 과장으로 있던 유명한 독일 출신 안과의사 리하르트 리브리치 박사는 왕립협회에서 주관한 '특정 시력 결함이 그림에 미치는 영향에 관하여'라는 제목의 강연에서 터너를 구체적 사례로 들었다. 리브리치는 터너의 그림에 나타나는 특정한 색과 표현법을 의학적으로 설명하고자 했다. 나중에 책으로도 발간한 리브리치의 이론은 터너의 성숙기 그림에서 보이는 흐릿한 형체와 빛나는 안개는 백내장으로 인해 시야가 흐려진 결과라는 것이었다. 『네이처』는 "광학 법칙을 그림에 적용하여 자연 과학을 예술 비평 영역까지 확장할 수 있음을 성공적으로 입증했다"면서 리브리치의 강연을 열렬히 환영했다. 하지만 다른 사람들은 터너가 살아 있을 때는 물론이고, 동시대인들과 동료, 가족이 이 위대한 화가에 대한 추억을 널리 퍼트리고 있던 사후에도 백내장을 앓는다는 이야기는 나온 적이 없었다며 항의했다. 이렇게 과학이 해답을 줄 것이라는 믿음과 리브리치가 보여 준 소급 추론에 따른 진단법은 빅토리아 시대에 일어난 지적 사고의 중대한 전환을 또렷이 드러내는 전형적인 사례다. 이때는 실패한 안과의사였던 아서 코난 도일이 창조한 셜록 홈스가 우리에게 온 시대이기도 하다. 1887년 작 『주홍색 연구』로 처음 문학계에 등장한 홈스는 작품 속에서 문제를 해결할 때 "거슬러 올라가서…… 분석적으로 추론할 수 있다는 것은 훌륭한 일"이라고 주장한 바 있다.

그런데 터너의 사후 유품 중에 돋보기·코담배갑과 함께, 근시 교정 렌즈를 둥근 귀갑테에 끼우고 금속 다리를 단 안경이 들어 있었다. 이 유품 세 점은 2003년 소더비 경매에 올랐고, 한때 러스킨이 소유하기도 했던 터너의 또 다른 안경 두 벌은 테이트 미술관에서 전시 중이다. 치료받지 않은 백내장 진단법을 개선한 고문 안과 전문의 제임스 맥길은 리브리치의 연구에서 더 나아가 터너가 색맹과 심각한 근시·약한 난시·노안까지 겪었으리라 추정했다. 그러나 맥길도 인정했듯이, 아무리 눈이 나빴더라도 자신이 본 대로 세계를 그려낸 터너의 천재성은 누구나 세상을 다르게 바라볼 기회를 열어 주었다. 어쩌면 대량생산으로 더 저렴한 안경과 성능 좋은 시력 보조기를 찍어 내는 동시에 새까맣고 비위생적인 연기를 사방에 내뿜는 기계 때문에 시력이 더 좋아지기도 하고 나빠지기도 하던 기술의 시대를 더 또렷이 바라보게 해 준 건지도.

그래도 기차 여행은 완전히 새로운 풍경을 선사하고 공간·거리·동선을 재구성했다. 산업화의 속도를 끌어올리는 사이에 한때 너른 목초지·언덕·계곡이던 곳에 철로와 아치 교량이 깔리고, 주위는 연기와 그을음으로 뒤덮였다. 기차는 필요에 따라 물리적 환경을 매우 거칠게 뒤흔들었다. 시간조차도 예외가 아니었다. 플리머스가 런던보다 20분 뒤처지는 등 뒤죽박죽이던 영국의 지역별 시간대는 1840년 대서부 철도 운행 시간에 모든 시계를 맞추는 제도가 도입되면서 종말을 맞이했다. 철도가 몰고 온 복잡한 시간표로 인해 결국 전 국민이 엄격한 그리니치 표준시를 따르게 되었다.⊙

　이 새로운 산업화 사회에서 시간은 곧 돈이었다. 여행과 마찬가지로 노동도 기계화했고, 공장 노동자의 실적은 시간에 따라 측정되었다. 철도의 개척자로서 엄격한 노력주의와 자기 계발을 시대적 주문으로 만든 조지와 로버트 스티븐슨의 첫 번째 전기를 쓴 새뮤얼 스마일스는 야망을 품고 일하는 남자(여자는 고려하지 않음)가 성공을 위해 길러야 하는 여러 덕목으로 근면·성실·검약·청결·절제·자기 관리에 더해 "시간 엄수 및 정시 근무"를 꼽기도 했다.

　그리고 철도 시각을 파악하고 『브래드쇼 철도 안내서』의 깨알 같은 글씨를 읽을 수 있는 능력이 역에서 판매하던 W. H. 스미스의 신문 『더타임스』에 실린 크림반도나 아프가니스탄의 최신 소식을 따라잡는 것 못지않게 일상의 중요한 부분을 차지하게 되었다. 빅토리아 시대 말기 런

⊙『철도』를 집필한 사이먼 브래들리가 지적했듯이, 복잡한 시간대는 사실 "낙후가 아니라 고도화의 징후"였고, 지역별 시차를 그 정도까지 정확히 식별할 수 있는 고성능 망원경 덕에 마이한 "과학적 시계 제조술과 천문 관측의 정점"을 보여 주는 현상이었다.

던의 애치슨앤드컴퍼니 같은 안경업체가 철도역에 널리 광고를 내걸었던 이유가 바로 이것이다. 애치슨은 올빼미 로고와 함께 "눈 상태는 괜찮습니까? 아니라면, 애치슨앤드컴퍼니와 상의하십시오."라는 문구를 담은 대형 에나멜 간판을 철도역에 세우고, 팽창하는 대도시 런던의 교외 지역을 오가며 출퇴근하는 수백만 푸터※ 씨의 시선을 끌려고 버스 정면에도 광고를 부착했다.

나폴레옹 전쟁에서 활약한 공로로 공작 작위를 받은 웰링턴 공은 기관차 때문에 하층민이 자꾸 돌아다닐까 걱정했다고 한다. 그렇게 빠른 속도로 이동하면 건강에 어떤 문제가 생길지가 더 걱정이던 사람들도 있었다. 1840년 이 주제에 관해 글을 쓴 그랜빌 박사라는 어느 의사는 철도 여행이 눈에 끼칠 수 있는 부정적 영향을 다음과 같이 설명했다. "공기를 가르며 시속 30킬로미터에서 50킬로미터로 이동하면 폐가 약한 사람이나 천식 환자는 영향을 받을 것이며, 열차의 흔들림 때문에 뇌졸중이 올 것이다. 갑자기 캄캄한 터널 속으로 빨려 들어갔다 나왔다 하다 보면 분명 안과를 찾을 일이 생길 것이다. 그런 터널의 내부 공기가 불결하다는 데 이의를 제기하는 사람은 없다."

어두운 터널을 드나드는 것이 눈에 어떤 문제를 일으

※19세기 말 그로스미스 형제가 쓴 소설 『어느 평범한 사람의 일기』 주인공이다. 런던 중심가에서 일하는 중하층 사무직 노동자의 일상과 신분 상승의 욕망이 담겨 있다.

키든 간에, 확실히 승객의 눈에 위협적이었던 것은 날아다니는 물체였다. 객차 안에 앉아 있어도 지나가는 파리나 새, 흩날리는 뜨거운 재와 검댕, 기차 바퀴가 철로와 부딪칠 때 튀는 불꽃을 피하기 어려웠다. 안경 업계에서는 이 문제에 대응해 '보안경' 또는 철도 안경, 여행용 안경이라는 특수 안경을 제작하기 시작했다. 검댕이 눈에 들어오지 않도록 색유리나 불투명 유리로 만든 렌즈를 가장자리에서 꺾어 옆면까지 가리도록 만든 D형 (또는 렌즈 4개형) 안경이었다. 이전까지는 각막이 손상된 경우나 기타 예민한 눈에 쓰던 것이었다.

D형 철도 안경보다 더 저렴하게 나와 널리 쓰였던 또 다른 보호용 안경은 물안경과 비슷한 단순한 형태를 띠고 있었다. "파리나 먼지 등과 강렬한 빛·차가운 바람을 막아" 준다고 광고하던 이 안경은 타원형의 작은 색유리 주위에 녹 방지 처리를 한 촘촘한 청색 철망을 둘러 눈 보호 틀을 만들고 끈으로 연결해 머리 뒤에서 묶는 형태였다. 여기서 렌즈 없이 철망을 두른 눈 보호 틀로만 이루어진 보호용 고글은 육체노동자와 철도노동자·열차 기관사가 기본으로 쓰는 것이었는데, 특히 기관사는 증기기관의 화실에 불을 땔 때 날아드는 석탄·코크스 등의 티끌과 파편으로

부터 눈을 보호하려고 이 고글을 썼다.

보호용 고글에 사용하던 철망은 이후 일반 안경에도 점차 많이 쓰였는데, 이 철망과 석탄 채굴 사이에 흥미로운 순환 고리가 있다. 1815년 험프리 데이비 경이 안전등을 개발하기 전까지, 땅속에서 석탄을 채굴하는 일은 극도로 위험한 작업이었다. 갱도를 뚫고 수갱이 무너지지 않게 막는 일도 분명 어려웠지만, 광부들이 땅 밑으로 들어가다가 '폭발성 가스'에 맞닥뜨리는 경우가 잦았다. 인화성이 매우 높거나, 질식을 유발하거나, 때로는 두 가지 성질을 다 갖고 있던 일산화탄소 가스층이었다. 데이비가 개발한 안전등은 이런 가스를 감지하면 심지의 불꽃이 더 크고 푸르게 타올라 미리 경고하는 기능이 있었다. 심지를 둘러싸는 촘촘한 철망이 그 역할을 했다. 이 철사도 산업화 덕분에 제조법이 비약적으로 발달한 제품으로, 직물 산업에서 출발한 증기 동력 기관이 기존의 수력 기관을 대체하면서 대량 생산이 가능해졌다. 안전등 덕에 석탄 채취량이 늘자 더 빨리 더 많은 철사를 생산할 수 있었고, 19세기 초에는 더 쉽게 철사를 뽑아내어 그대로 저렴한 안경테를 만들 수 있는 연강 제련을 시작했다.

공장 노동을 하다 보면 끔찍한 부상을 당할 수 있었

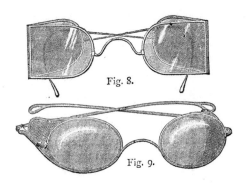

Fig. 8.

Fig. 9.

철도 안경.

다. 보안경을 쓰지 않으면 얼마나 위험한지는 연철공 윌리엄 볼의 사례에서 잘 드러난다. 볼은 슈롭셔 호스헤이에 있는 콜브룩데일회사 주물 공장에서 40년 동안 일했지만 쇳물이 한쪽 눈에 튀어 실명한 후 업계를 떠나야 했다. 그러나 사고 후에 빅토리아 시대 영국의 특이한 유명인사가 되는데, 그 짧은 기간에 남은 수많은 석판화와 동판화에 나타난다. 바로 두꺼운 렌즈를 끼운 D형 안경을 쓰는 사람으로 유명해진 것이다. 엄지 장군 톰General Tom Thumb※에서 코끼리 점보에 이르기까지, 19세기 우리 선조들은 아주 작거나 거대한 것에 특별한 매력을 느꼈던 듯하다. 볼은 키가 약 175센티미터에 몸무게가 약 250킬로그램, 가슴둘레는

※키가 약 1미터에 불과했던 19세기 인물 찰스 쉐어우드 스트라튼을 가리킨다. 미국인 바넘의 서커스단에서 활약하며 이름을 떨쳤다.

약 190센티미터에 달하는 거구로, 조끼가 얼마나 컸던지 "남자 세 명이 들어가 버튼을 잠글 수 있을 정도"였다고 한다. '존 불'이라는 가명을 쓰며 지역 박람회 등 온갖 요란한 행사에서 "슈롭셔의 거인", "영국에서 가장 큰 남자"로 등장했다가 1851년 하이드파크에서 앨버트 공이 개최한 만국박람회에 초대를 받으면서 전국적으로 명성을 얻었다.

열차로 런던을 오갈 때, 일반 객석에 앉기에는 몸집이 너무 커서 이동 시간 내내 경비병이 타는 칸에 머물러야 했다. D형 안경을 쓴 이 비만 남성은 "도둑놈들 손에 떨어진 희생양"인 양 런던의 모든 것에 넌더리를 치면서도 조지프 팩스턴이 세운 만국박람회장 지붕 아래, 코이누르 다이아몬드※와 최초의 가스레인지 등 40여 개국에서 모은 1만 5천여 가지 전시물 사이에 자리를 잡았다. 유리 판재와 연철 기둥을 조립해 마치 신데렐라의 구두처럼 뚝딱 완성한 이 건물에 잡지 『펀치』가 처음으로 '수정궁'이라는 이름을 붙였다. 수정궁에 사용한 유리판은 스메디크 스폰 레인에 위치한 찬스브러더스가 제작했다. 1824년 설립한 이 회사는 찰스 배리와 오거스터스 푸긴이 지은 국회의사당과 시계탑(빅벤) 전면의 유리를 공급하며 19세기 가장 중요한 유리 제조사가 되었다. 스메디크 작업장에서는 색유리·

※영국 여왕의 왕관에 박힌 세계에서 가장 오래된 다이아몬드이다.

창유리·판유리뿐 아니라 안경 렌즈와 선글라스·등대 2천 곳에 쓸 광학유리를 쉼 없이 찍어 냈다.

환기가 잘 안 되는 해로운 실내에서 장티푸스가 퍼진다는 염려 때문에 창문세를 폐지한 해에 등장한 팩스턴의 수정궁은 더 밝고 환한 미래로 도약하는 상징으로서, 거의 모든 것이 다 들어 있는 휘황찬란한 공간이었다. 전시품 중에는 사냥 및 경주용 안경으로 홍보하던 갈고리형 철사 다리를 단 안경의 초기 견본품도 있었다.⊙

박람회 당시 그레이트러셀가에 위치한 안경업체 토머스해리스앤드선즈는 이 행사에서 돈을 벌 요량으로 '해리스의 박람회 안경'이라는 시각 보조기를 내놓았다. '수정 안경'의 일종이라고 설명했지만 아마도 오페라 안경이었을 듯하다. "(휴대하기 쉽고 기능이 뛰어나) 수정궁 전시

⊙40년 후, 돌런드앤드컴퍼니는 '말 전용 안경'을 출시하며, 이 고글에 장착한 특수 렌즈가 말이 "겁먹지 않고 힘차게 도약하도록" 도와준다고 광고했다. 또한 자사의 이러한 시도에 대한 어떤 비웃음도 감수하겠다는 듯 이렇게 덧붙였다. "말에게 안경을 씌운다는 발상을 우습게 여기는 조련사가 많은 것도 사실이지만, 과거에 비웃음당했다가 과학적으로 증명된 일이 많으며 앞으로 누구도 부정할 수 없는 성과를 거둘 발상도 여전히 많이 나오고 있다는 사실을 잊어서는 안 됩니다." 1870년 출간한 『브루어의 관용구 및 속담』에서도 당시 '바너클'Bar'nacles라는 단어가 독서 안경을 가리키는 말로도 쓰였다면서, 그 이유가 "장제사가 발굽을 교체하는 동안 말이 날뛰지 않도록 안정시키는 데 사용하는 집게와 닮아서"라고 설명한다. "정식으로는 코집게barnacle라고 부르며, 막대 두 개의 끝을 경첩으로 연결해 말의 코에 고정했다." 아마도 '두 눈'을 뜻하는 비너클binocles(쌍안경)을 변형한 말일 것이다.

관람용으로 좋고" "왕립학회 회화 전시를 보기에도 매우 적합"하므로 관람객은 어느 쪽에 가든 "이 안경을 반드시 지참"해야 한다고 선전했다.

실현되지는 않았지만, 더러운 하층민 무리가 박람회를 망칠 거라는 비관적인 예상을 했던 웰링턴은 평생 말을 타고 사냥을 했다. 심지어 젊은 시절 이베리아반도 전쟁에 참전해 작전을 수행할 때도 사냥개 열여섯 마리를 데리고 일주일에 사흘씩 사냥을 다니곤 했다. 함께 군 복무한 친구이자 전기작가인 조지 로버트 글레이그는 '철의 공작' 웰링턴이 "시력에 자부심이 높았다"고 한다. 글레이그가 본 바로 웰링턴의 시력은 "놀라울 정도로 좋았고 마지막까지 또렷했다." 덧붙여 이런 말도 썼다. "83세에도 깔끔히 정서한 원고를 야외에서 안경 없이 읽을 수 있었던 것이 틀림없다." 군인이며 신사이자 성직자였던 글레이그가 한 말을 의심하는 것은 온당치 않을 수도 있겠지만, 이 문장은 웰링턴이 정서가 전혀 안 된 원고를 실내에서 읽을 때는 안경을 써야 했을 수도 있다는 여지를 넉넉히 남겨 두려고 신중히 고른 표현으로 보인다. 글레이그 자신도 그랬지만, 허영심 때문에 웰링턴은 공공장소에서는 가급적 안경을 쓰지 않으려 했다. 더구나 안장 위에서라면 절대로.

2016년 크리스티 경매에 빅토리아 여왕의 웨딩케이크 한 조각과 글자 위에 왕관이 그려진 N자 금박을 요란하게 박아 가짜 루이비통 가방처럼 보이기도 하는 나폴레옹의 가죽 지갑 그리고 출처를 증빙하는 육필 문서를 동봉한 웰링턴의 1840년대 초기 안경 한 벌이 올라왔다. "둥근 렌즈와 (한쪽은 부러졌지만) 끝부분이 화살 모양이며 접을 수 있는 철사 다리"가 달린 이 안경은 안쪽에 선명하게 '채링크로스 62'번지 존스라는 사명이 박혀 있고 바깥쪽에는 양옆에 금색 X자가 찍혀 있는 "금박 입힌 검붉은색 가죽" 집에 담겨 있었다.

　　그러나 더 인상적인 부분은, 철의 공작이 쓰던 안경테가 녹 방지 처리blued를 한 청색 철사 재질이었다는 사실이다. 녹 방지 처리는 철이 녹슬지 않도록 표면을 두드리고 단단한 산화막을 입히는 작업이다. 이 처리를 한 철은 푸른색을 띤다. 영국 총리를 두 번이나 지낸 웰링턴 정도의 지위에 있는 사람이라면 비용이 덜 드는 청색 철테 안경보다는 금테를 썼을 거라고 짐작할 수 있다. 그러나 녹 방지 처리는 18세기에서 19세기 초 총기 제조 과정에서 비롯한 기술인만큼, 군인이라면 청색 철테 안경을 쓰는 것도 이상하지 않을 것이다. 웰링턴이 죽은 지 8년 후에 출간된 예절 안내서 『좋은 사회』에서도 "안경이 필요하다면 금색이나 청색 철테로 만든 가장 가벼운 최고급 안경을 골라야 한다"며 청색 철테 안경이 상류층, 즉 낸시 미트퍼드가 제안한 구분법상의 U 계층※이 쓰기에 적합하다고 인정했다.

웰링턴은 나폴레옹·빅토리아 여왕과 마찬가지로 프로이센계 프랑스인 시계 제작자 아브라함 루이 브레게의 고객이었다. 시계업계의 레오나르도 다 빈치라 불릴 정도의 천재적인 솜씨로 손목시계를 발명하고 보나파르트에게 최초의 휴대용 시계를 제작해 준 브레게는 금보다 더 낫다며 청색 철을 시계류의 바늘과 나사에 최초로 사용한 사람이기도 하다. 지금까지도 브레게라는 상표를 달고 나오는 몇십만 파운드대 고급 시계 제품에는 인상적인 청색 시곗바늘이 장착되어 있다. 브레게 생전부터 거의 2백 년 동안 파리에서 생산하던 이 시계를 현재는 스위스의 발레 드 주에서 제작한다.⊙

영국에서나 대륙에서나 안경사·안경 제작자·시계 제작자·보석 세공인은 계속 활동 영역이 겹쳤다. 빅토리아 시대 안경사는 항해용 경도 시계인 크로노미터와 기압계·온도계·기타 각종 기기도 동시에 제작하는 경우가 예

※20세기 영국 소설가 낸시 미트퍼드가 영국 영어에서 나타나는 계층별 차이에 관해 쓴 글에서 U(상류층upper class) 영어와 non-U(비상류층non upper class) 영어를 구분한 데서 비롯한 용어다.
⊙브레게가 태어난 지역인 뇌샤텔은 현재 스위스 영토지만 당시는 프로이센에 속했다.

사였다. 1844년 빅토리아 여왕과 여왕의 모친인 켄트 공작부인의 후원을 받는다고 홍보한 턴브릿지 웰스의 시계 제작자 W. 루프는 "우수한 손목시계·벽시계·시계류·각종 보석류"에다 "셰필드 도금 제품"까지 "다량 보유"하고 있을 뿐 아니라 "안경, 시력 교정용 및 독서용 안경"도 판매한다고 밝혔다. 앞으로 보겠지만, 이처럼 기준 없이 제품을 취급하던 안경사들은 결국 취미 삼아 영역을 침범하는 비전문가를 몰아내려고 사업을 고급화·전문화하기에 이른다.

시 계 태 엽
장 치 처 럼

그러나 1820년대 프랑스 안경 제작자는 거의 다 쥐라산맥의 프랑스 쪽 사면으로 몰려갔다. 제네바와 인근 지역에 시계 제작자가 매우 많고, 모레즈 계곡의 철 비축량이 풍부한 까닭이었다. 지금도 자칭 "프랑스 안경류의 수도"라고 하는 모레즈의 오쥐라 마을의 주장에 따르면 이 마을에서만 전국 안경 총생산량의 55퍼센트 그리고 연간 생산되는 금속 재질 "안경테 1천만 개 중 88퍼센트"를 감당하고 있다. 한편 플라스틱테는 인접한 주에 속한 오요나의 특산품으로, 전국 총생산량의 25퍼센트 이상을 이곳에서 제작한다.

프랑스 동쪽 끝자락, 일 년 중 다섯 달은 눈으로 덮이는 산악 마을이 이처럼 프랑스 안경 제작의 메카가 된 사연의 중심에는 피에르 히아신스 카쥬라는 한 남자가 있다. 모레즈 외곽의 조그만 시골 마을에서 땅을 일구고 소를 키우는 농부였던 카쥬는 추운 겨울 몇 달 동안은 다른 사람들처럼 철사로 못을 만드는 일에 열중했다고 한다. 강력한 물살로 수세기 동안 지역 철공업에 동력을 제공한 비엔강이 흐르는 모레즈에서 못은 대단히 중요한 생산품이었다. 가혹한 기후에 맞서려고 전통 가옥에 목제 비막이 판자를 두를 때 필요한 물건이었기 때문이다.

1790년대 어느 시점에 50대를 목전에 둔 카쥬는 나이 때문에 노안이 왔던 모양인지 갖가지 안경을 찾아볼 수 있는 가까운 도시 제노바에 가서 안경을 한 벌 샀다. 16세기에 종교개혁가 장 칼뱅이 말년을 보낸 이 도시에서 기독교인으로서 양심을 지키면서도 수익을 유지할 방안을 찾던 대장장이와 보석 세공인 들은 슬그머니 시계 및 안경 제조업으로 옮겨갔다. 사고가 있었는지 어쨌는지 스위스에서 사 온 안경이 망가지자, 카쥬는 임시방편으로 꼬여 있는 철사 자투리로 안경테를 만들어 렌즈를 끼워 넣었다. 그렇게 하고 보니 좀 더 실험해 볼 만하다는 확신이 들었고, 더욱 완성도 있는 시제품을 만들어 제노바에 가져갔다. 그리고 현지의 보석 및 안경 제작자에게 긍정적인 반응을 얻어 납품도 하게 되었다. 이렇게 쥐라의 안경 산업이 탄생했다. 1846년에는 모레즈의 안경 제작자가 백 명으로 늘었다. 카쥬의 젊은 동업자 장 바티스트 레미는 카쥬가 은퇴한 후에도 사업을 이어 나갔고, 1880년에는 레미의 후계자가 19세기 프랑스에서 가장 선진적인 수력발전 안경 제조 공장을 모레즈에 건설했다. 이 시기 모레즈는 온통 안경 제작업과 철 제조업으로 가득했다. 부르고뉴에 비견할 만한 지역 주류인 쥐라 와인을 생산하던 지역 포도주 제조업자들의 술통을 만드는 데도 철을 사용했기 때문이다.

『좋은 사회』 저자가 썼듯이, 철사 안경테는 가벼워서 환영받았다. 그러나 대륙에서는 이미 1820년경에 빈의 안경사 포클렌더가 더욱더 가벼운 테를 만들려고 렌즈 테두리를 아예 없애는 시도를 한 터였다. 팩스턴이라면 분명 극찬했을 그 안경은 렌즈와 브릿지를 전부 유리 한 장으로 구성했다. 믿기 힘들 정도로 눈에 띄지 않고 놀랄 만큼 현대적이었던 한편, 너무 깨지기 쉬워 실용성이 떨어졌다.

1840년에는 발트슈타인이라는 또 다른 오스트리아인이 이 점을 개선해 렌즈에 금속 브릿지와 다리를 핀으로 고정하는 모델을 개발했는데, 이번에는 상업적으로 성공을 거두었고 복제품도 널리 퍼졌다. 그렇지만 쉽게 망가지기는 마찬가지여서 착용자는 안경값에 맞먹는 수리 비용을 부담할 수 있는 능력과 그럴 의지도 있어야 했다.

이보다 좀 더 저렴하고 내구성 있는 안경은 렌즈 가장자리에 절단용 홈을 팔 수 있을 정도로 정밀한 신형 공구가 나온 1860년대에야 탄생했다. 기존 테보다 훨씬 가느다란 철사를 렌즈 가장자리에 끼워 테두리가 더욱더 보이지 않도록 만든 모델로, 흔히 '숨은 테'라고 홍보하던 안경테다. 1875년 영국 브리스톨 기반의 안경사이자 안경 제작사인 던스컴의 홍보물에는 "숨은 철테 안경…… 주로 근시용으로 제작"이라는 제품에 "던스컴에서 가장 가벼운 숨은 철테 안경, 테 무게가 몇 그레인※에 불과"라는 설명이 붙어 있다. "귀 뒤로 고정하는 갈고리형 다리"와 "브라질산 최고급 수정 렌즈를 장착"한 이 안경은 1파운드 5실링 6펜스였는데, "최고급 유리 렌즈"를 쓸 경우에는 15실링에 불과했다. 또한 장력 강철로 만든 테라는 것을 알 수 있는 "던스컴

※곡물 낱알 무게를 셈하는 단위로 1그레인은 약 0.0648그램에 해당한다.

의 탄성 있는 청색 철테"에 "브라질산 최고급 수정 렌즈"를 넣은 모델은 10실링이면 살 수 있었다.

궤　도　에
오　르　다

그러나 이 시기에 나온 가장 대담한 물건은 코안경이었다. 프랑스어로 '코집게'를 뜻하는 이름을 붙인 이 안경은 다리와 같은 일반적인 고정 수단을 모두 떼어낸 형태로, 1840년경 처음 등장한 후 유럽과 미국 전역에서 대중의 상상력을 사로잡는 데 성공했다. 남성이든 여성이든 코안경을 보면 상당히 지적인 인상을 받았는데, 아서 코난 도일 경도 1904년에 발표한 셜록 홈스 추리소설『금테 코안경』에서 코안경을 중요한 소재로 삼았다.『스트랜드매거진』에 처음 선보인 이 소설에서 홈스는 이집트산 담배를 피우는 전직 러시아 아나키스트로, 어느 나이 많은 교수의 허드레꾼이 코안경을 손에 쥔 채 죽은 살인 사건 현장에 자문 형사로 등장해 화려한 추리력을 선보인다. 홈스는 겨우 몇 분 동안 코안경을 살펴본 후 서둘러 일행이 쫓는 암살범의 정체를 써 내려가는데, "코가 몹시 두껍고" "미간이 좁으며" "지난 몇 달 사이에 적어도 두 번은 안경사를 찾아간 적이 있고" "사람을 잘 다루며, 귀부인처럼 차려입은 여성"이 범인이라고 말한다. 더 나아가 "안경사가 그리 많지 않으니 범인을 추적하기는 어렵지 않을 것"이라고 덧붙이는데, 이는 당시 안경 시장이 상당히 활발했다는 무수한 증거를 고려하면 어색한 대목이다.⊙

최근 안경사이자 역사학자인 로널드 J. S. 맥그리거는 코안경이 다리 달린 안경에 비해 "잘 깨지고, 불안정하고, 불편"하며, "렌즈를 먼저 고려하지 않은" 디자인이라고 혹평하면서, 빅토리아 시대에는 그 당시 사람들 눈에 워낙 독특해 보이는 외양 때문에 인기를 끌었을 거라고 했다. 마치 비행선처럼 불쑥 튀어나와 당당히 시선을 사로잡은 증기 기관 판타지 세계의 안경. 그중 일부 모델은 접을 수 있을

⊙빅토리아 시대 부르주아 계급과 코안경, 그리고 코안경에 대한 그들의 잘못된 인식은 실패로 돌아간 1905년 제1차 러시아 혁명을 소재로 1925년 세르게이 예이젠시테인 감독이 제작한 소련 선전 영화 『전함 포템킨』에서 군의관 스미르노프가 코안경을 쓰고 등장하는 장면에서도 드러난다. 구더기가 들끓는 고기를 배급한 사건을 조사하러 나온 스미르노프가 고기를 살펴본 후 이미 영양실조 상태인 선원들에게 먹어도 괜찮다고 태평하게 선언하는 장면에서, 예이젠시테인은 안경 렌즈 너머로 썩은 고기를 클로즈업해 보여 준다. 이와 마찬가지로 다른 유명한 장면에서, 영화 끝무렵 황제의 군대가 학살을 저지르는 오데사 계단에서 코안경을 쓴 할머니 같은 여성이 눈에 총에 맞는 모습이 나온다. 순식간에 지나가지만, 구체제가 얼마나 사악한지를 깨닫지 못했음을 상징적으로 표현하는 장면이다.

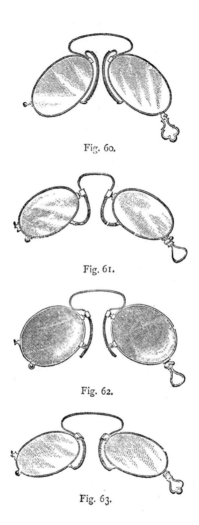

Fig. 60.

Fig. 61.

Fig. 62.

Fig. 63.

코안경.

만큼 신축성이 좋아 '폴더스'라 불렀는데, 렌즈를 완전히 포개어 조끼 주머니에 끼워 두었다가 필요할 때 꺼내면 원래 모양대로 펼쳐져 바로 쓸 수 있었다. 폴더스에는 장식용 사슬이나 끈을 달기도 했고, 제조사마다 코에 더 안정적으로 고정할 수 있는 모델을 앞다투어 내놓았기 때문에 모양과 종류도 다양했다. '캐나다식 폴더', '보손 클립', '완전 폴더', "시중에서 가장 성능 좋고 접기 쉬운 안경"이라고 홍보하던 '신형 황실 근위대' 등 새로운 모델이 계속 등장했다.

그렇긴 하지만 처음 나왔을 때부터 코안경은 쓰기 불편하다는 인상이 분명 있었다. 특히 난시를 교정하기 알맞은 위치에 렌즈를 고정하기 어려운 문제는 빅토리아 말기 '아스티그'라는 정교한 안경테가 나올 때까지 해결되지 않았다. 사실 난시라는 증상 자체도 19세기 초까지는 밝혀지지 않았다.

난시는 근시나 원시와 마찬가지로 굴절 문제에서 기인하는 증상으로, 망막이나 수정체의 곡률이 비정상일 때 발생하며 근시안과 원시안 모두에 영향을 줄 수 있다. 안구는 사실상 구체보다는 달걀 형태에 가까워 거리에 상관없이 물체의 상을 흩트리고 일그러뜨린다.

이 문제는 1801년 토머스 영의 강연에서 처음 언급되었다. 로제타석 해독에 기여했을 뿐 아니라 광파의 간섭을 보여 주는 '이중 슬릿 실험'을 해내기도 한 박식한 퀘이커교 의사 영은 난시를 겪는 당사자로서 자기 눈을 통해 문제를 분석한 결과 안경을 비스듬히 쓰면 해결이 가능하다는 사실을 알아냈다. 추측건대 영은 자신이 관찰한 내용의 중요성을 완전히 인지하지 못했던 듯하다. 수학자이자 천문학자이며 케임브리지대학 교수인 조지 비델 에어리가 이 문제에 관심을 두기까지는 20여 년이 더 흘러야 했다.

일생 중 상당 기간을 렌즈로 별을 관측하며 보냈고, 이후 왕실 천문관을 맡기도 한 에어리는 원래 있던 근시에 더해 1825년 발생한 듯한 "왼쪽 눈 기형"으로 고생하던 중 영과 마찬가지로 안경을 비스듬히 기울이면 된다는 사실을 깨달았다. 그리고 "발광 지점에서 출발해 눈동자 표면 전체에 쏟아지는 광선"이 "눈 안의 어느 지점으로 모이지 않고" "두 직각이 서로 교차하는 식으로" 수렴한다는 것을 알아냈다.

이에 따라 에어리는 시각 편차를 교정하는 데 필요한 초점력을 계산하기 시작했고, 빛을 초점에 맞게 굴절시키는 원통형 렌즈를 구상해 입스위치의 풀러라는 사람을 통해 시제품을 제작했다. 결과물에 감탄한 에어리는 "한때 아주 못 쓰게 되었나 싶어 걱정이던 한쪽 눈을 다른 쪽과 거의 다름없이 사용할 수 있다는 걸 확인했다"는 열정적인 문장과 함께 자신이 발견한 내용을 논문으로 정리해 케임브리지 철학 학회에 제출했다.

이에 광학 업계는 발 빠르게 반응했다. 1828년 필라델피아에서는 이미 스코틀랜드계 미국인 가족회사 매캘리스터가 영국에서 난시용 원통형 렌즈를 수입해 판매했고 곧이어 직접 제작하기도 했다. 회사를 이끈 존 매캘리스터 시니어는 독립 혁명 직전에 글래스고에서 미국으로 건너간 이주자로, 미국 '안광학업의 창시자'로 불린다. 그런데 미국에서 기록상 최초로 나타난 안경사는 1753년 『뉴욕가제트』에 "각종 광학렌즈 세공"이라는 광고를 실은 '고故 발타자르 서머의 부인'이라는 여성이다. 하지만 광학 역사가 윌리엄 로즌솔이 말하기로, 미국에서는 광학 제품 수요가 "지역 산업을 지탱하기에는 너무 적"었고, "부피가 작고 튼튼한 제품을 유럽 주요 생산지에서 저렴하게 들여와 수익을 올릴 수 있"었기 때문에 19세기가 되고도 한참 후까지 "대량 수입"에 의존했다. 로즌솔은 매캘리스터 같은 업체에서 자체적으로 안경테와 렌즈를 제작하기 시작한 것은 1812년 전쟁으로 유럽과의 무역이 어려워진 탓이었다고 본다. 그러나 미국에서 자체 생산 역량이 더욱 높아진 데는 신기술을 익힌 이민자가 유입되고 과학 기술에 대한 대중 및 전문가의 관심이 늘어난 것이 제일 중요한 역할을 했을 것이다.

미 국 인 의   눈

매캘리스터 시니어가 죽은 1830년, 독일 뷔르템베르크에서는 미국에 코안경을 도입한 두 사람 중 한 명으로 알려진 야코프 바슈가 태어났다. 바슈는 1848년 고국에서 혁명이 실패하자 미국으로 이주한 젊고 진보적인 독일인·체코인·오스트리아-헝가리인을 일컫는 이른바 '48년 세대'였다. 친형에게 렌즈 세공법과 금속·뿔·귀갑 안경테 제조법을 배우며 수습 생활을 한 바슈는 범선을 타고 고생고생하며 폭풍이 몰아치는 대서양을 49일 동안 가로질러야 했다. 1849년 뉴욕에 도착한 후 버펄로로 올라갔지만 콜레라가 창궐하고 있어 로체스터로 발길을 돌렸다. 목재상에서 일당을 받으며 선반공으로 일하던 바슈는 헤센카셀 출신으로 자신보다 두어 살 더 많은 사려 깊은 독일 청년 하인리히 롬을 만났다. 둘은 금세 친구가 되었다.

롬은 바슈가 둥근톱에 오른손 손가락 두 개를 다치는 사고를 당하자 금전적으로 도움을 주었다. 그리고 바슈가 안경원을 차릴 때 66달러를 추가로 투자해 동업자가 되었다. 뉴욕 서부에서 유일한 안경원이었던 바슈의 매장은 "구하기 힘든 광학 제품과 다양한 뿔테를 구비한" 곳으로 알려졌다. 그러나 얼마 후부터는 국내에서 제조한 '유럽식' 안경을 철테 1.5달러·은테 2달러·금테 9달러에 각각 판매했다. 1855년경에는 코안경도 판매했는데, 유타주에 솔트레이크시티를 개척한 예수 그리스도 후기 성도 교회※ 지도자 브리검 영도 이 안경을 애호했다.

1861년 롬이 남북 전쟁에 참여해 연방주의자 편에서 싸우는 동안 로체스터에 남아 있던 바슈는 거리에서 운명적으로 가황vulcanized고무 한 덩어리를 발견한다.☉

※'모르몬교'라고 알려진 미국 기독교 종파이다.

☉다른 이야기지만, 1850년대 초 시카고에서 안과의사 존 필립스 박사로부터 최초로 독서용 안경을 입수한 사람은 에이브러햄 링컨이며, 1863년 게티즈버그 연설 당시에도 안경을 썼다는 설이 있다. 이 중요한 연설을 회상하며 언론인 존 러셀 영은 1891년 이렇게 썼다. "대통령은 낡은 안경집에서 철테 안경을 꺼내 귀 앞 관자놀이에 다리를 얹어 누르며 세심하게 조절했다." 링컨이 썼다고 알려진 아주 특이한 휴대용 접이식 안경을 묘사한 듯한데, 실제로 썼던 안경은 금테였다. 코네티컷주 하트퍼드의 존 버트와 뉴욕주 시러큐스의 윌리엄 W. 월러드가 합작한 버트앤드월러드에서 제작한 이 '폴더스'는 업체 설명에 따르면 "양쪽 렌즈뿐 아니라 짧은 다리와 그 끝에 달린 둥글고 오목한 컵 부위까지 한꺼번에 접어 넣을 수 있을 정도로, 그동안 세상에 나온 어떤 안경보다 사용 및 휴대가 편리한 형태를 갖춘" 제품이었다.

코네티컷주 노거턱의 찰스 굿이어가 특허를 받고 로마 신화 속 불의 신 불카누스의 이름을 따 벌컨vulcan이라고 명명한 가황고무는 19세기 중엽에 새로 등장한 기적의 소재였다.

브라질에서 나무의 끈적이는 수액을 채취해 만들던 천연고무의 잠재력은 1820년대에 방수 원단을 개발해 그 이름이 곧 제품명이 된 찰스 매킨토시가 이미 입증한 터였다. 그러나 고무와 액상 고무 라텍스는 안타깝게도 더울 때는 녹고 추울 때는 갈라지는 성질 때문에 널리 활용하기 어려웠다. 그러다 굿이어가 10년 넘게 실험을 거듭한 끝에 황을 넣고 가열해 내구성 좋은 가황고무를 개발하자 금세 타이어·부츠·신발·공·호스·깔개 제작에 활용되었고, 이제는 바슈 덕에 안경테 소재가 되기에 이르렀다. 바슈롬은 1866년부터 뿔테 안경보다 저렴하고 가벼운 가황고무 안경을 공급하기 시작했다. 원료를 판형으로 구매해 가열한 다음 수동식 누름틀로 찍어 내는 식으로 제작했다.

그러나 유럽에서 유능한 이주자가 몰려오고 영국과 무역 관계가 더욱 복잡해지고 있던 당시 미국에는 1873년 등장한 레밍턴 타자기로 송장과 서신을 쏟아 내며 경제와 서구식 진보를 수호하던 필경사 바틀비 부대가 끝없이 늘고 있었다. 이에 따라 전국적으로 안경 수요가 크게 높아지자 미국 내 광학 산업은 더욱더 자급 구조를 강화해 나갔다. 미국 제조사는 개당 몇 달러씩 하던 영국산 수입 테를 1달러짜리 철테로 대체할 수 있었고, 필라델피아에서는 개당 10센트까지 저렴한 가황고무테가 나왔다.

세기말에는 미국만 아니라 유럽에서도 안경테와 렌즈가 정교한 공장 생산품으로 바뀌었다. 사양별로 대량 생산한 안경 부품과 도수별 렌즈를 서로 교체할 수 있는 정밀 공법이 실현되었다. 한때 안경조합이 누리던 보호주의적 독점은 먼 과거의 일일 뿐, 빅토리아 시대는 자유 무역이 대세였다. 그리고 1877년 특수 제작한 철제 건물에서 문을 연 브릭스턴의 봉마르쉐같은 최초의 백화점이 등장하면서 소비가 여가 활동으로 변모하는 와중이었다. 이런 자유방임주의 경제하에서 조립식 안경류는 소매상에게 수익 창출의 기회를 제공했다. 귀금속상·약국·잡화점, 심지어 철물상에서도 고객이 오면 즉석에서 조립할 수 있는 안경테와 렌즈를 구비해 놓을 수 있었다.

그런데 영국의 전통적인 안경사와 안경 제작자에게 닥친 더욱 큰 시련은 기차역 내의 W. H. 스미스 매장에 자동 시력검사기 및 시력 보조기 공급회사가 자가 시력검사기를 설치한 일이었다. 미리 찍어 놓은 활동사진을 보여 주던 '집사가 본 것'이라는 영사기처럼, 이 기기에도 동전 넣는 구멍과 눈을 대고 들여다보는 뷰파인더, 직접 돌리는 손잡이가 달려 있었다. 그러나 파인더를 들여다본 열차 승객의 눈에 비친 것은 내실에서 속옷 차림으로 수줍어하는 젊은 여성의 모습이 아니라 시력검사용 글자였고, 그것도 적합한 렌즈가 나올 때까지 여러 차례 손잡이를 돌려야 했다. 그런 다음 해당 렌즈 번호를 기기의 주입구 안에 비치된 주문표에 적어 넣으면, 처방에 맞게 즉시 조립한 안경 또는 '폴더스'를 우편으로 받거나 홀번 챈서리레인 65, 66번지에 있는 웨스트엔드 전시장에서 직접 찾을 수 있었다. 1892년 "1백 파운드를 줘도 구할 수 없는 최고의 시력 보호 안경"이라고 당당히 광고하던 이 안경 가격은 "안경집 포함" 2실링 6펜스였다. 오늘날로 치면 10파운드(약 1만 6천 원) 조금 넘는 금액인 셈이다. 이처럼 물을 흐리는 기업형 침입자에 대해 안경 업계는 이후 고도로 전문화한 서비스로 대응에 나선다.

6 장
실 력 검 증

(새) 뮤얼 피프스가 털링턴 가족과 만나던 때를 돌이켜
봐도 그렇듯이, 역사적으로 안경사와 안경 제작자
가 시력검사를 하는 경우는 별로 없었다. 실제로 환자의 시
력을 측정하고 알맞은 렌즈를 고른다는 개념 역시 의학 발
달과 안과전문병원 설립에 따른 19세기적 현상이었다. 나
폴레옹 전쟁 중이던 1805년, 웨스트 스미스필드에서 런던
안이眼耳질환진료소라는 세계 최초 안과 질환 전문병원이
문을 열었는데, 이곳이 나중에 무어필즈안과병원 또는 왕
립런던안과병원이 된다. 설립 당시에는 눈과 귀를 모두 진
료했지만, 창립 이사 존 커닝엄 손더스가 운영위원회에서

"귀 질환 치료 성과가 적다"고 인정한 후 진료 분야를 안과로 한정했다. 손더스는 임기 중이던 1810년 사망했지만, 이듬해 원내 외과 의사 벤저민 트래버스가 안과학 교육 과정을 개설했다. 1816년에는 『안과 질환 개요』라는 교재를 출간했는데, 그해 트래버스의 수강생 중에 에드워드 델라필드, 존 키어니 로저스, 에드워드 레이놀즈라는 미국인이 있었다. 앞의 두 명은 수료 직후 미국으로 돌아가 뉴욕안과병원을 세웠고 레이놀즈는 보스턴에서 매사추세츠안이과병원 건립에 참여했는데, 두 곳 다 무어필즈를 본떠 설립한 병원이었다.

그러나 안과학이 최고로 주목받은 곳은 유럽 대륙이었다. 1851년 프로이센 쾨니히스베르크대학교 교수 헤르만 폰 헬름홀츠가 검안경을 발명한 후였다.

헬름홀츠는 눈동자에 도달한 빛을 반사하며 내뿜는 듯한 광휘에 마음을 빼앗겨, 그 장면을 포착해 안구 내부의 작동 방식을 들여다보려 했다. 판지와 안경 렌즈·현미경 유리로 약 8일 동안 꼬박 매달려 시제품을 만들어 냈는데, 놀랄 만큼 조악한 기계이긴 했어도 이 기기로 헬름홀츠는 인류 최초로 살아 있는 망막을 살펴볼 수 있었다.

그리고 포츠담중등학교 교장이자 의학 공부를 하도록

자신을 독려한 부친에게 보낸 편지에 아래와 같이 구구절절 이 발견의 중요성을 설명했다.

브라이튼 이스트가에 위치한 베이트먼 안경원.

이 기기에 조합해 넣은 렌즈 여러 장이 눈동자 안쪽 어두운 뒷부분을 비춰 주기 때문에 강한 빛을 쏘지 않고도 망막의 모든 부위를 정확히 들여다볼 수 있어요. 따로 확대경을 쓰지 않아도 혈관이 눈의 외부보다 더 또렷이 보이고, 거기서 뻗어 나오는 동맥과 정맥, 눈으로 들어가는 시신경까지도 관찰할 수 있어요. 지금까지는 살아 있을 때도 죽은 뒤에도 눈에 생긴 변화를 파악하기가 거의 불가능했기 때문에, 대단히 심각한 여러 가지 안과 질환이 '검은 별'이라는 미지의 영역으로 남겨져 있었어요. 하지만 이제는 제 발명품 덕에 안구 내부 구조를 최대한 전문적으로 연구할 수 있을 거예요.⊙

⊙또 여담이지만, 이 대목에서 데이비드 보위의 마지막 음반 수록곡 「Blackstar」 뮤직비디오에서 눈에 붕대를 감고 눈동자 부위에 구슬을 달고 있던 모습이 떠오르는 걸 피할 수가 없다.

헬름홀츠는 자신이 발명한 검안경의 작동 방식을 설명하는 43쪽짜리 소책자를 출간했다. 그러나 백문이 불여일견이라 하듯, 검안경이 널리 확산한 데는 헬름홀츠가 그해 8월에서 9월까지 두 달에 걸쳐 오스트리아와 스위스를 포함해 독일어권 대학을 돌고 프랑스와 이탈리아까지 들렀던 것이 훨씬 더 큰 영향을 끼쳤을 것이다. 검안경은 가는 곳마다 즉각적인 반응을 끌어냈고 비침습식 검사 도구로서 병증의 원인을 찾지 못한 부유한 사람들이 신뢰하는 의료 기기이자 검사실·스파·개인 진료실에서 일하는 전문가가 주목하는 기기로 자리 잡았다. 안구 건강 진단에 있어서 타의 추종을 불허하는 검안경의 중요성은 그 누구도 부인할 수 없었다.

셰익스피어의 표현대로 눈이 영혼의 창이라면, 검안경은 아마도 최초로 의사에게 사람들의 눈을 구하는 신과 같은 존재가 될 기회를 제공한 셈이었다. 아니면 최소한 대체 뭐가 문제인지만이라도 더 잘 알 수 있게 해 주었다.

1830년에 태어난 무어필즈의 의사 존 휘터커 헐크는 헬름홀츠의 검안경이 나오기 이전 시대를 이렇게 회상했다. "의대생 시절 초기에는 검안기가 없었고 굴절 장애에 대한 이해도 매우 부족해서 바지 주머니에 넣어 다니기 쉬운 작은 귀갑 통에 담긴 동그란 볼록렌즈와 오목렌즈 여섯 개로 측정을 다 했다." 영국광학협회 역사서를 쓴 마거릿 밀러에 따르면 이 시기 검안사와 안과의사는 적어도 영국에서는 "일차적으로 자신을 의료인으로 여기며, 안경을 맞추는 일은 격에 맞지 않는다고 낮추어 보았다."

1854년 개정판이 나온 책 『안구 건강과 질환』의 바탕이 된 내용을 강의했던 앨프리드 스미처럼, 무어필즈 의사 중에는 여전히 꼭 필요한 경우 외에는 특정 증상(스미의 경우 근시)에 안경을 처방하는 것을 부정적으로 보는 이들이 있었다. 하지만 스미는 노동자나 군인과 달리 유독 책을 가까이하는 사람 중에 근시가 많은 현상을 보고 직업과 근시가 관련이 있을 가능성을 제시했다. 그리고 근시가 확연한 경우를 제외하면 안경을 권하는 데에 대체로 반대하면서도, 안경사가 최대한 적절한 처방을 하도록 돕고자 환자 눈앞에서 여러 개의 렌즈를 돌리며 볼 수 있는 시력 측정계를 발명하기도 했다.

이는 안경이 매우 유용한 치료 도구라고 홍보하기 시작한 유럽 대륙 쪽 시각에 더 부합하는 것이었다. 요컨대 안경은 수술이나 기타 침습적 처치만큼이나 안과의사에게 필수적인 도구라는 입장으로, 1850년대 보헤미아 출신

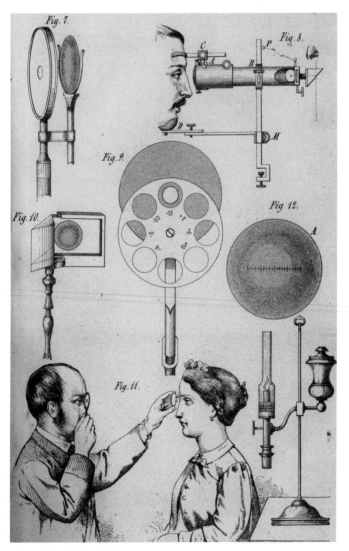

시력검사 중인 안과의사.

프라하대학교 안과 교수 카를 페르디난트 리터 폰 알트와 제자였던 알브레히트 폰 그라페, 베를린에서 조수로 일한 리하르트 리브리치 같은 사람들이 주도했다.

그러나 단연코 이 시기 안과 진단법 발전에 가장 중요한 역할을 한 인물은 위트레흐트대학교의 생리학 교수 프란시스퀴스 코르넬리스 돈더르스다. 네덜란드 최초의 안과병원을 설립한 돈더르스는 원시와 나이 들며 생기는 노안을 명확히 구분하는 기준을 처음 세우고, 선천성 원시에서 주로 발생하는 사시를 프리즘 렌즈로 치료하는 기법도 창안했다. 1864년에 출간한 책 『안구의 원근조정 이상과 굴절에 관하여―생리학적 굴절광학에 관한 예비적 시론』은 안과의사와 진보적인 안경사의 필독서가 되었고, 돈더르스가 '디옵트릭'dioptric(디옵터)이라고 명명한 1미터 초점거리에 따른 렌즈의 굴절력 단위※는 결국 거의 보편적인 기준으로 자리 잡았다. 하지만 광학 분야에서 돈더르스가 남긴 또 다른, 어쩌면 가장 위대한 업적은 1860년 동료 헤르만 스넬렌에게 환자 시력 진단용 표를 만들어 달라고 부탁한 일일 것이다.

스넬렌은 처음에는 동그라미·네모·더하기 같은 기호를 크기별로 배열했다. 그러니까 그림 기호를 쓴 것이다.

※흔히 '도수'라고 부른다. 1D와 같이 표시하며 근시인 경우 마이너스 굴절력을 갖는 오목렌즈, 원시인 경우 플러스 굴절력을 갖는 볼록렌즈를 처방한다.

언뜻 보기에 이편이 어디서나 통할 듯했다. 글을 모르는 사람이라도 보이는 대로 표현할 수 있을 테니 말이다. 그러나 환자들은 대부분 눈앞에서 어른거리는 흐릿한 점과 반쯤 그려진 원 따위를 정확히 설명하기 몹시 어려워했다. 한눈에 알아보기가 글자만큼 쉬운 기호는 거의 없었다. 더구나 1875년에는 남성 문해율이 90퍼센트에 다다랐을 정도로 거의 모든 네덜란드인이 글을 읽을 수 있는 시대에 접어들고 있었다. 잘못 판단했다는 사실을 깨달은 스넬렌은 다시 작업에 착수했고, 그렇게 해서 아래로 갈수록 글자가 작아지는 익숙한 시력검사표가 탄생했다.

스넬렌 시력표의 초기 고객은 1863년 시력표를 구매한 영국 육군으로 추정한다. 그 후 의용소총단이 몰려들어 수요가 늘었다. 프랑스와 전쟁이 재발할 염려 속에서 『더 타임스』가 앞장서 펼친 전국적 운동에 자극받은 대학생과 중하층 사무원, 장인이 주축을 이룬 영국의 민간인 소총 부대였다. 스넬렌 시력검사는 이처럼 제국을 섬기라는 부름에 응해 몰려든 무리 중에서 사격 실력이 형편없는 사람을 걸러내는 데 유용하게 쓰였다.

브 라 우 닝 의
분   노

그러나 민간인이 흔히 쓰는 시력검사 도구와 그 수준은 아직도 검사 시기와 장소에 따라 제각각이었다. 1860년, 스코틀랜드 출신 안과의사 존 솔버그 웰스가 임상 조교수로 무어필즈에 합류했다. 베를린에서 알브레히트 폰 그라페에게 배우고 그 밑에서 일하며 안경을 치료에 활용하는 방안에 관한 폰 그라페의 견해를 이어받은 웰스가 부임한 직후, 병원 측에서 스미와 가까운 이웃으로 핀스버리 광장에서 일하던 토머스 더블릿을 최초의 공식 안경사로 지명했다. 웰스는 "안경사는 비과학적"이라며 계속 반발했고, 1862년에 쓴 책 『원시, 근시, 약시와 그 치료에 안경을 과학적으로 활용하는 방법에 관하여』에서는 안경사가 이롭기는커녕 해로운 역할을 훨씬 많이 한다고 다음과 같이 비난했다. "적절하고 과학적인 방법으로 안경을 고르는 것은 사회적으로 대단히 중요한 일이다. 나는 안경사가 경험에 의지해 아무렇게나 짜 놓은 선택지에 따라 최악의 결과를 빚어내는 바람에, 과학적이고 능숙한 처치를 받았다면 오래 보존할 수 있었을 눈을 망가뜨리는 경우가 너무 잦다는 점을 주저 없이 지적하고자 한다."

웰스는 의사가 직접 시력검사를 하고 진단서를 작성해야 하며, 안경사는 그 진단에 따라 안경을 만들어야 한다고 주장했다. 그러나 진지하고 과학적으로 자신의 직업에 임하는 안경사들은 오히려 안경사가 의사에 더 가까운 존재가 되어야 하며, 안경 공급 자격을 갖기 전에 일정한 훈련을 거쳐야 한다고 믿었다. 이 문제에 가장 목소리를 높인 사람은 존 브라우닝이었다.

브라우닝은 94세까지 살면서 최소한 세 번 결혼했고, 긴 생애만큼 다양한 경험을 했다. 거의 평생 덥수룩한 수염을 길렀던 브라우닝은 기업가·발명가·과학자이자 때로는 저자로서 끝없는 호기심을 품고 놀랄 만큼 생산적인 삶을 살았다. 빅토리아 시대가 추구한 이상에 꼭 들어맞는 인물이었던 셈이다. 켄트에서 해상 기기를 제작하던 집안에서 태어나 의학과 화학을 공부한 후 가업에 합류했고, 이후 회사를 영국에서 가장 혁신적인 과학 기기 제조사로 변모시켰다. 미노리스에서, 나중에는 스트랜드에서 운영하던 회사 공장에서 브라우닝이 기압계·검안경·분광기·현미경·카메라·쌍안경·오페라 안경 및 전등 등을 설계하면 든든한 직원 60명이 제품을 제작해 판매했다. 고객 중에는 사진작가 윌리엄 헨리 폭스 탤벗, 왕립 그리니치 천문대 그리고 빅토리아 여왕이 있었고, 1873년 페르시아 황제 방문 기념 공식 연회를 위해 런던 시청사에 최초로 전구를 설치하기도 했다.

그러나 브라우닝 본인이 인구조사에 답하거나 자신의 황동 카메라 뒷면 명판에 새긴 직업은 '장인 안경사'였다. 안경 업계에 남긴 업적으로는 니켈 안경테와 꽤 두꺼운 브라질산 석영렌즈로 만든 대단히 튼튼한 D형 보안경을 들 수 있다. 운동에 미친 서투르고 열정적인 청년을 겨냥해 '방탄' 안경이라는 이름을 붙이고, "귀갑 재질 브릿지에 가벼운 스프링을 장착"해 "'눌림 없도록' 개량한 캐나다식 폴더"라는 설명을 더해 광고하던 제품이다.

1883년에는 『눈 사용법 그리고 안경으로 눈을 보호하는 방법』을 출간했는데 3주 만에 1쇄가 다 나갔고 1889년에는 무려 7판이 나왔다. 7판에 추가한 내용 중에는 '여성용 베일'이라는 장이 있는데, 거기서 브라우닝은 이런 질문을 던지고 답한다. "베일이 눈에 좋을까 나쁠까? 답: 아무래도 베일 종류에 따라 다름."

눈치챈 사람도 있겠지만, 브라우닝은 시각에 관한 모든 사안에 신랄하고 때로 기이하기까지 한 의견을 제기하는 사람이었다. 책에는 안경을 제대로 쓰는 방법부터 고양이와 난롯가에 앉아 책을 읽을 때 적합한 자세에 이르기까지 수많은 항목별로 옳은 예와 그른 예를 그려 넣은 삽화가 가득하다. 중년 고객이 철도 시간표가 보이지 않자 안경을 써야 한다고 깨달은 일에 기뻐하는가 하면, 열차 여행 중 책 읽는 행위를 엄청난 골칫거리로 여겨 문학과 교통수단을 한데 섞지 말라며 '시력 망치는 법: 열차 객실에서 글 읽기'라는 편지를 써 내려가기도 한다. 그러나 브라우닝이 특히 비판한 대상은 고객을 호도하는 광고 홍보물을 뿌려대는 자격 없고 부도덕한 '돌팔이 안경사'였다.

요란하게 홍보하는 안경이 자기에게 유용하리라고 믿지 말라. 물론 고급 광학유리나 브라질 수정 렌즈를 만드는 데 필요한 기술을 익혔을 수는 있다. 그러나 고객에게 꼭 맞는 안경을 만드는 데는 그보다 더 많은 기술이 필요하다. 지식과 풍부한 경험을 통해서만 익힐 수 있는 이 기술을 어찌 안경 열 몇 벌 들여놓고 '임상 안경사'라고 써 붙이는 시계공·약사·보석상·철물상 같은 사람이 가질 수 있단 말인가?

브라우닝 자신도 왕립화학학교를 다녔지만, 경험이 일천한 약사들이 잘 알려지지 않은 특정 안경이 건강에 좋다는 내용을 담은 유사의학 소책자를 자기 이름으로 직접 제작 배포함으로써 제조사들과 똑같이 사기를 치고 있다고 힐난했다. 브라우닝이 보기에 이런 약사보다 더 질 낮은 부류는 "박람회나 멋들어진 품평회, 특별 매장 같은 데서 마법 같은 기능을 한다며" 떠들썩하게 안경을 팔아대는 시계공과 철물상 같은 이들이었다. 브라우닝은 그 뻔뻔한 모습을 떠올리다 보니 화가 치밀어 수염이 부들대는 소리가 들릴 지경으로 분노에 차서 이렇게 덧붙인다. "이런 안경을 파는 자는 고객이 요청하기도 전에 어깨를 붙잡고 안경이나 폴더스를 얼굴에 갖다 댄다. 이런 작자를 안경사라고 부른다면, 앞으로는 철판처럼 두꺼운 낯짝과 가죽처럼 질긴 허파, 싸구려 노점상의 혓바닥이 유능한 안경사가 꼭 갖춰야 할 덕목이 되고 말 것이다."

말할 것도 없이, 브라우닝이 생각하는 가장 훌륭한 안경사란 바로 자기 같은 사람이었다. 이 장인 안경사는 '브라우닝식 시력검사법'이라는 장에 자신이 주로 사용하는 세 가지 도구를 밝혀 놓았다. 안계측계optometer, 눈동자 사이 거리를 측정하는 간격 측정기, 손잡이 안경 여섯 개를 한데 묶어 둔 것처럼 생긴 근시 검사 렌즈 한 벌. 그러면서도 "이 세 도구를 사용하는 방법은 대상자 눈 상태에 따라 다르기 때문에 여기에 밝힐 수는 없다"며 '검사법'의 세부 사항을 다소 감추려 든다. 하지만 뒤이어, 예거 시력표처럼 글자 크기가 다양한 여러 가지 검사표를 제시하고 적정 거리에서 검사하는 방법 등을 설명한다.

책 말미에는 엉성한 시력검사가 빚어내는 위험을 강조하려고 사실성이 상당히 떨어지는 일화를 실어 놓았다. 필요 이상으로 강한 근시 안경을 쓰다가 눈에 염증이 생겨 찾아온 남자의 사연이다. 브라우닝은 런던 중심가 대로변에 있는 안경사가 눈 검사를 어떻게 했는지 듣고 경악한다. 이 안경사라는 인간이 "안경 한 뭉텅이를" 건네주고는 "4백 미터 떨어진" 교회 첨탑에 달린 풍향계가 보이는 안경을 찾을 때까지 하나씩 써 보게 했다는 거다. 검사는 그게 다였고, 안경사는 골라낸 그 안경을 "꾸준히 쓰라"고만 했다. 남자를 대신해 발끈한 브라우닝은 "이 신사에게 안경사가 한 짓은 눈을 뜨거운 다리미로 지진 것이나 다름없다"고 일갈한다.

안경사의 작업 방식을 개선할 필요가 있다고 생각한 사람은 브라우닝만이 아니었다. 한때 멋대로 하던 축구 같은 영역에도 공식 규칙과 관리 기구가 생기고 1888년에는 프로팀 대회까지 열렸는데, 어째서 눈 검사는 아직도 대부분 검증받은 적 없고 광학 지식도 부족한 개인에게 맡겨 둘 수 있단 말인가?

런던에 사는 제임스 애치슨은 스코틀랜드 출신으로, 미간이 좁아 푸른 눈이 더욱 날카로워 보이고, 덥수룩한 수염 끄트머리에 기름을 발라 정원수처럼 정성스레 다듬고 다니는 남자였다. 스물아홉 살이던 1889년에 하이홀번에서 수습 생활을 하던 중 안경사들의 태만한 검사법에 넌더리가 난 나머지 "보다 과학적인 시력 측정 방법"을 직접 개발하기에 이른다.

신문사와 출판사로 가득 찬 도심지 플리트가에서 "안구와 광학 원리를 전문 분야인 안경 제작에 반영한" "최고 안과 안경사"라고 홍보하며 자리를 잡은 애치슨은 최저 1실링부터 시작해 평균 2실링 6펜스 정도에 안경을 판매했다. 초기에는 원재료 대부분을 독일에서 들여왔다. 6년 사이 매장이 세 곳으로 늘었는데, 가장 넓은 매장은 스트랜드가 사보이 호텔 근처에 있었다. 관공서가 늘어선 화이트홀과 정부 청사, 채링크로스가와 코번트가든 롱에이커에 즐비한 출판사, 웨스트엔드의 극장과 식당이 모두 비슷한 거리에 있었다.

브라우닝과 비슷하게, 애치슨도 시력 결함에 관해 강경하고 특이한 견해를 지녔다. 그중에서도 가장 논쟁적인 견해는 시력 문제를 교정하지 않으면 범죄 성향이 나타나고 심지어 살인에까지 이를 수 있다는 믿음일 것이다.

램버스 독살범 사건

애치슨이 이 이론에 확신을 품은 계기는 안경을 쓰는 사시 환자 토머스 닐의 치료를 맡고서였다. 닐은 램버스가에서 자신도 모르게 매춘부 마틸타 클로버를 독살하려 했다. 자극적인 언론에서 '램버스 독살범'이라 이름 붙인 이 살인범은 캐나다 맥길대학교와 런던대학교에서 의학을 공부했다. 의사 자격을 얻지 못한 닐은 신경쇠약을 앓으며 아편에 빠져드는 동시에 이른바 '더 얌전한 성별', 즉 여성 일반에 증오심을 품었다. 자칭 닐 크림 박사로 의사 행세를 하던 닐은 미국에서 여성에게 독을 써 2급 살인 혐의로 10년 형을 받았고, 형기를 마친 직후인 1891년 런던에 도착했다.

사시가 확연히 드러난 경찰서 사진이 대서양 양쪽에 나돌 았기 때문에 사시를 꼭 교정하고 싶었던 닐은 플리트가에 있는 앤더튼 호텔에 묵으며 가까운 애치슨 매장을 뻔질나 게 드나들었다.

콧수염 안경사 애치슨은 학식도 있고 광학 분야의 최 신 연구 성과에 흥미를 보이는 고객을 진찰하는 일이 더없 이 즐거웠다. 두 사람은 시력 교정에 어느 렌즈와 테가 좋 은지를 두고 토론했다. 애치슨은 측면에 자기 이름을 찍은 금테 안경 두 벌을 제작해 닐이 묵는 호텔로 보냈다.

닐이 체포된 후 애치슨이라는 이름이 찍힌 안경이 발 견되는 바람에 안경사는 고객 신원 확인차 소환당했다. 1892년 10월 21일, 유죄 평결이 나오고 의사인 척하던 살 인범에게 교수형이 선고되면서 재판은 끝이 났다. 처형대 에 선 사형수는 자신이 토막 살인범 잭Jack the Ripper이라 고 주장해 사건의 악명을 더욱 높였다. 그러나 애치슨은 사 형 집행을 5일 앞두고 『더타임스』에 기고한 글에서 닐이 원시인 왼쪽 눈을 치료하지 않고 오래 방치한 것이 범죄 행 위를 유발한 요소 중 하나일 거라고 주장했다. 유아기부터 결함을 극복하려고 무의식적으로 노력하며 받은 압박이 닐에게 "막대한 해악"으로 돌아왔다는 것이었다. 오랫동안 두통과 신경통에 시달렸을 텐데, 원래 눈의 결함 때문에 발생한 이런 증세가 공부하면서 심해지자 자가 치료 방편으로 아편에 손을 댔다가 중독으로 치달았을 거라고 했다. 애치슨은 "아주 어릴 때 눈을 치료했다면" 이 모든 일을 "쉽게 해결"할 수 있었을 거라고 믿었다.

분명 극단적인 사례지만, 수십 년 동안 눈 상태로 고통을 겪다 보면 삶의 질과 방향성에 부정적 영향을 받을 수 있다는 주장은 어느 정도 논리적이기는 하다. 그러나 1890년대에는 범죄 가능성과 눈의 결함 같은 유전적 특성에 관한 논의가 너무나도 간단히 우생학 논의로 빠지고 확산되는 경향이 있었다. 애치슨은 나이 들어 안구 질환이나 정신 질환, 또는 두 가지 문제를 다 겪지 않으려면 예방적 수단으로 최대한 일찍 안경을 처방받아야 한다고 보았다.

이런 이유로 1894년 한 인터뷰에서는 아동기에 "지나치게 교육적 부담을 주는" 것, "특히 수업 시간에 숙제를 과하게 내는" 데에 강하게 반대한다고 밝혔다. 일찍부터 눈에 압박을 많이 주어서는 안 된다는 것이다. 하지만 애치슨은 업계 수준을 높이려고 공부량을 늘리고 공식 자격 제도를 도입하자며 동료 안경사들과 로비를 벌였다. 그리고 교육 과정을 논의하려 모인 일군의 우수한 안경사들과 광학협회를 설립했다. 협회를 통해 "과학적 장비를 거래하는 직군을 형성하고 더 수준 높은 광학 설계 교육을 제공하는 사명을 띤" 학교를 설립하고자 했다. 꿈을 실현하지는 못했지만, 애치슨은 다른 기관에서 운영하는 야간 광학 교육 지원 기금을 모으고, 상과 장학금을 마련하도록 업계를 설득했다. 이런 활동을 펼친 배경에는 당시 영국에서 '기술 교육'이라는 것이 전성기를 누리던 상황이 있었다.

이 운동은 독일 출신 철공 장인이자 자유당 하원의원인 버나드 새뮤얼슨 경이 1860년대부터 해오던 것이다. 공학협회가 "실력을 키우려는" 가난한 신진 기술자와 장인이 "유용한 지식"을 쌓을 수 있도록 돕고 있지만, 19세기 말부터 우연히도, 특히 예나 지역을 중심으로 최고급 광학유리를 생산해 온 독일과 스위스에 즐비한 기술 학교와 견줄 만한 곳은 없었다. 새뮤얼슨은 1881년 왕립'기술학교'위원회 장을 맡았다. 자선 사업가 퀸틴 호그가 리젠트가에 밤낮으로 상업과 기술 과목 강의를 운영하는 '전문학교'(과학기술전문학교 폴리테크닉의 전신)를 설립한 해이기도 한 1884년에 나온 위원회 보고서를 바탕으로 1889년 기술교육법이 통과되었다. 지방 정부가 성인 교육에 공공 기금을 제공하고, 특히 학교를 통해 "산업에 적용 가

능한 과학기술 원리 교육·특정 산업 또는 일자리에 필요
한 특수 영역의 과학기술 실습 교육"을 제공하도록 한 제
도다.

안 경 사 ,
힘 을 모 으 다

광학 업계를 포함해 거의 모든 산업에 현장 수습 제도가 남
아 있어 안경사가 되려면 여전히 업계에서 7년 동안 기술
을 익혀야 했다. 그러나 클러큰웰의 J. 래피얼앤드컴퍼니와
해튼가든 및 뉴욕 나소의 영미광학회사는 이미 심화 과정
을 도입해 기술 교육의 혜택을 보았다. 후자는 보석 세공인
겸 시계 제작자로서, 1881년경 영국에서 판매할 만년필·
시계·안경을 미국으로부터 최초로 들여온 "안경 소매상
이자 수입업자"이기도 한 스탠리 드뤼프가 설립한 회사다.
그렇게 들여온 안경은 영국에서 불티나게 팔렸다. 10년이
안 되어 드뤼프는 런던에서 자사 산하 광학전문학교 설립
과정을 감독했다. 이 학교에서는 안경 판매원에게 굴절과
시력검사법을 교육하고 능력에 따라 자격증과 수료증을

발급했다. 폴리테크닉과 궤를 같이하면서 통신 학습·대면 출석 수업·개인 교습 과정도 운영했다. "우리는 '과목에 따라 충분한 시간과 노력을 기울여' 수강생을 '완벽한 굴절 검사자'로 키워 낼 것을 '약속'합니다"라는 광고를 신문에 싣기도 했다.

애치슨과 브라우닝이 추구한 '전문가주의'를 향한 행진은 1891년 찰스 하이엇 울프가 업계 전문지 『디옵티션』 The Optician을 창간하면서 더욱 힘을 받았다. "플리트가의 교양 있는 신사"라고 불리던 하이엇 울프는 전 재무장관 조지 오스본※만큼이나 많은 직업을 거쳤는데, 대부분 기술과 관련한 언론 분야에서 펜을 잡고 하는 일이었다. 플리트가에 있는 사무실에 앉아 잡지 『간추린 대중 과학』과 『기계 세계』 편집자로 일하는 와중에 광학 사전 한 권과 영양 및 식생활에 관한 책 『식품 사기꾼과 그들이 만든 식품』까지 출간했다.

하이엇 울프는 1891년 8월 13일 안경조합에 안경사 교육 및 자격시험 제도를 수립해 자격증과 공식 검증 자격을 관리할 것을 요청하는 제안서를 『디옵티션』에 실었다. 길드는 제안을 무시했는데, 동업조합 대부분이 그랬듯 당시 안경조합은 예전처럼 동업 집단으로서 기능하기보다

※영국 보수당 정치인으로 2010년대 영국 보수당 데이비드 캐머런 총리 내각에서 장관을 맡은 후 펀드사 고문, 싱크탱크 대표, 언론사 편집장 등 다양한 직업을 겸하기로 유명하다.

는 온갖 연설을 하며 근사한 저녁 만찬을 나누고 포트 와인과 시가로 마무리하는 사교 및 자선 단체에 가까웠다. (뒤늦게나마 하이엇 울프의 제안을 알아보고 자체 자격 체계를 갖추긴 했지만 말이다.) 반응이 없자 좌절한 하이엇 울프와 존 브라우닝, 로치데일의 로버트 섯클리프, 브리스톨의 매슈 던스컴 등 뜻이 맞는 안경사들이 모여 1895년 2월에 영국광학협회라는 독자적인 단체를 창립했다. 협회는 새프츠베리가 17번지에 사무실을 열고 대출 도서관 건립 사업, 안경사 교육 및 학습 과정과 자격시험 제도 마련에 돌입했다. 1897년 1월 리버풀에서 교육 과정을 시작하고 시험은 그해 7월 런던 플리트가에 있는 앤더슨 호텔에서 실시했는데, 애치슨의 살인마 환자 토머스 닐이 묵었던 바로 그 호텔이었다.

"완제품 안경을 직접 고르게 하는 태만하고 위험한 방식"에 격렬히 반대하던 로버트 섯클리프가 영국광학협회 초대 사무총장을 맡았다. 이 일을 곁에서 도운 아들 존은 이후 협회에서 떼 놓을 수 없는 존재가 되었다. 섯클리프 주니어는 뛰어난 콘트라베이스 연주자로서 합창단 및 악단 지휘와 랭커셔 가극단 단장을 맡는 등 음악 분야에서 경력을 쌓았지만 스물한 살에 광학 분야의 전망이 더 안정적이라는 설득을 받아들인 모양이다. 아버지의 업무에 동참하기 전까지 맨체스터에 있는 오웬대학과 왕립 안과병원에서 의학 수업을 들었다. 그러다 곧 블랙풀 해변에 자기 매장을 열었다. 한때 랭커셔 지방의 고풍스러운 해수욕장이던 이 지역은 당시 활기찬 노동계급의 해변 휴양지로 급성장하는 중이었고, 윈터가든스에 막 문을 연 오페라극장 같은 문화시설도 음악을 사랑하는 섯클리프의 마음을 사로잡았을 것이 틀림없다. 영국광학협회가 창립하기 전에 섯클리프는 이미 시내에서 통신으로 광학 강의를 하고 있었지만, 협회 일이 지방에서 경험을 쌓는 수준을 넘어설 천금 같은 기회라 생각해 달려든 듯하다.

이후 40년 동안 협회에 몸 담은 섯클리프는 최초로 협회 공식 강사를 맡았고, 회지 『디옵트릭리뷰』 편집자로서 문학적 소양을 표출하기도 했다. 1929년 총선 당시에는 비록 낙선하기는 했지만 노동당 소속으로 리버풀 선거구에 출마하는 등 진보 정치 영역에서도 활동했다. 그러나 평생을 시력 개선에 헌신했고 조명에 무척이나 예민하게 굴던 사람으로서는 말년이 어처구니없을 정도로 잔인했다. 협회에서 은퇴한 직후인 1941년, 전쟁 중 정전 상태에서 교통사고로 사망했으니 말이다.

빅토리아 여왕이 서거한 1901년, 섯클리프는 협회 박물관 건립을 추진하면서 오래된 안경을 상당량 기증받았다. 대부분 골동품이었지만 최근 제품도 조금 섞여 있었다. 그 많은 안경과 광학 기기는 협회가 플리트가를 떠나 임시로 옮겨간 피커딜리에서 꽤 오래 체류한 후, 중세 법정 건물이던 클리퍼드인홀 내부의 새 보금자리로 들어간 1914년에야 대중에 공개 가능한 형태로 진열장에 자리를 잡았다. 이 박물관은 이듬해인 1915년 개관 예정이었지만, 제1차 세계대전이 터지는 바람에 한동안 협회 시설과 섯클리프의 역량을 상당 부분 전쟁 지원에 투여해야 했다.

가 스 , 진 흙 그 리 고 피

1914년 8월 4일 밤 11시 정각, 영국이 독일과의 전쟁을 선언하자 인적·문화적·상업적으로 밀접히 관계 맺고 있는 나라와는 전쟁을 하지 않으리라 믿었던 수많은 사람이 경악했다. 보어 전쟁 후 독일 황제가 영국 해군에 맞설 현대식 전함 함대를 마련하려 들면서 벌어진 해군 군사력 경쟁으로 양국 관계가 껄끄러워지기는 했어도, 영국은 여전히 독일 수입품에 크게 의존하고 있었다. 그중에서도 가장 의존도 높은 거래 품목이 광학 제품이었다. 영국은 광학유리 60퍼센트를 독일, 특히 칼 자이스, 에른스트 아베, 오토 쇼트가 세운 예나의 공장에서, 30퍼센트를 파리의 파라 몬트와에서 들여왔고 10퍼센트만 국내에서 생산했는데, 대부분이 팩스턴의 수정궁에 유리를 공급했던 스메디크의 찬스브러더스 제품이었다.

전쟁 선언 후 겨우 3일이 지난 8월 7일, 『디옵티션』은 당연히도 업계 전반이 공유하는 정서를 드러내며, 다음과 같이 적대 행위 발발에 유감을 표명했다. "오랫동안 수많은 독일인이 우리 국민과 돈독한 우정을 쌓으며 도매업 분야에서 함께 일해 왔다. 영국뿐 아니라 캐나다와 미국에서도 보이는 이런 사람들의 존재가 민주주의 국가 독일에 영국 혐오증 따위는 존재하지 않음을 증명한다."

양쪽 다 갈등이 사소한 교전 수준에서 짧게 끝나리라는 희망을 품고 있었다. 유리 제조사 찬스브러더스는 영국 정부의 어떠한 군사적 요구에든 부응하겠다는 공식 입장을 밝혔지만, 생산량을 늘리라는 요청에는 저항했다.

영국은 상대적으로 최근에 전쟁을 경험한 편이지만

남아프리카에서 벌인 보어 전쟁은 기병대·투구·나팔수·정찰병으로 구성해 웰링턴 장군이 다시 와도 바로 파악할 수 있을 수준이었다. 항공기도 탱크도 독가스도 없었고, 단지 철조망을 두른 '(집단)수용소'와 황갈색 제복 그리고 냉혹한 키치너 경의 개입만이 다가올 공포의 전조를 보여 주었다. 그러나 대량생산된 휘발유 자동차가 말이 끄는 택시를 퇴물로 만들던 과도기에 벌어진 제1차 세계대전에는 수동식 소총 대신 기관총, 기병 돌격부대 대신 화학 무기 등 산업적 수준으로 기계화한 전투 도구가 동원되었다. 성탄절이 지나고도 전쟁이 이어져 다달이 사망자 수가 늘며 플랑드르와 프랑스의 진흙이 피로 물들어 가자, 이 전쟁에서는 광학유리가 그 무엇보다 중요한 역할을 하리라는 인식이 뚜렷해졌다. 총 조준기·쌍안경·방독면에서 조종사용 고글·공중 정찰 카메라·잠수함용 잠망경까지, 이런 물품이 1915년 봄 허버트 조지 웰스가 '과학 전쟁'이라 명명한 이 전쟁의 핵심 요소가 되었다.

그해 6월, 막 탄생한 군수부 산하 광학 군수품 및 유리국은 군용 등급 광학 제품 생산 범위를 크게 확장하려고 그동안 다루기 힘들었던 찬스브러더스와의 '민관 협력 관계'를 파기했다. 경제사학자 스티븐 샘브룩에 따르면, 생산 역량이 월등히 높아진 이 부서는 "사실상 1913년 쇼트에서 구할 수 있던 모든 것"에 더해 당시에는 꿈도 꾸지 못하던 온갖 물품까지 생산해 내는 수준에 다다랐다.

전쟁 첫해에는 입대 자원자 중 3분의 1가량이 자격 미달로 탈락했다. 1914년 8월 징집 대상은 나이 19세에서 38세 사이, 키 최소 167센티미터, 가슴둘레 86센티미터 이상이었다. 그러나 사상자가 늘면서 전쟁 기간 내내 기준을 완화한 끝에 나이는 45세, 키는 152센티미터까지 내려갔다. 시력 기준도 확대해 이전에는 자격 미달이던 근시와 원시도 징집 대상에 포함했다.

그리고 1916년 1월, 섯클리프는 클리퍼드인홀에 자리한 영국안경학회 본부에 징집병에게 보급할 군용 안경고를 준비하는 임무를 맡았다. 전쟁 기간에 영국 군인에게 지급한 안경이 총 29만 벌에 달할 정도로 엄청난 작업이었다. 수많은 여성 직원과 왕립육군의료단 소속 안경사 네 명이 섯클리프를 보조했고, 전장에서는 장교들이 그 일을 맡았다. 섯클리프가 처방한 실용적인 둥근 철테 안경은 방독면 안에 쓸 수 있었다. 한편 독일측 안경사는 한 걸음 더 나아가 금속 다리를 없애고 머리 뒤로 묶는 가죽끈이 달린 고글형 천에 렌즈를 끼워 쓸 수 있는 군용 안경을 만들어 냈다. 그러나 상황이 더욱 비극적으로 흘러가, 점차 안경보다 참호에서 돌아온 부상병을 위한 의안 공급에 더 매달려야 했다. 안경고에서는 150가지 안구 견본을 제작했고, 전국에 2만 2천여 개의 안구를 보급했다. 아마도 섯클리프와 협업한 제작업체가 많았을 블랙풀이 의안보급국의 중심지가 되었다. 국립의안서비스가 지금도 그곳에 있다. 전쟁 지원에 기여한 공로로 섯클리프는 대영제국 4등 훈장을 받았다.

1917년 미국이 전쟁에 뛰어들자, 바슈롬은 찬스와 마찬가지로 광학유리 부족분을 메워 달라는 요청을 받았다. 곧 하루에 1톤씩 생산해 냈고, 그해 말에는 종합군수위원회 광학 제품 수요의 70퍼센트를 담당했다. 같은 해 러시아 혁명과 이프르 전투 같은 정치적 혼란에도 불구하고, 할리우드에서는 심각한 자국 상황과 달리 전 세계 사람들에게 웃음을 선사한 진정한 세계 최초 안경잡이 영화배우 해럴드 로이드가 등장했다.

2 부

7 장
뽈 테 로
할 리 우 드 를 얻 다

타 지역 사람들은 로이드Lloyd처럼 L이 두 번 들어가는 웨일스 지역 이름을 발음하기 어려워서 한때 다들 대체어를 쓰곤 했다. 하지만, 이것만으로 몇 년 전까지도 영국에서 내가 윙클Winkle이라 불린 이유를 충분히 설명하기는 어렵다. 아마도 안경과 관련 있는 모양인데, 나는 그게 이해가 잘 안 되었다.

해럴드 로이드,『미국 희극』(1928)

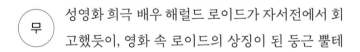

성영화 희극 배우 해럴드 로이드가 자서전에서 회고했듯이, 영화 속 로이드의 상징이 된 둥근 뽈테

안경은 "로스앤젤레스를 샅샅이 뒤진 끝에 스프링가의 조그만 안경원에서 찾아낸" 것이다. 찰리 채플린이 쓰던 중절모와 콧수염, 지팡이만큼이나 전 세계에 널리 알려진 이 안경은 로이드가 세 번만에 겨우 찾아내었다.

첫 번째 안경은 다운타운 벙커 힐의 낡은 저택 브래드버리 맨션에서 핼 로치의 롤린 제작소 소품부에서 얻은 것이었는데 너무 무거웠다. 브래드버리는 뾰족한 탑이 달린 다 쓰러져 가는 앤 여왕 시대 저택으로, 찬바람이 유난해서 영화업계 사람들 사이 '폐렴 저택'이라고도 불리던 곳이었다.⊙

두 번째로 구한 안경은 테가 너무 커서 눈썹을 다 가릴뿐더러 얼굴에서 표정을 전달할 영역을 거의 남겨 주지 않았다. 아직 소리를 전달할 수 없었던 무성 영화에서는 눈썹을 까딱이는 것으로 장면을 시작하거나 전환하고, 재빠른 표정 변화로 무한한 대사를 표현할 수 있었다. '위대한 무표정'이라 알려진 동시대 배우 버스터 키튼이 의도적으로 표정을 가능한 한 감추기로 한 것은 일반적인 연기 방식을 돋보이게 하는 예외일 뿐이었다. 즉 배우가 무엇인가를 하지 않고 있음을 눈치채게 하는 것이다. 그러나 로이드가 분명히 인지하고 있던 것처럼, 무언가 하지 않는다는 것을 알

⊙ 로치와 로이드는 보조 출연자였다가 나중에 감독이 되는 프랭크 보제이즈와 함께 1914년 성경 속 털북숭이 천하장사 이야기를 담은 유니버설 제작 영화 『삼손』에서 주인공 탄생을 지켜보는 환관 세 명으로 처음 출연했다.

아채려면 "볼 수 있어야" 했다.

마침내 스프링가의 한 안경원에서 골디락스의 오트 밀※처럼 딱 적당한 세 번째 안경을 찾아냈을 때, 로이드는 스물네 살이었다. 그 시기에 그 안경을 산 것은 배우로서 경력을 전환하고 뿔테 안경 판매에도 기여하는 기막힌 선택이었다.⊙⊙ 당시 스프링가는 '서부 월가'라 불리는 로스앤젤레스 금융 중심지였다. 초창기 고층 건물이 들어선 거리에서 토머스 에디슨의 조수 제임스 H. 화이트가 30초 동안 깜빡거리는 화면 속에서 마차와 모자 쓴 수많은 남성이 아주 조금씩 움직이는 사상 최초의 활동사진을 촬영한 장소다. 로이드도 바로 이 거리에 있는 마치몬트은행 꼭대기에서 나중에 자신의 가장 유명한 작품이 될 영화 『안전불감증』 속 대담하게도 시계탑 표면을 기어오르며 현기증을 유발하는 마지막 장면을 촬영했다.

로이드는 자산 관리에 대단히 영민한 사람이었다. 술

※곰 세 마리가 먹으려고 둔 오트밀을 발견한 골디락스라는 소녀가 뜨거운 것, 차가운 것 말고 적당히 따뜻한 오트밀을 골라 먹는다는 19세기 영국 동화 속 이야기다. 골디락스는 이상적인 상황을 가리키는 말로 일반화해 경제학에서 '골디락스 경제', 천문학에서 '골디락스 존' 등으로 쓰인다.

⊙⊙할리우드 배우 상당수가 그랬듯이 로이드는 제1차 대전 징집을 면제받았다. 필름을 분실해 현재는 존재하지 않는다고 하지만, 로이드가 1917년 4월 미국이 전쟁에 뛰어든 후에 영화 『독일에서 세균 박멸』(1918) 등 여러 희극 작품에 출연해 애국심을 고취한 점이 징집을 면제받은 핵심 이유였다.

은 되도록 자제하고 돈 계산을 정확히 하고 아껴 썼으며, 신중히 작품을 고르고 출연작 대부분의 권리를 지켜 내거나 사들여 안타까운 술고래 키튼 같은 친구들처럼 재정난을 겪을 일은 전혀 없었다. 그러나 로이드가 한 투자 중에서 가장 탁월했던 것은 앞의 그 안경을 사느라 낸 75센트였다.

좋은 시력을 타고난 터라 첫 안경을 구한 1917년 당시에는 교정용 안경이 필요치 않았다. 하지만 2년 후 홍보 사진 촬영 현장에서 일이 잘못되어 가짜 폭탄인 줄 알았던 소품이 갑자기 폭발하는 바람에 오른손 엄지와 검지를 잃고 얼굴과 눈까지 다쳐 거의 실명할 뻔했다. 전성기 내내 촬영 중에는 스튜디오의 조명이 비치지 않도록 렌즈 없는 안경을 썼지만, 대중 앞에 설 때는 투명 유리를 끼운 안경을 썼다. 1920년 1월 아나벨 리가 「알 없는 안경」이라는 제목으로 작성한 배우 소개 글을 읽은 『포토플레이』 독자라면 분명 눈치챘을 법한 공공연한 속임수로, 오히려 영화 속 의상이자 변장 도구로서 로이드의 안경이 지닌 가치를 더욱 두드러지게 해 주었다. 데뷔작인 희극 영화에서 중산모를 쓴 불운한 인물 윌리 워크로 분장하느라 붙인 고양이 수염이나, 그와 비슷하게 우스꽝스러운 수염을 달고 출연해 더 큰 인기를 얻은 채플린식 영화 『외톨이 루크』에서 찰리 채플린처럼 짧고 딱 붙는 옷을 입은 익살스러운 광대만큼이나 비현실적인 느낌을 주는 소품이었다.

안경을 쓰지 않으면 아무도 로이드를 못 알아봤다. 나중에 대필작가 웨슬리 W. 스타우트에게 로이드는 이렇게 털어놓았다. "안경을 쓰면 해럴드 로이드가 되고, 쓰지 않으면 평범한 시민이 돼요. 안경만 없으면 아무 때나 눈에 띄지 않고 어디든 돌아다닐 수 있다니까요. 이런 혜택을 누리는 영화배우가 또 어디 있겠습니까. 아마 대단히 큰돈을 주고라도 얻고 싶어 할 사람이 있을 겁니다." 무명성을 상당히 자신했던 이 대스타는 마지막으로 출연한 장편 무성영화 『스피디』 촬영차 뉴욕에 머무는 동안 감독 테드 와일드에게 시내 어느 곳이든 와일드가 지목하는 곳에서 두 블록 정도는 아무에게도 들키지 않고 지나갈 수 있다고 장담했다. 어느 날 오후 4시경, 안경을 벗은 이 희극 배우는 맨해튼 주민 누구의 눈에도 띄지 않고 늘 그렇듯 북적대던 뉴욕 41번가에서 43번가 사이를 느긋이 걸어갔다. 내기의 승자는 로이드였다.

웃기기 위한 소품으로 안경을 사용한 경우는 로이드가 처음이 아니었다. 15세기 말에서 16세기 초까지 네덜란드 회화 및 판화에는 안경 쓴 어릿광대가 심심찮게 등장했다. 로이드가 쓴 안경이 달랐던 점은 어떤 대단한 반권위주의나 반지성주의를 보여 주려 한 적이 없다는 것이다. 그때까지 무성 영화에서 웃음을 유발하는 소재로 쓰이던 커다란 신발·가느다란 지팡이·휘어진 콧수염과 달리 안경은 특별히 웃기는 소품이 결코 아니었다. 로이드 자신의 연기도 마찬가지였다. 일찍이 키스톤 영화제작소에서 일했던 연기자 조지 해리스가 거의 65년이 지난 1980년에 씁쓸하게 웃으며 말했듯이, "맥 세네트※와 일하고 싶으면 반드시 콧수염을 기르고 있어야" 했다.

그러나 미식축구장에서 장비를 완전히 갖추고 출연한 영화 『신입생』처럼, 로이드가 안경을 쓰고 나타나는 장면은 때로 초현실적일 정도로 웃기지만 일부러 아무렇지 않은 듯 등장해서 관객은 그 터무니없는 상황을 거의 인지하지 못한 채 받아들일 수 있었다. 어디서도 로이드가 안경 없이 나타난 적은 없었으니, 관객은 로이드가 안경을 쓴 채로 대학 미식축구 경기를 해낼 것이라는 설정을 어색해하지 않는다. 안경 쓴 그대로 경기장에 나동그라져 선수들에게 짓밟히기도 하고, 결국에는 당당히 승리를 거두는 장면까지 말이다. 권투 경기장 안에서, 잠든 침대 위에서, 산

※20세기 초 미국 무성영화, 특히 희극영화 전성기를 연 감독이자 제작자이다. 찰리 채플린, 해럴드 로이드 등 유명 희극배우들과 함께 일했다.

영화 잡지에 등장한 해럴드 로이드.

타모니카 해변에서, 수영장에서…… 그 어디서든, 진지한 외모에 어울리지 않게 어떤 난장판이 뒤따르든 간에, 단편이든 중편이든 장편이든 상관없이 로이드는 항상 멀쩡한 안경을 쓰고 등장했다. 안경을 벗었다가는 개성을 잃어버릴 수 있었다. 안경이 없으면 로이드는 존재하지 않았고, 존재할 수도 없었다. 같은 이유로 수십 년 후 우디 앨런도 나폴레옹 시대를 배경으로 한 『사랑과 죽음』과 안경 쓴 로봇 역할을 맡은 과학 희극 영화 『슬리퍼』에 시대착오적인 뿔테 안경을 쓰고 출연해 같은 성과를 얻었다. 안경을 쓰고 운동하는 로이드의 역할이 그랬듯이, 화면에 등장한 앨런의 코믹한 자아와 뿔테 안경이 잘 어울렸기 때문에 어느 시대나 환경을 설정하든 있는 그대로 받아들여졌다. 또한 찰스 호트리도 리처드 버턴이 출연한 고대 그리스 로마 시대 서사 영화 『클레오파트라』를 패러디한 영화 『클레오파트라의 음모』에서 세네카 역을 맡았을 때나, 역시 버턴이 출연한 사극 『천일의 앤』을 비튼 외설적인 희극 영화 『헨리 8세』에서 튜더 왕가의 신하로 나올 때나 똑같이 동그란 안경을 썼다.⊙

그런데도 로이드는 흔히 말하듯이 희극은 타이밍이 전부임을 누구보다 잘 알고 잘 살리는 배우였다. 그리고 무엇보다 중요한 점은, 로이드의 안경테 자체도 그런 상황에 딱 들어맞는 재질이었다는 사실이다. 뿔테라고는 하지만 뿔도 천연 귀갑도 아닌 플라스틱으로 만든 것이었으니 말이다. 그리고 로이드의 영화도 사실상 그 안경과 재질이 같은, 대단히 인화성 높은 셀룰로이드 필름으로 찍은 것이었다. 불붙기 쉬운 바로 그 성질 때문에 로이드가 1943년 비

⊙그러나 반대로 1922년, 로이드가 특별히 열정을 쏟았던 『마마보이 해럴드』 제작 당시 미국 남북전쟁 시대를 배경으로 자신의 할아버지 역할을 연기할 때는 작중 시대에 맞는 사각 안경을 쓰고 구레나룻을 기른 모습으로 등장했다. 이듬해 미국 일부 안경 제작사에서 이른바 '식민지 시대' 안경테를 내놓은 것은 아마 이 장면에 영향을 받은 듯하다. 그러나 어릴 적 괴롭힘당하던 해럴드를 보여 주는 도입부에서는 유년기와 학생 시절을 연기한 두 아역 배우에게 확연히 눈에 띄는 커다란 둥근 안경을 씌웠다. 이 역시 우디 앨런이 따라 한 요소로, 『애니 홀』에서 과거 회상 장면을 찍을 때 앨런의 또 다른 자아인 아홉 살 앨비 싱어역을 맡은 조너선 뭉크에게 만화에서나 볼 법한 커다란 뿔테 안경을 쓰게 했다.

벌리힐스에 있던 사유지 그린에이커스의 창고에 보관해둔 초기작 몇 편의 유일한 필름이 유실되고 말았다. 그날 화염에 휩싸인 수많은 소중한 필름 통을 구하려다 배우 자신도 연기를 마셔 목숨을 잃을 뻔했다.

꿈 같 은
셀 룰 로 이 드

19세기에 플라스틱 발명을 이끈 핵심 요인 중 하나가 당구공 부족이었다는 말이 종종 나온다. 당시 미국에서 테이블 위에서 큐대를 들고 하는 이런 게임이 큰 인기를 끌었고, 20세기에 접어들면서는 정기적으로 당구를 즐기는 사람이 꾸준히 늘었다. 디킨스 소설 속 인물 미코바 씨※처럼 경제 관념이 부족했던 로이드의 부친 제임스 덜시 '폭시' 로이드는 수많은 사업을 차렸다 말아먹었는데, 샌디에이고에서 연 포켓볼장 겸 매점도 그중 하나였다. 1911년, 분명 돈이 될 거라 믿으며 양조장 트럭 운전사 때문에 다쳐서 받은 보상금 3천 달러를 쏟아부은 사업이었다. 나중에 로이드가 한탄하며 회상했듯이 그 매장은 "번화가에서 15미

※19세기 중반 찰스 디킨스가 발표한 소설 『데이비드 코퍼필드』의 등장인물로, 수입도 변변치 않으면서 마음껏 술을 마시고 즐기느라 빚이 쌓여도 아랑곳하지 않는 낙천적인 성격이다. 공상적 낙천주의를 뜻하는 미코버리즘Micawberism이 여기서 유래한 말이다.

터나 떨어진" 위치에 있어 가망이 없었지만, 그래도 최소한 이 젊은 배우 지망생을 캘리포니아로 보내는 역할은 해냈다.

아버지 로이드가 매장을 열기 40년 전까지만 해도 당구공과 포켓볼 공은 상아로만 만들었다. 아프리카와 아시아에서 코끼리를 대량 학살 해 얻는 재료였기 때문에 비싸기도 하고 갈수록 충분한 양을 확보하기도 어려웠다. 브랜디를 마시고 궐련을 피우며 정장 차림으로 즐기던 인기 있는 실내 취미 활동에 쓸 재료를 얻으려 무고한 동물을 학살하는 데에 그다지 거리낌이 없는 시대였다. 그러나 1868년에 뉴욕의 당구대 제조사 펠란앤드콜렌더가 상금 만 달러를 걸고 실용적인 합성 대체재를 공모하자 더욱 저렴하고 구하기 쉬운 재료를 찾아내려는 사냥이 시작되었다. 이렇게 당구 업계가 벌인 열풍 속에서 앨버니 당구공제조사의 전신인 하이엇 당구공제조사의 발명가 존 웨슬리 하이엇이 질산 섬유소에 장뇌를 섞는 실험 끝에 제조하기 쉽고 활용도 높은 열가소성 수지를 개발하고 셀룰로이드라 이름 붙였다. 하이엇이 나중에 회상한 바에 따르면, 고객 중 "콜로라도에 있는 당구장"에서 당구공이 서로 강하게 부딪치면 가끔 딱총처럼 살짝 불꽃이 튄다고 편지를 보내온 일이 있었다. 그 고객은 "크게 신경 쓰지 않는다"면서도 매번 "갑자기 그 자리에 있는 사람 전부 다 자기 권총을 꺼내 드는" 점은 영 불편하다고 했다. 대체재로서 불안정한 질산섬유소를 거의 또는 아예 넣지 않고 섬유 펄프와 천연수지 셸락※, 그 밖에 초기 플라스틱류를 혼합해 제조한 공이 더 안전하다 하여 한동안 쓰였다. 그러나 셀룰로이드가 지닌 상업적 잠재력은 의류 장신구와 사진 액자에서 시작해 칼 손잡이·장식품·옷깃·소맷부리·셔츠 앞판·틀니·머리 빗·피아노 건반 그리고 안경 및 선글라스 테와 영화 필름 에까지 급속히 뻗어 나갔다.

1880년에는 뉴저지주 뉴어크감독교회 교구 목사 해니벌 굿윈이 처음으로 셀룰로이드를 감을 수 있는 띠로 만들어 사진 건판 대용으로 쓰자는 생각을 했다. 설교 시간에 종교적 사진을 띄울 입체 환등기를 만들려다 떠올린 생각으로, 분명 하늘에서 내려 준 것일 테다. 우연히도 로이드는 은퇴 후에 입체 사진에 푹 빠졌다. 특히 수영복을 입은 화려한 매릴린 먼로의 사진이 유명했다. 그러나 굿윈이 셀룰로이드를 발명하지 않았다면 영화 산업 자체가 없었을 것이다. 미국에서 영화 산업이 서부 해안을 기반으로 발달한 것은 영화 제작자들이 토머스 에디슨이 뉴저지에서 행

※목재 등의 마감재로 사용하는 동물성 수지로 인도, 미얀마 등지에 서식하는 랙깍지진디의 분비물을 정제해 만든다.

사하던 독점권을 피할 곳을 찾아다닌 결과였다. 뉴욕주 로체스터의 이스트먼 코닥 등 에디슨과 영화특허권회사를 운영하던 동업자들이 집단으로 독점권을 발휘하려 했기 때문이다. 하지만 캘리포니아는 뉴저지에서 멀리 떨어져 있었고, 이곳 판사와 의원들은 머나먼 서부에서까지 영화 제작에 대한 지식재산권을 주장하여 지역 내 경쟁을 억누르고 반독점 원칙을 어기는 에디슨을 위시한 동부 지역 회사들의 이익 수호에 협력할 생각이 거의 없었다.

게다가 땅값이 싸고 카메라보다 소가 훨씬 더 많으며 노동력이 넘쳐 나고 날씨가 따뜻하고 맑아 거의 일 년 내내 야외 촬영이 가능한 점이 더욱더 매력적이었다. 그러나 문제는 강렬한 햇빛이었다. 그 때문에 캘리포니아의 배우 사이에 햇빛으로부터 눈을 보호하려고 선글라스를 쓰는 풍토가 생겨났다.

선글라스에 비친 서광

색칠한 렌즈를 끼운 안경은 안경과 늘 함께 존재했다. 앞에서 보았듯이 에메랄드나 색 있는 돌로 밝은 햇빛을 차단하려는 발상은 못해도 고대 로마 시대까지 거슬러 올라갈 정도로 안경보다 훨씬 먼저 나왔다. 그러나 프랑스와 독일의 과학자들이 태양에서 오는 자외선이 눈에 끼칠 수 있는 위험성을 완벽히 밝혀낸 것은 20세기 들어서였다. 그러자 프랑스 안경 제작자들은 이 해로운 광선을 걸러내고자 '유포스 유리'라는 녹황색 유리를 생산했다. 이 렌즈를 장착한 선글라스와 고글이 에드워드 7세 시대에 운전용으로 널리 쓰였다. 1911년에서 1913년 사이에는 80대에 접어든 뛰어난 화학자·물리학자이자 전직 심령술사인 윌리엄 크룩스 경이 새로운 자외선 차단 유리 개발에 성공하면서 현대식 선글라스가 등장할 길이 열렸다.

선글라스 및 안경용 렌즈로서 '크룩스 렌즈'의 잠재성을 알아본 안경사와 안경 제조사로부터 주문이 쇄도했다. 수염을 기르고 안경을 쓴 윌리엄 경의 초상화 옆에 "눈을 부시게 하는 빛을 거의 다" 막아 주어 "나이 든 눈이든 젊은 눈이든" 편하게 해 준다는 문구를 넣어 홍보한 크룩스 렌즈는 스메디크에 있는 찬스브러더스에서 제작해 런던 위그모어가의 윙게이트안경사에서 판매했다. 1913년, 미국 매사추세츠주 사우스브리지에 있던 미국광학회사가 대서양 건너편에서 '크룩스'를 유명 진공청소기 브랜드 후버에 맞먹는 상표로 만들겠다고 장담하며 미국 내 판매권을 따냈다. 하지만 1922년부터는 수입 관세 때문에 자외선 차단 렌즈를 직접 개발하기로 했고, 그러자 뉴욕의 바슈롬이 상표권을 확보해 '크룩스' 선글라스를 제작하기 시작했다. 바슈롬은 이 제품을 여름뿐 아니라 "겨울철 어둑해지는 오후 무렵과 긴 저녁 시간에 실내조명의 눈부신 빛에 지친 눈을 쉬게 하기 위해서"도 쓸 수 있다고 홍보했다.

크룩스는 딱 좋은 시기에 나왔다. 이때부터 선글라스를 쓰기 원하는 사람이 계속 늘어났기 때문이다. 여기서는 '원하는'이라는 표현이 '필요한'보다 더 적절할 것이다. 할리우드 스타와 부유층·유명인이 즐겨 쓰는 물건이라는 사실이 선글라스 수요 증가와 무관하지 않았기 때문이다. 거울로 빛을 반사해 신호를 주고받는 헬리오그래프라든지, 스위스 의사 오귀스트 롤리에 박사 같은 이들이 결핵 치료에 도움이 된다며 권장한 햇빛 요법 등이 유행하는 와중에도 별로 타격을 입지 않았다. 햇볕을 쬐면 건강에 좋다고 주장한 이런 의학적 처방은 선글라스를 밀어내는 게 아니라 팜스프링스 같은 사막 휴양지를 탄생시키고, 아프기보다는 부유한 미국인이 앞다투어 프랑스 휴양지 리비에라에서 여름 휴가를 보내는 현상에 일조했다. 이리하여 창백한 피부를 추구하던 빅토리아 시대 이상형이 물러가고 선탠이 크게 유행했고, 이것을 패션으로 녹여낸 코코 샤넬 덕분에 결국 『보그』 지면에까지 올랐다.

선글라스 수요가 증가하면서 안경 제작자뿐 아니라 20세기 초에 탄생해 성장 중이던 플라스틱 제조업계도 엄청난 기회를 맞이했다. 어느 날 갑자기 명성·화려함·부·건강·역동성 그리고 햇빛이 내리쬐는 꿈같은 국제 여행지를 연상시키며, 신체 결함이라는 낙인과는 전혀 거리가 먼 안경이 등장한 것이다. 아무도 선글라스를 불편해하지 않았다. 어쨌거나 유명한 사람들이 기꺼이 쓰고 다니는 안경이었으니까. 그런 안경을 쓰면 사람들이 나도 유명인이라고 생각할 수도 있으니까. 아니면, 어디선가는 그런 논리가 통했을지도 모를 일이다.

여성들 사이에 짧은 머리가 유행한 것도 의도치 않게 플라스틱테 생산을 자극한 요인 중 하나였을 것이다. 그런데 미용실에서 매만진 짧은 헤어스타일과 플라스틱테 사이에는 분명한 상승효과가 있다. 둘 다 기존의 어떤 스타일보다 맵시 있고 깨끗하며 더 위생적이라는 인식이 있었다. 헬멧을 쓴 듯한 전형적인 플래퍼※ 헤어스타일로 자리 잡

※1920년대에 짧은 스커트나 소매 없는 드레스를 입고 단발머리를 하는 등 종래의 규범을 거부하는 방식으로 입고 행동하던 젊은 여성을 지칭한다.

은 단발머리를 유행시킨 사람은 미국 사교춤 스타인 아이린 캐슬이었다. 긴 머리를 잘라 '캐슬 봅'이라 불리는 헤어스타일을 했던 그해에 캐슬은 남편이자 춤 동료인 버논과 함께 처음으로 반 자전적 무성 영화 『인생의 소용돌이』에 출연했다.

당시 미국 매사추세츠주 레민스터는 셀룰로이드 제품 생산 중심지로 변모했다. 이전까지 이 지역 공장은 대부분 여성이 긴 머리채를 고정할 때 사용하던 장식용 빗을 생산했다. 어찌나 많았던지 '빗의 도시'라 불릴 정도였는데, 헤어 제품 생산에 집중한 것은 셀룰로이드가 나오기 전부터였다. 그러나 캐슬과 할리우드 배우 콜린 무어를 따라서 짧은 머리로 변신한 "세련된 밀리※"들 때문에 머리빗 수요가 폭락하자 빗 생산 업체 중 다수가 플라스틱 안경테 쪽으로 영역을 넓혔다. 지역 내 거대 셀룰로이드 제조사 중 하나인 비스콜로이드에서 일하던 새뮤얼 포스터는 포스터 그랜트라는 회사를 설립해 레민스터 최초로 사출성형※※ 플라스틱 선글라스 생산을 시도했다.

셀룰로이드 뿔테 안경은 천연 귀갑과 똑같은 색을 내거나 더 그럴듯하게 음영을 넣으면서도 저렴한 비용으로 대량 생산이 가능해, 영화와 매끈한 단발머리 못지않게 그

자체로 현대성을 상징하는 물건이었다. 고치기도 비교적 쉽고 새것으로 바꿔도 크게 부담스럽지 않아 20세기 초 새롭게 도래한 효율성을 그대로 드러내며 야심가의 흥미를 끄는 포드식 대량생산 제품이었다. 앞 세대와 부유층에서는 여전히 코안경에 귀옆머리, 바닥에 끌리는 치마를 고수하던 당시에 이 신식 뿔테 안경은 주로 젊은 층이 애용했다. 이 모든 상황이 해럴드 로이드에게 영향을 준 모양인지, 영화 촬영에 쓸 안경을 고르던 때에 "뿔테가 새롭게 유행하고 있었는데, 기본적으로 젊은이들이 쓰는 물건이었고…… 젊음이라는 것이" 그 당시 "마음속으로 그리고 있던 인물 특성과 딱 맞아떨어져서" 그 안경을 선택했다고 말했다.

일례로 『캔자스 시티 스타』는 로이드가 둥그런 안경을 쓰기 4년 전에 이런 플라스틱 뿔테 안경이 뜨고 있다는 기사를 실었다. 기자는 이것이 1908년 무렵 빈에서 미국으로 들어온 유럽풍 유행이라고 썼는데, 우연히도 그때는 정신분석학 창시자인 오스트리아 사람 지그문트 프로이트가 처음이자 마지막으로 미국을 방문하기 직전이었다. 1910년에는 유행이 캔자스까지 도달한 듯하다. 1880년에는 금주법을 통과시켰을 정도로 확연히 점잖은 취향을 지닌 이 중서부 지역에서 뿔테는 실용적인 옷차림을 망가뜨리는 겉멋으로 취급받았다. 초기에 이 안경을 쓴 사람들은 마치 9월 말에 밀짚모자라도 쓴 듯이 공공연히 놀림당하거나 그보다 더한 봉변을 당하는 위험을 무릅써야 했다. 그러나 『캔자스 시티 스타』 필자는 오히려 우려 섞인 목소리로 시내에 공격적일 만큼 비뚤어진 자부심을 품고 이런 안경을 쓰고 다니는 사람이 점점 늘고 있다고 지적하며 이렇게 덧붙였다. "그리고 이제는 병약함을 자랑스러워하는 풍조가 만연하다. 눈을 못 쓰게 된 것을 부끄러워하기는커녕 자랑스러워하는 듯 자동차 전조등만큼 커다랗고 올빼미처럼 둥그런 렌즈를 맞춘다. 그러고는 셀룰로이드로 찍어낸 두꺼운 모조 귀갑테에 렌즈를 끼운다. 그 안경을 쓰면 올빼미가 가득 앉은 나무처럼 영리해 보이고, 이탈리아식 소풍에 나선 빨간 머리 남자처럼 눈에 확 띈다. 그래도 전혀 부끄러워하는 법이 없다."

프랜시스 스콧 피츠제럴드의 데뷔작인 대단히 자전적인 교양소설 『낙원의 이편』은 1920년에 나왔지만, 소설 속에서 주인공 에이머리 블레인이 제1차 세계대전이 발발하기 전에 가상의 사립 고등학교 세인트레지스와 프린스턴대학교에 다니던 시기를 회상하는 장면에 '슬리커'slicker라는 단어가 나온다. 그 당시 특정한 유형의 대학생을 가리키는 말로서, 비슷하게 뿔테를 신문의 상징으로 쓰는 "빅맨※"의 원조 같은 존재다. 피츠제럴드가 묘사하는 '슬리커'의 모습은 안경 쓴 로이드와 거의 흡사하다. "멋지거나 깔끔해 보이는…… 잘 차려입은 그는 특히 외모가 단정했고, 짧게 자른 머리에 물이나 화장수를 발라 가운데 가르마를 타고 요즘 유행에 따라 뒤로 빗어 넘긴slicked back 모습 때문에 슬리커라는 별칭을 얻었다. 그해 슬리커들은 자신이 슬리커임을 드러내는 표식으로 귀갑테 안경을 쓰고 다녔는데, 그 덕에 아모리와 라힐은 그들을 절대 놓치지 않고 쉽게 알아볼 수 있었다."

그렇다면 로이드는 분명 당대 유행에 편승한 셈이 되겠지만, 뿔테가 그렇게까지 큰 인기를 끈 데는 아무래도 로이드 영향이 컸다. 배우로서 최고 인기를 누리던 1920년대 로이드가 출연한 영화는 찰리 채플린이나 버스터 키튼보다 관객을 더 많이 끌어모았다. 파리에서 초기 희극 영화를 제작해 할리우드 슬랩스틱의 원형을 제공한 프랑스 회사 파테가 국제 배급을 맡으면서 로이드는 전 세계 영화 관객에게 얼굴을 알렸다. 1925년 안경이 유행하는 현상을 보도한 프랑스 신문 『르탕』은 이 현상에 "미국인이 큰 영

※캠퍼스의 인기 학생이나 특정 집단에서 리더 같은 존재를 가리키는 말이다.

향을 끼친" 듯하다고 추정하면서, 로이드가 "그렇게 두꺼운 안경을 마치 자기 부대를 능숙히 지휘하는 기병 장교만큼이나 가볍게" 쓰고 다닌다고 콕 집어 언급했다.

우리 사회의 패션을 주의 깊게 관찰하는 데 트레비에레 씨는 현세대를 '귀갑테 안경 세대'라고 부른다. 사실 현재 유행하는 안경은 대단히 특이하다. 전후 인류는 이제 근시·원시·난시만 남은 모양이라고 생각할 사람도 있을 것이다. 패션에 민감한 젊은 층은 이제 면도를 하고, 머리카락을 공들여 바짝 빗어 넘기고, 모자를 벗고, 자동차 전조등만큼 부담스러운 렌즈 두 개를 장착한 안경으로 눈을 보호한다. 이게 바로 미국인을 닮아가고 있는 유럽인의 초상이다…….

그러나 로이드가 출연한 영화가 세계적으로 그만한 인기를 얻은 이유는 따로 있다. 안경 쓴 극중인물이 누구네 아들이나 남동생·사촌·연인 등 신원이 확실한 평범한 사람이었기 때문이다. 게다가 어쩐지 소름 끼치는 무뢰한과는 전혀 다르게 꽤 믿음직하고 로맨틱해서 소녀들에게 인기를 끌 만한 인물이었다. 양복점에서 일하다 일류 야구 선수로 오해받고 결국 그 여성과 사귀는 무능한 점원 역으로 출연한 1917년 작 단편영화 『울타리 너머』에서 처음 등장한 이 인물은 주위의 부러움을 살 만큼 여성 관객에게 큰 인기를 얻었고, 이후 이 인물 그대로 출연한 2백여 편의 영화 중에서 경쟁자에게 밀린 작품은 딱 두 편뿐이었다.

이 안경으로 일어난 일이 얼마나 엄청난 것이었는지는 로이드가 재차 안경을 사야 했던 사정을 보면 알 수 있다. 거의 일주일에 한 편꼴로 단편영화를 찍어 내다 보니, 로이드가 "목숨처럼 소중히 여겼다"고 했던 첫 번째 안경테가 1년 반 만에 망가지고 말았다. 풀과 접착제로 애써 고쳐 보았지만 석 달밖에 버티지 못해 결국 새 안경을 구할 수밖에 없었다. 반드시 똑같은 테를 찾아야 했던 로이드는 로스앤젤레스에서 못 구하자 뉴욕에 있는 광학 제품 제조사 레이놀즈에 의뢰해 복제품을 제작하기로 했다. 업체는 로이드가 부탁한 대로 "원래 쓰던 안경을 그대로 본떠" 제작한 안경 스무 벌을 발송했다. 그런데 그 안에는 로이드가 보낸 수표도 그대로 들어 있었다. 귀갑테 안경을 영화에서 공짜로 홍보해 주니 "값을 치르고도 남을 정도"라는 쪽지와 함께. 그 후로 로이드의 안경은 레이놀즈가 도맡아 공급했다.

로이드가 일으킨 뿔테 안경 유행의 덕을 본 안경 제조사는 또 있었다. 규모가 대단히 큰 회사로, 발 빠르게 미국 내 크룩스 렌즈 판매권을 따냈던 미국광학회사였다. 로이드의『울타리 너머』가 개봉한 지 몇 달이 채 안 되어 이 회사는 역대 뿔테 안경 중에서 가장 큰 성공을 거둔 모델인 '윈저'를 발매했다.

뿔 테 의   이 름

셀룰로이드 주 생산지인 레민스터에서 남쪽으로 딱 48킬로미터 떨어진 매사추세츠 사우스브리지의 콰인보그 강둑에 자리한 미국광학회사는 코네티컷 태생 보석 세공인으로 이 마을에 정착해 안경 제작업을 시작한 윌리엄 비처가 시작했다. 많이 알려진 회사 이야기에 따르면 비처는 광학 제품을 대부분 유럽에서 들여오던 시절에 미국 내에서 구할 수 있는 안경 품질이 너무 조악한 탓에 직접 안경 제작에 손을 댔다. 사우스브리지는 미국 최초의 수저 제조 공장이 있는 곳으로, 헨리해링턴발전소가 콰인보그강에서 생산하는 동력으로 칼뿐 아니라 수술 도구와 소형 화기까지 제작하고 있었다. 비처 그리고 비처의 수습생으로 시작해 나중에 회사 대표를 맡기도 하는 로버트 콜은 제철 분야에서 쌓은 전문성을 바탕으로 수입품보다 저렴한 철테 안경과 더 세련된 은테 및 금테를 개발해 미국 시장에서 큰 몫을 차지했다. 사우스브리지는 '영연방의 눈'이라는 별명을 얻으며 미국 주요 광학 기기 생산지로 자리 잡는다. 이 회사의 부지 역시 2천 명 넘는 직원이 일하는 렌즈데일이라는 단지를 건설할 정도로 팽창한다. 1905년에는 웰스 가족의 주도하에 런던 해튼가든 39번지에도 사무실을 내고 웰스워스라는 상표로 유럽 전역에 제품을 공급하기에 이른다. 회사 소식지 내용이 사실이라면, 제1차 세계대전 기간에는 판매를 중단했다. 전후에는 당시 주요 제조사들이 보이던 온정적 본성을 크게 발휘하여 직원 일부를 위해 숙소를 짓기도 했다.

전쟁에 돌입한 지 3년째이던 1917년 7월, 독일 채펠린 비행선과 복엽 비행기의 폭격에 시달린 런던을 포함해 영국 전역에 깔린 이유 있는 반독일 감정에 따라 영국 왕가가 성씨를 작센코부르크고타에서 윈저로 바꾸었다. 나무랄 데 없이 영국적인 이 새로운 성씨는 12세기 헨리 1세 재임 때부터 왕실 공식 거주지였던 버크셔에 있는 노르만 시대 요새 이름이자 그 마을 이름을 딴 것이었다.

우연히도 바로 그달에 미국광학회사가 신상품 웰스워스 윈저 안경을 출시했다. 미국의 새로운 우방과 연대를 과시하려고 의도적으로 보인 행보인지는 확실치 않다. 그러나 이 회사는 미 육군에 실용적인 흰색 철테에 갈고리 다리를 단 병사용 기본 안경 '리버티'를 그리고 장교용으로는 좀 더 고급 제품인 '빅토리'를 제공하면서 미국의 참전을 지지하는 모습을 보였다. 미국과 연합한 유럽 열강에도 안경 부품을 지원했다. "시력이 좋지 않으면 조국을 위해 임무를 완수할 수 없습니다"가 전쟁 기간 동안 회사의 홍보 문구였다.

하지만 윈저는 민간인용이었다. 그것도 미국 시장에서 좀 더 출세 지향적인 고객을 대상으로 한 게 틀림없어 보이는 세련된 제품이었다. 『태틀러』를 통해 명단을 그러모은 왕실 연금 수령자들과 인사 정도는 하고 지낼 사이라든지, 『컨트리라이프』에서 유난히 손때가 탄 쪽에 실린 부동산 매물을 가리키는 듯한 윈저라는 이름을 붙인 걸 보면 말이다.

제품을 출시한 지 3년 후, 웰스워스는 더글러스 페어뱅크스Douglas Fairbanks⊙ 활극만큼이나 거창하고 역사적

⊙『쾌걸 조로』The Mark Of Zorro, 『로빈 후드』Robin Hood 등을 찍은 20세기 초 미국 배우·각본가·프로듀서이다.

사실 여부가 의심스러운 이야기를 들며 윈저 안경테의 기원을 설명했다. "아서 왕이 원탁의 기사를 불러모을 때 윈저라는 아름다운 장소를 골랐고, 윈저 원형 탑은 지금도 그 자리를 지키고 있습니다"라며 널리 알려진 틴타겔 전설을 한치도 빠짐없이 그대로 전하는 광고를 배포했다. 1929년 윈저에 금을 입혀 출시한 제품에는 '캔터베리'라는 이름을 붙여 지리적 혼란을 더했다.

　　스타일 면에서 윈저는 고풍스러우면서도 새로운 느낌을 주는 혼종으로서, 하노버 왕가 출신의 흔적을 덜어내고 독일의 친척과 거리를 두려고 한 당시 영국 왕실과도 비슷한 면이 있었다. 할머니 안경 같은 모양을 한, 둥글고 하얀 철테에 렌즈 둘레만 "와인색을 띤" 플라스틱테를 두른 이 안경은 광고 문구처럼 "스타일과 디자인에서 정점에 다다른" 제품이었다. 오늘날에는 성별 구분 없이 남성이든 여성이든 모두에게 어울리는 스타일이긴 하지만, 당시는 "푸아레 드레스처럼 재미있는" 안경이라며 여성을 정면으로 겨냥하기도 했다. 1910년대 아시아풍 코르셋과 페티코트를 디자인하고 '전등갓' 모양 튜닉 드레스를 과감히 내놓아 미국에서 '패션의 왕'이라 불리던 프랑스 여성복 디자이너 폴 푸아레를 언급한 것이다.

기막히게도 웰스워스는 해럴드 로이드가 장편 영화에 뛰어들면서 흥행 보증수표로서 입지를 굳힌 1922년에 '올자일 윈저'를 생산했다. 전해 여름에 이미, 로이드가 안경을 쓰고 출연한 어떤 영화에서나 어울렸을 듯한 둥근 플라스틱테 '올자일 R100 안경테'을 내놓은 후였다. 윈저 안경은 무엇이든 다 잘 어울렸을 테지만 말이다.

웰스워스는 보도자료에 윈저가 "단단하고 맵시 있고…… 평범한 귀갑테보다 훨씬 더 보기 좋은" 안경이라며, 젊음을 지탱하고 노화를 거스르고 외모를 개선하며 "안경 없이 지내려다 보면 눈가에 촘촘히 지는 주름"을 없애 준다고 당당히 쓸 정도로 거리낌 없이 자사 안경을 홍보했다. 무슨 의학적 근거로 이런 주장을 했는지는 아무도 모를 일이다.

올더스 헉슬리는 제1차 대전 후 런던의 자유분방한 자칭 예술가를 풍자한 1923년 소설 『어릿광대의 춤』에서 번드르르한 미국 광고를 언급하는 장면을 썼다. 주인공 시어도어 검브릴이 만들어 낸 상상 속 인물로, 풍선처럼 부풀어 오른 바지를 입은 탐욕스러운 투자자 볼데로 씨는 광고의 위력에 관해 이야기하던 중 자기들의 판매 전략을 검브릴에게 이렇게 설명한다.

내 생각에 가장 우수한 사례는…… 미국 안경 광고입니다. 제조사가 먼저 고글에 관한 사회적 법칙이 있다고 가정한 다음, 그것을 위반한 사람이 져야 하는 모든 제재를 언급하는 식이죠. 아주 잘해요. 운동할 때나 쉴 때나 천연 귀갑 안경을 반드시 써야 한다는 사회적 규범이 있다는 듯이 굽니다. 사업가는 귀갑테와 니켈 다리로 된 안경을 쓰면 예리한 인상을 줄 수 있다고 하고요. 예리한 인상. 우리 광고에도 이걸 꼭 기억해야 해요, 검브릴 씨. "특허 출원한 검브릴의 의류는 사업가에게 예리한 인상을 더해 줍니다." 가벼운 정장에는 귀갑테, 금제 다리, 금제 브릿지 안경. 완전 정장에는 금박 코안경 하나로 충분, 완벽 그 자체. 보세요. 이렇게 해서 자존감 높은 근시나 난시라면 반드시 각기 다른 안경 네 벌을 갖고 있어야 한다는 사회적 법칙이 만들어지지 않았습니까.

미국광학회사는 이 방면에서 탁월했다. 기본으로 하던 언론 홍보에 더해 안경원 창문과 매장 내에도 홍보물을 비치하고 평소 출퇴근하는 사람들이 웰스워스 안경테와 상표명을 인지하도록 거리의 자동차에도 인쇄물을 부착했다. 게다가 안경 관련 시나리오를 가지고 할리우드 배우를 동원해 영화에 가까운 짤막한 '영화 광고'를 제작해 영화 관객에게도 접근했다. 1917년 제작한 『눈을 지켜요』는 아일랜드계 미국인 배우 찰스 웰즐리가 재능을 발휘한 작품이다. 웰즐리는 코난 도일 소설에 바탕을 둔 작품으로 오늘날 『쥐라기 공원』 같은 고예산 공룡 오락물의 무성 영화판 선구자라 할 수 있는 『잃어버린 세계』로 가장 잘 알려진 배우다. 2년 후, "윈저 안경 판매고를 올려줄 한방이 있는 짧고 재미난 희극"이라는 설명을 달고 나온 『2분간의 토네이도』에는 이저벨 레아와 해리스 고든이 출연했다. 해리스 고든은 1915년 오스카 와일드의 원작을 각색한 『도리안 그레이의 초상』에 출연했고, 이저벨 레아는 『가스등 아래』에 라이어널 베리모어와 출연한 메리 픽포드와 동시대 배우인데, 기록상으로는 1918년 무렵 윈저 광고를 마지막으로 영화계에서 사라졌는데, 그마저도 유실됐다.

1923년 4월에 웰스워스는 윈저 안경 판매고 향상을 위한 대대적인 전략에 공공 안전을 위한 소중한 교훈을 결합한 전국적 광고를 개시해 엄청난 반향을 얻는 한편 뜬소문을 퍼트린다는 비난까지 받았다. "사람 죽이는 자동차"라는 이 광고는 포드가 연 매출 190만 달러를 기록한 모델 티T 자동차를 출시하고, 수동식 시동기를 장착한 기본형

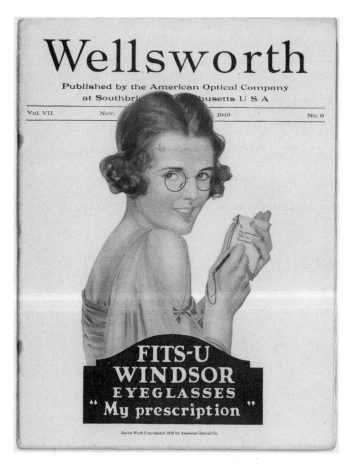

코안경 "피츠 유 윈저" 삽화, 1919년 11월 웰스워스 사보 표지.

'런어라운드' 기종도 260달러에 내놓고 이후 3년 동안 가격을 동결해 가장 부담 없는 가격에 살 수 있는 차량으로 자리 잡게 한 바로 이해에 공개되었다. 1920년대 말이면 시골보다 도시에 사는 미국인 비율이 더 높아진 때이지만, 자동차는 도시에서만 볼 수 있는 물건이 아니었다. 집계한 바로는 1926년 아이오와주의 농부 93퍼센트가 자동차를 소유했다. 포드는 항상 모델 티에 포근한 미국 시골 지역을 구현했다고 홍보했다. 바로 이 점이 전기 시동기를 장착하고 더 매끈한 차체에 다양한 색을 칠한 더욱더 흥미로운 자동차를 개발하기 시작한 제너럴모터스·뷰익·캐딜락·쉐보레·크라이슬러·조던 등 경쟁사에 시장을 내어 주는 요인이 되어, 모델 티는 빠르게 추락해 1927년 단종되었다. 그러나 "정말로, 차 밑에 깔리기 직전까지 안 보였거든요"라고 운전사가 죄책감을 느끼며 변명하는 장면에 이어 "자기 시력에 문제가 없다고 생각하기 때문에, 이 운전자는 시각장애인보다 더 위험합니다"라는 해설이 나오는 웰스워스 광고는 불편한 진실을 건드렸다. 1921년 제정된 연방지원고속도로법과 존 퍼싱 장군의 전후 군사방어계획에 따라 설치한 미국의 도로와 전국적으로 확장된 고속도로망 위로 안경 없이 운전대를 잡아서는 절대 안 되는 운전사가 쏟아져 나오는 와중이었다.

번쩍이는 신형 쉐보레를 재미로 파괴하는 해럴드 로이드 출연작 『뜨거운 물』은 자동차 사고를 주제로 한 웰스워스 광고가 나온 지 1년 후에 개봉했다. (제조사에 해를 끼치거나 의도치 않게 광고를 하는 결과를 피하려고 배지를 쉐보레의 첫 모델명 클래식 식스와 유사한 버터플라이 식스로 갈아 끼웠다.) 극 속에서 장모가 덮어씌운 스카프가 얼굴에서 펄럭이는 바람에 운전 중이던 배우가 도로 위에서 방향을 확 꺾는 장면만 빼면 여기서도 안경은 로이드가 출연한 다른 영화에서와 마찬가지로 내내 꿋꿋이 제자리를 지킨다.

세실 B. 드 밀은 미국 영화와 자동차가 모두 "움직임과 속도에 대한 사랑, 끊임없는 향상과 팽창, 젊고 활기찬 국가다운 활동력"을 보여 준다는 공통점이 있다고 지적했다. 시력에 문제 있는 사람이 안경을 쓰도록 몰아간 점도 마찬가지다. 웰스워스의 "자동차 사망 사고" 광고가 나온 지 겨우 7년 후인 1930년, 매사추세츠·뉴욕·뉴저지·코네티컷·펜실베이니아·로드아일랜드·뉴햄프셔·컬럼비아 등 수많은 주에서 시력 20/70, 시야 120도 이상이어야만 운전을 할 수 있다는 새로운 검사 제도를 도입하면서 안경 쓰는 사람이 급증했다.

지금 우리는 안경 쓴 운전자를 부정적으로 보는 시선을 상상하기 쉽지 않다. 자동차 운전이 걸음마 단계이던 시절, 난로 달린 휠체어처럼 생겨서는 덜컹거리며 두터운 배기 가스를 내뿜는 최초의 무개차 운전자는 고글을 써야 했는데, 단지 앞을 잘 살피고 벌레가 눈에 들어오지 못하도록 막기 위해서였다. 이처럼 편의상 쓰던 고글이 늘어뜨려 쓰는 천 모자와 짧고 두툼한 외투와 함께 휘발유 동력 구동의 상징으로서 선망의 대상이 되다가 결국에는 유행을 타기에 이르렀다. 운전자를 대상으로 '자동차 안경' 제품류를 생산하는 업체는 웰스워스만이 아니었다. 지금 보기에는 별것 아닐 수 있지만, 시야 확보용이나 시력 교정용 렌즈 또는 색을 입힌 렌즈를 장착해 보호 장비로 쓸 수 있는 안경류가 있었다. 일례로 '시야 확보용 안경'으로 나온 '로스터'는 "눈부신 태양이나 세찬 바람을 막을 때 쓸 안경을 찾는 중류층"을 겨냥한 제품이었다.

미국의 국부 총액이 두 배로 뛴 1920년에서 1929년 사이에는 중류층이라도 저가형 잡화점에서 파는 소비재나 냉장고·라디오 같은 새로운 가전제품을 좀 더 쉽게 사들일 수 있게 되었다. 헉슬리가 썼듯이 웰스워스 같은 회사는 점차 안경을 선망받는 생활양식이자 현대적인 여가 활동을 북돋우는 수단으로 위치시키려 했다.

운 동 장 에   선
안 경 잡 이

1920년대를 경박함·과도함·성적 방종 확산·금기를 깨는 발언·재즈·찰스턴·블랙바텀※의 시대라 부른다면, 이처럼 모험과 재미를 추구하는 경향은 스포츠에서도 예외가 아니었다. 자동차 경주와 스키처럼 대담하고 치명적인 대리 체험을 시켜주는 스포츠도 있었지만, 그 외에는 기본적으로 끔찍한 전쟁과 독감 대유행을 겪은 후 체력 단련을 위해 하던 활동이었다. 특히 이제야 선거권을 획득한 여성들은 온갖 경기에 전쟁 전보다 훨씬 더 많이 몰려들었다. 오리건주 포틀랜드의 얀첸공장에서 생산한 몸에 딱 붙는 편물 의상이 "해수욕을 수영으로" 바꾸어 가고, 올림픽에서 금메달을 딴 미국인 거트루드 에덜이 여성 최초로 영국 해협을 헤엄쳐 건너던 시대에 발맞추어 윈저 안경 광고에는 수영복을 입은 단발머리 미인 그림이 등장했다. 수영할

※찰스턴, 블랙바텀 모두 당시 인기를 끈 재즈 기반 사교댄스다.

때 이런 안경이 얼마나 실용적이었을지는 논란의 여지가 있겠지만 말이다.

1923년 미국 여자 아마추어 선수권 대회에서 이디스 커밍스가 우승을 거두면서 여성 사이에 골프 인기도 올라갔다. 피츠제럴드 소설 『위대한 개츠비』의 등장인물 조던 베이커의 모델이 된 인물로 '잔디밭의 말괄량이'라 불리던 커밍스는 최초로 『타임』의 표지를 장식한 골프선수이자 여성 운동선수였다. 커밍스처럼 되기를 바라며 실력을 키우려는 사람은 자연히 웰스워스의 '운동용 안경'을 찾게 되었다. 골프복을 입고 안경 쓴 사람들이 마치 브루클린 컨트리클럽에서 우승한 아마추어 선수처럼 당당하게 공을 쳐 내는 그림을 삽입해 판매하던 제품이었다.

한편, 1921년 월드시리즈 라디오 방송을 시작하면서 야구계는 전에 없던 새로운 관객을 맞이했다. 2년 후, 미국 전역의 라디오 방송국이 2백 개가 넘어가던 때에 웰스워스는 이처럼 빠르게 팽창하는 매체 혁명에 경의를 표하며 "비스듬한" 스타일의 고급형 안경테 '라디오 라인'을 출시했다. 광고 내용에 따르면 이 비스듬한 모서리는 "금의 아름다움을 반영"한 것이라는데, 어쩌면 당시 라디오함 모서리 장식을 반영한 디자인일 수도 있다. 그러나 웰스워스는 이미 야구

관중을 대상으로 한정해 '월드시리즈 우승' 스타일 안경을 팔고 있었다. 이 안경 광고에는 경기장에 앉아 시합을 즐기는 부부가 등장하는데, 남자는 (그림 상에는) 이중초점 안경을 쓴 덕분에 멀리 경기장에서 벌어지는 상황을 지켜보는 동시에 손에 든 경기 점수표를 들여다볼 수 있다.

물론 프로 야구선수 중에 운동장에서 안경을 쓰는 사람은 아주 드물었다. 로이드는 이 기회를 놓치지 않고 안경 쓴 인물로 처음 출연한 작품 『울타리 너머』에서 '눈이 네 개'인 야구 스타라는 개념을 써먹었다. 이 영화의 거의 모든 장면은 캘리포니아 버클리의 이스트웨스트대학 자선 경기 중 이닝 사이 휴식 시간에 촬영했다. 그러나 영화를 개봉한 1917년에는 역대 두 번째로 안경 쓴 프로 선수인 '안경잡이' 헨리 리 메도스Henry Lee 'Specs' Meadows를 보유한 세인트루이스 카디널스 팀이 안경 쓴 투수라는 개념을 일부 선점한 상태였다. 최초로 안경을 쓴 야구선수는 신시내티 레즈와 신시내티 레드스타킹스에서 1886년까지 선수 생활을 한 '야단법석' 윌 화이트Will 'Woop La' White였다.

'야단법석' 시절의 기억이 흐릿해진 후, 여섯 살 때부터 안경을 썼던 메도스는 선수 생활을 시작할 때부터, 한 야구 평론가의 표현에 따르면 "야유·조롱·비웃음"을 동료·코치·선수·팬으로부터 당하며 나날이 거세어지는 투쟁에 직면했다. 1915년 『베이스볼 매거진』은 이 투수가 "안경을 쓴다는 이유로 실없는 인간 취급을 받았다"고 썼다. 투수로서 가량을 발휘해 "가장 믿음직한, 지칠 줄 모르는 투수"로 꼽히면서 이런 조롱은 사라졌고, 안경잡이이기는 해도 키 크고 가무잡잡하며 잘생긴 메도스는 럭키스트라이크 담배와 매직 연고 광고면을 차지하게 되었다. 확인 가능한 선에서는, 안경 광고는 전혀 들어온 적 없는 듯하지만.

카디널스는 1920년대에 안경 쓰는 야구 스타를 두 명 더 영입했다. '안경잡이' 조지 토포서George 'Specs' Toporcer와 '새파란' 찰스 헤이피Charles 'Chick' Hafey인데, 이 중 헤이피는 가방에 용도가 다른 안경 세 벌을 넣어 다니며 외야로 나갈 때나 타석에 설 때 각각 필요한 안경을 골라 썼다고 한다.

오늘날까지 안경 쓴 선수로서 야구 명예의 전당에 자리 잡은 두 명 중 한 명⊙으로 남아 있는 헤이피는 1938년 은퇴했는데, 해럴드 로이드도 같은 해에 연기를 그만두었다. 로이드의 극중 자아가 당대 또는 약간 후대에 활동한

⊙다른 한 명은 오클랜드 애슬레틱스와 뉴욕 양키스에서 뛰었고 1977년 베이브 루스 상을 받은 '10월 선생' 레지 잭슨Reggie 'Mr October' Jackson이다.

이런 선수에게 어떤 영향을 주었을지 상상해 보면 대단히 흥미롭다. 1940년대부터 1950년대 초까지 선수 생활 대부분을 보스턴 레드삭스에서 하며 '작은 교수'로 알려진 안경잡이 돔 디마지오 같은 선수 말이다. 형인 조가 선수로서는 더 유명하지만. 로이드는 1930년대에 이집트 학자 역으로 출연한 영화 『위태로운 교수님』이 평론가와 관객의 악평을 받으며 실패하자 결국 배우 생활을 마무리하고 카메라 앞을 벗어나 제작자로 변신할 결심을 굳힌다.

그래도 전성기에 로이드의 극 속 배역이 어떤 운동이나 도전을 하건 안경이 걸림돌이 된 적은 전혀 없었다. 출연 작품 안에서 로이드는 고속 주행 자동차·운동 경기 등 웰스워스의 광고에 등장하는 것만큼이나 다양한 신체 활동을 무수히 실행한다. 그런 활동을 하는 인물이 안경을 쓰고 나오는 것이 이상하게 보이지 않았던 것은, 대부분 세인트루이스와 신시내티 같은 중서부에 사는 평범한 미국인이 실제로 하거나 선망하던 활동이었기 때문이다. 안경 쓰고 야구를 한다든지 하는.⊙⊙ 제1차 대전 후 도시화 및 산

⊙⊙영국과 영연방 국가 전반에서 문화적으로 미국 야구와 거의 같은 위치에 있는 크리켓 경기에도 안경 쓴 선수가 꽤 있었다. 웨스트인디스와 햄프셔의 로이 마셜, 전쟁 전 우스터셔에서 선수 생활을 시작했고 1950년대 레스터셔에서 주장을 맡았던 찰스 파머, 1960년대 중반 잉글랜드 주장이었던 마이크 스미스, 열두 살에 운동장 싸움에 끼어들었다가 눈을 다친 웨스트인디스의 전설적인 타자 클라이브 로이드, 1970년대 들어서는 안경을 버리고 콘택트렌즈를 낀 요크셔의 제프리 보이콧. 더 최근에 있었던 일로는 경기 기간 내내 특수 원단으로 안경을 닦는 것으로 유명했던 서머싯과 잉글랜드의 스핀볼 투수

업화를 겪고 있던 미국 중류층 상황을 재현한 해럴드 로이드의 희극은 그 시대 낙관주의의 지표를 제공해 주었다. 로이드가 안경을 쓴다는 사실은 당시 할리우드가 퍼트리던 위대한 국가적 신화와 뗄 수 없는 것이었다. 빈털터리에서 거부가 된 수많은 스타의 개인사는 미국인이라면 누구나 그렇게 될 수 있다는 예시가 되었고, 마음 든든하게 해 주는 이런 이야기 속에서 미국이라는 나라는 누구라도 뛰어들 수 있는 평탄한 경기장으로 비쳤다. 마음만 단단히 먹으면, 심지어 안경을 쓰더라도 문제 될 게 없었다.『신입생』에서 로이드가 그랬듯이 셀룰로이드 안경을 벗지 않아도 대학 미식축구 경기에서 우승할 수 있고 연인을 얻을 수 있을 듯했다.

제2차 세계대전이 끝난 뒤, 로이드는 영화『설리번의 여행』을 직접 쓰고 촬영한 저 괴짜 희극 거장 프레스턴 스터지스의 꼬임에 넘어가 결국 최후의 작품이 될 영화에 출연하게 된다. 스터지스는 망설이는 스타에게 기발한 제안을 들이밀었다.『신입생』에서 로이드가 미식축구 경기장 위에서 가짜 안경을 쓰고 놀라운 승리를 거둔 지 20여 년이 지난 후 그 인물의 운명을 탐험해 보자고 말이다. 그리하여 원작의 장면을 창의적으로 편집해 넣으며 완성한 영

잭 리치가 2019년 3차 애시스 경기(영국-호주 간 국가대표 시범경기—옮긴이)에서 호주를 이기는 데 기여한 공으로 안경회사 스펙세이버스로부터 평생 안경 이용권을 받았다.

화 『해럴드 디들벅의 원죄』는 감독과 배우 어느 쪽에도 명성을 더해 주지 못했지만, 활달한 후원자 하워즈 휴스의 노력으로 1947년 극장에 걸린다. 휴스는 그 후 3년 동안 작품을 재편집하고 재촬영했지만 이번에도 대중의 반응은 뜨뜻미지근했다. 그래도 개봉 시기에 맞추어 준비한 홍보 작업의 일환으로 로이드는 플로리다주 마이애미 해변에서 열린 '미스 스펙서필'Miss SpexAppeal이라는 특이한 미인대회의 심사위원을 맡는다. 한때 영화 『걸 샤이』에서 여자 앞에서는 입도 벙긋 못하는 청년으로 출연했던 스타를 수영복 차림의 늘씬한 미녀들 앞으로 데려다 놓은 것이다. 그러나 이 대회에서 가장 점수가 큰 항목은 바로 안경이었다. 이제 54세가 된 로이드는 일상적으로 안경을 착용하고 있었다.

8 장

벳 데이비스의 눈

어린 시절 언제나 거실 벽난로 위 가장 좋은 자리에 놓여 있던 부모님 결혼사진을 볼 때마다 아버지가 안경을 쓰지 않고 있다는 사실이 무척 흥미로웠다. 1년 전쯤 부모님 50주년 결혼기념일에 드디어 이 얘기를 꺼냈더니, 그 당시 어머니가 "안 쓰는 편이 더 보기 좋다"고 해서 그랬다고 했다. 그렇다면 어머니는 거의 반세기 넘게 남편이 가장 보기 좋은 모습이 아닌 상태를 참고 봐야 했다는 말이 된다. 부모님 집에 걸린 액자 속에서 뿔테에서부터 커다란 조종사 안경테로 바뀐 아버지의 안경은 넓어졌다 좁아졌다 하는 바지통과 셔츠 칼라, 넥타이 그리고 한때 숱 많던 머리와 가늘던 허리가 변해 가는 모습만큼이나 시간의 흐름을 고스란히 전해 준다. 그러나 "남자는 안경 쓴 여자에게는 수작을 걸지 않는다"라는 도로시 파커의 악명높은 경구처럼 최근까지도 여성에게 더욱더 강하게 적용되었던 관념, 즉 안경이 육체적 매력을 떨어뜨린다는 인식은 뿌리가 꽤 깊다. 파커의 이 경구는 『뉴욕 해럴드 트리뷴』에 칼럼을 정기 기고하던 프랭클린 피어스 애덤스가 인용하면서 유명해진 것으로, 나중에 이 문장에 진절머리가 난 파커는 애덤스에게 '뉴스 아이템'으로 쓰라고 스스로 저 여덟 단어를 보냈던 날을 두고두고 후회했다.

그래도 이 '뉴스 아이템'은 더없이 간명한 진실을 담고 있던 탓에 오래 살아남았다. 지금은 그다지 보편적이지 않다 하더라도 파커가 살던 시절에는 널리 받아들여지던 진실이다. 당시에도 파커의 문장을 읽고 사실성에 의문을 제기한 사람도 있었을 것이다. 그러나 이 말을 전면적으로 반박하기까지는 오랜 시간이 걸렸다. 어쩌면 아직도 그때는 오지 않았는지도 모른다. 『코스모폴리탄』에서 2017년 진행한 설문조사 결과, 데이팅 앱 '틴더'에서 안경 쓴 여성 사용자는 '오른쪽으로 쓸기'라는 긍정적인 반응을, 안경 쓰지 않은 여성보다 12퍼센트 적게 받는 것으로 드러났다. 설문 결과를 보도한 『데일리 메일』이 인용한 익명의 연애 전문가에 따르면, 아무래도 "눈을 들여다보면 믿을 만한 사람인지 알 수 있다"는 속설 때문에 나타나는 결과일 거라고 한다. 그러니까 안경 쓴 여성에 대한 사회 저변에 깔린 인식과 암묵적으로 작동하는 편견 때문이 아니라는 말이다. 하지만 우리가 최상의 신체적 외양을 가리킬 때 쓰는 '가장 보기좋은 모습'이라는 표현은 동시에 최대한 또렷하고 정확하게 보는 것을 뜻하기도 한다. 시력에 문제가 있는 사람이 안경을 써서 후자를 수행한다고 할 때는, 우리가 너무 잘 알듯이 통상적으로 전자와는 상충하리라고 생각하는 경향이 있다. 한편 적어도 특정 계층에 한해서는, 여성이 무엇을 볼 수 있고 보아야 하는가라는 질문 앞에서 문제는 한층 심각해진다. 세상을 떠난 밴드 엑스레이 스펙스의 멤버 '위대한' 폴리스티렌은 노래 가사를 통해, "어린 소녀는 보이기만 하고 들려서는 안 된다"고 믿는 사람들이 있지만, 목소리만이 아니라 보는 것까지도 통제당하는 건 마찬가지라고 지적했다. 페미니스트 비평가이자 운동가인 커밀 팔리아가 『성 페르소나』에서 날카롭게 지적했듯, 20세기까지 "품위 있는 여성은 얌전히 눈을 내리깔고 지냈다". 이른바 '더 얌전한 성별'에게 선택적 맹목을 기대하고 요구하는 환경 속에서, 배우자 찾기에 혈안이 된 특정 남성 집단은 안경을 여성의 매력을 가로막는 물건으로 취급했다. 이상적인 후보자란 '얌전한 시선'을 지닌 사람이었다. 말 그대로, 남자가 하는 일을 너무 자세히 들여다보지 않는 그런 여성 말이다.

1628년 스페인 안과의사 베니토 다자 데 발데스는 남성보다 여성의 신체가 더 약하고 가냘프다는 유구한 통념을 확장해 눈 또한 여성이 태생적으로 더 약하다고 주장했다.

안경이 유독 여성의 외모를 망가뜨린다는 관념은 질긴 생명력을 갖고 있다. 이 책 서문에서 우리는 안경이 "소녀와 부인의 외모를 완전히 망쳐"놓는다며, 집 안에서 쓰는 안경을 때맞춰 새로 처방받기만 한다면 굳이 안경을 항상 쓰고 있거나 공공장소에 쓰고 나갈 필요가 없다는 주장을 미국 『광학저널』 지면에 펼친 검안사 노번 B. 젠킨스를 만나보았다. 같은 해인 1900년, 당시 런던 안경사들이 세운 피카딜리의 L. K. 리언앤드컴퍼니는 '숙녀용 안경'을 홍보하면서 자사의 안경테가 '베일 아래' 보이지 않게 쓰기 좋으며 "최고로 민감한 피부에 자국을" 남기지 않는다고 광고했다. 한편 1918년 미국에서는 웰스워스 윈저 안경테

로 유명한 미국광학회사가 "눈에 띄지 않는" '크라이포크'
계열 이중초점 안경에 노화 방지 기능이 있다고 장담하며
"매력적인 여성은 나이가 들어도 크라이포크가 있으니 염
려할 필요가 없습니다"라고 주장했다. 이 회사는 1921년
6월 "매력적인 여성은 웰스워스 안경을 씁니다"라는 기치
아래 잠재적 여성 고객을 겨냥한 대대적인 홍보에 나섰는
데, 위 광고도 그런 배경에서 나온 것이 틀림없다.

몇 달 후, 미국광학회사는 자사 소식지 가을호를 통해
광고에 담은 의도를 이렇게 설명했다.

여성들이 도저히 피할 수 없는 시기가 오기 전까지는 안
경 쓰기를 거부할 정도로 안경이 바람직하지 않다는 관념
이 있기 때문입니다. 게다가 잘 차려입어야 하는 자리에
갈 때는 아예 안경을 벗는 여성들도 있는데, 그편이 더 보
기 좋다고 생각하기 때문입니다. 이런 여성은 다음 날 심
각한 두통에 시달려야 한다는 사실을 알면서도 안경을 빼
놓곤 합니다. 마찬가지 이유로 여성들은 눈이 너무나도
아파 온 신경이 쇠약해질 때까지도 안경 쓰기를 거부합니
다. 그러나 "매력적인 여성은 안경을 씁니다"라는 문구는
이런 편견을 깨도록 도우며, 안경을 쓰는 것도 결국 어울

리는 드레스를 고르는 일이나 마찬가지라는 사실을 알려 줍니다. 매력적인 여성은 진정으로 자기에게 잘 어울리며 매력과 호감을 더해 줄 안경이 있다는 사실을 깨닫기 시작합니다.

뒤이어 회사는 불쑥 "웰스워스 윈저는 여성의 마음을 사로잡습니다"라고 자랑스럽게 큰소리를 치기까지 하는데, 이런 노력은 새롭게 등장한 전혀 근거 없는 눈 운동 프로그램으로 인해 다소 빛이 바랜 듯하다. "안경 없이도 더좋은 시력을"이라는 성배를 약속하던 이 프로그램은 치솟는 인기를 누리며 안경 업계에 곧장 찬물을 끼얹는 위험한 존재가 된다.

베이츠 눈 운동법

광학업계가 이 프로그램을 받아들이기 더욱더 어려웠던 이유는 이것이 웬 희한한 돌팔이의 머리에서 나온 것이 아니라는 점이었다. 불린 밀알로 연명하며 가축을 전부 콩 대체물로 바꾸려는 과대망상적인 야망을 품은 정신 나간 어느 기업가가 만든 것도 아니다. 이 눈 운동 프로그램은 바로 이 업계에서 일하는 사람, 즉 안과의사가 만들어낸 것이다. 그냥 나이 많은 아무 안과의사도 아니다. 윌리엄 허레이쇼 베이츠 박사는 한때 이 분야의 권위자였다. 코넬대학교와 컬럼비아의학전문대학원에서 학위를 딴 베이츠는 벨뷰병원과 뉴욕안과병원에서 담당의로 명성을 떨치다가 뉴욕의과대학병원에서 안과학을 가르쳤다. 돈도 잘 벌고, 결혼도 잘하고, 널리 존경받으며 동료들에게 정기적으로 자문도 하면서 20세기 초 미국에서 안과의사로서 누릴 수 있는 최고의 삶을 살았다.

그러나 1902년 8월 30일, 겨우 40대 초반이던 베이츠가 도저히 믿기 어려운 상황에서 갑자기 사라졌다. 아내에게 쓴 편지 한 통만 남기고. 평소답지 않게 마구 갈겨 쓴 이 서신에서 베이츠는 거액의 수입을 자랑하며 "옛 제자인 포체 박사와 함께 할 중요한 수술이 있어서" 어쩔 수 없이 시외로 나가게 되었다고 썼다.

베이츠가 존경받는 회원으로 활동하던 프리메이슨국제연맹을 포함해 여러 방면으로 뒤를 쫓은 지 몇 주 후에 드디어 편지에 묘사된 내용과 일치하는 사람이 런던 채링크로스병원에서 의료 보조원으로 일하고 있다는 사실을 알아냈다. 베이츠의 아내는 즉시 가장 빠른 유럽행 증기선에 올랐지만, 영국에서 다시 만난 베이츠는 아내도 뉴욕에서 쌓은 경력도 전혀 기억하지 못하는 상태였다. 그래도 의료 검진을 받으며 아내와 사보이호텔에서 시간을 좀 보내보라는 설득에 금세 동의하더니 며칠 안 되어 담당자에게 쪽지를 건네고 곧바로 사라졌다. 온 세상을 샅샅이 살폈는데도 불구하고 베이츠의 아내는 다시는 남편을 만날 수 없었고, 슬픔에 잠긴 채 1907년 세상을 떠났다.

하지만 베이츠가 처음 모습을 감춘 지 8년쯤 지난 후, 어디를 가던 길인지는 알 수 없지만 예전 동료가 우연히 노스다코타주 그랜드포크스를 지나던 중 인구가 만 2천여 명이 채 안 되는 어느 구석진 마을에서 조그만 안과병원을 운영하는 옛 친구를 발견하고 깜짝 놀랐다. 의학 지식은 어느 정도 되찾은 듯했지만, 그 밖에 예전 행적은 까맣게 잊은 채였다. 그런데도 친구는 뉴욕으로 돌아가자고 베이츠를 설득했고, 두 사람은 결국 어퍼웨스트사이드에서 함께 진료했다. 『뉴욕 해럴드 트리뷴』 등 현지 언론은 열렬히 환영했다. 베이츠는 곧 할렘병원에서 담당의 근무를 재개했고, 거기서 두 번째 아내가 될 에밀리 리어먼과 만났다.

그러나 안과학적 관점에 있어서 베이츠는 스위스에

서 봉인 열차를 타고 러시아로 돌아간 레닌처럼 페스트균 같은 존재가 되어 돌아왔다. 한때 현대 안과학의 최전선에 있던 이 의사는 이제 180도 달라진 모습으로, 기본적 관념을 모두 벗어나는 기이한 안과 치료 체계를 도입하려 들었다.

베이츠는 "눈이 우리를 망치는 것이 아니라, 우리가 눈을 망치는 것"이라고 믿었다. 시력 문제는 거의 다 감정적 압박과 스트레스 때문에 발생하며, 안구 모양 변형이나 적응력 저하로 인한 근시·원시·노안 같은 상태는 영구적인 것이 아니라 일시적 고통으로, 휴식과 눈 근육 조절법을 통해 의지를 갖고 노력을 기울이면 교정할 수 있다고 보았다. 새뮤얼 스마일스 같은 자조론자들이 수행하는 일종의 신체 단련 과정을 눈에다 적용하는 식이었다. 그리고 안경은 "시력 결함의 근본 원인"을 치료하지 않고 굴절 장애를 영구화하는 '목발' 같은 역할을 한다며, 홀로 안경에 맞서 싸우는 안경 반대자가 되었다. 1912년 뉴욕 학생들에게 안경을 제공하는 법안에 반대하며 처음으로 미국에서 안경을 몰아내려고 하자 이는 공개적인 논쟁거리가 되었다. 하지만 『신체문화』라는 잡지에 '베이츠 눈 운동법'이라는 강좌를 연재하면서 더 많은 대중에게 이 운동을 퍼트리기 시작한 것은 그로부터 5년이 지난 후였다.

　　1899년 창간한 『신체문화』는 말하자면 그 시절의 구프※ 같은 것이었다. 이 잡지를 만든 이는 신발과 침대를 쓰지 않으며 10파운드짜리 납덩이를 단 채로 하루 약 10킬로미터씩 걷는 원칙을 지키던 과시욕 강한 운동광이자 사기꾼에 가까운 출판 기획자 버나 맥파든이었다. 잘 팔리는 건강 정보의 근원으로서, 당시 한창 확산하던 보디빌딩 숭배 문화를 기록으로 남기기도 한 이 잡지는 갈수록 늘어나는 건강에 민감한 미국인들에게 갖가지 식이요법과 운동 규칙을 퍼트렸다. 그 내용은 유용한 것에서 잠재적으로 해로운 것까지 다양했다. 이 잡지에 연재한 베이츠의 눈 운동법은 즉시 큰 반향을 일으켰고, 편을 거듭할수록 구독자가 늘어났다. 이에 힘입은 베이츠가 1920년 책 『안경 없이 시력을 회복하는 치료법』을 자가 출판하자 날개 돋친 듯 팔려 나갔다. 그리고 사망 후인 1943년에 발간한 속편 『안경 없이 시력을 향상하는 베이츠식 운동법』은 더욱 큰 성공을 거두었다. 거의 모든 안과의사가 전반적으로 맞지 않는 내용이라고 거듭 지적하는데도 두 책은 현재까지 시중에서 판매되고 있다. 베이츠는 "비윤리적 광고 행위"를 이유로 미국의학협회에서 쫓겨났고, 명백한 거짓이자 오해를

※goop, 배우 기네스 펠트로가 이끄는 건강제품회사로, 자연 의학 또는 대체 의학류의 정보를 전하며 생활용품을 판매한다.

불러일으킬 수 있는 주장을 했다는 명목으로 1929년 미국 연방거래위원회에 고발당하기도 했다. 하지만 이런 조치도 눈 운동법에 몰두하는 베이츠를 전혀 막지 못한 듯하다. 1931년에 세상을 떠난 후에는 영국 소설가이자 사상가인 올더스 헉슬리라는 최고로 언변이 뛰어난 지지자를 얻기까지 했으니까.

헉슬리는 청소년기부터 시력이 나빠 애를 먹었다. 『멋진 신세계』를 쓴 이 작가는 열여섯 살에 볼거리 때문에 생긴 듯한 각막염을 앓았다. 그 후유증으로 18개월 동안 거의 앞이 보이지 않아서 점자를 배우고 촉감으로 피아노 치는 법을 독학했다. 그래도 차차 회복하여 한쪽 눈은 빛을 감지하고 다른 쪽 눈으로는 조금이나마 볼 수도 있게 되었다. 고배율 돋보기안경을 쓰면 예전처럼 글을 읽을 수 있었고, 평소에는 각얼음만큼 두꺼운 렌즈를 장착한 안경을 쓰고 생활했다. 그러나 의료계로 가려던 꿈은 포기해야 했다. 그 대신 글을 쓰기로 한 헉슬리는 먼저 시를 쓰다가 소설로 옮겨 갔는데, 철학적이며 정치적인 성향을 담아 초기에는 『어릿광대의 춤』처럼 풍자적인 작품을 썼고, 나중에는 과학소설로 방향을 틀었다. 대단히 신화화된 문학인 모임인 블룸즈버리 그룹에서 헉슬리와 만났던 버지니아 울프는 헉슬리가 언제나 "눈먼 예언자를 떠올리게 하는, 시력을 상실한 듯한 눈빛"을 하고 있었다고 말했다.

10여 년 후, 캘리포니아에서 할리우드 극작가로 변신해 꽤 많은 돈을 벌고 있던 헉슬리는 마거릿 코벳과 교류했다. 베이츠에게 직접 가르침을 받은 제자로서 로스앤젤레스에서 고인이 된 의사의 복음을 전파하러 다니던 코벗의 고객 중에는, 코벗 본인 주장에 따르면 유명 영화 스타가 여러 명 있었다. 캘리포니아주 입법부에 무면허 시술로 걸리지 않으려고 '시력 운동 강사'라고 자신을 소개하며 "자연적인 시력 개선"을 내세웠던 코벗의 기나긴 그리고 짐작건대 비용도 상당했을 수업은 적어도 헉슬리가 흥미를 갖는 동안에는 효과가 입증되었다. 작가는 안경을 버리기로 했고 1942년에는 베이츠를 향한 찬양을 담아 책 『보는 기술』을 썼는데, 베이츠가 꾸며낸 그 운동법 못지않게 동양 명상 및 힌두교 신비주의에 관한 이야기를 잔뜩 담았다. 베이츠 기법을 접한 때와 거의 동시에 작가 크리스토퍼 이셔우드와 함께 할리우드의 영적 스승 스와미 프라바바난다에게서 배운 내용이었다.

독 신   여 성 과
안   경

베이츠는 처음 찾아온 환자의 안경을 쳐 내고 불쾌한 언론 기사를 면전에 내던지는 행동으로 악명이 높았다. 그러면 안경이 자신을 망가뜨리고 있었다는 베이츠의 선언에 혹한 고객은 망연자실한 듯 눈을 끔벅이며 출구를 찾으려 더듬거렸다. 이처럼 지독히도 눈을 아끼는 치료법은 영화 『가라, 항해자여』에서 정확히 재현된다.

　　1942년 개봉한 이 영화에서 배우 벳 데이비스는 뉴잉글랜드 부잣집에서 태어난 신경증적인 노처녀에서 매혹적인 유람선 승객이자 잠재적 가정파괴범으로 변신하는 샬럿 베일 역을 맡아 탁월한 연기를 보여 주었다. 요양원 직조실에서 몇 시간을 보내는가 하면 갑자기 옷장을 전부 새로 사들이는 등 신경증 증세를 보이다가 정신분석 치료를 받고 완전히 새롭게 태어나는 인물이다. 다시 태어난 베일은 태양을 다 가릴 만큼 챙 넓은 차양 모자를 쓰고 원양 여객선으로 이어지는 건널판을 천천히 내려가면서 등장하는데, 이렇게 멋지게 차려입고 당당하게 걸어가는 데이비스의 모습은 의도적으로 대치해 구성한 영화 첫 장면과 극명한 대조를 이룬다.

78 회전반※에 담긴 옛 댄스 밴드의 보컬처럼, 영화에서 마침내 여주인공이 모습을 드러낼 때까지는 몇 분이 걸린다. 인물의 일그러진 성격을 완연히 드러내기 전에 카메라는 일부러 뒤쪽에 머무르며 베일가 저택의 커다란 대리석 계단을 주춤거리며 내려오는 샬럿의 모습을 슬쩍슬쩍 감질나게 보여 준다. 또각거리는 끈 달린 옥스퍼드화에서 진갈색에 검정과 흰색이 들어간 두꺼운 스타킹, 어지러운 무늬로 가득 차 흐물거리는 원피스 아랫단으로 카메라가 이동하는 동안 관객은 최악을 맞이할 준비를 하고, 이윽고 마주한다. 이제 벳 데이비스가 단단히 각오하고 준비한 인물의 전신을 보여 주려고 카메라는 뒤로 물러난다. 허리선이 낮아 포대 자루처럼 흉측해 보이는 꽃무늬 원피스뿐 아니라 두통이 올 정도로 뒤로 꽉 당겨 묶은 머리에, 통통한 나방 애벌레 두 마리가 앉은 듯한 두툼한 눈썹이 모두 드러난다. 그리고 결정적으로, 70대에 그림을 시작한 화가 모지스 할머니가 쓰던 것, 아니면 그랜트 우드가 그린 『아메리칸 고딕』 속에서 쇠스랑을 든 농부가 쓰고 있던 것 같은 두꺼운 철테 안경이 나타난다.⊙

이 안경을 나중에 월트 휘트먼의 시를 인용하는 정신

※분당 회전수(rpm)가 78인 레코드판으로 재생시간이 5분이 채 안 되는 짧은 음반이다. 20세기 초반에 사용하다가 중반에 장시간 재생 가능한 LP가 등장한 후 사라졌다.
⊙이 첫 장면이 유출되지 않도록, 극장에 걸린 예고편에서는 이런 몰골을 한 샬럿으로 변신한 데이비스를 일절 보여 주지 않았다.

분석학자 재퀴스 박사가 샬럿의 얼굴에서 벗겨 내 아예 두 동강을 내 버리는데, 재퀴스의 손에 들어간 철테는 마술사 유리 겔러가 구부린 숟가락처럼 맥없이 구겨진다. 재퀴스 역은 제1차 세계대전 당시 참호에서 독가스에 노출되어 오른쪽 시력을 잃은 배우 클로드 레인스가 맡아 달콤하고 부드러우며 이성적인 목소리와 차분한 눈빛을 보여 주는데, 그 속에는 멜로드라마답게 간헐적으로 터지는 격렬한 언동과 뒤틀린 열정이 숨겨져 있다. 안경을 빼앗기는 것은 앞으로 샬럿에게 닥쳐올 변신의 첫 단계다. 재퀴스는 요양원에서 진료를 끝내기 직전에 그 안경을 벗겨 부러뜨린다. 그러고는 샬럿이 마치 부러진 날개를 치료받은 새라도 되는 듯 안경 없이 바깥세상을 마주하도록 내보낸다. "인생도 땅도 허락한 적 없어 말하지 못한 바람 / 가라, 항해자여 돛을 올리고 찾아 나서라"라는 휘트먼의 시가 적힌 종이 한 장만 쥐여 준 채로. 이러한 재퀴스의 행동은 의사로서 최고의 호의를 담은 행동으로 그려진다.

결말이 할리우드의 흔한 로맨스 공식에서 벗어나는 이 영화는 여성이 자립을 추구하는 내용으로 해석할 수 있는데, 그렇다면 올리브 히긴스 프로티의 원작에서 훨씬 더 나아간 것이다. 마지막 장면에서 샬럿에게는 딸 같은 존재가 생기기는 하지만 사실상 '노처녀'로 남는 편을 택한다. 그러나 다행스럽게도 더는 혼자라고 느끼지 않으며 그렇게 보이지도 않는다. 오히려 충분히, 최전성기 벳 데이비스 그 자체로 보인다. 영화평론가 데이비드 톰슨이 "데이비스의 자그마한 머리에 비해 너무나 커다란 진주알" 같다며 길이 남을 찬사를 표했고, 킴 칸스가 노래에 담기도 한 그 유명한 두 눈에서 노처녀 느낌 나는 안경 따위는 흔적도 찾아볼 수 없다. 여성주의를 가리키는 그 모든 증거에도 불구하고, 이 영화는 여전히 여성에게 안경이란 못생긴 노처녀의 전유물이라는 관념을 실어 나른다.

전쟁 중에 노처녀 문제, 다른 말로 '잉여 여성 문제'가 특히 영국에서 언론과 사회평론가의 긴요한 관심사로 떠올랐다. 원치 않는 결합과 억압에서 벗어난 여성 자신은 생각이 달랐을 수 있지만. 전장에서 영국 남성 70만 명이 학살당하고 나니 안 그래도 기울어 있던 성별 인구 격차가 더 커졌다. 1921년 인구조사에서 여성은 남성보다 1,702,802명 더 많았다. 한편 사망자 중에는 지주 집안 출신으로 사립학교를 나와 하급 장교로 입대한 남성이 노동 계급 남성보다 지나치게 많았다. 영국군 중 일반 병사 사망자 비율은 12퍼센트인데 반해 장교는 17퍼센트에 달했다.

좋은 집안 출신 중상류층 '숙녀'gels 상당수가 적당한 짝을 찾지 못할 듯한 이 상황이 그러브가에서 글을 쓰던 모든 작가 사이에서 중요한 문제로 떠올랐다. 대문호든 괜찮은 작가든 삼류든 상관없이 말이다.

소설가·간호사·평화운동가로서, 약혼자와 남자 형제 그리고 가장 가까운 친구 두 명을 모두 전장에서 잃은 베라 브리튼은 가슴 찡한 시를 통해 이 문제를 드러냈다. 1919년 발표한 시 「남아도는 여성」의 마지막 구절은 덤덤하면서도 당시 공감을 불러일으켰을 만한 질문으로 끝난다. "하지만 나는 누구와 아이를 갖지?"⊙ 실제 합산한 최종 인원보다 두 배 부풀린 규모이긴 하지만, 『데일리 메일』은 "절대 아내가 될 수 없는 2백만 명"이라는 제목으로 내보낸 기사에서 무신경하게도 잉여 여성은 "인류의 재앙"이라고 주장했다. 10년이 지난 후에도, 1921년 인구조사 당시 25세에서 29세 사이이던 여성 중 절반이 결혼하지 않은 상태였다.

지독하게도, 평화기가 오자 전쟁기에 핵심 노동을 수행한 여성이 제일 먼저 피해를 봤다. 버스 운전처럼 전쟁 전에 남성이 장악했던 일자리는 즉시 퇴역 군인을 위해 내주어야 했다. 교직과 간호업·공공 영역 및 은행과 보험 같

⊙브리튼에게 그 답은 1925년 결혼한 정치학자 조지 캐틀린이었다. 그리고 염려하던 '아이' 중 한 명은 자유민주당 정치인 셜리 윌리엄스가 되었다.

은 일부 사무직 영역에서도 전쟁의 여파가 나타났다. 제도적으로 기혼 여성 일자리를 제한하게 된 것인데, 이 상황은 대체로 다음 전쟁 전까지 지속되었다. 따라서 이런 영역에 종사하는 사람에게 결혼이란 단지 개인으로서 독립을 포기하는 것만 아니라 돈을 벌고 소중한 직업을 유지할 자유까지 잃는 것이었다.

기이한 인구 비율와 말도 안 되는 노동법상의 불평등이 결합한 결과, 이 시기부터 한동안 노처녀에게 관심이 집중되었다. 신문 사설·만화·소책자·연극·소설·각본·영화 등에서 독신 여성의 자유로운 삶과 옷차림을 매도하고 조롱했다. 극히 일부이긴 하지만 칭송하는 이들도 있기는 했다.

물론, 노처녀라고 모두 안경을 쓰지는 않았다. 그러나 당대 소설이나 리치·에솔도 같은 극장에서만 노처녀를 접했다면 다르게 생각할 만도 했을 것이다.⊙ 레너드와 버지니아 울프 부부가 운영하던 호가스 출판사에서 1924년 출판한 플로라 맥도널드 메이어의 소설 『교구 목사의 딸』은 통렬한 사회 관찰을 바탕으로 꺾여 버린 희망과 이루지 못한 열정을 가슴 아프게 그려낸 노처녀 문학의 고전이다. 소

⊙찰스 디킨스의 『돔비와 아들』에서 안경 쓴 교사로 등장하는 코닐리아 블라이머는 심지어 이보다 이른 시기에 나타난 전형적인 사례다. 블라이머는 결국 브라이턴에 있는 아버지 학교 교사인 빡빡머리 학사 피더와 결혼한다. 피더는 투츠에게 "그 여성에게 관심이 있었다"고 고백한 후, 한때 제자였던 그에게 "하지만 안경잡이를 만날 생각은 없다"고 단언한다.

설 초입에서 제목에 해당하는 주인공 메리 조슬린은 궁벽한 이스트앵글리아 데드메인 교구에서 "한 해 한 해 썩어 가는" 상태로 체념한 채 "시들고 있는" 서른다섯 살 여성으로 등장한다. 부서져 가는 교구 목사관에서 베르길리우스에 빠져 사는 늙고 위압적인 목사 아버지와 장애가 있는 여동생을 돌보며 지내던 메리는 최근 여동생이 갑자기 죽자 마음 둘 곳을 잃고 말았다. 심하게 낯을 가리고 여럿이 어울리는 자리에서는 몹시 내성적인 성격이라 지역 경마 모임 회원 사이에서는 '텅 빈 공기' 같은 존재로 통하고, 친구라고는 가내 요리사 정도밖에 없다. 그리고 방마다 성경이 놓여 있는데, 거실에 여섯 권, 공부방에만 아홉 권이 있을 정도다. 집 안에 그득한 책에서 위안을 얻다 보니 "박식하기로 정평이 나 있다"는 말을 듣는다. 작가가 그려낸 메리의 외모는 전형적인 노처녀 묘사에서 한 치도 벗어나지 않는다. "촌스러운 옷을 입고, 머리는 개성 없이 뒤로 바짝 끌어모아 나이에 비해 빨리 주름이 져 버린 이마를 훤히 드러냈다." 게다가 "아버지를 닮아" 그나마 내세울 만한 "아름다운 두 눈"은 "안경 뒤에 가려져 있었다."

　나중에 비라고 출판사에서 나온 개정판 서문을 쓴 재닛 모건은 작가인 메이어 본인도 성직자의 딸이고 한 번도 결혼한 적이 없는데, 약혼자가 인도에서 콜레라로 죽은 후 결혼 생각을 아예 잃어 버린 탓이라는 이야기가 돌았다고 전한다. 그러나 이 밖에 모든 면에서 메이어는 자신이 창조한 인물과 거리가 아주 멀다. 매력적이고 소신이 뚜렷하고 이미지 관리도 세심히 했다. 모건은 작가와 극중인물 사이의 간극을 더욱 강조하며, "플로라는 아마 안경을 써야 하는 처지였더라도 옆으로 치워 두었을 것"이라고 주장한다. 우리가 앞서 보았듯이, 안경을 쓰는 것은 곧 결함을 드러내는 것이라는 인식이 여기서도 나타난다. 그리고 이 소설이 주는 교훈은 (스포일러 주의) 안경이란 외모를 열심히 가꾸지 않아 남자의 사랑을 얻어 내는 데 실패한 노처녀의 전유물이라는 것이다. 또한 노처녀 사이에도 위계질서가 있다. 작가 플로라 또는 데이비스가 연기한 샬럿 베일처럼 안경을 벗어 던지고 독립적인 삶을 만끽할 수 있는 사람 그리고 메리처럼 안경을 지키는 대신 친밀한 관계 맺기에 실패하고 짝 없는 설움에 잠겨 사는 불운한 사람.

위니프리드 홀트비가 1931년 발표한 소설 『불행한 캐럴라인』에도 비슷한 묘사가 나온다. 당시 할리우드 영화를 더 엄격히 검열하라는 운동을 활발히 펼치며 하느님을 귀찮게 하던 공상적 박애주의자를 풍자한 작품이다. 매력적인 주인공 캐럴라인 덴턴-스미스는 영국 영화계를 더 건전하게 개혁할 목적으로 기독교영화회사를 설립한 나이 많은 노처녀다. 여성 참정권 운동에 투신한 적도 있고, "피곤하고 외로워도 꺾이지 않는 활력"을 지닌 캐럴라인은 "앵무새처럼 초록색과 진홍색이 섞여 전혀 어울리지 않는 드레스"나 "구슬과 체인을 단 청색 양단"처럼 괴이한 옷차림을 즐긴다. 또한 공익 활동을 하는 다른 사람들, 즉 "칙칙한 옷차림을 한 중년 여성"이나 "여드름투성이에 안경을 쓴 젊고 성실한 여성"과 달리 안경 대신 목둘레에 걸어 둔 손잡이 안경을 애용하는 특이한 캐릭터다.

홀트비가 이처럼 독특한 옷차림과 행동을 구상한 것은, 마녀가 사실은 자유롭게 사는 현대 여성의 본보기일 수도 있다고 한 실비아 타운센드 워너의 강의에서 일부 영감을 얻은 것이다. 좌파 성향의 페미니즘 주간지 『타이드 앤드 타임』 필진이던 워너가 쓴 소설 『롤리 윌로우스』에는 "식물학 애호가"이며, 말 그대로 "제멋대로" 굴면서 정해진 삶을 거부하며 사는 대단한 노처녀인 고모가 등장한다. 롤리의 눈은 광학 보조기를 쓰지도 않았는데도 "창백하고 푸른" 빛을 띤다고 묘사했지만, 작가인 워너 자신은 근시가 심해 두껍고 둥그런 뿔테 안경을 절대 벗는 법이 없었다. 말년에는 『뉴요커』에 안경을 쓰지 않으면 옷을 입지 않은 듯한 느낌이 든다는 점에 착안한 단편을 기고했다. 「예정된 결말」이라는 제목의 그 소설은 대필 작가인 주인공 루시가 성교 후 "음모에 고급 스페인 빗"을 꽂고, 벗어 두었던 "뿔테 안경"을 찾아 쓰고는 나이 많은 연인에게 "이만큼! 옷은 이만큼만 입으면 돼요!"라고 외친다. 뒤를 돌아본 연인은 "너무 민망"하다고 말하고는 가스 불을 붙이러 간다.⊙ 사후 출간된 회고록 『어릴 적 정경』에서는 심지어 옷을 잘 챙겨 입은 소녀마저 안경을 썼다고 부적절한 차림이라는 평을 듣는 내용이 나온다. 워너는 열여섯 살에 세인트 폴 성당에서 견진 성사를 받던 때를 회상하며, 성사 중 안경을 쓰는 문제로 어머니 노라와 다투어야 했다고 말한다. 전통적인 흰 드레스와 베일 차림에 안경을 쓰는 건 부적절하다고 어머니가 반대했기 때문이다. 결국 그날의 승자는 정말 우스꽝스럽게 보일지 직접 확인해 보겠다고 고집을 부린 워너였다. 하지만 신도석에 들어선 후에는 안경 쓴 사람이 자기만이 아니어서 안도했다. 그날 오후, 안경은 "남들과 함께 겪는 장애"였다. 그러나 어머니 노라는 본인이 근시인데도 불구하고 하나뿐인 딸이 "부아가 치밀 정도로 영

⊙이만큼 성애적이지는 않지만, 영국의 '리비에라'라고 불리는 해변 휴양지 토키에서 휴가를 보낸 작가 러디어드 키플링은 사방이 너무 고풍스러워 취향에 맞지 않았던 나머지, 편지에다 "안경 말고는 아무 것도 걸치지 않고 춤추다가 눈총이라도 받기를 간절히 원하게 되는 곳"이라고 토로했다.

리하고", 머리카락은 살짝 곱슬거리고, 키가 커서 휘청대며 안경을 써야 한다는 사실을 절대 온전히 받아들이지 못했다. 그리고 그런 볼품없는 외모 따위는 머릿속에서 지워버렸다. 자신이 어린 시절 인도에서 부유하게 자랐고 젊은 시절에는 데번주 뉴턴애벗에서 열리는 최상급 무도회와 파티를 돌며 "유달리 예쁜 소녀"라는 말을 들었던 만큼, 자신의 딸이라면 사람들 앞에 내놓았을 때 이목을 끄는 것은 물론이고 대단히 로맨틱한 '매혹'을 불러일으키는 존재가 되어야 했다.

메이어가 창조한 메리와 달리, 워너는 집에서 해로 기숙학교 역사 담당 교사이던 아버지에게 교육을 받았고 버지니아 울프와 마찬가지로 대학에 다닌 적이 없었다. 반면 메이어와 홀트비는 옥스퍼드대학교의 서머빌여자대학에 다녔는데, 거기서 홀트비는 베라 브리튼과 가까운 친구가 된다. 같은 학교 졸업생 중에 우연히도 역시 교구 목사의 딸이며 범죄소설 작가이자 단테의 『신곡』 번역자인 도로시 세이어스가 있었다. 1935년에 발표한 소설 『화려한 밤』에서 세이어스는 대학 내부의 모습을 그리면서 학구적인 안경잡이 노처녀라는 상을 전부 그대로 가져다 썼다.

세이어스는 『화려한 밤』을 자신이 창조한 캐릭터인

단안경을 쓰는 귀족 출신 탐정 피터 윔지 경의 마지막 출연작으로 만들려 했다. 윔지 경은 코안경을 곁에 두고 욕조에서 죽은 사람을 발견하며 시작하는 작품으로 코난 도일과 꽤 비슷한 느낌을 주는 1923년 작 『시체는 누구?』에서 처음 등장했다.⊙ 하지만 윔지는 차가운 성격인 셜록 홈스보다는 작가 우드하우스의 작품 속 캐릭터인 '멍청이' 귀족 우스터에 훨씬 더 가깝긴 하다. 그래도 앞부분에 윔지가 정중하면서도 대단히 영리하고 자산도 풍부한 사립 탐정으로서, 열정적인 상류층 귀족을 희화하며 등장하는 장면은 작가 마저리 앨링엄이 애초부터 희화화하려는 의도로 냉혈 조사관 앨버트 캠피언이라는 인물을 만들 때 영감을 주었다. 1929년 『블랙 더들리 저택의 범죄』에서 처음 등장한 캠피언과 윔지의 가장 큰 차이점은, 캠피언이 언제나 눈에 띄는 '창백한 푸른 눈'을 감추려고 '귀갑테 안경'을 선택했지만, 그보다 앞서 등장한 범죄 해결사 윔지는 '유리판' 단안경 종류를 쓴다는 점이다.

그렇지만 『화려한 밤』에서 윔지는 시종일관 거의 드러나지 않는다. 정부의 일급비밀 임무 때문에 어쩔 수 없이 해외에 머무르며 어딘지 모를 그곳에서 조사에 계속 주의

⊙탐정소설을 쓰는 동료 작가 나이오 마시는 중년기에 접어든 세이어스가 "활발하고 솔직하며 혈색이 좋은" 한편, "쾌활해 보이는 얼굴에 코안경을 걸치고 있으며, 짧고 센 머리카락에 결결한 목소리를 지녀 군인이나 교수"처럼 보였다면서 작가 본인이 당시로서는 다소 구식이던 코안경을 즐겨 썼다고 기록했다.

를 기울이는 동안, 극을 이끄는 존재는 세이어스의 분신이라 할 해리엇 베인이다. 사건이 주로 여성만 다니는 대학인 서머빌을 모델로 한 슈루즈베리대학 안에서 벌어지기 때문에 등장인물도 거의 다 여성이다. 소설 속 남성 짐꾼들은 창피할 정도로 머리를 조아리는 전형적인 노동계급으로 그려진다.

고전적인 추리소설이 다 그렇듯, 사건이 밀실 상태인 네모난 학교 건물 안에서 벌어지는 까닭에 자연스럽게 여성 교수가 피의자로 지목당하는데, 안경 쓴 드 바인도 그중 하나다. 학문을 향한 열정이 매우 높은 학자로서 평소 재학생과 만나기를 그다지 좋아하지 않는 드 바인을 언급할 때는 안경이나 근시에 관한 내용이 항상 따라 나온다. "커다란 회색 눈이 두꺼운 렌즈 뒤에 깊숙이 숨어 반짝이는", "빛나는 근시안", "두꺼운 안경 뒤에서 깜빡이는" 눈, "두꺼운 안경 뒤에서 호기심 어린 계산적인 눈빛으로 피터를 주시하는" 같은 다양한 묘사가 이어진다. 윔지가 "안경 안 쓴 모습"을 보고 싶다고 말하자 베인은 "드 바인 교수가 안경 없이도 멀리 볼 수 있을지 모르겠네요"라고 쏘아붙인다.

그 밖에도 소설에서는 안경 쓴 사람이 불쑥불쑥 등장한다. 예를 들어 학교 총무 겸 회계담당자인 앨리슨은 금줄

을 단 안경을 항상 갖고 다니며 생각에 잠길 때 "천천히 앞
뒤로" 흔들곤 한다. 그리고 작가는 분명 의도적으로 이 책
에서 가장 뻔뻔하고 "끔찍한 여성"인 인물에게 두꺼운 안
경을 씌운다. 동창 모임 만찬에서 베일이 운 나쁘게 마주
앉았던 슈스터슬랫은 "커다란 안경을 쓰고 머리카락을 단
정히 빗어 넘긴 어둡고 완고한 여성"으로 묘사된다. 눈치
를 살피며 어색하게 친근한 태도로 "경이로운 피터 경"과
"서로 자-알 아는 사이"라는 말을 괜히 꺼내는 슈스터슬랫
은 극 속에서 미국인 주제에 건방지게 끼어들어 정중한 영
국 상류사회의 성벽을 무너뜨리는 가장 섬뜩한 야만인인
데다, 설상가상으로 우생학자이기까지 하다.

안 경 쓴
노 처 녀 탐 정

『화려한 밤』에서 언급은 되지만 마지막까지 결국 등장하
지 않는 클림슨은 진회색 머리카락에 "20년도 더 지난 고
에드워드 왕 시절에나 유행했을 옷차림"을 한 중년 노처녀
로, 1927년에 발표된 『부자연스러운 죽음』에서 윔지가 처

음으로 수사를 맡기는 인물이다. 아쉽게도 클림슨은 우리가 찾는 안경 착용자는 아니지만, 소설 속에서 정체를 숨기려고 "단정하지만 못생긴 모자"에 색 입힌 안경을 쓴다.

애거사 크리스티가 단편 「화요일 클럽의 살인」에서 마플을 처음 선보이기 몇 달 앞서 등장한 클림슨은 노처녀 탐정의 원형이라고 할 수 있다. 그렇다 해도 클림슨은 안경을 쓰지 않는 반면, 범죄소설류에서 비슷한 위치에 있는 제인 마플은 광학 보조기와 더욱 복잡한 관계를 갖는다. 그리고 영화와 텔레비전에서 각색한 작품에서는 이 인물을 상징하는 독서용 안경과 반쯤 뜬 스카프와 뜨개바늘이 큼직한 손가방에서 나오곤 하는데, 이것은 홈스 소설에 등장하는 파이프 담배와 돋보기에 해당하는 소품이다. 텔레비전에서 마플로 분한 배우 조안 힉슨, 제럴딘 매큐언, 줄리아 매켄지는 갖가지 안경 너머로 음침한 경찰관·우쭐대는 퇴역 대령·변덕스러운 여점원·수염 덥수룩한 화가·오만한 노부인·젊은 신혼부부·얼빠진 교수·허약한 사무원·참견쟁이 요리사·칠칠맞은 가정부를 근엄하게 노려보았는데, 그중에서도 가장 인상적인 것은 힉슨이 쓴 반달 모양 안경이었다.

그러나 책 속에서는 안경이 그렇게 많이 나오지 않는

다. 마플이 최초로 등장하는 소설『목사관의 살인』은 콜린스 출판사가 신설한 크라임클럽 출판사에서 1930년 처음 나왔는데, 크리스티는 이후 20년 동안 1년에 최소 두 권을 이 출판사를 통해 발표했다. 이 정도로 자주 책을 내다 보니 소설 열두 권에 등장하는 인물 설정이 약간씩 어긋났고, 마플은 단편 스무 편 중 일부에서만 안경을 쓰고 등장한다. 특히 크리스티가 마플이 등장하는 책과 에르퀼 포와로가 활약하는 작품을 번갈아 쓰는 바람에 더 그랬다. 포와로는 꼼꼼한 벨기에 출신 탐정 캐릭터로, 1922년 희곡과 한 편짜리 추리소설·단편 등을 쓰던 중에 고안한 이 인물 덕에 크리스티는 처음으로 명성을 얻었다.『목사관의 살인』에서 작중 화자이며 살인이 발생하는 목사관 소속 목사인 레너드 클레멘트는 마플을 "점잖고 호감을 주는, 나이 많은 백발 여성"으로서 "항상 모든 것을 다 보고 있는 사람"이라고 설명한다. 책 한 권 분량을 차지하는 이 첫 번째 사건에서 우리는 오직 화자의 시선을 통해서만 마플을 바라보는데, 이 설정은 오해를 유발하려고 크리스티가 주로 쓰는 의도적인 기법이다. 초반부터 혼란을 야기하는 사실은 마플이 '정말로' 누구보다 밝은 눈을 갖고 있다는 점이다. 반짝이는 푸른 눈으로 "세상 물정 모르는" 성직자인 우리의 화자를 포함해 모든 사람과 "완전히 다른 시각으로 사건을" 들여다본다. 하지만 여기서 이 "독신 여성" 탐정은 "취미로 새를 관찰할 때" 사용하는 "도수 높은" 안경을 딱 한 벌 갖고 있다. 목사는 이 취미가 "정원 가꾸기"처럼, 단지 마을 사람을 감시하기 위한 "연막"에 불과하다고 의심하지만 말이다.

『목사관의 살인』을 발표할 때 크리스티는 막 40대에 접어들었고, 아직 안경이 필요하지는 않았을 터라 나이가 더 많은 이 노처녀에게 안경을 씌울 생각을 하지 않았다. 크리스티의 추리소설은 시골집, 고급 휴양지, 부유층과 은퇴자 그리고 휴가를 보내는 사람들이 머무는 고풍스러운 마을로 급속히 퍼져 나가 1930년대에는 『반지의 제왕』 못지않게 상상력을 자극하는 작품이 되었는데, 그래도 시간이 흐르는 만큼 작품도 변해 갔다. 어차피 항상 노인일 테지만 마플은 여기저기서 조금씩 나이를 먹는다. 1964년 『카리브해의 미스터리』에서는 최신 유행에 맞춰 가벼운 천 운동화를 신는다. 그리고 이듬해 『버트럼 호텔에서』 안에서는 나이가 일흔셋 또는 넷 정도로 밝혀지기도 한다. 1965년 크리스티가 마플을 은퇴시키기 직전 작품으로 일부러 포스트오피스타워와 카너비가의 고급 상점 등이 들어선 1960년대 당시의 런던을 배경으로 잡은 이 소설에서 마플 탐정은 거의 60년 전, 열네 살 때 묵었던 호텔을 다시 방문한다. 작중인물에게 사실 여부를 따진다는 게 부질없지만, 이 모든 것이 사실이라면 마플은 1930년대에 서른여덟에서 아홉 정도였을 것이고 그러면 대충 크리스티와 비슷한 나이가 된다. 이 글의 주제와 관련해 더욱 중요한 점은, 여기서도 마플은 "그 나이치고는 경이로울 정도로 시력이 좋다"고 묘사된다는 점이다. 그러나 겨우 3년 전 『깨어진 거울』에서 이 노처녀는 상태가 좋지 않은 눈과 안경 때문에 곤란을 겪는 듯 보였다. 크리스티는 광학 전문가를 살짝 비난하면서 이렇게 썼다. "새 안경마저도 전혀 도움이 되지 않는 듯했다. 호화로운 대기실과 최신 기기를 구비하고 눈부신 불빛을 눈에 쏘아 대고는 그렇게 비싼 진료비를 청구한 안과의사가 아무 도움이 안 되었던 게 틀림없다 싶어 후회되었다. 마플 양은 몇 년 전(글쎄, 몇 년 정도가 아니었을 텐데)만 해도 시력이 얼마나 좋았던가, 하며 그리운 마음으로 돌이켜 보았다."

아마도 그 몸값 비싼 안과의사는 결국 마플을 치료했을 테고, 다음 작품에서 시력이 엄청나게 좋아져서 등장하도록 만들 책임이 있었다. 아니면 트리니다드 최고급 호텔에서 한낮에 벌어진 살인 사건을 해결한『버트럼 호텔에서』에서는 또 다른 마법이 펼쳐진 것인지도 모른다. 누가 알겠나? 마플과 안경 사이의 수수께끼는 재능 있는 아마추어 해결사가 나타나기를 기다리며 풀리지 않은 채 남아 있다.

사악한 구석을
응시하며

우드하우스는 연극 비평을 연재하던⊙『베니티페어』에 기고한「난시를 위한 변명: 안경, 코안경, 고글을 위한 변론 취지서」에서 허버트 조지 웰스와 아널드 베넷 같은 동시대 소설가들이 작품 속 주요 인물에게 안경을 씌울 결단을 하지 않는다고 질타한 적이 있다.

　지브스와 우스터 캐릭터를 탄생시킨 작가 우드하우스는 "안경 쓴 캐릭터와 관련해 소설가가 지켜야 할 규칙"이라는 다음과 같은 목록을 제시했다.

　(a) 안경: 이것은 여주인공에게 우호적인 (1)선한 삼촌

⊙이 코너는 이후 도로시 파커가 넘겨받았다.

329

(2)선한 사무원 (3)선한 변호사 (4)나이 든 남성에게 씌울 것.

(b) 코안경: 이것은 선한 대학교수·은행장·음악가에게 씌울 것. 나쁜 남자에게는 코안경을 씌우지 말 것.

(c) 단안경: 이것은 (1)선한 공작 (2)모든 영국 남자에게 씌울 것. 나쁜 남자에게는 단안경을 씌우지 말 것.

현대인에게는 아마도 마지막 규칙이 가장 터무니없어 보일 것이다. 앞에서 살펴보았듯이 단안경은 이미 선한 공작·영국 남자·귀족 탐정뿐 아니라 비열한 인간·망나니·중부 유럽의 장군 그리고 만화 『땡땡의 모험』 작가 에르제가 창조한 파시스트 비밀경찰 스폰즈 대령까지 두루 쓴 물건이다. 그러나 글을 쓸 당시로써는 이런 일은 다 미래에 벌어질 일일 뿐이었다. 단안경은 우드하우스가 지브스를 만들기 전에 그려낸 인물 루퍼트(때로는 로널드) 유스터스 스미스의 전매특허였다. 느긋하고 침착한 성격에 매끄러운 말솜씨를 지닌 루퍼트는 이튼 졸업생으로 법학을 공부했고, 셜록 홈스를 좋아하며, 뜻밖의 낭만적인 상황이나 극한 범죄 현장에서도 상처 없이 잘 빠져나오는 캐릭터다. 우드하우스는 소설가들이 안경을 써먹기 좋은 분야

중 하나가 공포물이라며 이렇게 썼다. "근시 때문에 극적인 상황에 놓일 가능성을 상상해 본 적 있는가? 추운 날씨에 밖에 있다가 따뜻한 방에 들어서면 안경에 뿌연 김이 서린다는 사실을 알고 있을 것이다. 생각해 보자. 만약 내 소설 속 주인공이 그런 상황에 부닥친다면? 여주인공을 구하려고 살인자의 소굴 앞에서 때를 기다리는 주인공. 드디어 돌진하며 "손들어, 이 나쁜 놈들아!" 소리치는 순간 안경에 김이 가득 서린다. 주인공이 앞을 못 보는 사이에 멀쩡한 악당은 뒤로 물러서며 곡괭이로 한 방 내리치려고 거리를 잰다."

한편 우드하우스는 분명 미국 뒷골목에서 썼을 법한 안경의 비속어를 최초로 활자로 쓴 사람이기도 하다. 지금은 거의 쓰지 않지만, 담배를 달라고 할 때 "벗미"Butt me(찔러 봐)라고 하거나 다리를 "갬스"gams, 약혼반지를 "행컵"handcuff(수갑)이라고 부르듯이, 안경을 가리켜 다소 경멸적인 투로 "치터스"cheaters(사기꾼)라고 부르던 시절이 있었다. 우드하우스가 1920년에 소설 『작은 용사』에서 태연히 그 단어를 쓰고 꼭 12년이 지난 후에 작가 데이먼 러니언도 『아가씨와 건달들』에서 제대로 써먹었다. 오늘날에는 흔치 않다고 해도 『메리엄웹스터 현대 미국 영어 사전』에는 '치터스'가 "안경을 가리키는 미국 속어"라고 정의되어 있다. 우드하우스 시대에 썼을 듯한 예문으로 제시된 문장은 이렇다. "메뉴판을 보려면 '치터스'가 있어야겠어요." 내가 30년 넘게 미국을 오가면서 단 한 번도 들어본 적 없는 말이다. 하지만 모를 일이다. 그저 내가 식당을 잘못 고른 것일 뿐일지도.

안경이란 시력을 부정한 방식으로 끌어올리는 물건이며 시력이 약한 사람이 원래 볼 수 없어야 마땅한 것을 어떻게든 보게 한다는 낡은 관념에 기대어 여전히 비속어로서는 '치터스'라는 말이 쓰이고 있을 게 틀림없다. '치팅'cheating도 마찬가지. 강풍을 막아 준다고 하여 '윈드치터'wind-cheater라 불리는 방한복류의 이름도 똑같은 원리로 쓰인다.

메리엄웹스터는 '사기꾼'이 일반적으로는 "부정하게 규칙을 위반"하거나 "바람기가 있는" 사람이라고 설명한다. 그리고 로버트 블로흐가 1947년 발표한 신랄하고도 오싹한 단편 「더 치터스」도 특정한 안경 한 벌을 가리키는 이름인 동시에 살인자·사기꾼·좀도둑·배신자·협잡꾼·오입쟁이가 될 여러 등장인물의 비열한 행동을 암시하는 제목이다. 첫 번째 등장인물의 서사를 통해 소설은 '치터스'라는 안경을 입수한 네 사람의 불행한 운명을 드러낸다. 제일 먼저 이 안경을 손에 넣는 사람은 싸구려 골동품점 주인인 공처가 조 핸쇼이다. 쓸모없는 물건을 자꾸 끌어모은다고 늘상 아내 매기에게 '쓸모없는 인간'이라는 욕을 들으면서도, 핸쇼는 버려진 어느 낡은 저택에 있던 물건을 무작정 사들인다. 거기서 건진 거라고는 코에 걸치는 브릿지에 '진리'라는 글자가 새겨진 낡은 은테 안경 한 벌뿐이다.

핸쇼는 이 '치터스'를 써 본다. 그러자 아내 매기가 말을 할 때 그 속마음이 눈에 보인다는 사실을 깨닫고 이렇게 설명한다. "어떻게 된 일인지 모르겠지만, 다 보여. 글자를 읽거나 소리를 듣거나 하는 것도 아니고. 그냥 보여. 아내를 바라보기만 해도 뭘 생각하는지, 뭘 하려는지가 보여. 그러면 진짜 그 일이 일어나."⊙

마음을 읽는 방법을 익힌 핸쇼는 매기와 동업자 제이크가 바람이 났고 바로 그날 밤 자신을 살해할 계획임을 알아낸다. '둘이 뭘 하려는지 다 알아. 다 보인다고. 이게 '비겁한 짓'cheaters일까? 비겁한 건 '바람을 피운'cheaters 그 둘이지. 내 등 뒤에서 날 끝장낼 준비를 하고 있었다고.'

⊙이 작품은 1960년 배우 보리스 칼로프가 매회 서두를 열던 『환상특급』풍 텔레비전 시리즈 『스릴러』 중 한 편으로 방영되었는데, 각색을 맡은 도널드 S. 샌퍼드는 마음을 읽는 장면을 시각적으로 구현할 방법을 찾지 못해 그냥 상대방의 생각이 소리로 '들리는' 것으로 대체했다.

말할 것도 없이, 양쪽의 입장은 뒤바뀐다.⊙

핸쇼의 아내 매기는 안경을 쓰지 않는다. 그러나 싸구려 통속 소설과 느와르 영화가 주름잡던 시대의 장르 소설은 안경 쓴 여성을 촌스럽고도 사악한 존재로 그리는 경우가 더 많았다. 이 점에서는 레이먼드 챈들러가 1949년 발표한 『리틀 시스터』만큼 노골적인 작품도 없을 것이다. 책 제목이 가리키는 사람은 "꼭 사서처럼 보이는" "무테안경"을 쓴 "신경질적인 모습의" 젊은 여성이다. 디킨스 소설 속 인물이나 모비딕에서 익사한 선원 이름처럼 들리는 오파 메이 퀘스트라는 이름을 가진 이 여성은 표면적으로는 캔자스주 평원 지역에서 온 청교도이다. 술은 입에도 대지 않고 담배를 싫어하면서도 술 마시는 탐정을 고용하는 데는 거리낌이 없는 퀘스트는 그 성이 암시하듯, 풀어야 할 문제가 있어 탐정 필립 말로를 고용한다. 샌프란시스코 하숙집에서 사라진 오빠 오린을 찾는 일이다. 이 소설의 구성은 챈들러 작품임을 고려하더라도 유난히 복잡하게 얽혀 있고, 협박·강탈·부모에 대한 배신 그리고 소련의 혁명가 트로츠키처럼 얼음송곳에 찔려 죽는 사람들이 줄줄이 나온

⊙1963년 레이 넬슨이 쓴 단편 「아침 여덟 시 정각」을 원작으로 하는, 필립 K. 딕과 동시대에 활동한 존 카펜터의 1988년 작 컬트 영화 『화성인 지구 정복』에서도 끔찍한 진실을 드러내는 신기한 안경이 소재로 쓰인다. 여기서는 직장을 잃고 떠돌던 남자가 우연히 얻은 선글라스를 통해 지배층이 해골 머리를 한 외계인이며, 그들이 나머지 지구인의 무의식을 조종해 소비를 강요하고 있음을 알게 된다.

다. 뒤를 찔린 트로츠키와 달리 이들은 목을 찔리긴 하지만. 그중에는 엘센트로에서 온 "은퇴한 검안사"도 있는 듯한데 여기서 그 이야기까지는 가지 말자. 우리가 신경 쓸 것은 못생긴 외모의 핵심 요소로 작용하는 퀘스트의 안경이다. 캔자스 평원이 그렇게까지 온통 심심한 곳이라고 말하는 건 다소 부당할 수도 있지만, 퀘스트는 자기가 사는 동네만큼이나 특징 없는 모습으로 말로 앞에 나타나는데 이것은 분명 챈들러가 의도한 것이다.

자기를 꾸밀 줄 아는 캘리포니아 여성이라면 절대 빠트리지 않을 치장을 전혀 하지 않은 모습에 혐오감을 느낀 말로는 이렇게 말한다. "나는 퀘스트의 안경과 부드러운 갈색 머리, 우스꽝스러운 작은 모자, 아무 색도 칠하지 않은 손톱, 립스틱도 안 바른 입술과 창백한 입술 사이로 들락거리는 혀끝을 바라보며 그냥 가만히 앉아 있었다." 말로는 특히 "무테안경"을 쓰는 것은 자연을 거스르는 것으로 생각해, 아예 다른 스타일로 바꿔 보라고 제안한다. "그 모자 좀 벗어 버려요. 그리고 안경테에 색을 넣은 우아한 안경을 맞추도록 해요. 있잖아요, 비스듬하게 꺾이고 동양적인 그런 거."

말로는 여러 작품에서 저녁에 마신 하이볼 잔과 아침

에 입가심한 잔을 거의 강박적일 정도로 꼼꼼하게 설거지하고 닦는 인물로 등장한다. 올드 포레스터 버번을 따를 유리잔 종류에 가장 관심이 많은 남성이니만큼, 현재 유행하는 여성용 안경을 제법 훤히 꿰고 있는 것도 이해가 된다. 여기서 언급한 안경은 일반적으로 캐츠아이라고 알려진 것으로 여성에게 꾸준히 사랑받은 디자인이다. 렌즈가 흡사 나비 날개같이 생겼고 장식용으로 바깥쪽 모서리가 귀처럼 길쭉하게 솟은 캐츠아이는 가장무도회에서 쓰는 가면 같은 특징을 지니고 있다. 그래서 '할리퀸'이라고도 부른다. 대담하게 모양을 잡고 특이한 디자인을 입힌 이 안경은 착용자에게 시선을 집중시켜 더욱 돋보이게 해 주는데, 그런 까닭에 대체로 과시적이라는 평을 받았다.

1930년대에 처음 등장한 이 안경은 두 세기 전 안경다리가 생겨난 것만큼이나 중요한 안경 디자인 혁신의 결과다. 이로써 착용자 얼굴 윤곽에 더 잘 어울리는 안경을 제작할 수 있게 되었다. 1930년에서 1931년 사이 미국안경회사에서 출시한 '풀뷰'와 '하이웨이'·'광각' 같은 안경테에서 전조가 보였던 커다란 변화는 바로 안경다리와 안경테가 만나는 부위를 바깥 모서리 중앙에서 위쪽으로 옮긴 것이었다. 이러면 안경 옆으로 다리 선이 보이지 않아 주변 시야가 트여 더 선명하게 볼 수 있었고, 렌즈 아래쪽이 얼굴에 더 가까이 붙도록 렌즈에 기울기를 주어 "얼굴에 꼭 맞게" 쓸 수 있었다. 원래는 광학적인 목적에서 눈동자가 움직이는 범위와 렌즈 중심부가 더 잘 맞아떨어지게 하려고 개발한 것이었지만, 미적으로도 대단한 성과를 거두었다. 캐츠아이는 당시 디자이너와 안경 제조사, 특히 여성을 위한 맞춤 안경테 제작 분야에 새로운 가능성을 열어 준 상징적인 제품이었다.

말로가 언급했듯이, 색 또한 점점 착용자의 성별을 나타내는 표식이 되었다. 분홍은 한때 남성성을 강하게 드러냈고, 젊음과 활기를 상징하기에 남자아이에게 입히기 좋은 색이었다. 성모 마리아 성화에 쓰는 파란색은 여자아이용이었다. 피츠제럴드의 제이 개츠비가 1922년에도 여전히 분홍색 정장을 소화해 내기도 했고 그 작품 자체가 동성애적 의미를 내포했다고는 하지만, 당시 이미 분홍이 여성의 색이라는 인식이 뚜렷해지고 있었다. 파란색이 재빨리 남성만의 색으로 변해 갔듯이 말이다. 1934년 미국광학회사는 "분홍색을 입은 자일"이라는 문구 아래 명확히 여성을 겨냥한 새로운 유색 안경테를 출시했다. "색감이 우아하고" "높은 안경다리에 걸맞은" 이 "풀뷰" 안경테는 바비

웅거앤드애드록의 캐츠아이 안경.

인형이 꿈꾸었을 듯한 "분홍 크리스털" 플라스틱 통에 담겨 나왔다.

『리틀 시스터』에서 퀘스트는 말로의 제안에 따라 새 안경을 맞추고, 화려한 외모로 변신한다. 달라진 퀘스트의 모습을 본 형사의 머릿속에 경고음이 울린다. "정면 유리창 너머 매장 안을 들여다보았다. 끝이 치켜 올라간 안경을 쓴 여성이 잡지를 읽고 있었다. 오파메이 퀘스트처럼 생긴 여성이었다. 어쩐지 목이 콱 조여 왔다."

무테안경을 잃는 것은 순수함을 잃는 것이라 해석할 수 있다. 캔자스 출신의 순진한 아가씨는 로스앤젤레스의 썩은 늪지와 만나자 인정사정없는 조종자로 변모했다. 그러나 이 무자비함은 이미 항상 존재했고 순진한 외양은 단지 표피에 불과했다고 볼 여지도 얼마든지 있다. 때가 와서 비로소 관심이 무르익었을 뿐. 이렇게 벗어 버린 원래의 촌스러운 옷차림과 '무테안경'은 이야기 후반부에서 다시 등장해 눈길을 끄는데, 그 사이 퀘스트가 저지른 악랄한 행위가 티끌만큼도 드러나지 않을 정도로 자연스럽게 예전 모습이 되살아난다.

　말로는 그 성별과 세대가 많이들 그랬듯이, 게다가 워낙 전문적인 관찰력을 지닌 까닭에, 안경을 벗으면 더 아름다워질 여성을 아주 쉽게 알아본다. 그리고 소설 초반에서 퀘스트에게 안경을 벗게 하고는 '오 세상에, 정말 아름답군요'라는 듯한 동작을 보여 준다. 이런 장면을 영화 제작자들이 얼마나 좋아하는지 요즘도 종종 보이는데, 무려 2019년 작 『트루 시크릿』도 출연한 쥘리에트 비노슈가 성애적 감정을 품고 다가서는 어린 연인 프랑수아 시빌의 손에 안경이 벗겨지는 수모를 당하는 장면이 등장할 정도다.

　등장인물이 얼굴에 자몽을 뒤집어쓰는 것에서부터 베벌리힐스 수영장에 엎드린 채 둥둥 떠다니는 시체로 끝을 보는 것까지 온갖 일을 당하기 십상인 장르이니만큼, 퀘스트 역시 그저 (안경을 빼앗겨) 눈앞이 잠시 흐려지는 수준을 넘어 훨씬 더 나쁜 일을 당할 수도 있을 것이다. 챈들러가 그려 낸 말로는 기사도의 화신으로서, 적어도 미투 운동이 일어나기 전의 관점으로 본다면 상대를 유혹할 때도 무시무시한 추리소설이라는 장르를 벗어나지 않는 선에서 꽤 점잖은 태도를 보인다.

손을 뻗어 안경을 확 잡아챘다. 퀘스트는 비틀거리듯 한 걸음 뒤로 물러섰고, 나는 순수한 본능에 이끌려 퀘스트의 몸에 팔을 둘렀다. 퀘스트는 눈이 커다래져서 두 손으로 내 가슴을 밀쳤다. 새끼 고양이가 미는 힘만큼도 안 되었다. "안경을 벗으니 두 눈이 정말로 근사하군요." 나는 경탄하며 말했다. 퀘스트는 긴장을 풀고 머리를 뒤로 젖히며 입술을 살짝 벌렸다. "고객에게 늘 이러는 모양이죠." 퀘스트가 부드러운 목소리로 말했다. 두 손은 이제 옆으로 늘어뜨린 상태였다.

퀘스트가 짐작한 대로 탐정은 전부터 안경을 쓰지 않은 여성이 더 매력적이라고 생각해 왔다. 예를 들어 7년 앞서 나온 『하이 윈도』에서는 말로가 극도로 흥분한 멀 데이비스를 진정시키는 와중에 사건이 벌어진다. "뿔테 안경을 쓴 가녀리고 연약해 보이는 금발 여성"인 데이비스는 말로의 고객인 머독 부인의 비서인데, 고용주가 자신이 저지르지 않은 살인을 덮어씌우려 한다는 사실을 알지 못한다.

구조를 비틀기 좋아하는 챈들러 작품으로서는 별로 놀랍지 않은 설정이다. 바람난 아내 그리고 사라진 희귀한 금화 '브레이셔 더블룬'을 찾는 일로 부드럽게 시작하는 이 소설을 읽는 독자들도 앞의 그 사건이 일어나는 상황을 거의 알아채지 못한다. 하지만 여기서 데이비스가 계략을 알아채지 못하는 것은 시력이 약하다는 점과 절대 무관하지 않다. 문제의 그 장면에서 말로는 책상 앞에서 안경 '없이' 울고 있는 데이비스를 발견하고 방에 들어가 문을 닫은 뒤 두 팔로 데이비스의 "가녀린 어깨를 감싸" 안는다. 데이비스는 흠칫 놀라 뿌리치지만, 그 눈을 바라본 말로는 깨닫는다. "데이비스의 얼굴은 온통 붉고 눈물로 젖어 있었다. 안경을 벗은 두 눈이 정말이지 사랑스러웠다."

또 한 번 안경이 등장하는 장면이 이렇게 마무리된다. 늘 그렇듯이.

『리틀 시스터』는 챈들러가 별로 즐겁지 않은 할리우드 각본가 생활을 끝낸 뒤 처음으로 완성한 소설이다. 그래도 제임스 M. 케인의 작품을 각색한 빌리 와일더 감독의 영화 『이중배상』과, 직접 썼지만 완성은 못 했던 조지 마셜 감독의 『블루 달리아』 각본으로 아카데미상 후보에 올랐고 돈도 꽤 많이 벌었다.

『블루 달리아』 이후 챈들러는 퍼트리샤 하이스미스가 1950년 발표한 첫 소설 『열차 안의 낯선 자들』을 영화화하려는 앨프리드 히치콕 감독에게 이끌려 결국 할리우드로 되돌아갔다. 히치콕 특유의 스타일을 가장 잘 반영한 작품으로 꼽히는 이 영화는 안경 한 벌을 상당히 흥미롭게 활용한다. 그러나 할리우드 최고의 각본가와 감독의 결합이라며 신문 지상을 떠들썩하게 장식했던 챈들러와 히치콕은 서로 잘 맞지 않았다. 챈들러는 시안 두 건을 낸 다음 아무 예고 없이 해고당했다. 최종 대본을 입수한 챈들러는 작품이 "클리셰 범벅"이라고 비난하면서 자신의 재능을 완전히 허비했다고 분노 가득한 편지를 감독에게 보냈다. 챈들러는 이미 할리우드의 매니저 레이 스타크에게 히치콕은 "카메라 효과를 위해서라면…… 언제나 주저 없이 극적인 논리를 희생시킨다"고 불평한 바 있었고, 나중에는 "샴페인 잔을 통해 화면을 거꾸로 보이게 찍는 것"보다 이야기 진행이 더 중요하다는 사실을 아는 감독과 일하고 싶다고 말하기도 했다.

영화화한 수많은 작품이 그렇듯, 게다가 히치콕의 작품인 만큼, 『열차 안의 낯선 자들』의 내용은 원작 소설과는 상당히 다르다. 예를 들어 하이스미스 소설에서 가이 헤인스는 테니스 선수가 아니라 프랭크 로이드 라이트나 에인 랜드의 소설 『파운틴헤드』의 하워드 로크 같은 현대적 성향을 지닌 건축가이다. 발각되지 않으려고 교환 살인을 제안하는 브루노 앤서니의 원작 속 이름은 찰스 브루노라든지, 등등. 그러나 각색한 부분 중에서 어느 모로 봐도 챈들러가 참여한 후 일어난 변화로, 우리 눈에 제일 잘 띄는 지점은 미리엄 조이스 헤인즈라는 인물에게 두꺼운 안경을 씌우기로 한 것이다.

원작에서 브루노가 가이에게 들은 미리엄의 외모 특징을 종이에 적어 나가는 장면이 나오므로 독자는 책을 통해 미리엄의 생김새를 꽤 파악할 수 있다. 그러나 소설 어디에도 미리엄이 안경을 쓴다는 이야기는 나오지 않는다.⊙ 반대로 영화 최종 대본의 인물 설명에서는 다른 내용은 줄어들고 안경이 얼마나 중요한지가 강조되었다. "미리엄은 아직 어려서 얼굴이 예쁘다. 시간이 흘러도 사라지지 않을 어리숙하고 천박한 면모가 있다. 자기중심적이며 복수심을 품고 있으면서도 어떤 남자도 자신을 거부할 수 없다고 확신한다. 근시용 렌즈를 끼운 할리퀸 안경을 써서 머릿속에 든 뇌만큼이나 눈도 작아 보인다."

⊙전기작가 앤드루 윌슨에 따르면 하이스미스는 말년에 굉장한 구두쇠가 되어 "스위스보다 20퍼센트 더 싸다는 이유로 자동차로 국경을 넘어 이탈리아까지 가서 독서용 안경을 맞추는 수고"를 했다고 한다.

거의 전적으로 부정적인 시선으로, 심지어 어리고 예쁜 모습마저도 미숙함으로 치부한 이 설명에 따르면 미리엄은 손쓸 수 없을 정도로 끔찍한 골칫덩이 안경잡이다. 할리퀸 안경이라는 이름은 이탈리아 즉흥극 코메디아델라르테에 등장하는 가면 쓴 교활한 광대에서 유래한 것으로, 영화에서는 미리엄이 마치 역한 냄새를 풍기며 쇠스랑을 들고 다니는 뿔난 악마인 양 묘사하는 도구로 활용된다. 배우 케이시 로저스가 맡은 미리엄은 불성실하고, 계략을 꾸미며, 돈을 빼돌리고, 신뢰할 수 없고, 성적으로 문란해 브루노가 목을 조르려는 바로 그 순간까지도 음란한 눈빛을 주고받는 대단한 악녀다. 그러나 작품 속에서 분명 최고로 매력적인 인물이기도 하다.

미리엄의 안경은 영화에서 시각적으로 가장 강렬한 장면에 쓰였다. 카메라 감독 로버트 버크스가 촬영한 장면으로, 독일 표현주의 영화의 비틀린 시선을 오마주한 이 작품 속에서 관객은 미리엄이 교살당하는 모습을 안경 렌즈를 통해 보게 된다. 몸싸움 중에 잔디 위로 떨어진 그 안경은 마치 놀이동산의 요술 거울처럼 엎치락뒤치락하는 브루노와 미리엄의 모습을 일그러진 형상으로 보여 주며, 회전목마 음악을 배경으로 벌어지는 살인 장면을 비추는 화면으로 활용된다. 그리고 역시 원작과는 다르게, 살인자는 한쪽 렌즈가 깨진 그 안경을 다시 주워 가이에게 가져가 교환 살인에서 자신의 임무를 완수했다는 증거로 쓴다.

이후 브루노는 앤 모튼의 여동생인 열일곱 살 바버라를 만나는데, 안경을 바버라를 보고 살인의 기억을 떠올린다. 대본에 따르면 "키와 생김새 등 겉모습이······ 미리엄을 닮은" 인물로, 히치콕의 딸 퍼트리샤가 연기한 바버라는 머리는 좋지만 외모가 전혀 예쁘지 않은 포동포동한 공붓벌레다. 바버라가 쓴 안경은 미리엄을 떠올리게 하는 동시에 루스 로만이 연기한 여주인공다운 미모를 지닌 언니 앤에 비해 바버라의 매력이 얼마나 떨어지는지 강조하는 역할을 한다.

그러나 로만과 퍼트리샤가 연기한 앤과 바버라 자매는 챈들러의 『리틀 시스터』 속 자매와 무척 닮았다. 퍼트리샤는 순수해 보여도 사실은 악랄한 오파메이 퀘스트와 꽤 닮아 보인다. 컷 당 5달러에 범죄 잡지의 모델을 서기도 하면서 6년 동안 단역을 전전하며 버틴 끝에 명성을 얻는 로만의 모습에서는 악착같은 신인 여배우 마비스 웰드로 변신하는 매력적인 언니 레일라 퀘스트를 떠올리게 된다.

히치콕과 동료들이 챈들러가 제시한 설정이나 앞서

발표한 소설의 구성을 훔쳐 썼는지 아닌지 확인할 증거는 없지만, 영화 『열차 안의 낯선 자들』과 『리틀 시스터』 양쪽 다 기만적인 안경잡이가 서사에서 핵심적인 역할을 맡는다는 점은 흥미롭다. 말로가 퀘스트에게 추천했던 끝이 치켜 올라간 안경을 미리엄이 선호한다는 사실도.

그러나 당시 히치콕은 챈들러 못지않게 안경 쓴 여성 인물을 많이 만들어 냈다. 히치콕의 작품 세계를 분석한 책 『히치콕의 모티프』에서 작가 마이클 워커는 한 장 전체를 할애해 히치콕이 영화에서 안경을 활용하는 방식을 설명하고, 우드하우스가 소설가에게 제안한 규칙처럼 히치콕이 주로 안경을 씌운 인물 유형을 목록으로 제시한다. 남성 중에서는 "『스펠바운드』의 정신분석학자 브룰로프 박사처럼 상당히 지적인 인물"에서부터 "『영 앤드 이노센트』에서 로버트의 변호사처럼 웃기고 덤벙대는 인물", "『무대 공포증』의 포르테스크 같은" 느낌을 주는 인물까지가 여기에 해당하는데, 모두 '사악한'이라는 일반 분류에 속한다. 약간 겹치기는 하지만 여성에게는 좀 더 많은 규칙이 적용된다. 히치콕 영화에서 안경 쓴 여성은 보통 "『39 계단』의 패멀라처럼 지적·학구적이지만 노처녀인 인물", "『오인』에서 오코너 변호사의 비서 같은 역할", "『무대 공포증』에서 샬럿의 가정부 넬리처럼 돈 욕심 많은 인물"이거나, 가장 뚜렷한 경우는 "『현기증』의 미지처럼 여주인공보다 확연히 덜 매력적인 인물"과 "『열차 안의 낯선 자들』의 미리엄같은 인물"이다. 워커는 히치콕 영화에서 안경 쓴 여성은 거의 다 "날카롭고 관찰력이 뛰어나며 약간 무서운 편"이라고 주장한다. 안경 쓴 여성이면서 "웃기고 덤벙대는" 인물은 거의 없는데, 사실 좀 웃긴다 싶은 장면에도 언제나 약간은 잔인한 구석이 있다. 예를 들어 히치콕은 『이창』에서 연애에 목마른 중년 노처녀 론리하츠가 화장할 때 안경을 써야 거울을 볼 수 있다는 설정으로 더 애처로운 느낌을 주고자 했다.

제 눈에 안경

이와 비슷한 장면이 한 해 앞서 개봉한 영화 『백만장자와 결혼하는 법』에서 좀 더 따뜻한 느낌으로 그려졌다. 베티 그레이블, 로런 버콜과 함께 이 작품에 출연한 마릴린 먼로가 연기한 폴라 데베부아즈는 코믹한 근시 캐릭터로, 백화점 모델 일을 하며 돈 많은 남자를 노리는 어리숙한 금발 여성이다. 허영심 때문에 안경을 쓰지 않고 데이트하러 갔다가 선망하던 부유한 구혼자를 알아보지 못하는 때가 많아서, 거울로 가득한 분장실에 앉아 있는 장면에서 함께 백만장자를 노리는 친구 버콜에게 이런 핀잔을 듣는다. "솔직히 말이야, 폴라. 같이 있는 사람이 누군지 알아볼 때까지만이라도 안경을 쓰고 있는 게 좋지 않겠어?"

쉬면서 화장도 고치고 남편 후보감의 재정 상태도 비교해 보곤 하는 여성만의 피난처인 이 분장실은 폴라가 마음 놓고 캐츠아이 안경을 쓸 수 있는 몇 안 되는 공간이다. 그리고 사실 히치콕의 론리하트와 마찬가지로 폴라는 "안경이 없으면 앞을 못 보는 박쥐나 마찬가지"인 터라 립스틱을 바르거나 한쪽 벽에 세워 둔 네 폭짜리 접이식 거울로 온몸을 두루 살펴보려면 안경을 써야 한다. 매릴린 먼로는 화면을 가득 채우는 네 폭 거울 전체를 통해 몸에 딱 붙는 붉은 실크 원피스를 입은 모습을 관객에게 보여 주며 한바탕 패션쇼를 한 다음 한숨을 쉬며 안경을 벗어 가방에 밀어 넣는다. 그러고는 문을 향해 일부러 또각또각 걸어가다가 방향을 완전 잘못 잡은 탓에 오른쪽 벽에 쾅 하고 부딪친다. 재빨리 자세를 고쳐 잡은 폴라는 손잡이를 잡고 드디어 문을 빠져나간다. 밖에서는 눈이 하나밖에 없는 남자가 한쪽 눈에 안대를 한 채 기다리고 있다. 폴라는 그레이블과 버콜이 일러 주기 전까지는 그 안대가 멍 자국인 줄 안다. 영화는 이처럼 근시 때문에 벌어지는 오해와 배우가 어딘가에 부딪치는 코믹한 장면으로 가득하다.

사후에 출간된 자서전 『매릴린 먼로, 마이 스토리』에서 먼로는 어린 시절 후견인이던 그레이스 아줌마가 자신에게 몇 주 동안 25센트짜리 눅눅한 빵 몇 봉지만 먹이고, "렌즈값 50센트를 못 내서" 한쪽 렌즈가 빠진 채로 안경을 쓰고 다닐 정도로 끔찍하게 궁핍했다고 회상했다. (이 책은 대부분 히치콕의 각본 수정 작가 벤 헥트가 대필했다. 비록 히치콕은 이 금발 머리가 성적으로 "천박하고 빤하다"고 일축했지만.) 그레이스와 혈연관계가 아니었던 먼로에게도 점점 근시 증세가 나타났다. 먼로는 공개석상에 안경을 쓰고 나타난 적이 없을뿐더러 『백만장자와 결혼하는 법』 각본을 받았을 때도 안경 쓴 모습으로 화면에 등장하기를 몹시 주저했지만 장 네굴레스코 감독은 고집을 꺾지 않았다. 사실 안경 쓴 마릴린이라는 발상은 영화 속에서 길게 이어지는 농담처럼 치부되었다. 폴라가 비행기에서 만나 마침내 손에 넣는 남자 프레디 덴마크도 근시로, 우연히도 나쁜 시력 때문에 엉뚱한 비행기에 탄다. 폴라가 책을 거꾸로 들고 읽는 척하는 것을 프레디가 알아채면서 두 사람은 대화를 시작한다. 프레디는 마침내 폴라에게 안경을 써도 괜찮다는 확신을 주고, 특히 빚쟁이를 피해 다녀야 할 때 안경이 아주 요긴하다고 말한다. 그리하여 똑같이 안경을 쓰는 이 남자야말로 폴라를 진정으로 사랑할 수 있는 사람이라는 암시를 남기는데, 20세기 중반 미국 남성의 사고방식으로 볼 때 폴라라는 인물은 비난받기 좋은 대상이었기 때문이다.⊙

그러나 『백만장자와 결혼하는 법』 개봉을 홍보하는 핵심 요소는 인형처럼 예쁜 배우만이 아니었다. 시네마스코프로 촬영한 최초의 작품이라는 영화계의 극적인 사건을 목도하는 것 또한 이 영화의 중요한 볼거리였다. 시네마스코프는 꾸준히 영화를 관람하던 관객이 집에 주저앉

⊙자서전에서 먼로는 "언제나 안경 쓴 남성에게 매력을 느꼈다"고 고백했다. 그리고 그 말대로, 『백만장자와 결혼하는 법』를 찍은 지 3년 후 작가 아서 밀러와 연애하고 결혼까지 해 언론과 팬들을 깜짝 놀라게 했다. 『세일즈맨의 죽음』과 『시련』을 쓴 작가로, 먼로보다 열두 살이나 더 많은 40대인 데다 안경 쓴 대머리 남성이던 아서 밀러는 세간에서 연애 상대로 떠올릴 만한 인물이 아니었다. 결혼식에서 축사를 맡은 각본가 조지 액설로드는 앞으로 태어날 아이가 '아서의 외모와 마릴린의 두뇌'를 물려받기를 바란다는 농담을 건넸다. 일반 대중이 밀러를 알아볼 수 있는 요소는 아마도 두툼한 뿔테 안경이었을 것이다. 확실히 밀러가 그 안경을 쓰지 않은 사진은 찾아보기 어렵다. 앨릭스 갈런드가 연출한 2020년 실리콘밸리 SF 스릴러 시리즈 『데브스』 3편에서는 기술 과학자 스튜어트가 먼로와 세 번째 남편이 성관계하는 현장을 밀러가 지켜보는 장면을 역사 기록에서 불러오는데, 거기서도 안경을 쓰고 있을 정도다.

아 텔레비전만 보지 않고 계속 극장을 찾도록 유도하려고 20세기폭스가 개발한 가로 폭이 긴 화면 형식이다. 영화사는 이 화면으로 더 크고, 정확히 표현하자면 더 넓고, 훨씬 시원하게 영화를 볼 수 있다고 장담했다. 폭스사는 성경을 소재로 한 영화 『성의』The Robe를 이 새로운 형식으로 제작해 관객에게 선보이기로 했다. 은막의 여신을 신으로, 남자를 노리는 여자를 '인간의 아들'로 대체한 것이다. 그러나 두 작품 모두 포스터에 "안경 없이도 관람 가능!"이라는 문구가 대대적으로 들어갔다. 워너브러더스와 컬럼비아 같은 경쟁사가 영화관의 미래라며 야단스럽게 홍보하던 3차원 영화를 보려면 적록색 안경을 써야 했던 점을 염두에 둔 것이었다. 시네마스코프 못지않게 3차원 영화도 관람객이 다른 데서 얻을 수 없는 경험을 선사하고자 고안한 것이었다. 1951년 3차원 영화의 가능성을 보여 준 노먼 맥라렌의 초기 단편 영화 제목은 (안경을 쓸)『때는 바로 지금』이었다. 1950년대 초 반짝 인기를 끌던 시기에 극장에 걸린 3차원 영화는 전부 상영 전에 이 문구를 띄웠다.

눈썰미 좋은 사람이라면 『백만장자와 결혼하는 법』 영화 포스터 속 먼로가 '안경을 쓰지 않고' 있다는 사실을 눈치챘을 것이다. 시네마스코프에 흥미를 갖게 하려고 극장 앞에 붙이는 작은 포스터로 썼던, 그 분장실 거울에 줄줄이 비친 먼로의 모습을 담은 사진에서도 안경은 흔적도 찾아볼 수 없다. 그 포스터는 기꺼이 입장료를 낼 의향이 있는 사람에게 먼로와 여배우들의 몸매를 더욱 큰 화면으로 즐길 무한한 기회가 기다리고 있음을 암시했다. 그리고 실제로 기대는 어긋나지 않았다. 특히 폴라가 수많은 옷을 선보이는 모델 역할이다 보니 수영복이며 그 밖에 몸에 딱 붙는 의상을 입고 기존보다 더 넓어진 화면을 별 뜻 없이 천천히 오가는 모습이 영화 중간중간 계속 나왔으니 말이다. 전체적으로 그렇게 많은 분량을 차지하지는 않았어도 끝내주게 멋진 폴라의 모습을 즐기기에 괜찮은 정도였다. 당시 삼류 소설이나 비밀리에 유통하던 외설 서적에서는 폴라를 '안경 쓴 치즈케이크'라는 은어로 불렀다.⊙

⊙물론, 풍만한 몸매에 헐벗은 안경잡이 여성 사서를 성적 환상의 대상이자 페티쉬로 삼는, 포르노 소설 중에서도 완전히 하위 장르로서 사실상 노골적인 포르노그래피에 해당하는 장르가 따로 있다. 작가이자 전 교도소 사서였던 아비 스타인버그는 2012년 『파리리뷰』에 「체킹아웃」이라는 제목으로 쓴 글에서 이 분야를 더욱 학구적인 측면에서 조망했다. 스타인버그는 오늘날 비슷한 작업을 하는 외설 작가들은 "어둠침침한 불빛 아래 사서는 두꺼운 안경을 쓰고 머리는 틀어 올렸고"라는 등 "틀에 박힌 대화"를 반드시 넣으며, 1960년대에서 1970년대 사이 주로 쓰던 구절 중 "사서를 세게 박는다", "핫팬츠 입은 사서", "흥분하는 사서", "완전히 흥분한 사서", "핥기 좋아하는 사서"같은 구절을 추앙하며 인용한다고 썼다. 이 작업에 스타인버그는 소셜미디어의 도움으로 찾아낸 레스 터커의 상당히 유명한 대여용 외설 소설 『음란한 사서』표지를 참고 자료로 썼다. "성인 독자용"으로 1970년 비라인에서 출간한 이 소설은 얌전해 보이는 외모

그러나 영화 말미에서 캐츠아이 안경을 쓰고 행복한 결혼을 하며, 이론상으로는 필립 말로의 승인을 얻을 만큼 근사한 모습을 보여 준 그 폴라, 그러니까 먼로는 안경을 쓸 수밖에 없는 여성에게 힘이 되었을 것이다. 물론 그 여성이 일상적으로 분장실 벽에 머리를 부딪치고 엉뚱한 비행기에 올라타는 환상을 품지 않았을 때에만.

안경, 패션이 되다

『백만장자와 결혼하는 법』이 극장에 걸린 1953년에 언론인 르노어 헤일펀은 『인디펜던트우먼』에 기고한 글에서 "조금만 신경 써서 찾아보면 누구든 자기 얼굴형과 색깔에 어울리는 안경을 구할 수 있다. 안경이 여성의 아름다운 외모를 망칠 거라는 주위의 의견에 더는 귀 기울일 필요 없다"고 주장하며, 미래를 내다보기라도 한 듯 이렇게 덧붙였다. "시력에 아무 문제가 없어도 얼굴 윤곽을 살짝 바꾸고 싶은 여성은 근사한 새 안경테를 골라 도수 없는 유리를

에 안경을 쓰고 머리를 단정히 올렸지만 옷은 거의 걸치지 않은 여성이 책장 아래쪽에 등을 대고 누운 남자 위로 다리를 벌리고 올라탄 그림으로 장식되어 있었다. 남자는 커다란 책을 아직 한 손에 쥔 채로 상반신은 벌거벗고 하반신에는 빨간 바지를 입고 있다. 제목 아래 적힌 "단정한 아가씨가 서가 뒤에서 예의의 가면 그 이상을 벗어던진다…… 누구든 요청만 하면"이라는 문구가 이 적나라한 광경을 더욱 강화하며, 책 내용에 대한 어떠한 의심도 하지 않게 해 준다.

끼워 쓸 것이다."

도로시 파커식 편견이 여전하다 못해 챈들러와 히치콕 같은 이들의 작품에서처럼 문화 전반에서 확연히 드러나고 있긴 했지만, 『라이프』와 『하퍼스바자』 같은 당대 잡지에는 헤일펀과 비슷한 의견이 담긴 글이 실리고 진정한 여성용 디자이너 안경테의 첫 세대가 점차 모습을 드러내며 확실히 변화의 바람이 불고 있음을 보여 주었다.

이 시기에 이러한 분위기가 형성된 것은 완전히 새로운 소비재와 백색 가전이 출현한 데 따른 자연스러운 현상이었다. 냉전은 미사일뿐 아니라 상품을 두고도 벌어졌는데, 공산품과 기술 혁신, 물질적 안락이라는 측면에서 두 체제가 상대편을 능가하려고 기를 쓰며 경쟁했다. 철의 장막 서편에서는 여성의 역할이 거의 전차 타던 시절에 머물러 있었는데, 사회사가 버지니아 니컬슨이 간략히 종합한 바에 따르면 당시에는 "얌전히 집 안에 머무는 순종적인" 여성을 이상으로 여겼다. 일반적 인식으로나 광고에서 주장하는 내용으로나 이상적인 여성상이란 모자에 어울리는 장갑을 갖고 있으며, 거들 차림에 프릴 달린 앞치마를 입은 허리 잘록하고 엉덩이 풍만한 여신이던 시절이었으니 안경도 패션 액세서리로 쓰게 될 것은 예상할 만한 일이었다. 그러나 동시에 교육 대상이 확대되고 사무 직종이 늘면서 상대적으로 직급이 낮은 비서직과 행정직 위주이기는 했어도 여성 상당수가 직장에 다니기 시작했고, 일터에서 안경 쓴 여성을 발견하는 일이 흔해졌다. 영국에서는 1948년 국가보건서비스 NHS가 출범하면서 필요한 사람이면 누구나 안경을 쓸 수 있게 되었기도 했다. 비록 죄다 비슷한 안경테를 지급해 독특한 디자인을 시도하기 어렵게 만들기는 했지만.

그러나 자유시장 경제가 최고조에 달한 미국에서는 최신 유행 스타일을 안경에 적용하는 경향이 나타났다. 미국광학회사가 팝오버 드레스 같은 실용적인 여성 기성복 분야를 개척한 미국인 디자이너 클레어 맥카델을 고용해 안경테 디자인을 맡기면서다. 3년 후에는 이탈리아 태생으로 파리에서 활동하던 디자이너 엘사 스키아파렐리에게 그 역할이 넘어갔다. 코코 샤넬과 숙적 관계인 스키아파렐리는 1947년 오뜨 꾸뛰르 쇼에서 '뉴룩'을 선보이며 데뷔한 크리스티앙 디오르에게 밀려난 후로 더는 패션계에서 힘을 발휘하지 못하는 상태였다. 그러나 1950년대에 배우 메이 웨스트가 스키아파렐리가 디자인한 초현실주의적인 드레스를 입고 화면에 등장한 후로는 속옷과 매니

큐어뿐 아니라 남성용 운동복과 넥타이까지 자신의 이름을 붙여 판매하는 상표권 계약을 줄줄이 체결해 수익을 올렸다. 1951년에는 렌즈에 파란 '속눈썹' 테를 두른 스키아파렐리의 안경이 『라이프』에 실렸고, 이듬해 90가지 안경테를 생산하는 조건으로 미국광학회사와 계약한 스키아파렐리는 미국 최초로 상당량의 디자이너 안경을 출시했다. 당시 제작한 안경 중 최상품은 원래 성별 구분 없이 누구나 쉽게 구해 쓰던 윈저와는 아주 거리가 먼, "왕가의 보석"이라는 홍보문을 달고 나온 다이아몬드 박힌 백금테였다.

런던에서는 안경 회사 올리버 골드스미스가 이와 비슷하게 보석류로 꾸민 안경과 장식용 안경테를 출시했는데, 이것이 『보그』의 관심을 끌었다. 골드스미스가 1954년에 제작한 이 제품군은 "얼굴을 돋보이게 하는 안경테"라는 찬사를 받았다. 먼로 르보이가 1938년 뉴욕 5번가에 설립한 미국 안경업체 투라는 4년 후 은색·파란색·분홍색·연녹색·금색을 은은하게 입힌 캐츠아이 안경테를 머리 장식과 세트로 구성한 투라네트Turanette를 출시했다. 그리고 그해 5월 『보그』는 역시나 대담하게 디자인한 인조 귀갑테를 쓴 모델을 여러 명 세워 놓고 이렇게 썼다. "안경을 다이아몬드 머리핀과 같은 것으로 생각해 보자. 과감히 시도하기만 한다면 '실질적으로' 무엇이든 다 달 수 있다." 다이아몬드와 마찬가지로, 드디어 안경이 여성의 가장 가까운 친구가 되는 듯했다.

9 장
지 식 인 처 럼

①　960년 2월 20일, 『뉴요커』가 「수수한 안경은 다 어디로?」라는 제목으로 최신 안경 유행에 관한 기사를 게재했다. 익명의 기자가 장담하기로, 기본적인 철테와 무테안경을 주위에서 찾아보기가 매우 어렵다고 했다. 기자는 이런 안경이 손잡이 안경과 코안경처럼 한물간 안경류를 뒤따라 사라질 것인지에 관해 뉴욕 현지 검안사들의 의견을 구했다. 자문자답하는 듯한, 다소 자의적인 이 조사는 가설을 입증하는 듯한 결과를 보였다. 응답자 중 60퍼센트가 고객이 "튼튼한 소재"로 만든 안경테를 찾는다며, 진하고 두꺼운 뿔테 안경이 특히 배우·10대·항만노

동자 사이에 유행하고 있다고 답했다. 기혼 남성이 구매하는 경우는 젊어 보이는 효과를 기대하는 아내의 권유에 따른 것이라고 했다. 한편 고객 중에 "진지한 인상을 주는" 검은 안경을 맞추면 변호 요율을 더 올릴 수 있을 것 같다고 털어놓은 변호사가 있다는 일화도 제시되었다. 그러나 기자는 돈보다 더 중요한 동기는 유행일 거라고 판단했다. 단지 가볍고 멍청하게 "유행에 뒤처질 바에야 차라리 불편한 안경을 쓰겠다"고 생각하는 수준이 아니라 더 실용적인 계산에 따른 행동일 거라고 약간 우월한 입장에서 관조하듯 평했다.

기자는 이 현상을 더 깊이 파악하고자, 광학 제품 거래 기관인 시력향상협회에서 일하는 광고 책임자 마이크 줄리언에게도 의견을 들었다. 1960년대 뉴욕 광고계를 배경으로 한 드라마 『매드맨』에서 튀어나온 듯한 "작은 체구에 맵시 있는 60대 초반 남성" 줄리언은 인터뷰 당일 커다란 자두색 안경을 쓰고 나왔으며, "분위기와 상황에 따라 바꿔 쓸 수 있도록 색상과 무게가 다양한" 여벌 안경을 "적어도 여섯 벌" 갖고 있다고 말한다. 그리고 그중에서 가장 좋아하는 것은 독일에서 수입한 안경이라고 덧붙인다. (이렇게 많은 안경을 보유할 사람은 아마 안경테를 얼마나 열심히 파느냐에 따라 급여액이 달라지는 사람밖에 없을 것이다. 어쩌면 그 직종의 특혜일지도.) 줄리언에 따르면 "세상에서 제일 크고 새까만 남성용 안경테와 화려한 여성용 안경테", 보통 "도서관 또는 지식인용 안경"이라 부르는 이런 제품이 대유행하는 현상이 처음 나타난 것은 제2차 세계대전 후 프랑스이고, 그 돌풍이 곧 이탈리아·독일·일본으로 넘어갔다고 한다. 그러나 자신이 알기로 성인 중 3분의 2가량이 안경을 쓰며 한 해에 매출액이 2백만 달러에 달하는 약 2천만 벌의 안경이 팔리는 미국에서는 겨우 뉴욕 시내에서나 그런 안경을 볼 수 있다고, 뚜렷하게 실망한 기색을 드러내며 말한다. 뉴욕 외곽 지역과 동·서부 해안 주거지역에서는 여전히 철테와 무테를 주로 쓴다고 말이다. "캔자스에 가보세요. 아이오와도. 애머릴로 거리를 걸어보면…… 무테안경이 엄청나게 많이 보일 겁니다." 그리고 이보다는 다소 소극적으로, 안경을 쓰는 일반적인 미국인들은 "두꺼운 안경테"가 "지나치게 수준 높고, 지나치게 지적"이라고 느끼는 듯하다고 덧붙인다.

　이 기사에는 『뉴요커』가 즐겨 쓰는 수법이 그대로 드러난다. 커다란 테를 두른 안경의 유행이 어쩌면 조작된 것이 아닌지 추적하는 척하다가 말미에 가서 뉴욕이 미국의 여타 지역과 달리 이런 최신 제품의 인기를 알아볼 만큼 훨씬 세련된 도시임을 드러내는 증거라고 찬사를 보내면서 독자에게 당장 가서 그 안경을 사라고, 안 그러면 시골뜨기가 되고 말 거라고 적극 권장한다. 뉴욕 바깥에 사는 경우라고 할지라도, "금테 안경을 쓴, 솔직히 말해서 미개한" 자가 되어 버린 구독자들이 충격에 빠져 눈을 굴리다가 즉시 자기가 쓴 철테 안경을 벗어 이리저리 살펴보는 동시에 벨을 눌러 비서에게 '지금 당장' 검안사에게 연락해 시력검사 일정을 잡으라고 요구하리라 기대하면서.

우리가 살펴보았듯이 안경은 도입기부터 언제나 머리 좋고 글을 아는 이들과 관련 있는 물건이라는 인식이 있었다. 더불어 교활한 자나 사기꾼을 연상시키기도 했지만 말이다. 그러나 1950년대에서 1960년대 사이에 굳이 "지적인" 느낌을 준다고 하는 안경테를 많이 썼다는 사실은 거칠게 말하자면 냉전 시기에 정치·문화·경제 측면에서 지적 능력을 얼마나 중시했는지 보여 주는 지표라고 할 수 있다. 과학의 발달 그리고 초현대적인 밝은 미래를 향한 낙관적 전망이 핵무기로 인해 절멸할지도 모른다는 불안과 공존하던 시대. 점심에는 알약을 먹고 화성으로 휴가를 다녀오는 내일을 상상하던 시대. 전쟁 중에 이룬 기술 혁신 덕에 스프레이 제품·레코드판·미닛메이드의 냉동 오렌지주스·덕트테이프에서 곧 살펴볼 플라스틱 안경렌즈까지 다양한 상업용 제품이 탄생했을 뿐 아니라, 갑자기 등장한 미국의 군산복합체들은 전 지구적 위성통신과 가정용 컴퓨터의 근간이 될 연구에 자금을 대고 있었다. 그러나 이 '멋진 신세계'를 건설하는 데는 기획자·과학자·기술자·건축가·학자·경제전문가 그 밖에 고등교육을 받은 다양한 노동력이 필요했다. 여기에는 1944년, 제대군인이 학업에 필요한 기금을 지원받을 수 있도록 제도화한 '제대군인원호법'이 도움이 되었다. 한 역사학자의 표현을 빌리자면 "노동계급이 이전에는 절대 접근할 수 없었던 고등교육을" 받을 수 있게끔 "문을 열어 준" 제도였다.

급격히 늘어나는 인쇄 매체와 텔레비전을 통해 새로운 생각과 의견을 펼치는 전문가도 넘쳐났다. 대체로 안경을 쓰고서 화면 너머로 자신의 지혜를 전하던 대중 지식인은 퀴즈 프로그램 속 매력적인 여성 보조 진행자만큼이나 친숙한 존재가 되었다. 1946년에 전후 베이비붐 세대 부모의 필독서가 된 육아지침서 『육아 상식』을 출간한 소아과의사 스폭 박사가 바로 그런 인물로, 1960년 『뉴요커』 기사에서는 노동운동가 마이크 퀼과 함께 "두껍고 진한 테를 두른 안경" 착용자의 훌륭한 사례로 소개되기도 했다.

흥미롭게도 이 시기에는 '버핀'boffin(과학자)과 '에그헤드'egghead(대머리/지식인)라는 단어가 머리 좋은 사람을 비하하는 용어로 널리 쓰였는데, '에그헤드'는 인기 있는 미국인 칼럼니스트 스튜어트 올솝이 쓴 덕에 널리 알려졌다. '알다'라는 뜻의 know를 거꾸로 읽은 '웡크'wonk(공붓벌레)도 이 당시 생겨난 단어로, 1950년대 중후반 미국 명문대학가에서 몸이 다소 유약하고 공부에 지나치게 몰두하는 학생을 가리키는 은어였다. 얼간이라는 뜻의 '너드'nerd도 이 시기에 유래했다고 볼 수 있는데, 1950년 수스 박사가 출간한 『내가 동물원을 운영한다면』 초판에 등장한 후 10여 년 동안 '드립'a drip(샌님), '스퀘어'a square(벽창호)와 같은 멸칭으로 쓰였다.⊙

진하고 두꺼운 안경을 쓴다는 것은 어느 정도 반듯한 면을 드러내는 요소이기도 했지만, 동시에 착용자가 현대적이며 유행의 최전선에 있는 존재임을 드러내는 소품이기도 했다. 이전 시대 올빼미 같은 뿔테 안경이 그랬던 것처럼, 단순히 대상을 잘 보기 위한 차원을 넘어 플라스틱으로 만든 인공물인 안경이 한 사람의 개성과 특징을 상징하는 가장 두드러진 요소로 작용할 수 있다는 관념을 받아들

⊙한편, 영국 아이들에게는 1960년대 중반에 방영한 초현대적인 텔레비전 시리즈 『선더버드』에서 연구에 몰두하는 과학자 '브레인즈'가 안경 쓴 과학자의 전형이었다. 비록 매달린 끈이 다 보이는 인형이기는 했지만.

이는 선택이었다. '도서관'이나 '지적인 느낌'을 떠올리게 하고 교양 있는 분위기를 드러내는 안경을 골라 쓸 만큼 책벌레로 보이는 것을 좋아하고 자랑스러워한다는 표지였다. 뉴욕의 안경 시장 바깥에 있는 사람들은 이처럼 장식적인 용도로 안경을 쓰는 경향을 회의적으로 바라보았다. 그 이유는 회의주의Scepticism라는 단어 자체에 이미 내재했다. 어원적으로 이 단어에는 그리스어로 '현자 또는 스승'을 가리키는 '소피스트'sopist에 해당하는 '지혜'wisdom와, 그 학파 철학자들이 일삼던 '궤변'sophistry과 엉터리 주장을 가리키는 '허위'falsehood라는 개념이 모두 담겨 있다. 허세를 부린 것보다 단순한 원재료로 만든 음식을 더 좋아한다고 말하는 사람처럼, 철테를 쓰는 사람은 뉴욕의 유행을 좇는 사람보다 자신이 더 도덕적이고 덜 가식적이라고 생각했다. 그렇게 얼굴을 뒤덮을 정도로 크고 두꺼운 검은 테가 대체 왜 필요할까? 자기가 일반적인 사람들보다 더 빛나고, 똑똑하고, 더 눈 밝고 우월하다고 생각하는 잘난척하기 좋아하는 사람이 아니라면 말이다.⊙⊙

『뉴요커』 기사에 담긴, 두껍고 진한 안경이 착용자의 지능과 관련이 있다는 관념은 20세기 중반 예술 및 건축에서 폭넓게 나타난 모더니즘 사조에서도 뚜렷이 드러난다.

⊙⊙이런 생각을 더욱 극단적으로 몰고 간 결과 캄보디아의 잔혹한 공산당 무장조직 크메르 루주는 녹재자 폴 포트 집권기인 1970년대에 안경 쓴 사람을 지식인이라고 판단해 처형하기에 이르렀다.

바로 그때 뉴욕에서는 콘크리트·철근·유리를 사용한 최신식 건축 양식이 등장하고 있었다. 미스 반 데어 로에가 최초로 완전 모듈식으로 지은 현대적인 사무용 건물이자 국제주의 양식 디자인의 결정판인 38층짜리 시그램 빌딩(1958년), 미국 근대건축의 선구자 프랭크 로이드 라이트의 마지막 작품인 구겐하임 미술관(1959년), 안경 쓴 에로 사리넨Eero Saarinen이 지은 "찌그러진 자몽 모양" 트랜스 월드 항공 센터 건물(1962년) 등. 이런 건물은 개념을 제시하는 것으로서, 형태와 미관이 일반적인 취향에는 맞지 않는다. 두꺼운 아크릴 안경테는 어떤 식으로든 건축과 밀접한 관련이 있으며, 그 거추장스러운 물건이 얼굴에서 하는 역할은 새로운 근대식 건축물이 보다 친숙한 주변 환경에 끼치는 영향과 흡사하다.

건 축 의   얼 굴

르 코르뷔지에Le Corbusier가 1920년대에 자신의 전매특허가 될 커다란 검은 안경을 처음 쓰던 순간, 그 선택이 완전히 새로운 자아와 외모 그리고 사실상 새로운 직업을 형성해 나가는 과정의 일부임을 직감했다는 것은 보통 일이 아니었을 것이다. 1921년, 샤를에두아르 잔느레그리라는 본명과 실패한 시계 세공업 및 인테리어 장식업의 흔적을 마치 허물 벗듯 벗어버리고 검소하고 지적인 모더니즘의 선지자로서 이름을 바꾸어 완전히 재탄생한 이 기계 옹호자는 항상 짙은 색 정장에 중산모·보타이를 갖추고 둥그렇고 두꺼운 까만 뿔테 안경을 끼고 다녔다. 대단히 의도적으로 갖춰 입은 이 의상을 그대로 또는 변형해 입는 수많은 추종자가 나타났고, 이들을 통해 최소한 집단 무의식 수준에서 여전히 남아 있는 "건축가 안경"이라는 개념이 퍼져 나갔다.⊙

영미권에서는 1927년, 르 코르뷔지에가 1923년 출간해 큰 인지도를 얻은 책 『건축을 향하여』의 영역본이 나오면서 추종자가 급증했다. 평론가 레이너 배넘이 "20세기 건축 서적 중에서 가장 영향력 크고 널리 읽혔으나 제대로 해석한 사람은 드문 책"이라고 평한 이 책은 1948년 아키텍추럴프레스를 통해 신 영문판으로 재출간되었는데, 마침 르 코르뷔지에가 맨해튼 국제연합 본부 건물 신축 과정을 감독하는 자문위원회 위원으로 뉴욕에 있을 때였다.

⊙1996년 리즈 클레이본 안경의 상품개발책임자 메리 오스틴은 자사의 디자이너가 "남성용 안경테"는 "건축"에서, "여성용 안경테 디자인"는 "춤과 같은 움직임"에서 영감을 크게 받았다고 밝혔다. 『신시내티매거진』 기사에게 "디자이너들은 건물과 그 형태를 살펴보고…… 색다른 빛을 찾으려고 자연 속을 거닐었다"고 말했다.

그의 이름에 쓰인 '코르보'corbeau라는 단어는 프랑스어로 까마귀를 뜻한다. 그리고 르 코르뷔지에가 구상한 대형 건축물 중 상당수는 위에서 내려다볼 때 최상의 상태를 보여 주었다. '호기심 많은' 르 코르뷔지에의 안경 쓴 제자들은 세상을 그와 같은 방식으로 바라보았다. 제자 중 일부가 개입한 건축물은 섬뜩할 정도로 경외감을 느끼게 하면서 또 그만큼 '근시안적'이기도 했다. 미국 산업 효율의 교리로서 프레더릭 윈즐로 테일러가 개발한 테일러주의는 끝까지 밀고 나가다 보면 이윤을 극대화하려고 노동자를 아무 생각 없이 최대한 작업을 반복하는 자동 장치로 전락시키고 마는데, 이 테일러주의를 초기부터 신봉한 르 코르뷔지에와 추종자들은 종종 모순적인 현실 속에서 인간성을 포착해 내지 못하는 죄를 저지르곤 했다.

유행의 첨단, 뽈테

르 코르뷔지에만큼이나 단호하게, 보통 사람보다 수준 높은 취향을 가졌다고 자부하며 독특한 옷차림에 안경을 쓰고 다니던 또 다른 예술가로 피아니스트 텔로니어스 멍크와 트럼펫 연주자 디지 길레스피가 있다. 비트 세대※ 역사가 존 릴런드의 표현에 따르면 두 사람은 찰리 파커, 마일스 데이비스와 함께 "더 영리하고, 강하고, 차갑고, 순수한" 무언가를 만들어 내려고 기존 재즈의 규칙을 파괴한 전위적인 음악인 비밥bebop을 주도하던 뮤지션이었다.

한 발은 학계에 한 발은 거리에 둔 진지한 비밥 애호가 중에는 새롭게 떠오르는 비트 세대 작가들도 있었다. 길레스피는 작가 잭 케루악이 『길 위에서』를 발표하기 16년 정도 전인 1941년에 친구이자 팬인 "그 프랑스 고양이" 잭의 성을 따 '케루악'이라는 제목으로 곡을 지었다. 학생 시절부터 안경 때문에 '교수'라 불리던 시인 앨런 긴즈버그 역시 재즈 클럽을 즐겨 찾던 뉴욕의 자유분방한 예술가 중 한 명이었다. 긴즈버그가 1955년에서 1956년 사이에 발표했다가 외설적이라는 이유로 고발당한 시 「울부짖음」은 끽끽 대는 서글픈 블루스 곡조가 묻어나는 비밥의 색소폰 선율을 구조적으로 표현하려 한 작품이었다.

프랑스 철학자이자 소설가인 장폴 사르트르도 비밥 애호가였다. 자유와 소외라는 사르트르의 사상도 재즈 뮤지션에게 스며들었다. 실존주의 철학을 일으킨 사르트르는 종전 직후 52번가에서 이 악파와 만났다. 나중에 사르

※세계대전 후인 1950년대에서 1960년대 사이에 물질만능주의를 거부하며 개인의 해방을 추구하던 예술가 집단과 그 영향을 받은 젊은 세대를 가리킨다.

트르는 비밥 연주자들이 "관객 내면에 깊이 숨겨진 가장 자유롭고 소중한 부분을 건드린다"고 썼다. 어린 시절부터 오른쪽 시력을 거의 잃고 사시증에 시달린 사르트르는 두꺼운 안경을 쓰고 파이프 담배를 끊임없이 피워 댔으며, 계약 연애를 선언하고 중산층식 결혼을 거부했다. 이런 면모가 유럽 대륙 사상가의 전형이자 안경 쓴 사람의 우상다운 행보로 비쳤다.

비밥 또는 밥은 할렘의 민튼 업타운 플레이하우스 같은 클럽에서 영업이 끝난 후 조촐하게 진행하던 즉흥 연주에서 비롯했다. 당시 주류 음악이던 빅 밴드 스윙에는 관객을 열광시키는, 연주자 입장에서는 약간 부정적 의미가 담긴 '쇼맨십'이 필요했는데, 공연을 마친 뒤 여독을 풀 겸 상당 부분 즉흥적으로 펼치는 비밥은 듣기도 연주하기도 어려웠다. 관객은 춤을 추지 않고 진지하게 존경심을 품고서 귀를 기울이며 그 난해함을 소화해야 했다. 마음이 아니라 머리로 듣는 재즈였다.⊙ 나이가 들면서 더욱 과감한 안경을 썼던 마일스 데이비스는 자신과 동료 뮤지션들이 "과학자처럼 소리를 다룬다"고 믿었다. (전자음악 시대로 접어든 1974년에 발매한 음반 『Get Up With It』 표지에서 이

⊙1959년 『재즈 신』을 쓴 프랜시스 뉴턴, 또는 마르크스주의 역사학자 에릭 홉스봄은 이 음악이 '비밥 뮤지션'과 '세련된' 연주자들이 만든 "뮤지션을 위한 음악"으로서, "비전문가는 거의 이해할 수 없는…… 준 예술 음악"이라고 단언했다. 60년 후 리처드 에번스가 쓴 홉스봄의 전기 표지에는 두껍고 까만 뿔테 안경을 쓴 사진이 실렸다.

트럼펫 연주자는 고급 자동차 링컨 콘티넨털의 앞유리만큼이나 드넓은 육각형 무테안경을 번쩍인다.) 데이비스가 마약 복용으로 악명이 높았던 점을 고려하면, 과학자 중에서도 '화학자'라고 보는 게 진실에 더 가까울 것이다.

난해하고 이지적이며 지식과 경험을 게걸스레 탐하던 비밥 뮤지션들은 음조가 없는 현대 클래식 음악과 아프로쿠반※ 리듬으로부터 음악적 기조를 발전시켰고, 헤로인과 턱수염·두꺼운 뿔테 안경·베레모에 대한 대중의 관념을 크게 바꿔 놓았다.

곧 비밥과 동의어가 되는 '과하게 차려입은' 의상은 거의 전적으로 길레스피와 멍크로부터 비롯했다. 뺨이 햄스터처럼 볼록한 트럼펫 연주자 길레스피는 입 주변을 면도하는 게 싫고, 주머니에 아무렇게나 쑤셔 넣고 다닐 수 있는 베레모가 제일 편하다고 말했다. 검고 두꺼운 뿔테 안경은 그저 시력이 나빠서 쓰고 다니는 것뿐이었다. 멍크도 턱수염을 기르고 안경을 썼으며 역시 이마 위에 반듯하게 모자를 썼는데, 초기에는 피아노 클립으로 장식한 베레모를 쓰다가 시간이 흐르며 퍼캡·포크파이·페도라·솔라토피 등 털모자에서 중절모까지 다양한 모자를 두루 썼다.

※노예무역으로 카리브해에 정주하게 된 아프리카계 쿠바인들이 즐기던 음악을 가리킨다. 19세기 후반 노예제가 폐지되자 쿠바인 상당수가 미국으로 이주했는데, 목적지가 주로 재즈의 발원지인 뉴올리언스였던 탓에 서로 영향을 주고받아 아프로쿠반 재즈가 탄생했다.

멍크는 1951년 발표한 첫 번째 LP판 표지 한가운데에 안경을 배치했다. 지금은 전설이 된 음반회사 블루노트에서 두 번째로 내놓은 '현대 재즈' 음반인 25센티미터짜리 이 레코드판에는 1947년 녹음한 여덟 곡을 수록했고, 좀 뻔뻔스럽기는 하지만 틀린 말은 아닌 '현대 음악의 천재'라는 제목을 붙였다. 표지에는 피아노 앞에 앉은 멍크의 사진 옆에 안경 쓴 이 재즈 연주자의 그늘진 눈을 클로즈업한 사진이 붉은 톤으로 큼직하게 박혀 있었다. 까맣고 두꺼운 둥근 뿔테와 금테를 혼합한 신기한 형태로 용접공이 쓰는 고글을 떠올리게 하는 이 안경은 착용자의 음악만큼이나 전위적이었다. 아마도 멍크를 위해 맞춤 제작한 것 같다. 멍크는 6번가에 있는 한 안경원 유리창 너머로 본 "두꺼운 뿔테 선글라스"에 마음을 빼앗겼고, 꽤 값나가는 그 선글라스 대신 브롱크스에 있는 저렴한 안경원에서 비슷한 안경을 찾아냈다. 바로 그 안경을, 블루노트에서 발매한 25센티미터짜리 후속 음반 표지에서 찾아볼 수 있다. 멍크가 쓰고 있는 게 아니라 피아노 위에 얹힌 상태이기는 하지만. '현대 음악의 천재 2집'이라는 다소 상상력이 떨어지는 제목을 붙인 이 음반은 "비브라폰의 마법사" 밀트 잭슨이 협연했다. 이 연주자 역시 블루노트에서 25센티미터 음반

디지 길레스피.

을 냈는데, 음반 재킷에 담긴 사진 속 잭슨은 멍크와 마찬가지로 뿔테 안경을 썼고, 깔끔한 정장에 가느다란 키퍼 넥타이를 매고 양손으로 비브라폰 채를 치켜든 모습이었다.

재즈 지망생들은 비밥과 두꺼운 뿔테 안경의 연관성을 즉시 받아들였다. 굳이 말하자면 멍크보다는 길레스피와 잭슨이 쓰던 안경 디자인이 더 반응이 좋았다. 특히 길레스피 팬들은 공연을 보러 갈 때 그리고 평소에도 우상을 존중하는 마음으로 베레모와 안경을 썼는데, 이 스타일이 이후 비트족이라는 집단에 영향을 준다. 유행은 거기서 그치지 않고 계속 퍼져 나가 1955년에는 주요 재즈 정기간행물인 『다운비트』에 비밥 안경 광고가 실릴 정도로 인기를 얻는다. ("똑똑하게, 진짜 '비밥'을 쓰자…… 투명/유색 렌즈…… 가죽 안경집 포함 3.95달러")

그래도 당시는 분명 비밥이 최전성기에 다다른 때였다. 하드 밥과 쿨 재즈가 인기를 누렸고, 연주자는 죄다 대머리이거나 안경잡이였다. 전해 11월에는 재즈 연주자 중 두 번째로 피아니스트 데이브 브루벡이 『타임』 표지를 장식하는 영광을 누렸다. 경제력 있고 아이 넷을 키우며 행복한 가정생활을 하는 서른세 살의 아버지로서, 술은 적당히 마시고 마약은 손도 대지 않았던 브루벡에게서 찾아볼 수 있는 재즈 연주자다운 특징이란 피아노를 제외하면 뿔테 안경 정도가 다였다. 러시아 태생 삽화가 보리스 아르치바셰프가 그린 그 표지 그림 속 브루벡의 머리 주위에 악기가 떠 있지 않았다면 그리고 "재즈연주자 데이브 브루벡"이라는 부제가 없었다면, 신문 매대를 즐겨 찾는 사람들이 물리학자 아니면 아서 밀러라고 착각해도 이상하지 않았을 정도였다.

데이브 브루벡은 또한 콰르텟을 결성해 미국 대학 캠퍼스 순회공연이라는 새로운 영역을 개척했다. 1953년 발매한 『Jazz at Oberlin』 음반은 1953년 3월 2일 오하이오주 오벌린 음악원 공연 실황을 담은 LP판이었다. 나중에 비록 뿔테 안경은 없었지만 강렬한 '아우라'를 보여 주며 대학가를 뒤흔든 영국 록 밴드 더후의 『Live at Leeds』까지 뻗어 나가는 대학 콘서트 음반이라는 하위 장르의 시초라 할 수 있는 음반이다. 오벌린 음반 성공에 힘입어 대학 공연 후속편인 『Jazz at the College of the Pacific』, 『Jazz Goes to College』 LP판이 바로 뒤따라 나왔다. 『Pacific』 음반 표지에는 대학 학위복 차림을 한 네 사람의 그림이 담겨 있다. 학사모를 쓴 브루벡은 재즈 연주자도 아닌, 영화 『사내아이는 어쩔 수 없어』에서 코끝에 코안경을 걸친 교장으로 출연한 희극 배우 윌 헤이와 놀라울 정도로 닮았다. 이후에는 박자표에 매료된 브루벡이 안경 쓴 야플 교수※를 닮은 색소폰 연주자 폴 데즈먼드와 함께 8분의 9박자 「Blue Rondo à la Turk」와 4분의 5박자 「Take Five」 같은 놀랍도록 경쾌한 곡을 만들었고, 그러면서 데이브 브루벡 콰르텟은 비대칭적인 박자 진행이라는 생경한 영역을 적극적으로 탐험했다.

안경 쓰고 음악 좋아하던 수학 괴짜로서, 그 시대 학구적인 대학생 사이에서 브루벡과 비슷한 인기를 누린 사람은 아마 톰 레러뿐이었을 것이다. 하버드에서 공부한 이 수학자가 직접 제작한 첫 음반 『Songs by Tom Lehrer』은 브루벡의 오벌린 LP판이 나온 그해에 녹음한 것이다. 곱슬머리에 포마드를 사정없이 발라 넘기고, 트위드 재킷 안에 보타이를 매고, 한시도 빼 놓지 않던 뿔테 안경을 쓴 레러는 수업 도중에 빠져나온 듯한 모습으로 피아노 앞에 앉았다. 러시아 수학자 니콜라이 이바노비치 로바쳅스키와 주기율표에 관한 곡, 남부 인종차별주의자(「I Wanna Go Back to Dixie」)와 가톨릭 교회(「The Vatican Rag」)에 대한 경멸적인 곡에 더해, 지극히 세련된 모습으로 건반을 뚱땅거리는 모습은 마치 위트 넘치는 배우이자 극작

※1970년대에 영국 BBC 방송국이 제작한 어린이 프로그램 『배그퍼스』의 안경 쓴 딱다구리 목각인형 캐릭터이다.

가, 작곡가이던 노엘 코워드가 미적분을 전공한 것처럼 보였다.

첫 음반을 3판까지 찍은 레러는 주요 음반사 몇 곳의 문을 두드렸는데, 그중 어느 곳에서도 받아 주지 않았던 모양이다. 당시 로큰롤 스타 엘비스 프레슬리가 소속되어 있던 음반사 RCA의 임원 한 명은 그렇게 논쟁적인 음반을 냈다가는 함께 팔고 있는 가스레인지와 냉장고에 대한 불매운동이 일어날 수도 있어, 그런 위험을 감수할 수는 없었다고 시인했다. 레러 정도의 로큰롤을 하는 사람은 널려 있었다. 게다가 점프 블루스·부기우기·리듬앤드블루스·가스펠·컨트리·웨스턴 로커빌리를 혼합한 음악 장르로서, 이름만으로는 섹스를 암시하기도 하던 로큰롤에 안경만큼 안 어울리는 물건도 별로 없었다. 그러나 분명 가장 영향력 있던 로큰롤 뮤지션 두 명은 안경잡이였다. 그뿐 아니라, 그들이 오랫동안 인기를 누릴 수 있었던 핵심적인 요소도 바로 안경이었다.

내 안경
무시하지 마

프레슬리와 마찬가지로, '보 디들리'Bo Diddley라는 이름으로 활동한 일라이어스 맥대니얼은 미시시피주 태생이다. 한동안 트럭 운전을 하며 먹고산 것도 프레슬리와 같다.⊙ 하지만 일곱 살에 시카고로 가서 사촌과 함께 자랐다. 이는 인종 분리를 제도화하는 짐 크로 법이 아직 남아 있던 남부 농업 지역을 떠나 도시로 가는 경로였다. 20세기 전반기 대이동으로 이미 6백만 명에 달하는 아프리카계 미국인이 북부와 중서부에 몰려 있기는 했지만 말이다. 시카고에서 맥대니얼을 입양한 어머니는 바이올린 배우기를 권했다. 하지만 바이올린을 그만두고 기타를 잡는 바람에 자신을 바이올린 연주자로 키우려는 꿈을 품고 있던 어머니를 크게 실망시켰다. 나중에 맥대니얼은 이렇게 회상했다. "열다섯 살 때까지 바이올린을 켰어요. 그러다 그만둔 게, 주위를 둘러봐도 흑인 바이올리니스트가 별로 없더라고요. 대신 기타를 잡았죠. 흑인 기타리스트는 많았거든요." 그렇긴 해도 자신의 기타 실력에는 "빠르게 켜는 바이올린 운궁법"이 녹아 있다고 주장했다.

⊙이른바 로큰롤의 왕이라는 호칭을 어떻게 생각하냐는 질문에 맥대니얼은 이렇게 답했다. "앨비스가 끝내주기는 하지만, 처음 시작한 건 앨비스가 아니잖아요. 나보다 2년 반 늦었거든요."

전자 기타를 살 여력이 안 되었던 맥대니얼은 부속을 모아서 시가 상자를 몸통으로 삼아 흔치 않은 사각형으로 직접 악기를 제작했고, 두꺼운 뿔테 안경과 그 기타로 독특한 연주 소리만큼이나 인상적인 모습을 선보일 수 있었다. 미국 남부 디프사우스의 흑인 음악 및 라틴 음악과 시카고 사우스사이드의 일렉트릭 블루스를 원용한 맥대니얼 특유의 둥당거리는 중독성 있는 박자는 1955년 데뷔곡으로 리듬앤드블루스 차트 1위를 차지한 싱글 「Bo Diddley」에서 이미 거의 완성된 상태로 나타났고 후속곡에도 계속 사용되었다. 그리고 이후 몇 년 동안 「Bo's Bounce」, 「Diddley Daddy」, 「Bo's a Lumberjack」, 「The Story of Bo Diddley」, 「Bo Diddley is Loose」, 「Hey Bo Diddley」를 연달아 발표했다.

디들리는 안경을 쓴 채 음반 표지 사진에 등장하는 것을 좋아하지 않았다. 일례로 컨트리웨스턴풍으로 꾸민 1960년 작 LP판 『Bo Diddley is a Gunslinger』 표지에서는 안경 없이 커다란 카우보이모자만 썼다. (이 역시 곧 특유의 의상으로 자리 잡는다.) 그러나 철조망을 뚫으며 75킬로미터를 걷고, 코브라를 넥타이처럼 두른다고※ 자랑스레 노래한 사람이 정작 여기서는 안경이 없어 조금 불

※1956년 발표한 곡 「Who Do You Love?」의 가사다.

편하고 찜찜해 보이고, 심지어 긴장한 듯 보이기까지 한다. 분명 권총과 권총집까지 갖고 있는데도 무장해제당한 표정이다. 이 남자는 안경이 있어야 비로소 완성된다. 그리고 감히 다른 방식으로 부르려는 사람에게 단언했듯이, 이 남자는 'm-a-n이라 쓴다※'.

디들리는 나중에 자신이 로큰롤 탄생에 기여한 '창시자'라고 했지만, 동시에 랩과 힙합의 길을 연 사람이라고도 할 수 있다. 1958년 발표한 「Say Man」 같은 곡에서는 디들리와 마라카스 연주자 제롬 그린이 단순한 라틴 비트에 맞춰 상대방을 욕하는데, 그렇게 주고받는 입씨름은 음악에 맞춰 상대를 혹평하기 또는 아프리카계 미국인 집단에서 '다즌스하다'playing the dozens라고 부르는 것으로서 분명 나중에 래퍼들이 벌이는 랩 배틀의 전조를 보여 준다. 디들리와 래퍼 사이의 공통점은 반복되는 비트와 말장난, 과한 자화자찬을 즐겨 쓰는 것만이 아니었다. 1980년대 큰 인기를 끌었던 힙합 그룹 Run-DMC의 'DMC' 대릴 맥대니얼스는 정작 힙합 '창시자' 본인은 쉽게 벗어던지곤 하던 두꺼운 뿔테 안경을 기꺼이 썼다.

퀸스 출신인 래퍼 Run(조지프 시먼스), DMC(맥대니얼스), DJ 잼 마스터 제이가 결성한 3인조 그룹 Run-DMC

※데뷔 싱글 「Bo diddly」의 후면 수록곡인 「I'm a man」의 가사를 암시한 표현이다.

는 뉴욕의 재즈 클럽 버드랜드나 파이브스팟에 맞먹는 힙합 클럽인 브롱크스의 댄스 클럽 디스코피버에서 초기에 체크무늬 재킷을 입고 무대에 올랐다가 웃음거리가 되었다. (재밌게도, 디들리 밴드는 1950년대 무대에 오를 때 타탄 체크무늬 정장을 맞춰 입었다.) 재킷을 벗은 Run-DMC는 아프리카 밤바타와 그랜드마스터 플래시 같은 그룹이 입던 가죽과 깃털로 장식한 매드맥스 느낌의 초현대적 의상은 건너뛰고 '길거리' 의상으로 바꿔 입기로 했다. 그리고 곧 세련된 가죽점퍼·고급 운동복·끈 없는 아디다스 운동화·금목걸이·까만 벨루어 페도라로 언더그라운드 그룹다운 패션을 만들어 낸다. 음악 저술가 앨릭스 오그의 표현에 따르면, "힙합 무법자보다는 비밀스러운 예수회 종파처럼 보이는" 스타일이었다. 이 패션에서 핵심 요소는 맥대니얼스가 쓰던 디들리 스타일 안경이었다. 맥대니얼스는 서독의 작은 안경 제조사 카잘 제품을 선호했는데, 그로 인해 뉴욕에는 앞의 『뉴요커』 기자와 인터뷰한 광고 담당자 마이크 줄리언처럼 독일제 안경에 열광하는 완전히 새로운 세대가 등장한다.

카잘은 1975년 독일 파사우에서 디자이너 카리 잘리오니와 귄터 뵈트허가 설립한 회사다. 도나우강·인강·일

츠강이 만나는 지점에 있는 이 도시는 이탈리아 바로크 양식 대성당과 강을 끼고 있는 지리적 특성 때문에 '바이에른의 베니스'라 불리곤 한다. 게다가 카잘 안경에는 늘 로코코 양식이 스며 있었다. 나사와 안경다리 같은 부품에 도금 장식을 하는 것이 기본이며, 그 덕에 5백 달러라는 높은 금액이 붙었다. 처음부터 의도적으로 형태만으로도 독특한 인상을 심고자 했다. 잘리오니가 자주 말하던 디자인 신조는 "카잘 안경은 길에서도 알아볼 수 있"어야 한다는 것이었다. 잘리오니가 디자인한 안경테는 크고 기술적으로 대담하며, 직선을 벗어나 다각형을 실험하는 등 안경에 으레 기대하는 형태를 넘나들었다. 본국 독일에서 카잘의 주 고객은 부유하고 보수적인 계층이었다. 안경사 아내의 심기를 건드리지 않으려고 판매 담당 직원은 거의 다 남성으로만 구성했고, 고객을 방문할 때는 깔끔하게 차려입고 완벽히 단장한 최신형 메르세데스를 몰도록 했다. 그러나 미국에서 이 고급 '캐지스' 안경에 마음을 빼앗긴 집단은 힙합을 좋아하는 젊은 층이었다. DMC 맥대니얼스가 특히 좋아하던 금장식을 넣은 커다랗고 까만 카잘 607 모델은 드럼 머신 롤랜드만큼이나 힙합 스타일에서 중요한 요소가 되었다. 심지어 1985년에는 카잘보이스라는 그룹이 길거리 스타일의 핵심 액세서리가 된 안경을 둘러싼 어두운 면을 랩으로 표현한 싱글 「카잘 날치기」Snatchin' Cazals를 발표하기도 한다. 실제로 카잘을 쓰고 다니다가 강도를 당하거나 살해당하는 일도 있었다. 1984년 4월, 『필라델피아데일리뉴스』는 '형제애의 도시' 필라델피아에서만 지난 몇 달 동안 '캐지스' 때문에 적어도 열 명이 도난 및 강도 사건을 겪었고 살해당한 사람도 세 명이 넘는다고 보도했다. 크라이스트처치에 묻힌 벤저민 프랭클린이 무덤에서 뛰쳐나올 지경이었다. 카잘은 1987년 마이클 잭슨이 음반 『Thriller』 이후 세간의 기대 속에 발매한 첫 번째 싱글 「Bad」의 화려한 뮤직비디오에서도 언급되기에 이른다.

디들리의 안경을 훔치려는 멍청이는 아무도 없었을 것이다. 그것도 디들리가 1970년대에 뉴멕시코주에서 서부 시대처럼 별 모양 휘장과 총을 지닌 부 보안관이 되려는 음모를 꾸민 후로는 특히나. 하지만 안경과 달리 디들리가 만든 음악을 노리는 이는 많았다. 모방자들이 주장하듯 모방이야말로 진정한 추종의 형태라고 한다면, 1950년대 디들리의 가장 열성적인 추종자는 역대 가장 어수룩한 외모를 지닌 록커였다.

'버디' 찰스 홀리Charles 'Buddy' Holly(원래는 'Holley'

인데, 첫 음반 계약서에 오타가 나는 바람에 'e'가 빠지고 말았다)는 키 크고 홀쭉하고 흐느적대며 얼굴은 창백하고 머리카락은 브릴로 수세미처럼 뻣뻣하고 곱슬곱슬한 텍사스주 러빅 출신 소년이었다. 치아는 흔히 말하는 '서부 텍사스의 입'답게 공동묘지 묘비처럼 삐뚤빼뚤할 뿐 아니라 불소 성분이 과다한 그 지역 물 때문에 지저분한 갈색을 띠고 있었다. 설상가상으로 고등학교 마지막 학년에 올라간 1955년, 교사가 시켜서 받은 시력검사 결과 안경을 써야 한다는 판정을 받았다. 홀리는 단순한 플라스틱테에 20/800 시력 교정용 렌즈를 끼운 안경을 지급받았다. 하지만 이미 학교 친구 밥 몽고메리와 함께 버디 앤드 밥이라는 10대 컨트리웨스턴 듀오를 결성해 정기 공연을 하고 있었고, 그해 2월 엘비스가 러빅 페어파크 주경기장에서 낮 공연을 할 때 말단으로나마 공연을 할 예정이었기 때문에 조금 더 나은 눈썹 안경 또는 반무테 안경이라고 하는 안경테로 바꾸었다.

요즘도 쓰는 안경테인 눈썹 안경은 위쪽 절반은 두꺼운 플라스틱을, 아래쪽은 금속이나 가벼운 나일론사를 둘러 만드는 안경테다. 이 안경을 쓰면 굳이 눈썹을 그리는 수고를 하지 않고도 배우 그루초 막스의 무성한 눈썹을 붙인 듯한 효과를 얻을 수 있다. 그래도 처음 출시된 1940년대에는 상당히 획기적이어서 "20세기를 통틀어 가장 혁신적인 안경테"라는 평을 얻었다. 개발자는 늘 네빌 셔펠로 불리는 영국인 노먼 윌리엄 셔펠이다. 셔펠은 동커스터의 학교에서 안경사 교육을 받고 런던의 저명한 안경 제조사 M. 와이즈먼앤드컴퍼니에 취직했다. 거기서 기술 혁신과 홍보 두 가지 업무를 맡았던 듯하다. 그리고 세상일이 대개 그러하듯, 어느 날 우연히 한 직원이 아세테이트 안경 아래쪽 절반을 실수로 떼어내 버린 것을 보았다. 그 직원이 무능하다고 해고당했거나 급여를 삭감당했는지는 아쉽게도 기록이 남아 있지 않지만, 그 때문에 셔펠이 아래쪽은 가벼운 소재를 쓰고 위쪽은 두꺼운 플라스틱을 써서 안경테를 제작할 생각에 사로잡힌 모양이다. 아이디어를 이리저리 검토하고, 실물로 구현해 보려고 멀쩡한 안경테를 잔뜩 망가뜨린 끝에 제2차 세계대전이 발발하기 딱 한 달 전에 특허 출원이 가능할 정도로 발전시켰고, '수프라'라는 이름도 붙여 두었다.

미국으로 눈을 돌린 셔펠은 운 좋게 슈론광학회사 부사장 잭 로어바크의 관심을 얻었다. 로어바크는 수프라가 마음에 들었다. 생산권을 구입한 슈론은 1947년 미국에서 론서 자일 제품군을 출시했다. 같은 해 의류 쪽에서 디오르의 뉴룩이 그랬던 것과 마찬가지로, 플라스틱과 철사를 결합한 론서는 즉시 돌풍을 일으켰다. 셔펠은 미국에서의 성공에 힘입어 영국 시장에 안경을 내놓으려고 펠옵티컬컴퍼니 유한회사를 세우고 서독에서 수프라를 생산하기 위해 자이스 산하 마르비츠운트하우저와 계약했으며, 1954년에는 프랑스 루네띠에와 나일론을 틀로 찍어 만든 수프라 신모델인 '나일로'의 특허권 공유 협약을 맺었다.

그러나 '눈썹 안경'이 가장 큰 반향을 일으킨 곳은 미국이었다. 1950년대 중반에는 슈론·아트크라프트 옵티컬·바슈롬·빅토리 옵티컬브이, 그 밖에 수많은 군소 업체에서 내놓은 다양한 소재·형태·크기·색으로 제작한 눈썹 안경이 미국에서 가장 흔한 안경으로 자리 잡는다. 안경사이자 작가인 프레스턴 파셀은 1960년대 "미국에서 쓰는 안경의 절반이 눈썹 안경이었다"고 추산한다. 파셀은 이 안경이 미국인의 마음을 사로잡은 근본 요인이 금속테로 "구세계의 보수주의에 맞서"는 한편, 귀갑이나 나무처럼 보이는 플라스틱 눈썹으로 "급진적이지 않은 진보적 사상"을 시사하는 점에 있다고 본다.

이 전성기에 눈썹 안경을 쓴 사람은 버디 홀리 외에도

켄터키 프라이드치킨 창립자 할랜드 샌더스 대령, 미국 대통령 린든 B. 존슨, 뉴욕 자이언츠 축구팀 코치 빈스 롬바디, 흑인 무슬림 인권운동가 엘하지 말리크 엘샤바즈 즉 맬컴 엑스X까지 다양했다. 맬컴 엑스의 경우, 눈썹 안경이 진지한 복장 감각을 더해 주어 안 그래도 주시하고 있는 당국에 더욱더 위험인물로 비치게 되었다. 1960년대 말에는 베트남 전쟁을 지속하는 구세대가 쓰는 안경이라는 이유로 다소 반동적인 수준을 넘어 대단히 보수적인 이미지를 갖게 되었다. 새로운 물병자리 시대※가 도래하는데도 여전히 구세주에 매달리고, 길게 흘러내리는 머리가 유행하는 시대에 짧게 올려 친 상고머리를 하고 다니는 그런 사람들이나 쓰는 안경이라고 말이다. 1993년 영화 『폴링 다운』에서 유순한 군인이지만 직장을 잃고서 로스앤젤레스 인근의 노골적인 인종차별주의자들의 난동에 동참하는 '디펜스' 윌리엄 포스터 역을 맡은 마이클 더글러스가 눈썹 안경에 상고머리를 하고 나오는 것도 우연이 아니다. 그때 그 머리와 안경이 어쩐 일인지 나중에 최소 한 번씩 재유행하기는 했지만.

그러나 1955년 당시 언덕·풍광·나무·알코올성 음료 판매 등 주로 현지에 없는 것으로 정의되는 경우가 더

※점성술에서 제시하는 시대 구분으로, 1960년대 뉴에이지 운동에서 이 물병자리 시대가 임박했다고 주장해 대중문화에 두루 영향을 끼쳤다.

많은 텍사스 평원에 위치한 러벅에서는 현지에서 가장 신뢰받는 안과의사 J. D. 아미스테드에게서 맞추는 눈썹 안경 한 벌이 그 지역 젊은이가 바랄 수 있는 최선이었다.

　이 열아홉 살 된 가수가 4월에 데카에서 발매하는 데뷔 싱글 「Blue Days, Black Nights」 홍보용 사진에 그렇게 흔한 안경을 쓰고 등장한 것은 바로 이런 연유였을 것이다. 사진 속 홀리는 꽤 성실해 보이는 데다 웃음기 없이 약간은 걱정스러운 표정으로, 기타를 치고 싶어 안달하는 초심자에게 코드 짚는 법을 보여 주듯 프렛에 손가락을 짚은 채로 어쿠스틱 기타를 치켜들고 있다. 시각적으로나 음악적으로나 그다지 인상적인 출발이라고 보기는 어려웠을 것이다. 음악 잡지 『빌보드』가 "대중이 프레슬리나 퍼킨스 중 한 명만 아니라 또 다른 한 명을 더 선택한다면 단연 홀리가 유력한 후보라고 할 수 있다"고 호의적으로 평하긴 했지만, 테네시주 내슈빌에서 녹음한 그 음반은 러벅 현지에서도 6위에 오르는 데 그쳤다. 경쟁이 거의 없다시피 한 상황에서 거둔 성적이 그 정도였고 다른 곳에서도 별다른 관심을 얻지 못했다.

　그러나 한 달 후, 여전히 싱글 홍보 활동 중이던 홀리는 패론 영이 이끄는 『그랜드 올 오프리』* 순회공연 오프

*내슈빌의 WSM 방송국에서 매주 토요일 밤에 여는 컨트리 음악 공개방송이다.

닝 무대에 서게 되었다. 칼 퍼킨스, 레이 프라이스, 레드 소빈, 타미 콜린스 같은 쟁쟁한 스타와 함께하는 자리였다. 외모에 자신이 없고 시골뜨기 소리나 들을까 두려웠던 홀리는 형에게 1천 달러를 빌려서 절반 이상을 최신형 전자기타 펜더 스트라토캐스터를 구하는 데 썼다. 뒷날개를 쭉 뻗은 캐딜락 자동차만큼이나 원자시대※※에 걸맞게 초현대적인 최고급 악기였다. 남은 돈으로는 빨강·초록·분홍이 섞인 화려한 재킷과 셔츠, 빨간 스웨이드 신발 등 무대 의상을 마련했다. 이렇게 고급스러운 악기와 의상을 갖췄는데도 무대 위에서 짙은 머리 퍼킨스의 음울한 모습이나 몸에 딱 붙는 정장을 입은 프라이스의 화려함에 비교당할까 걱정이던 홀리는 안경을 벗고 무대에 오르기로 했다. 재앙이었다. 무대 앞에 늘어선 관객은커녕 바로 옆에서 연주하는 밴드 멤버조차 제대로 볼 수 없었다. 바닥에 떨어뜨린 피크를 찾으려고 무릎으로 기며 더듬거렸던 날에는 완전히 웃음거리로 전락했다.

이대로는 안 되겠다고 느끼면서도 안경 쓴 고지식한 모습으로 돌아갈 마음이 없었던 홀리는 공연을 끝내고 러벅으로 돌아온 바로 다음 날 아미스테드 박사에게 진료를 받기로 했다. 검안실로 들어서기 무섭게 콘택트렌즈를 맞추고 싶다고 아미스테드에게 말했다.

콘택트렌즈의
탄   생

안경과 마찬가지로, 콘택트렌즈도 처음 발상이 나온 후 실
제 구현하기까지 꽤 오래 걸렸고, 우여곡절 끝에 상용화하
는 과정에도 여러 사람의 손길이 들어갔다. 1508년 레오
나르도 다 빈치, 1638년 르네 데카르트, 19세기에는 영국
인 의사 토머스 영과 천문학자 존 프레더릭 허셜 경 등 이
론적·기술적으로 콘택트렌즈의 기반을 닦은 사람을 수 세
기에 걸쳐 찾아낼 수 있다. 그러나 시제품 비슷한 물건은
1887년에 이르러서야 독일 비스바덴의 의안 제작자였다
는 프리드리히 안톤 뮐러가 만들어 냈다. 19세기 말 당시,
건강에 좋다는 온천수가 솟아나는 라인강가의 온천 도시
비스바덴은 독일 황제 빌헬름 2세의 여름 휴양지였고, 온
천수를 즐기고 현지에 즐비한 의사의 진료를 받으려고 병
약한 척하는 중부 유럽의 부유층에게도 인기 있는 지역이
었다. 그곳 의사 중 한 명인 토마스 재미슈 박사가 안구 건

조증과 망막 염증으로 한쪽 안검이 손상된 환자의 눈을 보호하기 위해 씌울 얇은 유리막을 뮐러에게 의뢰했다. 뮐러의 콘택트렌즈는 효험이 있는 듯했다. 환자는 나중에 뮐러에게 그 렌즈를 21년 동안 아무 문제 없이 잘 사용했다고 편지를 보냈다고 한다.

뮐러가 가능성을 보여 주자마자 독일·스위스·프랑스에서 수많은 안과의사가 근시와 같이 흔한 시력 문제를 교정하는 렌즈 개발 경쟁에 뛰어들었다. 제일 앞서 나간 사람은 독일 태생으로 취리히에서 일하던 안과의사 아돌프 가스통 픽 박사와 킬대학교 박사과정생 아우구스트 뮐러(프리드리히 뮐러와는 무관)였다. 1888년, 픽은 죽은 토끼와 인간 시체의 눈으로 다소 섬뜩한 실험을 시작했다. 파리산 석고로 이 시체들의 안구를 본뜬 픽은 각막과 흰자 상당 부위를 둘러싸는 유리 렌즈를 제작했는데, 실제 안구의 윤곽을 아주 정확히 구현했다. 그런 다음 포도 주스에서 얻은 포도당 연고를 써서 살아 있는 토끼 눈꺼풀 아래에 렌즈를 끼우는 데 성공했고, 곧이어 자기 눈으로 인체 실험까지 해 긍정적인 결과를 얻었다. 한번 끼면 두 시간까지 쓸 수 있다고 주장하며, 과학 기구 제작사 칼 자이스의 에른스트 아베에게 이 렌즈를 광학적으로 개선하는 작업을 도와달라고 의뢰했다.

　심한 근시로서 안경을 벗어날 방법을 찾던 아우구스트 뮐러도 비슷한 시기에 비슷한 과정을 밟고 있었다. 1889년, 역시 시체 안구의 본을 뜨던 뮐러와 베를린 안경사 오토 힘러가 광학 기능을 가진 콘택트렌즈를 형성하고 가공하는 데 성공했다. 유일한 문제는 눈에 끼면 너무 아프다는 것이었다. 길어봐야 30분밖에 견딜 수 없을 정도였고, 심지어 그마저도 코카인으로 마취를 하고서야 가능했다. 그런데도 뮐러의 연구에는 후대 콘택트렌즈 제조사가 활용할 만한 내용이 있었다. 픽에게 몰려드는 환자의 렌즈를 제작하고 그 밖에 여러 가지 초기 실험을 하면서 칼 자이스는 무수한 시행착오를 겪으며 교정용 콘택트렌즈를 다듬어 나갔고, 제1차 세계대전 발발 직전에 상업 제품 생산에 돌입했다. 1918년에는 이미 더 얇고 가볍고 유연한 재료인 셀룰로이드로 유리를 대체할 구상을 하고 있었다. 그러나 최초의 플라스틱 콘택트렌즈는 1930년이 되어서야 탄생했다. 거의 동시에 헝가리인 이슈트반 죠르피가 얇은 판형 플라스틱⊙으로 새로운 모델을 만들기 시작했고, 미국인 윌리엄 파인블룸은 유리와 인공 플라스틱 베이클라이트를 조합해 렌즈를 제작했다. 같은 시기 또 다른 헝가

⊙흔히 아크릴이라 부르는 폴리메타크릴산 메틸(PMMA)으로, 독일에서는 유리 대체재로서 플렉시글라스라는 제품명으로 판매하고 있다.

리인 요세프 달로스는 치과에서 사용하는 유연한 네고콜이라는 물질로 착용자의 안구를 본떠 콘택트렌즈를 맞춤 제작하는 공정을 크게 개선했다.

제2차 세계대전이 끝나고 몇 년 후, 선구자들과 마찬가지로 이번에도 개인 자격으로 서로 협력한 두 사람, 독일 발명가 하인리히 뵐크와 미국 검안사 케빈 투오이가 동공을 덮을 정도만 남기고 흰자를 덮는 나머지 부분은 잘라 내어 더 작고 가벼운 렌즈를 제작했다. 황당하게도, 투오이가 이 생각을 해낸 것은 자기가 쓰던 플라스틱 렌즈 일부가 찢어진 탓이었다. 일단 그대로 다시 눈에 끼워 보니 찢긴 부분이 없어도 전과 다름없이 볼 수 있었다. 이 자그마한 동공 렌즈는 산소가 눈에 더 많이 들어갈 수 있게 해 주어 착용감이 더 좋았고, 그래서 하루 열 시간에서 열두 시간까지 더 오래 쓸 수 있었다. 게다가 안구를 본뜨는 길고 고통스러운 과정 없이도 렌즈를 맞출 수 있었다.

미국 시장에 진출한 콘택트렌즈는 1950년대 내내 꾸준히 인기가 올라갔다. 이 제품을 찾는 고객은 각막이 얇아 뾰족해지고 뒤틀리는 원추각막 같은 심각한 시력 문제를 안고 있는 사람이 대부분이었다. 1958년 『비즈니스위크』는 1945년에는 5만 명이었던 미국 콘택트렌즈 착용자가

10여 년 사이 2백만에서 3백만 명 수준으로 늘었다고 보도했다. 기사에 따르면 "광학 보조기가 필요한 사람 76명 중 2명이 콘택트렌즈를 사용"했다. "여성 세 명에 남성 두 명" 비율로 여성이 많았지만 남성 사용자도 "증가하고 있"으며, 이 조사에 응답한 "사용자 중 80퍼센트가 외모 때문에 렌즈를 쓴다고 말했다."

그때까지 나온 가장 가볍고 얇은 렌즈는 마이크로렌즈였는데, 각각 영국, 서독, 미국 안과의사인 프랭크 디킨슨, 빌헬름 죈게스, 잭 닐이 합작한 냉전기의 선물로 1953년에 출시되었다. 이렇게 가볍고 얇고 작은 콘택트렌즈가 나왔는데도 불구하고, 버디 홀리는 여전히 PMMA로 만든 딱딱한 불투과성 렌즈를 눈에 넣고 있었다. 기체 투과성 렌즈와 하이드로겔 소프트렌즈는 1970년대까지는 시중에 판매되지 않았다. 후자는 1960년대 초 체코 과학자 오토 비흐테를레와 드라호슬라브 림의 연구를 바탕으로, 아동용 자전거를 동력으로 쓴 회전통을 사용해 개발했다.

『비즈니스위크』에 따르면 콘택트렌즈 한 벌 가격은 150달러에서 300달러 정도였다. 홀리가 아미스테드에게 낸 렌즈값은 125달러였다. 3년 동안 렌즈 가격이 올랐다 쳐도 홀리가 맞추던 당시 그 렌즈가 최상품은 아니었을 것이다. 제법 값비싼 옷과 기타를 고른 걸 보면 홀리가 굳이 낮은 품질을 선택했다고 보기는 어렵고, 아마도 텍사스에는 아직 최신형 렌즈가 들어오지 않았던 모양이다. 그러나 어찌 됐든 그 렌즈는 10분 이상 버티기 어려울 정도로 아팠기 때문에 대중 앞에 서서 공연을 할 때는 사실상 전혀 쓸모없었다. 낙담한 홀리는 다시 눈썹 안경을 쓰고 거리로 나갔다.

쓰러진 로큰롤 성인

우연히도 그 콘택트렌즈가 잘 맞지 않았던 까닭에 로큰롤의 향방이 바뀌었다. 1년 뒤 여전히 안경을 쓰고 있던 홀리가 새로 결성한 밴드 크리켓츠의 싱글 「That'll Be the Day」가 미국 전역에서 1위를 기록했는데, 그 노래 제목이자 코러스가 반복하는 구절은 영화 『수색자』에서 존 웨인이 느릿하게 읊던 대사에서 딴 것이었다. 그리고 몇 달 뒤 발표한 데뷔 앨범 『The 'Chirping' Crickets』 LP판 컬러 표지에서 홀리는 예의 그 안경을 쓰고 해맑게 활짝 웃는 얼굴로 열병식에서 소총을 들듯 펜더 스트라토캐스터 기타 몸통을 받쳐 들고 동료들과 나란히 서 있었다.

1957년에 명성을 얻은 버디 홀리는 10대 음반 구매 자, 특히 비바람 거센 해안 지역에서 주로 보이는 허약하고 창백하고 햇빛 부족에다 깡마른 이들에게 유난히 사랑받는 우상이 되었다. 엘비스, 리틀 리처드, 제리 리 루이스, 심지어 보 디들리마저도 성적 매력과 약간은 위험한 면모를 보였지만, 홀리는「That'll Be the Day」의 가사처럼 그저 '사랑과 쓰다듬는 손길'을 노래하는 옆집 소년 같은 친근한 느낌을 주었다. 안경 덕분에 숙제를 성실히 하고 성적 좋고 프롬 파티도 건전히 마무리할 것 같은 인상이 생겼다. 거대 하게 부풀린 드레스를 입은 소녀를 립스틱도 앙고라 카디 건도 볼록한 브래지어도 헝클어지지 않은 상태로 제시간 에 집에 데려다 줄 것 같은 그런 인상 말이다.

엘비스는 프랭크 시나트라처럼 다른 사람의 노래를 자기식으로 잘 전달하는 가수였다. 잘 맞는 노래를 골랐을 때는 최고의 결과를 보여 주었는데, 아닌 경우에는 아주 속 수무책이었다. (독일 민요「노래는 즐거워」Muss i denn 기억하는 사람?) 홀리도 물론 여기저기서 필요한 것을 가져 다 쓰기는 했지만 크리켓츠 드러머 제리 앨리슨과 프로듀서 노먼 페티와 협업해 수많은 곡을 직접 썼다. 모스 부호처럼 공중파를 타고 흘러나오는 홀리의 스트라토캐스터 리듬 속에서 눈치 빠른 사람들은 은근한 신호를 잡아냈다. 뉴욕의 틴 팬 앨리나 런던의 덴마크가 음악 상인을 찾아가 일일이 사들일 필요 없이, 뮤지션이 한 팀으로서 직접 곡을 쓸 수 있다고. 그리고 꼭 앨비스처럼 생겨야만 로큰롤 가수가 될 수 있는 것도 아니라고 말이다. 수시로 '아 헤이 아 헤이'하는 딸꾹질 소리와 요들송 아니면 물로 가글하는 듯한 소리를 내며 노래하는, 안경 낀 이 남자를 보라. 이전에는 약점 취급받았을 특징이 강점으로 바뀌었다. 게다가 에벌리브러더스가 적절한 조언을 해 준 덕에 더 큰 돈을 들여 까맣고 두꺼운 뿔테 안경까지 사서 썼으니. 구글 검색을 해 보면 알겠지만 그 안경은 '버디 홀리 안경'으로 지금까지 나돌고 있다.

켄터키 태생으로 어린 시절부터 프로 연주자로 활동한 돈과 필 에벌리는 1957년에 첫 순회공연을 함께 한 뒤 홀리를 돌봐 주었다. 뉴욕에서는 자신들이 좋아하는 남성복 매장 필스를 소개했는데, 3번가에 있던 그 아이비리그 패션 전문 매장에서 홀리는 스타일을 싹 바꾸었고 얼마 안 가 크리켓츠 멤버도 전부 대학생 스타일로 변신했다. 러벅의 샤기앤드시어 미용실에서 제이크 고스에게 곱슬머리 관리를 받고 3백 달러를 들여 치아까지 씌우고 난 홀리에게 이제 남은 것은 사실상 오래된 눈썹 안경뿐이었다. 돈과 필은 이것을 꼭 바꿔야 한다고 조언했다. 나중에 홀리의 전기작가 필립 노먼에게 필이 한 말에 따르면, 에벌리 형제는 홀리에게 "네, 저 안경 씁니다. 자, 보세요."라고 "아주 솔직하게 드러내는" 안경을 써야 한다고 주장했다. 그게 바로 뉴욕 어딘가에서 산 듯한 그 까맣고 두꺼운 안경테였다. 그리하여 뉴욕은 다시금 커다란 안경의 발상지로 알려진다.

순회공연차 영국에 온 홀리는 이렇게 더 점잖은 안경을 쓴 홀리였다. 맨해튼 브릴 빌딩에 있던 음반회사의 사랑스러운 접수 담당자 마리아 엘레나 산티아고와 사랑에 빠져 결혼한 이도. 프로듀서 노먼 페티와 결별하고 뉴욕에서 새로운 음악 활동과 방향성을 모색하면서 그 일환으로 「Raining in My Heart」, 「It Doesn't Matter Anymore」 같은 곡을 만들어 심장을 두드리듯 쿡쿡거리는 피치카토 연주를 녹음한 이도. 그리고 20여 일간 얼어붙은 중서부 도시를 돌며 겨울 순회공연을 하고 있던 1959년 2월 3일, 어둡고 추운 그 날 저녁 아이오와주 클리어레이크의 서프 볼룸에서 공연을 마친 뒤 지치고 피곤한 상태로 노스다코

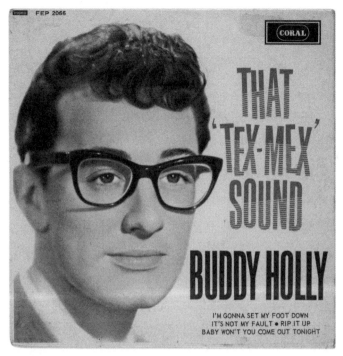

버디 홀리, 음반 『That 'Tex-Mex Sound'』 표지.

타주 파고로 이동하려고 4인승 경비행기 비치크래프트 보난자에 올라탄 사람도 바로 이 홀리였다. 홀리와 리치 발렌스, 빅 바퍼를 태운 그 작은 비행기가 이륙 직후 겨우 8킬로미터 떨어진 옥수수밭에 추락하는 바람에 뮤지션 세 명과 조종사 모두 즉사했다. 그때 홀리는 겨우 스물두 살이었다.

이 비극에는 끔찍한 후일담이 있다. 돈 맥클린이 노래 「American Pie」에서 "음악이 죽은 날"이라 표현했던 그날 홀리가 쓰고 있던 안경이 21년이 지난 후에야 모습을 드러냈다. 1980년 2월 27일 세로고르도 법원 청사에서 카운티 보안관 제리 앨런이 봉투를 하나 발견했는데, 그 안에는 주사위 네 개, 빅 바퍼가 차던 시계와 또 다른 시계 부품 그리고 렌즈가 깨졌지만 테는 비교적 온전한 홀리의 안경이 들어 있었다. 이 소식이 전 세계 신문 1면을 장식하자 홀리의 광팬 사이에 쓰러진 로큰롤 성인의 성유물을 얻으려는 아귀다툼이 벌어졌다. 델라웨어주 밀 크릭의 월트 가이어라는 사람은 다른 입찰자를 따돌리려고 노후대비 저축금 전액인 502달러 38센트를 써넣은 수표를 앨런에게 보내기도 했다고 한다. 이 꼴사나운 소동은 그해 10월 홀리의 배우자이던 마리아 엘레나가 자신에게 안경을 달라는 청원을 제출한 후 일단락되었다. 1981년 3월 20일 지방법원 판사 B. C. 설리번이 심리를 거쳐 최종 승인을 결정하면서 엘레나의 바람이 실현되었다.

그러나 홀리와 달리 뿔테 안경의 여생은 상당히 괜찮

았다. 앞서 나간 홀리를 보고 밴드 섀도스의 행크 마빈처럼 안경 쓴 영국의 로큰롤 가수들이 용기를 얻었다. 엘튼 존은 사실 자서전 『나』에서 안경 때문에 고생한 일을 홀리 탓으로 돌렸다. 피너 카운티 그래머에 재학중이던 1950년대 말, 학교에서 '로큰롤과 어떤 연관성도 보여선 안 된다며' '아무것도 쓰지 못하도록 공개적으로 금지'했던 시절을 회상하며 존은 이렇게 말했다. "복장과 관련해 내가 했던 가장 큰 반항은 맞춤 안경 쓰기, 더 정확히는 오랫동안 쓰기였다. 원래는 칠판을 볼 때만 써야 했는데, 그 안경을 쓰면 버디 홀리처럼 보인다는 착각에 빠져 계속 쓰고 다니는 바람에 시력이 완전히 망가졌다. 그 후로 내내 그 안경을 쓰고 살아야 했다."

그 여파로, 존은 완전히 시력을 잃을까 두려워 자위도 그만두었다고 했다. "버디 홀리가 자신의 삶에 지대한 영향을 끼쳤다고 하는 뮤지션이 넘쳐 나지만, 그이가 뜻하지 않게 자위를 멈추게 만든 뮤지션은 나밖에 없을 것이다"라며. 그러나 1960년대에 도래한 성 혁명은 영화 속 배우의 얼굴과 젊은 스타에게서 안경을 찾아보기 어렵게 했을 뿐 아니라 안경 자체도 쓸어 가 버렸다.

1 0 장
안 경 쓴
첩 보 원

실, 안경 쓰는 기타리스트 행크 마빈을 인기 있는
미남 배우 같은 외모의 소유자라고 말하는 경우는
별로 없을 것이다. 그러나 1960년대 초 클리프 리처드와
함께 공연하던 밴드 섀도스는 엘비스가 출연한 뮤지컬 대
작에 대응해 나온 영국 작품 『젊은이들』, 『여름 휴가』, 『멋
진 인생』에 참여해 진짜 영화 스타가 되었다. 이 중 두 편은
캐나다인 시드니 푸리에가 연출했는데, 섀도스는 푸리에
가 1962년에 발표한 10대 사회 문제를 다룬 법정 영화 『소
년들』의 영화음악을 담당하기도 했다. 그러나 안경 쓴 남
자 주인공을 앞세운 액션 영화가 영미권 영화 관객 앞에 등

장한 것은 푸리에의 1965년 작 『국제첩보국』부터였다. 런던 남부 출신이 주연을 맡은 것도.

　　물론 이전에도 안경 쓴 로맨틱한 배우는 있었다. 예를 들어 소설 『앵무새 죽이기』를 각색한 동명 영화에서 올빼미 같은 뿔테 안경을 쓴 의로운 변호사 애티커스 핀치를 맡은 그레고리 펙이 있다. 그리고 유럽 대륙에서는 '정중하다'는 단어에 완벽히 들어맞는, 이탈리아의 마음을 사로잡은 배우 마르첼로 마스트로이안니가 있다. 페데리코 펠리니의 1963년 작 영화 『8½』에 안경을 쓰고 출연했는데, 영화 제작 과정을 다룬 이 작품에서 마스트로이안니는 펠리니를 떠올리게 하는 영화감독 귀도 안셀미 역을 맡았다. 안셀미는 작업 도중 점점 불안에 빠져 배우와 제작진을 외면한 채 창조성을 의심하며 고뇌하느라 시간을 다 보낸다. 그런 이유로, 영화 속 배우의 눈은 커다랗고 까만 뿔테 안경과 진한 선글라스에 거의 가려진 상태다. 상황에 따라 렌즈 너머로 가만히 응시하거나 안경을 썼다 벗었다 하는 배우의 모습은 마치 타고난 듯 멋지고 당당하며, 안경 자체도 까만 정장, 부드러운 칼라를 단 하얀 셔츠, 가느다란 넥타이, 망토, 챙 넓은 모자만큼이나 흠잡을 데 없이 근사하다. 테리 브로건, 폴로, 페르솔 같은 당대 이탈리아 고급 브랜드에 크게 영향받은 최신 유행 디자인이었다. 페르솔의 선글라스는 1960년 마스트로이안니가 국제적인 스타로 발돋움한 계기가 된 영화 『달콤한 인생』에 쓰고 나온 덕에 유명해졌다. 그런데도 『8½』에서 가장 근사한 안경을 꼽자면 극중에서 마스트로이안니 아내 역을 맡은 아누크 에메가 썼던 가늘고 까만 사각형 뿔테 안경일 것이다.

첩보 영화로서 『국제첩보국』은 주시, 더 정확히 말하자면 감시 그리고 납치와 세뇌를 다루는 동시에 독창적인 영화 구성 장치를 활용한 작품이다. 사건은 타인의 어깨너머로 비치고 대화는 반쯤 닫힌 문을 통해 들린다. 핵심 주인공 해리 파머 역을 맡은 마이클 케인은 다음과 같이 날카로운 평을 남긴 적이 있다. "마치 다른 누군가가 지켜보고 있는 듯한 느낌으로…… 찍었다"고. 안셀미와 마찬가지로 파머는 두꺼운 뿔테 안경을 통해 세상을 관찰한다. 다만 케인의 파머는 "침대 밖에서는" 절대 안경을 벗지 않는다고 말했지만.⊙ 이 말인즉 침대 안에서는 요염한 정보국 요원 진 코트니 역을 맡은 수 로이드가 그 안경을 벗긴다고 고백한 셈이다. 로맨틱한 장면에서 남자 주인공이 수동적인 여성 연인의 안경부터 벗기는 전형적인 영화 구도를 간단히 그리고 꽤 멋지게 뒤집은 장면이다.

⊙이 진술은 어떻게 봐도 완전히 틀린 이야기다. 영화 초반에 파머가 로열 앨버트 홀 계단 위에서 사악한 대머리 남자와 싸우기 전에 안경을 벗어 재킷 주머니에 넣는 모습이 나온다.

실제로 파머는 처음 영화 제목이 나오는 장면에서 안경을 벗고 침대에 누운 모습으로 살짝 비친다. 동시에 기차에서 건망증 심한 과학자 래드클리프 박사가 실종되고, 눈을 뜬 채 살해당한 그의 비서가 승강장 우편 트럭에 아무렇게나 버려진 채 발견된 사건의 줄거리가 빠르게 전개된다.⊙ 태엽 알람시계 소리에 깬 파머는 침대 옆 전등을 켜고 조금 전까지 분명 누군가 있었던 듯한 오른쪽 시트 위로 조심스레 한 손을 뻗는다. 자리가 비어 있어 놀란 파머는 벌떡 일어나 앉아서 잠옷 색과 똑같은 파란색 눈으로 방안을 살핀다. 영화에 담긴 다양한 시각적 기법의 하나로, 이제 장면은 파머의 시점으로 변하고 관객은 잠시 동안 근시인 파머의 흐릿한 시야를 공유한다. 파머는 협탁 위에서 렌즈가 아래를 향하고 다리는 위를 향한 채 엎혀 있는 갈색 플라스틱 뿔테를 찾아 쓴다. 다시 주위를 살펴보는데, 이번에는 원룸형 아파트 내부가 선명하게 보인다. 침실 건너편 거실 공간에 소파와 안락의자, 탁자가 있고 그 위에 바닥난 술병과 쓰레기를 담은 브랜디 잔 같은 커다란 유리잔 두 개가 놓여 있다. 화면은 이제 남은 공간을 거의 다 차지하는 개방형 주방을 비춘다. 구리 팬과 원목 싱크장, 스툴 두 개가 딸린 최신 유행 식탁까지.

⊙관객은 그 인물이 『뉴사이언티스트』를 읽고 있는 모습에서 과학자라는 사실을, 그리고 차 안에 카메라를 놓고 내리는 걸 보고 건망증이 있다는 사실을 알 수 있다.

바로 이 공간으로, 여전히 잠옷 바람에 안경을 쓴 파머가 커피를 내리러 들어선다. 여기서 '내린다'는 말은 꽤 손이 가는, 지나칠 정도로 꼼꼼한 작업을 가리킨다. 대충 네스카페 따위의 벽돌색 인스턴트커피 가루를 푹 떠서 머그잔에 담고 뜨거운 물을 부어 하루를 시작하는 것은 절대 파머의 방식이 아니다. 반쯤 감긴 눈으로 무아지경에 빠진 채 손수 특별한 장비로 원두를 갈아야 한다. 쨍그랑대는 심벌즈 소리를 주제로 한 존 배리의 음악에 맞춰 그라인더가 돌아간다. 씻고 옷 입고 방을 정리하는 와중에 이 꼼꼼한 작업을 계속 이어 나간다. 생수를 끓이고, 커피 두 스푼과 물을 정확히 계량하고, 산뜻한 컵과 컵 받침에 딱 어울리는 스푼을 놓고, 반짝이는 크롬과 유리 재질의 추출기를 늘어놓는다. 아무렇게나 놓는 것은 하나도 없다. 실수로 식탁에 떨어트린 원두 한 알마저도 주워 제자리에 놓는다.

여태 한 마디도 입 밖에 내지 않은 파머가 드디어 커피를 들고 앉아 신문의 경마 코너를 살펴볼 즈음이면 어느새 감식가로서 뚜렷한 인물 특징이 관객의 뇌리에 박힌다. 어쨌거나 1965년 영국에서는 누구도 이렇게 수고스럽게 커피를 마시지 않았으니까. 몇 분 뒤 헝클어진 침대 시트에서 여성의 팔찌와 권총을 찾아내는 걸 보면, 보석을 흘리고 갈 정도로 여유 있는 여성과 함께 잠을 자거나 비밀 요원 일자리를 얻는 데에 안경이 전혀 걸림돌이 되지 않는다는 게 아주 분명해진다.

『국제첩보국』의 원작은 건조한 문체와 뒤틀어 놓은 구성에서 레이먼드 챈들러를 떠올리게 하는 렌 데이턴의 데뷔 소설이다. 푸리에는 영화를 위해 소설 내용을 거의 대부분 들어냈다. 그렇다고 영화 내용을 따라가기 쉬워지지는 않았지만. 쿠바 미사일 위기가 발발하고 최초의 제임스 본드 영화 『007 살인번호』가 개봉한 1962년에 나온 그 소설은 출간 즉시 베스트셀러로 등극했다. 냉전이 갈수록 심각해지고 첩보 영화가 극장가에서 좋은 성적을 거두던 때라 『007 살인번호』를 포함한 007 시리즈의 공동 제작자인 캐나다인 해리 샐츠먼은 데이턴의 소설과 예정된 후속작 판권을 즉시 사들였다. 2009년 개정판 서문에서 작가가 회상한 데 따르면 샐츠먼은 "『국제첩보국』과 거기 등장하는 이름 없는 영웅이 본드 시리즈의 맞상대가 될 수 있겠다고 판단했다"고 한다. 본드 시리즈에 앞서 샐츠먼은 당대 '성난 젊은이들※'을 소재로 해 논쟁을 일으켰던 존 오스본의 희곡 『성난 얼굴로 돌아보라』와 노팅엄을 무대로 한 앨런 실리토의 소설 『토요일 밤과 일요일 아침』의 영화화

※1950년대 영국 청년 작가들 사이에 나타난 반항적인 문학 사조로 60년대 대중문화와 사회운동에 널리 영향을 끼쳤다.

소설 『국제첩보국』의 표지.

를 지원하는 등 불편한 사회적 현실을 드러내는 일상극을 영화로 옮기는 작업을 했다. 그리고 상류층인 플레밍의 본드와 반대로, 데이턴의 주인공 및 화자는 분명 노동계급에 속했다. 매춘과 기밀 누설 혐의로 논란에 휩싸인 정치인 프러퓨모의 추문 이후 형성된 사회 분위기를 반영한 듯한 고분고분하지 않은 주인공의 태도 역시 시대정신이었다.

런던 태생인 데이턴은 원작 소설에서 심지어 이름 없는 그 비협조적인 영웅이 북부 출신이라고 설정했다. 랭커셔 번리 출신 독학자로서 주간지 『뉴스테이츠먼』을 읽으며, 고급 음식 앞에서 가상의 상류층 경쟁자보다 더욱 크게 기뻐하는 모습을 보인다. 모헤어 카디건을 입고 소호의 대륙 식자재 수입상과 식당, 에스프레소 가게 정보를 꿰고 있는 주인공은 모드※※의 전신 또는 모더니스트 같은 면이

※※1960년대 영국 중하층 청년 사이에서 유행한 패션 사조로 세련된 옷차림과 기성 세대에 대한 반감, 무정부주의 등이 주를 이루었다.

있다.

　브라스 밴드 음악을 잘 모르는 사람이라도 새미 데이비스 주니어의 곡에서 찰리 파커를 모방한 흔적을 찾아낼 수 있을 것이다. 케인의 파머는 최소한 쉬는 동안에는 모차르트를 듣는데, 아마도 안경잡이로서의 똑똑한 면모를 강조하기 위해서인 듯하다. 더불어 당시에는 경멸적으로 사용하던 표현을 쓰자면, 집에 틀어박혀 지내는 젊은 '클래식 애호가'에게 인상을 남기려고 말이다.

　그러나 소설에서는 안경이 눈 깜짝할 사이에 지나갈 정도로 짧게 언급될 뿐인데, 신기하게도 이 일은 주인공이 다른 사람의 쓰레기통을 일부러 망가뜨린 다음 순간에 일어난다. 로마로 향하는 비행기 일등석에 앉은 원작의 주인공은 옆 사람이 안경을 쓰고 있다는 사실을 깨닫는다. 과체중에 태도가 고압적이며, 소시지 샌드위치 도시락을 먹고 나서 승무원에게 포트와인과 레몬을 요구할 정도로 형편없는 취향을 가진 이 '뚱보' (우리의 주인공이 그 남자를 부르는 말이다)는 지옥에서 온 끔찍한 승객이다. 사실이라고 믿기 어려울 정도로 너무나 끔찍했던 나머지, 우리의 첩보원은 이 사람의 정체를 파악하려고 '뜻하지 않게' 안경을 망가뜨리고 지갑을 훔친다. 몰래 살펴본 결과 지갑에는 이야기 흐름에 중요한 다른 물건들과 함께, "머리는 짙은 색이고, 둥그런 얼굴에 뿔테 안경 아래로 푹 들어간 눈과 눈 밑 지방이 붙어 있고, 턱은 튀어나오고 갈라진⋯⋯ 한 인물을 정면·상반신·반측면에서 찍은 여권 사진 같은" 사진 세 장이 들어 있다. "심지어 흑백 사진이었는데도. 낯익은 얼굴이었다. 내가 거의 매일 아침 면도하는 바로 그 얼굴."

이거다. 주인공이 뿔테 안경을 쓴다는 사실이 여기서 슬그머니 드러난다. 이밖에는 소설 속 그 어디에서도, '뚱보'에게 한 것처럼 적극적으로 안경을 망가뜨리는 일도 더는 없지만 다른 안경 착용자와 특별한 친밀감 같은 것을 드러내는 일도 전혀 없다. 단지 상사인 로스 대령의 군용 철테 안경을 무시하듯 언급하면서 다른 요원이 안경을 소도구처럼 사용하는 데 극도로 불쾌감을 표시하는 정도가 다다. "그 요원은 두껍고 검은 테에 다리가 일자인 안경을 썼다. 끝이 굽지 않은 그 안경다리 덕에 자기가 하는 말을 강조하고 싶거나 뭔가를 언급하거나 보여 주려고 할 때 안경을 얼굴에서 반쯤 뺐다가 다시 코에 걸치기 수월했다."

역설적이게도 샐츠먼이 영화에서 주연을 맡은 케인에게 안경을 씌우기로 한 것은 위에서 주인공이 느낀 것과 비슷하게 원래 안경을 쓰지 않는 배우가 영화 속에서 지나

치게 과시적으로 안경을 쓰는 경우가 많은 데 대한 불쾌감
에서 비롯한 것이었다.

케인은 실제 근시였고 영화 밖에서는 항상 안경을 썼
다. 케인 말로는 샐츠먼이 안경을 쓰자고 처음 제안한 것은
버킹엄셔에 있는 자택에서 저녁 식사를 하던 도중이었다.
본드보다 더 현실적인 사고방식을 가진 인물을 어떻게 만
들면 좋을지 의논하던 중에 케인은 자기가 쓴 안경을 샐츠
먼이 한동안 바라보고 있는 것을 눈치챘다. 자서전 『이게
다 무슨 일이지?』에서 케인이 회상한 바에 따르면, 샐츠먼
은 곧이어 안경을 캐릭터의 잠재적 특징으로 삼을 가능성
을 제기하며 이렇게 말했다. "꼭 평소 안경을 쓰지 않는 배
우가 영화에서 안경을 쓰고 나와서는 제대로 쓰지도 못하
는 그런 모습이 참 보기 싫더군요. 케인 당신은 안경 쓰는
법을 잘 아니까, 우리 영화의 해리 파머는 안경을 좀 써보
는 게 어떨까요? 좀 더 평범한 인물로 보이게 하는 데도 도
움이 될 거예요."

한편 영화 속 파머가 요리에 일가견을 갖게 된 것은 데
이턴의 집에서 가진 또 다른 식사 자리에서였다. 소설을 쓰
기 전에 세인트마틴예술대학과 왕립예술학교에서 공부한
데이턴은 삽화가·그래픽 아티스트·런던 광고회사 미술

감독으로 일했다. 하지만 어머니가 요리 전문가여서 요리에 대한 관심을 이어받은 데이턴은 꽤 실력 있는 아마추어 요리사가 되었다. 글솜씨와 요리 기술을 결합해 1960년대 초 일간지 『옵저버』에서 인기 있는 주간 요리만화 코너를 맡았다. 이 만화를 바탕으로, 『국제첩보국』을 개봉한 그해에 『액션 요리책』을 출간했다.

설정에 맞추어 케인의 파머는 맛있는 음식을 즐기기만 하지 않고 작가가 전수해 준 달걀 휘젓기 기술을 발휘해 집밥으로 코트니의 관심을 얻어 낸다. 이 역시 파머가 본드와 다른 점이다. 그도 그럴 것이, 생존에 필요한 음식을 구하는 것도 이성의 관심을 얻어 내는 것도 전부 호텔 서비스에 의존하는 007 요원이라면 멋지게 임무를 완수한 뒤 식당에서 와인을 가득 늘어놓고 데이트하는 모습 밖에 달리 떠오르지 않는다. 게다가 본드는 주문한 음료를 절대 휘젓지 않는다. 푸리에 감독은 본드의 그 휘젓지 않은 마티니 칵테일과 다음 날 마시는 해독 음료에 대응해 파머의 꼼꼼한 커피 추출 과정을 계속해서 집어넣었다. 파머는 커피를 손수 추출하고, 해독이 아닌 각성을 위해 마신다. 늘어지려고 마시는 게 아니라 정신이 바짝 들도록 마시는 음료다.

데이턴은 케인에게 달걀 깨는 기술을 알려 주고, 영화

속 파머의 주방 여기저기에 장식처럼 붙어 있는 요리법도 직접 썼다. 이 때문에 영화사 임원 사이에서 요리하는 케인이 게이처럼 보일지 모른다는 우려가 나왔다고 한다. 이 영화에 앞서 영국에서 오토바이를 타는 동성애자를 다룬 영화 『더 레더 보이스』를 찍었던 푸리에는 그런 염려를 누그러뜨리려고, 팔머가 유약한 식도락가가 아니라 진정한 남자임을 보여 주겠다고 약속했다. 예를 들어 상관인 로스 대령과 쇼핑 카트를 끄는 장면 등 음식과 관련한 장면에서 남자다운 모습으로 비치도록 말이다. 이상하게도, 케인이 당시로서는 흔치 않았던 안경 쓴 첩보원으로 출연하는 것을 반대한 사람은 아무도 없었다.

그래도 그 덕에 케인은 이 작품과 이후 다른 영화에서도 주연 배우로서 극을 이끌어 가는 역량을 떨어뜨리지 않으면서 안경을 쓸 수 있는 자유를 얻었다. 이전에는 주연을 맡기 어려웠을 런던 노동계급 억양이 더는 장애물이 되지 않은 것과 마찬가지로.

1 1 장
노 동 계 급 의
안   경

『국『제첩보국』이 극장에 걸린 지 몇 달 후, 1965년 7월 호 『보그』는 「핫한 첩보원에게 찬물을 끼얹은 사람들」이라는 제목으로 환상을 덜어낸 비밀 요원의 등장을 다룬 기사에서 렌 데이턴과 존 르 카레를 조명했다.⊙ 눈썹 안경 스타일로 디자인한 마샤의 장식용 안경테 광고와 함께. ("정교한 마샤 안경테 하나로 고객의 액세서리 취향을 완벽히 채워 드립니다…… 스모키와 흑담비색, 실버와 줄 마노, 실버와 스모키, 실버와 담청색 중에서 선택 가능.") 거기다 무슨 조화인지 정기 기고 코너 「아름다움에 관하

⊙존 르 카레도 『국제첩보국』원작보다 한 해 먼저 출간한 데뷔 소설 『죽은 자에게 걸려 온 전화』에서 조지 스마일리라는 안경 쓴 요원을 등장시켰다. 르 카레에 따르면 "유일하게, 넥타이 실크 안감으로 안 경을 닦을 때 안절부절못하고, 그 사이 촉촉한 맨눈을 누군가 쳐다보 면 몹시 창피해하는" 인물이다.

여」에도 안경에 관한 이야기가 가득 차 있다.

"하나도 놓치지 않고…… 당당히 포착하는 기술"이라는 제목을 단 이 칼럼은 안경을 단순한 시력 보조기가 아니라 (또다시) 패션 액세서리로 취급하는 모습을 보여 준다. 필자는 웅장한 고층 건물을 사들이는 데 익숙한 독자층을 고려해 이렇게 썼다. "완벽한 교외 주택이나 일생의 사랑과 달리, 안경은 영원이라는 말과는 거리가 멀다." 그러니까 안경이 시력 보완 이외에 다른 역할을 거의 하지 못한다면, 구리 배관이나 헤링본 벽돌이 깔린 테라스처럼 막연히 영원한 것을 기대하며 그 안경을 골랐기 때문이라는 말이다. 더 나아가 칼럼은 다음과 같이 논지를 전개한다.

그렇게 평생을 보장할 수 있는 패션 아이템이란 없다. 이제 안경은 단순한 시력 보조기가 아니라 패션의 일부라는 사실을 명심해야 한다. 시력에 전혀 문제가 없는 여성도 스스로 처방해 쓰는 패션 아이템이라는 말이다. (시력 20/20. 하지만 안경테는 많음.) 지금 최고로 인기 있는 디자인이 불과 1년 후에는 완전히 구식이 될 정도로 안경은 유행 타는 물건이 되었다.

안경을 쓰면 좋은 점을 이야기하며, 필자는 "얼굴 윤곽이 그다지 또렷하지 않은 여성"이라면 "주위의 시선을 끌고 인상을 남길 만한 특징이 부족할 수 있다"고 했다. 그러나 "눈에 확 띄는 안경을 쓴다면, 전혀 특징 없는 여성이라도 즉시 더욱더 또렷하고 독특한" 인상을 줄 수 있다고 했다. 또한 안경은 "은근히 피로를 감추고, 얼굴 윤곽을 살리고, 눈 밑이나 주름이 덜 드러나게" 해 주는가 하면, "안경 그 자체로도 관심을 끌게" 해 준다고 주장했다. 익명으로 인터뷰한 어느 여성이 "뿔테를 쓰면 더 빠른데 뭐하러 성형 수술을 하죠?"라고 말했듯이 말이다.

펼침면에는 버트 스턴이 촬영한 안경 쓴 모델 사진이 한가득 실려 있었다. 스턴은 이제 불멸의 환상적인 이미지로 남은 매릴린 먼로의 누드 사진을 촬영한 작가인데, 거즈처럼 얇고 긴 스카프로 몸을 살짝 가린 채 포즈를 취한 그 사진을 찍은 시기는 먼로가 죽기 불과 6주 전이었다. 스턴은 안경 사진을 꽤 많이 남겼다. 1962년에는 스탠리 큐브릭이 소설가 블라디미르 나보코프의 문제작 『롤리타』를 각색해 만든 영화의 포스터 사진 촬영을 맡았다. 열네 살 여주인공 수 라이언과 촬영 장소로 이동하던 중 슈퍼마켓 체인 울워스 지점에 들른 스턴은 매대에서 우연히 발견한 저렴한 하트 모양 빨강 선글라스를 사서 촬영 소품으로 썼다. 이 선글라스를 쓰고 진홍색 립스틱을 바르고 빨간 막대 사탕을 입에 문 어린 배우(실제로는 원작 속 인물보다 두 살 더 많기는 했지만)의 도발적인 컬러 사진은 곧 그 자체로 영화와 동일시되었다. 실제 영화는 흑백으로 촬영했고 라이언이 영화에서 쓴 선글라스도 전혀 다른 모양이었는데도.

보그에 실린 사진은 그만큼 도발적이지는 않지만 여전히 안경 쓴 여성이 괜찮은 남성에게 선택받을 수 있다는 관념을 전하려는 의도가 뚜렷이 드러난다. 펼침면 한가운데에는 가운데 가르마를 하고 턱 길이로 자른 단발머리에 진분홍색 에밀리오 푸치 셔츠를 가슴 아래쪽에 묶은 금발 모델의 컬러 사진이 지면을 가득 채우고 있었다. 시선은 정면을 향하고 있으며, 분홍색 입술은 컵케이크 표면처럼 볼록하니 윤기가 흐르고, 옅은 아이섀도를 칠한 눈에는 플라스틱 재질의 반달 모양 "하늘색 안경"을 걸친 상태였다. 이 안경은 "원시인 사람이 바로 적응할 수 있는" 제품이라는 정보와 함께. 모델 위쪽에는 커다랗고 둥근 플라스틱 귀갑테 안경이 배치되어 있다. "하나도 놓치지 않는 올빼미 눈"으로, "쭉 뻗은 가느다란 안경다리 덕에 머리카락을 전혀

흐트러트리지 않는" 장점이 있는 안경이라는 설명이 덧붙었다.⊙

　모델이 쓰고 있는 하늘색 안경은 좀 더 재미난 형태로 옵아트 느낌이 물씬 나는 디자인인데, 당시 시중에서는 이미 반달 안경이 재차 유행하고 있었다. 예전과 달리 투명 렌즈 또는 검정 플라스틱테로 바뀌기는 했지만 말이다. 미국광학회사는 자사의 재도약을 견인할 모델로 프레드 아스테어를 기용했다. 노래도 춤도 만능인 이 할리우드 스타가 방송에 나갈 때 자사의 안경을 쓰도록 한 것이다. 그러나 한 해 전에 『타임』과 인터뷰한 밀워키의 한 안경사는 "반달 안경"이 "눈이 나쁜 사람이 안경을 쓴 채로 석간신문을 읽다가 동시에 텔레비전도 볼 수 있게" 해 주었다며, 그 안경을 유행시킨 요인이 텔레비전 자체라고 말했다. 꽤 그럴듯한 말로 들린다. 그러나 거의 비슷한 시기에 출간한 책 『안경의 문화사』에서 리처드 코슨이 예리하게 지적했듯이, "사람들이 그 안경을 텔레비전에서 (또는 프레드 아스테어가 쓰고 있는 장면을) 보지 않았다면 그렇게까지 빨리 퍼지지 않았을 것"이라는 주장도 일리가 있다.

⊙안경과 헤어스타일이라는 주제를 이어나가며, 기사의 다른 부분에서는 상류 사회에서 뿔테 안경을 임시 머리띠로 쓰는 시도를 한 사람으로 할리우드 사교계 명사 '가녀린' 낸시 키스 양을 꼽는다. 이 시기에 찍힌 몇 장 안 되는 안경 쓴 다이애나 브릴랜드의 사진 한 장과 아들 프레더릭, 손자 알렉산더와 함께 찍은 편안한 분위기의 가족사진을 보면 이 『보그』 편집자가 안경을 머리에 걸치는 스타일에 푹 빠져 있었음을 짐작할 수 있다.

어느 쪽이건, 1960년대 중반의 반달 안경 재유행 현상은 지금 생각해 보면 모드와 히피를 가르는 단층선 같은 역할을 한 듯 보이는데, 실제 그 당시 사람들의 행동은 영감을 얻으려고 할머니의 다락방을 뒤지던 것에 더 가까웠다. 비닐로 포장한 기성품을 앞세운 거침없는 진보의 물결에 저항하며, 유행을 이끄는 눈 밝은 이들은 포토벨로로드에 즐비한 골동품 상점을 훑고 다니며 킹스로드에서 대유행하던 댄디 패션에 맞서 낡은 경찰 망토와 붉은 근위병 재킷을 즐겨 입었다.

『보그』의 설문조사를 보면 안경 디자인도 이처럼 다소 짓궂은 태도로 오래전 유행을 거슬러 올라가는 과정에 있었다는 사실이 드러난다. 스턴이 찍은 또 다른 사진으로, 중앙의 인물과 나란히 배치된 다른 사진에서는 헬멧처럼 머리를 부풀린 커시아 뉴먼이 거꾸로 된 반달 모양 플라스틱 안경을 쓰고 책을 읽는 모습이 보인다. 『보그』 기자는 "각종 사각 안경과 커다란 타원형 올빼미 안경" 그리고 "가로로 긴 타원형"과 "육각형" 안경이 "현재 시장에서 가장 반응이 뜨겁다"라며 찬사를 보내는데, 이렇게 극단적으로 비튼 디자인은 근시 입장에서는 1960년대 영국 드라마 『어벤저스』에서 필 부인이 입은 캣 수트catsuit처럼 기이해 보일 따름이다.

뭐니 뭐니 해도, 가장 기이한 구식 광학 보조기를 꼽는다면 아마도 안경 쓰기를 주저하는 여성이 선호하던 "시력 보조 지팡이"류 제품일 것이다. 기본적으로는 막대 달린 단안경이라 할 수 있는 손잡이 안경이었는데, 완전히 앵크루아야블 시절로 거슬러 올라가는 이 제품은 당시에도 우산 제작 전문업체 제임스스미스앤드선즈에서 여전히 주문 제작 할 수 있었던 것 같다. 상상컨대 『어벤저스』에서 필 부인의 동료로 중산모를 쓰고 구형 벤틀리 자동차를 모는 존 스티드가 칼이 든 지팡이 대신 무기로 사용했음 직한 물건이었다.

이런 제품이 타원형·원형·육각형 안경과 함께 재유행하는 현상은 당시 코슨이 그 어느 때보다 "저돌적으로 구식 안경으로" 돌아가는 현상이라고 말한 것을 그대로 보여 준다. "고연령층 안경 유행 동향"에 관한 1965년 『뉴욕 타임스』 기사를 인용하며, 코슨은 이런 유행의 진원지 중 하나로 세렌디피티라는 한 커피숍을 지목했다. 『뉴욕타임스』에 따르면 그 커피숍은 "12년쯤 전에" 파산한 어느 나이 든 검안사의 재고를 몽땅 헐값에 사들였다. 그러고는 "벤저민 프랭클린 안경과 소련 정치인이 애호하던 철테 안경류가 유행을 타기 3년 전까지" 이 신비로운 안경을 "천천히 또 조용히, 눈 밝은 고객들에게" 판매하기 시작했다. 기사가 나온 지 1년 후 코슨은 이런 "할머니 안경"이 "시중에 넘쳐 난다"고 했다. 다시 1년 후에는 존 레넌이 바로 이런 안경을 썼고, 유행이 아주 쓰나미처럼 사방을 덮쳤다. 당시 비틀스는 어쨌거나, 존이 스스로 평가했듯이 "예수보다 더 유명"한 존재였으니 말이다.

차 라 리   눈 을
감 는   편 이

이전에도 썼는지는 몰라도, 레넌이 이런 안경을 쓴 것은 1960년대 팝계에서는 다소 늦은 편이었다. 발랄한 미국 포크록 밴드 러빈 스푼풀의 존 서배스천은 밴드의 데뷔 싱글 「Do You Believe in Magic」이 미국 빌보드 10위로 치고 들어갔던 1965년 7월부터 작고 둥근 철테 안경을 쓰고 있었다. 서배스천은 1966년 11월 발매한 세 번째 앨범 『Hums of the Lovin' Spoonful』에 실린 「4-Eyes」라는 곡을 쓰기도 했다. 안경 쓴 청소년을 위한 주제곡이라 할 만한 이 노래는 안경 쓰는 사람이라면 누구나 겪는 모욕을 줄줄이 늘어놓으며, 후렴구에서는 안경을 잡아당기고 근시를 조롱하는 사람 입장에서 발언하며 어린 시절부터 근시가 겪는 편견을 고스란히 드러낸다. 운동장에서 여자아이는 불쾌하다고 피하고 남자아이는 괴상하다고 놀리는 상황을 겪는다든지, 귀갑테를 쓴 채 졸업할 날만 심각할 정도로 고대하는 심정을 토로하는 이 노래는 서배스천이 개인적으로 하는 악령 쫓기 의식인 동시에 교화를 위한 강령술이기도 했을 것이다. 안경 착용자 대신에 "키 작은 사람"을 대입해 보면 무슨 말인지 이해가 될 것이다.

그러나 둥근 테 안경은 레넌이 3년에 걸친 광기 어린 비틀스 돌풍 시기를 지난 후 어느 정도 독립성을 회복하는 데 도움을 주었다. 레넌에게 안경은 성격 급하지만 사랑스러운 바가지 머리라는, 세계에서 가장 인기 있고 뛰어난 그룹에서 할당받은 역할에서 벗어나야 한다는 자각을 드러내는 외적인 변화였다. 어릴 때부터 지독한 근시에다 난시도 약간 있었던 레넌은 일곱 살에 안경을 썼다. 두꺼운 렌즈가 부끄러웠고, 나중에 고백한 바에 따르면 "안경은 여자애 같다"고 생각한 어린 레넌은 가능한 한 안경을 쓰지 않으려고 애썼다. 이 버릇은 다 커서도 사라지지 않아 비틀

스 활동 기간에도, 근사한 까만 뿔테 안경을 손에 넣은 후로도 계속 남아 있었다.☉

　　신시아와의 결혼을 숨겼던 것과는 달리, 안경을 쓴다는 사실을 팬들에게 숨기려고 한 적은 전혀 없었다. 1963년 『뉴뮤지컬익스프레스』에 실린 초기 인터뷰에서는 레넌이 대중 앞에 안경을 쓰고 나타나지 않는 이유가 "혹시라도 비틀스가" 그룹 새도스를 "따라 한다는 비난을 듣지 않았으면 해서"라고 밝혔다. 유명해지기 전에 공연하던 함부르크와 리버풀 캐번 클럽에서 경쟁 관계이던 프레디 앤드 더 드리머스와 혼동할까 염려한 점도 작용했을 것이다. 1960년대 초 머지비트※ 유행의 끝물을 타고 대서양 양쪽 차트에서 인기를 누린 이 맨체스터 출신 그룹은 아담한 체

☉ 60년대 팝스타 중에서 어릴 때부터 확고한 안경 기피자였던 인물로는 1960년대 중반 활동하다가 "전자 기기로 넘어간" 밥 딜런이 있다. 딜런은 안경 쓴 모습을 절대 보여 주지 않고 레이벤의 웨이퍼러 선글라스로 눈을 가리는 편을 좋아했다. ("처방 안경 렌즈가 콜라병만큼이나 두껍다"는 소문이 나돌았다.) 사라 로운즈와 결혼하고 뉴욕주 북부 우드스탁에서 요양하던 1960년대 후반 몇 년 동안에는 잠시 구식 철테 안경으로 빠지기는 했지만. 딜런 추종자이자 전기작가인 대니얼 마크 엡스타인은 딜런이 근시 때문에 듣는 능력이 "크게 발달"했고, 그 덕에 음악에 뛰어난 소질을 발휘했을 것이라고 주장한다. "남들이 한 마디를 들을 때 딜런은 한 소절을 듣고, 남들이 선율을 들을 때 딜런은 화음을 들었다", 딜런은 "칠판을 보지 못했"기 때문에 "주로 눈이 아니라 귀로, 지면이 아니라 목소리로 배우는 소리의 달인이 되었다"고 엡스타인은 말한다.

※ 머지강이 흐르는 영국 리버풀에서 발달한 로큰롤 음악을 가리키며 미국에 비해 단순한 리듬과 멜로디, 화음 등이 더 강조되는 편으로 비틀스도 여기에 속한다.

구에 커다란 뿔테 안경을 쓰고 고장 난 마리오네트 인형처럼 무대 위를 우스꽝스럽게 뛰어다니던 전직 우유 배달부 프레디 개리티가 프런트를 맡았다. 이런 모습이 일부 음반 구매층, 특히 미국 대중에게 분명 친근하게 다가간 탓에 이제는 팝계에서 안경을 쓰는 것이 멋스럽기보다는 오히려 약간 코믹하다는 인상이 짙어졌다. 팝스타 앨비스 프레슬리보다는 희극 배우 피터 셀러스에 훨씬 더 가까운, 치아 상태만큼이나 시력도 나쁘고 우스꽝스럽게 생긴 영국인 개리티에게나 어울리는 물건이라고 말이다. 어쩌면 안경을 쓰고 익살맞게 BBC 텔레비전 어린이 예능 퀴즈쇼 『크래커잭!』을 진행하던 피터 글레이즈와 더 가깝다고 할 수도 있겠다. 버디 홀리와 BBC 라디오 코미디쇼 『더 군즈』를 찬양하고 행크 마빈을 존경했다는 레넌조차도 어느 정도 이런 견해에 동조했던 모양이다. 비틀스가 성공한 후에는 훨씬 줄어들기는 했지만.

명성을 얻은 첫해인 1963년에서 1964년 사이 비틀스를 추적한 마이클 브라운은 레넌에게 평소 "항상" 쓰는 안경을 무대에서는 왜 "보란 듯이 벗어 버리는지" 물었고, 이런 답을 들었다. "이미지를 망치면 안 되니까요." 나중에 브라운이 기록한 바에 따르면, 심지어 파리 올랭피아 극장

공연 당일에는 프랑스의 비틀스 여성 팬 2백 명이 "존 레넌은 무대에서 안경을 써 달라"는 요청서에 서명해 호텔로 보냈는데도 레넌은 안경을 쓰고 무대에 오를 마음을 먹지 못했다.

홀리처럼 레넌도 콘택트렌즈를 쓰려고 해 보았지만 실패했다. 분장실 바닥에 렌즈를 떨어뜨려 잃어버리는 바람에 맨눈으로 무대에 오르는 사태가 종종 벌어졌다. 작은 공연장과 클럽을 돌던 초기 시절에는 눈앞이 흐릿한 상태로 공연하는 편이 더 나았을지도 모른다. 코앞에 늘어선 버컨헤드의 테디보이※들이 술에 취해 상스러운 소리를 질러 대는 모습을 보면 적잖이 당황스러웠을 테니 말이다. 실례로, 어디로 튈지 모를 유머로 학창 시절 레넌의 상상력에 불을 지핀 『더 군즈』의 출연자 해리 시컴은 무대 공포증을 극복하려고 일부러 관객이 잘 보이지 않도록 안경을 벗어 두고 무대에 올랐다. 하지만 레넌이 친구들과 전기 작가 레이 코널리에게 고백한 바로는, 수많은 관중 앞에서 시야가 흐릿한 상태로 공연하는 쪽이 훨씬 더 불안했다고 한다. 레넌은 코널리에게 이렇게 말했다. "그렇게 엄청난 소음 속에서 연주하고 노래하는데 아무것도 보이지 않는 상황이 상상돼요? 엄청나게 무서워요."⊙

※버컨헤드는 리버풀 옆, 머지강 건너편에 있는 도시이며 테디보이는 광적인 로큰롤 팬을 가리키는 말이다.

그러나 장기간 휑뎅그레한 미국 경기장을 돌며 공연하느라 지치고, 비틀스와 예수를 비교한 레넌의 인터뷰 기사에 항의하는 백인 우월주의 단체 쿠 클럭스 클랜의 시위에다 살해 협박까지 당한 끝에, 1966년 8월 29일 샌프란시스코 캔들스틱 파크 야구장에서 험악한 분위기 속에 마지막 공연을 마친 비틀스는 투어를 아예 그만두기로 했다.

　　공연 부담에서 벗어나 새로운 방향을 모색하던 레넌은 획기적인 새 앨범 『Revolver』를 발매한 지 불과 한 달 후인 그해 9월, 리처드 레스터의 풍자 영화 『존 레넌의 전쟁대작전』에 음악이 아닌 연기로 참여하기로 한다. 패트릭 라이언의 원작 소설 그리고 비틀스의 두 번째 영화 『헬프!』를 제작할 때 레스터 감독과 함께 작업한 각본가 찰스 우드의 대본을 바탕으로 한 이 영화는 군국주의와 영화계에 깊이 자리한 제2차 세계대전에 대한 영웅 신화를 짓궂게 꼬

⊙레넌의 경우, 안경을 쓰고 안 쓰고는 대체로 스스로 정했다. 그러나 성차별이 만연한 연예계에서 여성 가수와 연주자는 그런 사치를 부릴 수 없었다. 1963년 룩셈부르크에서 열린 유로비전 송 콘테스트에 출전한 그리스 가수 나나 무스쿠리는 안경을 쓰고 공연하기 위해 싸워야 했고, 아테네의 한 나이트클럽에서는 안경 벗기를 거부했다가 우아해 보이지 않는다는 이유로 해고당했다. 외모에 신경을 쓰던 무스쿠리는 미간이 너무 넓다고 생각해 네모난 검은 안경테를 즐겨 썼다. 얼굴의 결점을 가릴 뿐 아니라 관객으로부터 자신을 보호할 수 있어서다. 그 안경은 무대에서 무스쿠리에게 필요한 자신감을 채워 주었고, 그대로 대중의 인식에 자리 잡았다. 1965년 미국 언론 『가제티어』는 무스쿠리의 외모를 두고 조롱하는 듯한 논조로 "그리스 민요에 관해 연구하는 예쁘장한 박사과정생" 같다고 묘사했다.

집어 조롱했다. 배우 마이클 크로포드가 튀니지 전선에 크리켓 경기장을 만들라는 황당한 임무를 수행하는 열정은 과하나 매사 어설픈 상류층 출신 중위 어니스트 굿바디 역을 맡았고, 레넌은 리버풀 노동계급 출신으로 한때 파시스트 정치인 오즈월드 모즐리를 지지했다는, 사격 준비선에서 즉흥 개그를 내뱉는 머스킷병 그립위드를 연기했다. 레넌은 화면에 비치는 총 8분가량 제 역할을 충실히 해낸다. 그러나 레넌이 출연한 덕에 관객을 크게, 어쩌면 지나치게 끌어모은 이 영화는 상업적으로도 비평적으로도 성공하지 못했다. 잘 봐줘도 일시적 흥행작일 뿐이었다.

하지만 레넌은 역할을 소화하려고 머리카락을 자르고, 갈색 플라스틱 뿔테를 얹고 갈고리 모양 다리를 단 윈저 스타일의 둥근 철테 안경도 썼다. 스페인 알메리아에서 촬영하는 6주 동안 영화 제작 과정이 얼마나 길고 지루한지 깨달은 레넌은 그립위드의 동그란 윈저 철테 안경을 쓴 채로 신곡을 들고 런던으로 돌아간다. 그때 쓴 안경은 플라스틱 부속을 쓰지 않은 윈저 비슷한 안경일 수도 있지만, 어쨌든. 신곡 「Strawberry Fields Forever」는 영화 촬영이 비는 시간에 스페인 숙소에서 쓴 곡인데, 연철로 된 그 저택 대문이 어린 시절 뛰어놀던 울턴의 스트로베리 필드

(노래와 달리 's' 없음) 구세군 보육원과 정원을 떠올리게 했다. 레넌의 안경이 처음으로 대중 앞에 공개된 것은 영화 개봉 한 달 전 피터 쿡과 더들리 무어의 BBC 텔레비전 코믹 쇼 『초대 손님과 함께』 성탄절 특집에 초대 손님으로 출연했을 때였다. 일 년 전에 그 쇼에 출연했을 때는 레넌이 직접 쓴 웃기는 이야기와 그림, 의미 없는 시구를 모아 출간한 베스트셀러 『그 자신의 이야기』를 바탕으로 방송을 구성했는데, 이번에는 모자와 연미복을 갖춰 입고 "런던 최고의 화장실" 앞에서 일하는 도어맨 역할로 짧은 영상에 출연했다. 안경 쓴 신선한 모습으로 등장한 레넌은 파이프 담배를 든 미국 텔레비전 리포터로 분장한 쿡에게 입장료 5파운드를 받은 다음 "냄새를 따라가시면 됩니다, 손님"이라고 말하며 공중화장실로 내려가는 계단을 안내한다.

이즈음 펭귄 출판사에서 레넌의 글과 그림을 모은 페이퍼백을 출간했다. 『펭귄 존 레넌』이라는 제목을 단 그 책 표지는 전설적인 60년대 사진 작가 브라이언 더피가 찍은 레넌의 초상에 미술 감독 앨런 앨드리지가 디자인을 입힌 것이었다. 앞면에서는 『Rubber Soul』과 『Revolver』 앨범 표지에서처럼 다소 통통한 얼굴에 안경을 쓰지 않은 레넌이 슈퍼맨 셔츠를 입고 만화 속 영웅 같은 자세를 취하고 있다. 저작권을 의식한 모양인지, 가슴 부위에는 앨드리지가 슈퍼맨 로고를 고쳐 만든 레넌의 이름 앞글자가 또렷이 새겨져 있다. 뒷면에는 얼굴에 철테 안경 두 벌을 올려놓고 활짝 웃는 레넌의 또 다른 사진이 있다. 역시 더피가 찍은 것으로, 사진 속 렌즈에는 만화체로 그린 눈 그림이 채워져 있다. 슈퍼맨이 엑스선으로 세상을 본다면 레넌은 마치 곤충처럼 여섯 개의 눈으로 만화경 같은 풍경을 바라본다는 듯이. 그러나 이 우스꽝스러운 사진에서 우연히 발견한 진실은, 클라크 켄트와 슈퍼맨의 경우와 정반대로 레넌은 안경을 썼을 때 더 강한 힘을 발휘한다는 점이었다.⊙

안경이 등장한 그때는 비틀스가 변덕스러운 공연 애호가들을 즐겁게 해 주는 연예인이 아니라 예술가로서 스튜디오 안에서 회복기를 보내며 그 어느 때보다 진지하고 대단히 실험적인 음악을 만들던 시기였다. 표지 디자인을 현대 미술가 피터 블레이크, 잔 하우스, 리처드 해밀턴에게 맡기고, 앨범 전체에 하나의 콘셉트를 적용해 LP 레코드판으로 팝 음악을 제작하기 시작한 그 시기에 레넌의 안경이 함께했다. 「All You Need is Love」와 「Give Peace a Chance」를 부르고, 자연식으로 식생활을 바꾸고, 베트

⊙밥 그루언이 촬영한 안경 여러 벌을 쓴 레넌의 또 다른 사진은 1974년 발매한 솔로 음반 『Walls and Bridges』 표지로 쓰였다.

남전 반대 베드인 시위를 벌이는 그런 활동은 마하트마 간디가 쓰던 것 같은 고글을 쓴 남자가 하는 편이 훨씬 어울렸다. 안타까운 점은, 유대인 대학살을 주도한 나치 지도자 하인리히 힘러도 그런 안경을 썼다는 사실이다. 그리고 그다지 알려지지 않은 사실이지만, 1945년 베를린의 총통엄폐호에서 발굴한 아돌프 히틀러의 유품 중에도 무테에 가까운 안경테에 갈고리 다리를 단 륀케 안경사의 독서용 안경이 있었다. 히틀러는 시력에 결함이 있다는 표시를 냈다가는 권위가 깎일 거라고 생각해 안경 쓴 모습을 촬영하지 못하게 했다. 『Sgt Pepper』 음반을 만들 때 "한낱 장난꾸러기" 레넌은 표지 가득 배치한 인물 중에 히틀러를 넣자고 제안했었다.⊙⊙

그러나 비틀스 못지않게 큰 사랑을 받은 또 다른 딱정벌레Beatle이자 히틀러가 "'기쁨을 통한 힘※' 전용차"라 부르며 극찬한 모델인 폭스바겐의 "국민 자동차"와 흡사하게, 청년층에서는 레넌의 안경을 반권위주의의 상징으로 적극적으로 받아들였다. 작가 주디스 바이올스트는 1969년 4월 7일 주간지 『뉴욕』에 발표한 시 「1969년 뉴욕 방문」에 60년대 말 맨해튼의 비주류 반문화에 관한 간단한

⊙⊙간디 역시 음반사 EMI 회장 조지프 록우드 경이 인도에서 신성 모독으로 몰려 현지 판매에 문제가 생길지 모른다는 우려를 표시하여 앨범 사진 최종본에서 삭제된 또 한 명의 인물이다.
※나치 정권이 퍼트린 문화 정책의 프로파간다로, 폭스바겐의 자동차 역시 이 일환으로 개발한 것이었다.

조사 결과를 담았다. 바이올스트에게 뉴욕은 거의 모든 사람이 "원칙을 지키려고 대학을 중퇴하고…… 통찰력 있는 채식주의자이거나…… 카리스마 있는 흑인 혁명가"처럼 보이던 도시였으며, 그리니치 빌리지에서 "음흉한" 시간을 보내려는 "뉴저지 출신의 말쑥한 유대인 소녀"인 자신은 "지난해 유행한 바지 길이"를 정확히 "맞추지" 못할까 두려웠다고 했다. 시의 마지막 연에는 이렇게 썼다.

뉴욕에서는 모두가
통념을 벗어난 성생활을 하고,
존 레넌의 안경을…… 썼다네

그다음 시구에서는 다들 "1934년산 모피 코트"를 살 수 있는 비밀스러운 공간을 알고 있는 듯 보였다고 덧붙이는데, 당시 안경뿐 아니라 구제 의류가 어느 정도 유행하고 있었는지 재차 강조해 주는 대목이다.

요 람 에 서
무 덤 까 지

1969년 4월 22일 런던 새빌 로의 애플빌딩에서 개최한 행사에서 '오노'로 공식 개명하기 전까지, 레넌의 가운데 이름은 처칠에서 따온 '윈스턴'이었다. 전쟁 중 태어난 아이임을 내내 떠올리게 하는 이 이름을 버린 일은 이후에 레넌이 영국의 비아프라※ 개입에 항의하며 대영제국 훈장을 반납한 일만큼이나 반제국주의 행동으로 비쳤다. 이후 엘튼 존 같은 이들의 음반에 비밀리에 참여할 때는 닥터 윈스턴 오부기라는 별명을 쓰기는 하지만. 엘튼 존은 1970년대에 안경을 가리키는 단어인 'spectacle'에 전혀 새로운 의미를 더한 바 있다.⊙

그러나 레넌이 선택한 안경테 또한 분명 전쟁 중 태어난 물건이었다. 1966년 레넌이 산 안경은 금테를 두른 둥근 렌즈 두 개를 가운데에서 브릿지로 연결하고 다리를

※1967년 나이지리아에서 정치적 갈등으로 분리독립을 선언하고 약 3년 간 존속한 국가이다.

⊙엘튼 존의 자서전에 따르면, 황새 깃털 장식을 단 의상을 입고 미국 경기장 관객의 눈을 사로잡으며 최고 전성기를 보내던 1970년대 중반에 존은 "ELTON이라는 글자 모양에 전체적으로 빛을 내뿜는 안경을 갖고 있었다"고 한다. 시각적으로 대단히 멋있었다고는 해도, 그 안경은 "안경 자체의 무게에다 빛을 내는 배터리팩 무게까지 더해지는 바람에…… 콧구멍을 찌그러뜨려 코를 쥔 채 노래하는 듯한 소리가 나게" 하는 등 공연을 방해했다.

구부린 광각 안경으로, 당시 영국에서는 NHS에서 10실링 17펜스만 내면 쉽게 구할 수 있었다.※ 2005년 런던에서 경매에 오른 레넌의 안경은 한 벌에 5만 5천 파운드였지만.

레넌이 철테 안경을 처음 쓴 해인 1966년에 책을 낸 리처드 코슨은 영국 안경 착용자들이 보수적인 취향을 드러냈다고 썼다. 그로부터 불과 2년 전 미국에서는 국내에서 멋지게 디자인한 신상품 홍보를 목적으로 하는 미국패션안경단체가 출범했다. 영국에서는 1950년대 초 '광학위원회'라는 무역 기구가 이와 유사한 역할을 하려고 시도했지만 "영국 여성은 대부분" "지갑이고 손잡이고 안경이고 간에" 디자인에 "무감각해 보였고", "NHS에서 처방받은 분홍색 반투명 플라스틱 안경테를 그냥 쓰고 다녔다"고 코슨은 다소 씁쓸하게 말했다.

1991년 영국 의회 위원회 회기 중에 노동당 의원 데이비드 힌칠리프는 어릴 적 레넌처럼 안경 쓰기를 매우 싫어했던 일을 이야기하며 "1950년에서 1960년 사이에 외모에 신경 쓰는 사람 중에 NHS 안경을 쓰는 사람은 아무도 없었다"고 말한 바 있다. 그러나 실제로는 이전에 그 정도 혜택을 누려본 적이 없는 압도적 다수의 영국인이 NHS

※국가 기록보관소 환율변환기에 따르면 현재 금액으로는 9.62파운드(약 15,500원)에 해당한다.

안경을 기꺼이 썼다. 도입 초기부터 정부가 "품질은 좋지만 보기에 그렇게 화려하지 않은" 제품으로 한정했으니 투덜대는 사람이야 있었겠지만 충분히 쓸 만한 데다 저렴하고, 처음 1회는 무료로 받을 수도 있는 안경이었다. 소비지상주의 광풍이 일어나는 중이긴 했어도, 화가 워홀의 화려한 색채보다 전쟁의 기억이 더 강하게 착색되어 있던 그 시대에는 유행보다 가격이 훨씬 더 중요했다. 1948년 시작한 NHS 제도는 1980년대까지 이어졌고, 그 사이 몇 가지나마 디자인과 색상을 고를 수 있었던 곳은 헨리 포드 안경원 정도가 다였을 것이다.

개인적으로는 NHS 안경의 마지막 10년을 경험하고 거의 40년이 지난 지금, 내 마음에 가장 선명하게 남아 있는 것은 헝겊을 씌우고 금속 여닫이를 단 안경집이다. 특히 어릴 적 처음 받았던 NHS 안경은 요즘 내가 쓰는 것과는 하늘과 땅만큼이나 달랐다. 크기와 모양은 고기파이 코니시 패스티를 닮았고, 아르마딜로 등껍질만큼이나 단단하던 그 안경집은 내 기억 속에서 낙서 가득한 학교 나무 책상 끄트머리에 부드러운 플라스틱 지퍼가 달린 필통과 거의 태생부터 한 몸인 양 붙어 있었다. 필통에는 책상 표면에 이름이나 상스러운 말을 끄적이려는 불순한 의도로 챙

겨둔 게 분명한 컴퍼스가 들어 있기 일쑤였다. 안경집에는 그렇게 불온하고 파괴적인 행위를 할 만한 물건이 들어갈 일이 전혀 없었다. 적어도 근시용 오목렌즈 안경이 담겨 있던 내 안경집은 확실히 그랬다. 윌리엄 골딩 소설『파리 대왕』에서 무인도에 고립된 소년들이 과체중에 근시인 피기의 안경으로 불을 피우는 대목을 읽기는 했지만, 어느 화창한 오후 따분한 두 시간짜리 수학 수업 내내 아무 일 없는 척하며 내 안경으로 휴지통에 불을 붙이려 시도해 본 결과, 그건 말도 안 되는 소설 속 허구일 뿐이었다. 발산 렌즈는 화경으로 전혀 쓸 수 없다. 초점이 아예 맞지 않으니 말이다. 방화광이 필요하다면 수렴 렌즈인 원시용 안경을 써야 한다. 그리고 당시 그 소설은 중학생 수준에 맞춘 것이기도 했다. 하지만 안경집을 다룰 때만은 주의해야 했다. 안경을 꺼내는 일은 마치 껍질 속에서 굴을 꺼내는 것과 같았다. 쥐덫처럼 팽팽한 용수철이 달려 있어 여는 것만도 대단한 도전이었다. 반쯤 열린 상태에서 손가락을 떼기라도 하면 안경이 갑자기 튀어 나가는 심각한 상황이 발생할 수 있었다. 고요한 시험장에서 어쩌다 안경집이 갑자기 열리기라도 하면 음악실 나무 벽에 장난감 총을 쏘았을 때처럼 따닥하는 그 날카로운 소음에 놀라 시험지를 찢어 먹는 사고가 속출할 수도 있었다.

　1970년대에서 1980년대에 나온 그런 안경집은 특히나 지나치게 튼튼해 보였다. 더 날렵하고 핸들이 낮은 경주용 자전거가 이미 등장했는데도 굳이 허리를 펴고 앉는 핸들 높은 자전거를 타는 것이나 마찬가지였다. 그래도 그 안경집은 기모 처리를 한 까만 플라스틱 대용품과 나날이 늘어나는 일회용품에 맞서고 있었다. 안경을 보호하기 위한 구시대적인 헌신이 숭고할 지경이었다. 용수철 달린 안경집은 당시에도 이미 은퇴 연령에 다다른 구식 물건이었다. 에드워드 시대의 산물인 이 디자인은 케네스 그레이엄이 소설 『버드나무에 부는 바람』을 출간한 해인 1908년에 특허를 얻은 것이다. 개발자는 윌모츠 유한회사의 프랜시스 제임스 윌모트였다. 우스터셔주 이브샴에 기반한 보석함 및 안경집 제작사인 이 회사는 1880년대에 버밍엄 주얼리 쿼터에서 처음 설립되었고, 제1차 세계대전 발발 전에 해튼가든 근처 클러큰웰에 제품 전시장을 열었다. 1908년 윌모츠는 버밍엄의 또 다른 안경집 제조사인 스마이드앤드컴퍼니와 막 합병한 상태였다. 스마이드의 기업주 E. L. 페이턴은 『버드나무에 부는 바람』의 토드와 마찬가지로 자동차를 사랑했고, 그때만 해도 아직 대부분이 농촌 지역이던 버밍엄 외곽의 롱브리지에 공장을 둔 오스틴 모터 컴퍼니의 지분도 갖고 있었다. 사업가가 안경집과 자동차에 동시에 관심을 둔다는 게 의아할 수 있겠지만, 윌모츠의 용수철 달린 안경집과 오스틴 자동차의 차체에는 모두 압연 강판이 쓰였다.

용수철이 달린 안경집은 베스널그린의 데일 케이시스, 버밍엄의 레서브러더스를 위시해 미국광학회사 등 수많은 업체에서 자사 고유 제품군을 생산하면서 1920년 들어 널리 퍼졌다. 1933년 이스트엔드 와이즈먼앤드컴퍼니는 "삐걱거리지 않도록 완벽히 설계한" 제품이라며 경첩을 장착한 모델 '서밋'을 출시했다. 그러나 몇 년 후 그들도 모르게 용수철 단 안경집의 전성기가 찾아왔는데 그 결정적 요인은 NHS 출범이었다. 그리고 윌모츠와 마찬가지로 와이즈먼도 전쟁 기간에 자사의 기계를 군수품 제작에 투여했고, 그 덕에 이 새로운 보건 서비스의 계약을 따내는 주요 수혜자가 될 수 있었다.

NHS 출범 후 윌모츠의 용수철 뚜껑 안경집이 1940년대를 주도했지만 이는 시작에 불과했다. NHS 안경 한 벌당 철제 안경집 하나가 무료로 지급되면서 사방에 그 안경집이 깔렸다. 안경집 비용을 추가로 내야 했지만, 그 덕에 안경테와 렌즈 손상을 막아 장기적으로는 비용을 절감하는 효과를 얻었을 것이다. NHS 납품에 기대어 윌모츠는 유럽 최대의 안경집 생산 업체로 성장했고 1970년대에는 주당 10만 개에서 15만 개까지 제품을 쏟아 냈다.

윌모츠가 NHS 안경집의 기준을 마련했다면, M. 와이즈먼앤드컴퍼니는 NHS 보급 안경의 디자인에 가장 큰 영향을 끼쳤다고 할 수 있다. 많을 때는 연간 150만 명분을 생산할 정도로 주요한 NHS 안경 제조사가 되었다.

와이즈먼은 1898년 불과 열아홉 살이던 막스 와이즈먼⊙이 미국 매사추세츠주 사우스브리지에 있던 또 다른 안경 제조사인 듀폴영광학회사와 애틀버러 인근의 베이스테이트광학회사에서 안경테를 수입하는 일을 경험한 후에 설립한 회사로, "금테가 안경의 미래가 될 가능성에 주목해 대단히 열정을 쏟은" 곳이다. 1941년 와이즈먼이 『디옵티션』에서 회상한 바에 따르면 "당시는 철과 순금이 안경테의 주재료"였지만 미국과 독일에서 더 가볍고 내구성 있는 도금rolled gold※ 제품이 나왔고, 이 금테 안경은 품질이 월등해 기존의 청색 철테와 너무 잘 벗겨지던 금박

⊙원래 바이스만이었지만 1914년 10월 23일 제1차 세계대전 발발 직후 개명 신청을 통해 이름을 바꾸고 그 주에 나온 『런던 가제트』에 공표했다.

※한국어로는 모두 도금이라고 하지만, 본문에 나오듯 도금은 종류가 여러 가지인데 금박 두께를 기준으로 하면 gold plate < rolled gold < gold filled 순으로 볼 수 있다.

gold plate테를 금세 앞질렀다. 와이즈먼은 1926년 페리베일에 렌즈 제조 공장을 세운 후로도 1932년까지 독일에서 안경테를 들여왔다. 영국이 금본위제를 폐지한 이듬해인 그해부터 수입이 금지된 까닭에 와이즈먼은 라테나우의 안경 제조 공장을 통째로 인수하는 극적인 과정을 밟게 된다. 어두워지는 자국의 정치 현실을 염려하며 기꺼이, 심지어 적극적으로 이주를 희망하던 기술자 열 명을 포함해 회사 전체가 해크니 윅의 옛 인쇄소 알가 팩토리로 장소를 옮겼다. 해크니 윅은 런던 이스트엔드의 공장 지대로 초기 플라스틱인 파크신이 탄생한 곳이다. 전쟁이 터지고 적국인이 된 와이즈먼의 독일 출신 안경 제작자 다수가 스코틀랜드에 억류당했지만, 남아 있던 몇몇 기술자들은 지금도 사용하고 있는 수많은 기계를 활용해 방독면 및 여타 방호 목적의 안경류에 쓸 렌즈를 제작하며 전쟁 물자 보급에 기여했다.

NHS 설립에 앞서, 와이즈먼은 개인 자격으로나 공제회 또는 노동조합 회원 자격으로 국민보건보험(NHI) 제도에 기금을 납부하는 사람에게 제공하는 안경을 제작했다. 둥근 철테 안경 윈저 판토 등 이때 나온 안과 배당 안경테(OBAC)가 대부분 NHS 안경의 바탕이 되었다.

1949년 와이즈먼은 니켈, 도금gold- filled, 셀룰로오스 아세테이트로 만든 열여덟 가지 안경을 제공했는데 그중 열 가지는 1951년까지 완전 무료였고 나머지는 약간의 추가 비용이 들었다.

NHS 안경 종류는 늘었다 줄었다 하다가 1950년대 후반 들어 니켈, 도금rolled gold, 플라스틱 재질의 열 가지 기본 안경테로 자리를 잡았는데 그중 반 이상이 다리를 가장자리 위에 달거나 중간에 달거나, 렌즈를 코팅하거나 하지 않은 정도로 윈저 판토를 변형한 모델이었다. 거기서 조금 더 개성을 살리려면 다리 끝을 갈고리형 또는 하키 채를 닮은 하키형 중에서 선택할 수 있었고, 플라스틱테는 색깔과 마감 종류 몇 가지를 고를 수 있었다.

코슨이 언급한 "분홍색 반투명 플라스틱" 안경테는 다른 피부색을 전혀 고려하지 않던 당시에 공식적으로 "살색"이라 불렸다. 코슨은 냉소적으로 말하긴 했지만 이 안경은 원래 시장에서 고급 제품에 속했다. 1930년대 안경원 라파엘스의 판매원으로 일하다 독립해 소호 폴란드가 지역에서 안경 제작자로 자리 잡은 필립 올리버 골드스미스가 개발한 것으로, 에리노이드Erinoid라는 플라스틱으로 실험한 끝에 최초의 '살색' 안경테를 만들어 냈다. 골드

스미스는 이 제품이 여성용 안경의 새로운 시대를 열어 줄 것이라 믿었기 때문에 하루가 시작되는 순간을 가리키며 여성 이름으로도 많이 쓰는 '던'Dawn이라는 이름을 붙였다. 브랜드로서 올리버 골드스미스는 이목을 집중시키는 안경으로 알려졌다. 1950년대에 아들 찰스(이후에는 그 역시 올리버라는 이름을 썼다)가 사업을 물려받은 후 샹들리에만큼이나 번쩍거리는 보석 장식을 한 캐츠아이 안경류를 출시한 후로 특히 그랬다. 하지만 애초에 이 제품의 판매 전략은 "드러나지 않는" 특성에 있었다. 착용자의 얼굴빛에 가까운 색을 지향한 이 안경테는 카멜레온처럼 주위 환경에 스며들어 눈에 띄지 않도록 만든 제품이었다. 적어도 발상 자체는 그러했다. NHS에 안경테를 납품할 때에도 그 관념이 이어져, 분홍색 아세테이트 안경은 주로 여성과 어린 여자아이용으로 처방되었다.⊙ 아동용 안경테는 뛰어놀다 진흙탕에 빠트리지 않도록 다리 끝을 구부린 것만 빼면 거의 성인용 안경테를 축소한 형태였다.

1950년대에는 조금이나마 특색 있는 모델을 원하며 약간의 추가 비용을 지불할 의사가 있는 사람을 위한 제품군이 나왔다. 광학 사학자 조앤 구딩이 "혼종 NHS"라고 명명한 것으로, 시중에서 안경사에게 따로 구매하되 규격

⊙같은 맥락에서 생산한 파란색 반투명 플라스틱 제품은 정반대로 스머프가 쓸 때만 "드러나지 않는" 색이었지만.

NHS 렌즈를 끼울 수 있도록 만든 안경테였다. 그런데 이 경우에도 안경테 모델을 정부에서 관리했다. 보건부에서 규정한 기준에 맞추어 제작한 안경테만 인정받을 수 있었다. 이를테면 수프라처럼 두 가지 색을 쓴 안경테는 NHS에서 환영받지 못했다.

그런데 1960년대 들어 로치데일의 버텍스광학유한회사가 혼종 NHS에 해당하는 푸시캣 모델을 출시했다. 원래 'NHS 안경'이라면 누구나 떠올릴 정도로 흔히 쓰던 검은색 또는 갈색 사각형 NHS 안경테인 셀룰로오스 아세테이트 524번을 제작하던 회사 중 한 곳이었다.

"솟아오르는 안경테"라고 묘사한 여성용 캐츠아이 스타일로 "복숭아·라일락·파랑·빨강 등 특별하고 독창적인 네 가지 색상으로 구성"해 "1960년대에 어울리는 스타일을 창조"한다고 주장한 이 안경테가 정부 부처 사람들 눈에는 지나치게 화려해 보였다.

이 제품을 심사하느라 상설 안과자문위원회가 생겼다. 논란이 될 만한 안경테가 나올 경우 심사하는 임무를 맡은 위원회였다. 3년 후, 마이클 버치 (디자인스) 유한회사가 두 가지 색을 가미한 플라스틱 캐츠아이 모델 캔디다를 혼종 NHS 안경테로 납품하려다 거절당하자 소송을 제기했고, 결국 결정이 뒤집히면서 문제가 불거졌다. 그러나 정부 관료들은 민간 안경테를 구매할 여력이 있는 사람들이 점점 더 화려한 안경테를 선택해 국가 재정에 부담이 늘어날 것을 염려해 NHS 안경테에서 "장식적 요소를 제거"하는 방향을 고수했다.

그리고 안경을 쓰지 않은 레넌과 비틀스가 미국에서 돌풍을 일으키던 1964년, 현장 실습을 원하는 안경사라면 모두 다 등록해야 하는 정부 공식 기구인 광학총협의회가 업계의 판촉 활동을 엄격히 제한하는 정책을 재가동했다. 「홍보 규칙에 관한 광학총협의회 위원회 명령(문서번호 1964-167호)」의 "홍보 규칙" 조항에 따라 광고는 업계 정기간행물에만 할 수 있으며 언론상에는 회사명 변경 같은 공식 사안만 게재하되 "품위 있고 절제된" 형태를 갖춰야 하고, 광학 제품은 "부속품·선글라스·광학 기기를 제외한 어떤 제품과도 함께 전시할 수 없"고 매장 유리나 외부에 가격 표시는 일절 금하며 간판조차도 "업계 현실에 '걸맞은' 형태로" 걸어야 했다.

기본 안경테 몇 종은 거의 원형을 유지한 채로 NHS가 출범 22년을 맞이한 1970년, 『디옵티션』은 NHS 안경이 "쓸 만하지만 썩 좋지는 않은" 물건이라는 인식이 널리 퍼져 있다고 경고했다. 6년 후 노동당의 해럴드 윌슨이 두 번째 내각을 이끌 때 보건부 장관을 맡은 바버라 캐슬은 『디옵티션』에 NHS 안경이 시대에 뒤떨어져 있으며, 시민들에게 "가난의 상징을 얼굴에" 걸치고 다니도록 강제하는 거나 마찬가지라고 말했다.

그러나 유행에서 살짝 밀려난 둥근 판토 안경테가 1960년대 말에 다시 주목받는다. 레넌을 보면 적어도 안경에 있어서는 현세의 물건을 완전히 포기한 게 아니었지만, 물질세계의 허식을 버리고 깊이 회개하는 것이 비틀스를 둘러싸고 일어난 비폭력 반문화의 구성 요소였다. 이 문화는 구슬·민속 의상·역경易經을 파는 상점과 의식을 확장해 준다는 스털링·실링·펜스(영국 통화의 옛 이름인 Li-bra·Sestirii·Denarii의 이니셜을 따면 LSD) 판매자 사이에 놀라울 정도로 깊이 퍼져 있었다.⊙

NHS의 판토 윈저가 갖고 있던 금욕적인 인상은 수수한 노동자용 청바지를 입던 히피 문화권의 평등주의자들에게도 잘 맞았다. 성별과 관계없이, 해비타트에서 제공한 수제 느낌의 소나무 탁자에서 녹두와 현미를 먹을 때나 시위에 참석하는 중에나 두루 쓸 만한 물건이었다.⊙

그러나 1968년에는 발 두니컨이 음반 차트에서 『Sgt

⊙1966년 『디옵티션』에 실린 광고에서 자주 보이던 신제품 중에는 티크·로즈우드·차콜 색 목재로 만든 다소 자연으로 돌아간 느낌의 제품이 있었다.

Pepper』를 제치며 1위를 차지하고 리처드 닉슨이 백악관에 들어가는 등 히피 문화의 발상지 해이트 애시버리가 모두의 지상 낙원이 아님을 보여 주는 불길한 징조가 나타났다. 그해 프랑스 고급 의상실 크리스티앙 디오르가 뉴욕 5번가의 안경원 투라 제품에 이름을 새겨 넣기로 한 결정 또한 소비지상주의가 심지어 파리의 거리에서 폭동을 일으키던 학생 사이에서도 왕성한 기세를 떨치고 있음을 보여 주는 신호였다. 1947년 디오르 창립자는 원단도 부족할뿐더러 검소함을 칭송하는 분위기가 팽배하던 당시에 보란 듯이 스커트를 과하게 부풀린 뉴룩을 내놓았다. 그리고 업계가 불황에 빠져든 다음 10년 동안에도 디오르 의상실만큼은 기존 관행을 고수하던 이들에 비해 시대정신을 잘 잡아낸 듯하다.

런던 그로브너 스퀘어에 있는 미국 대사관 앞에서 대학생들이 베트남전 반대 시위를 벌이며 혼지예술대학을

⊙2008년 서독 적군파를 다룬 울리 에델의 영화 『바더 마인호프』에서 정치적으로 급진화하여 언론인에서 테러리스트로 변신한 울리케 마인호프 역을 맡은 마르티나 게덱은 눈썹 안경처럼 생긴 네모난 철제 안경을 쓰다가 무장 투쟁에 참여하면서 둥근 철테 안경으로 바꾼다. 한편, 이미 전작 『다운폴』에서 히틀러 역을 맡아 뿔테 코팅을 얹은 철테 안경을 선보였던 브루노 간츠는 여기서 테러리스트 소탕을 주도한 서독 연방경찰청장 호르스트 헤롤트 역을 맡았다. 간츠는 실제로 헤롤트가 썼던 네모난 갈색 플라스틱 안경을 썼는데, 이것은 영화 속에서 헤롤트가 명백히 '그 사람' 편에 서 있음을 보여 주는 소품이었다. 적어도 배우의 동정 어린 표현에 따르면, '생각하는 사람'의 편에.

점거하는 동안, 광학위원회는 영국 시민의 "시력 관리와 안경 패션에 관한 관심"을 키우려고 "교육적" 영화 광고를 통해 펼치던 홍보 활동의 일환으로 런던 시내와 지역 66곳에서 제품을 전시할 이동식 전시 차량을 배치하느라 바삐 움직이고 있었다.

분명, 1960년대가 끝나는 무렵에 새로 떠오르고 있었던 것은 물병자리가 아니라 디자이너 안경의 새로운 시대였다. 그리고 목제 안경은 나중에 레이건 지지자인 닐 영이 부른 노래 가사처럼 그저 '히피의 꿈'에 불과했음이 드러났다.⊙⊙

베를린 장벽이 무너지던 1989년에는 이미 NHS 안경은 사라지고 없었다. 그리고 알가 웍스는 해크니 윅에서 조금 떨어진 웨스트엔드의 화려한 거리 이름을 본뜬 '새빌로'라는 고급 브랜드 아래 도금gold-filled한 판토 안경을 팔고 있었다. 대중적인 기성복이 아니라 고급 맞춤 양복점으로 유명했던 해크니 윅은 비틀스가 설립한 애플코어 본사가 잠시 자리 잡았던 곳이기도 하다. 비틀즈의 마지막 공연도 그 건물 옥상에서 열렸다.

그 획기적인 공연이 끝난 지 20여 년 후이자 레넌이

⊙⊙"히피의 가발"과 똑같은 맥락에서, 브루스 로빈슨이 1960년대 말기를 기리며 만든 영화 『회색빛 우정』에서 마약상 대니는 영국 안경회사 알렉산더 제롬이 반문화로 돈을 벌려는 속내가 뻔한 안경 모델을 내놓았다고 불평한다. "히피 계열"로 나온 그 제품군은 원형·타원형·팔각형·사각형 등의 "최신 철제 안경 6종"으로 구성되었다.

망상에 빠진 남자의 손에 살해당한 지 10년이 지난 해인 1990년, 레넌의 자산관리사가 뉴저지 화이트하우스에 있는 이글안경회사와 계약을 맺고 레넌을 기념하는 안경 제품군을 생산 및 유통하기로 했다. 이글의 의뢰로 이탈리아 안경회사 데메네고에서 제작한 존 레넌 컬렉션은 뉴욕 다코타 빌딩 앞에서 총에 맞았을 때 쓰고 있던 네모난 P3형 플라스틱 안경까지 포함해 1960년대에서 1970년대에 레넌이 썼던 안경을 바탕으로 디자인한 네 가지 모델로 구성되었다.⊙

⊙당시 아내 오노 요코는 피가 묻은 채 깨진 그 안경 사진을 자신의 솔로 앨범 『Season of Glass』 표지로 써서 비판을 받았는데, 레넌이 죽은 지 겨우 6개월 뒤에 발매된 그 음반은 단순히 슬픔을 주제로 만든 곡이라기보다는 가슴 아프고 시적이며 뇌리에 꽂히는 끔찍하고 불안한 감정을 담은 작품이었다.

1 2 장
고 공 비 행

① 970년대에서 1980년대에는 유난히 비행사 스타일 안경이 넘쳐났는데, 비행기에 관해 조금 살펴보는 것이 이 현상을 이해하는 데 도움이 될 듯하다. 1969년 2월 9일, 한국전쟁 당시 미국 육군 항공대 기지로 사용했던 워싱턴주 에버렛 페인 필드 공항에 군중이 운집했다. 세계에서 가장 큰 수송기, 보잉 747 점보 제트기가 이륙하는 장면을 보기 위해서다. 꼬리가 6층 건물보다 높은 이 비행기는 객실이 2층이고 기체가 혹등고래의 등처럼 볼록하며, 연료를 마구 먹어 대는 엔진 네 개가 달려 있었다. 1973년 석유 파동으로 잠시 발이 묶이긴 했지만, 길이는 70미터가

넘고 좌석은 4백 명을 수용할 수 있으며 비행 속도가 시속 960킬로미터 정도 되던 737 기종이 등장한 후로 수백만 명이 그 어느 때보다 저렴한 비용으로 항공 여행을 할 수 있게 되었다. 1970년대에 비행을 시작하여 '하늘의 여왕'이라는 별명을 얻은 그 비행기는 민간 항공기 중에서 역대 최고로 성공적인 모델로 자리 잡았다. 초기에는 넓은 다리 밑 공간과 피아노 바, 휴게실 같은 기내 시설을 제공한다고 약속하며 승객을 유혹했지만, 이런 편의시설은 더 수익 좋은 좌석으로 곧 대체되었다. 이렇게 점차 보편화하고는 있었어도 비행기와 항공 여행 자체는 여전히 특별한 일이었다. 1972년에는 미국인 절반 이상이 비행 경험이 있었고, 항공기 승객 수는 1955년의 네 배로 증가했다. 영국에서도 1952년에는 인구의 겨우 3퍼센트만이 해외에서 휴가를 보냈지만, 항공술이 발달하고 업민스터 트래블클럽·호라이즌·가이투어스·인타선·유니버설 스카이투어 U 같은 여행사에서 저렴한 패키지여행 상품을 내놓으면서 1960년대 말에는 영국 전체 인구의 10퍼센트에 달하는 5백만 명가량이 해외로 나갔다. 그리고 미국 항공사 팬암이 1970년 737 항공기로 대서양을 가로질러 뉴욕과 런던을 오가는 노선을 최초로 도입한 후로 영국 상공에서는 제

비만큼이나 제트기가 흔히 보였다.

1970년에는 기가 막히게 성공적인 통속 소설을 써내던 아서 헤일리의 베스트셀러를 원작으로 한 재난 영화 『에어포트』가 나와 그해 미국에서 『러브스토리』 다음으로 가장 많은 수익을 올리는 등 대중문화에서도 제트기 여행에 대한 선망과 공포가 드러났다. 통계에서 꾸준히 나타나듯이 비행은 운전보다 더 안전하다고 할 수 있다. 그러나 위험부담이 엄청나게 높고 그 결과도 워낙 심각하다 보니 항공 산업에는 언제나 위험이 도사리고 있었다. 그 점이 비행의 매력을 더해 주기는 했지만.

지금 기준으로는 놀라울 정도로 보안이 허술했던 당시에는 '공중 납치'가 유행병처럼 발생해, 1968년에서 1972년 사이에만 웨스턴항공 701편처럼 정치적 목적을 앞세운 납치범의 손에 넘어가 아바나 또는 알제리 등지로 끌려간 비행기가 10여 대나 되었다. 이런 상황은 비행을 더욱더 흥미진진한 경험으로 만들 뿐 아니라 『에어포트』 시리즈의 흥행성을 높여 주는 자원이기도 했다. 시리즈 세 번째 작품인 『에어포트 77』은 민간항공기 747을 노리는 미술품 도둑을 중심으로 이야기를 전개했다. 기내 피아노 라운지에 그득한 부자와 유명인 그리고 배우 크리스토퍼 리가 연기한 악당까지 태우고 있었던 이 항공기는 어느 부유한 수집가가 마련한 것으로, 그 수집가 역은 이 작품을 마지막으로 은퇴한 배우 제임스 스튜어트가 맡았다. 제트기 기장으로서, 모든 면에서 극적인 이 재앙의 중심에서 이성적인 목소리를 담당한 배우 잭 레먼은 윗입술 위에 큼직한 콧수염을 달고 빳빳하게 잘 다려진 파란색 반소매 셔츠를 입고 어깨에는 견장을 단 모습으로 출연했는데, 이는 전설적인 의상 디자이너 에디트 헤드의 작품이었다.

밴드 록시 뮤직의 멤버 브라이언 페리가 입었던 '조종사' 셔츠와 콧수염·조종사 선글라스에서 보이듯, 70년대 당시 비행기 조종사가 누리던 사회적 명성이 패션에 널리 녹아들어 갔다. 그리고 선글라스의 시초였던 조종사형 안경테는 1970년대 초에 투명한 교정용 렌즈를 끼운 안경으로도 쓰였다. 미국 안경사이자 안경산업 평론가인 프레스턴 파셀이 2013년 잡지 『20/20』에 쓴 글에 따르면 조종사 안경은 "1960년대 까만 플라스틱 뿔테 '자일'이 그랬던 것처럼 1970년대 안경류를 대표하는" 모델이 되었다.⊙

파셀은 이런 변화가 제트기 확산보다는 미국인의 일

⊙언제나 안경 유행의 바로미터 같은 존재였던 마이클 케인은 1970년대에 마이크 호지스의 범죄 희극 영화 『펄프』(1972)에서 부유한 삼류작가 미키 킹 역을 맡으면서 커다란 플라스틱제 조종사 안경으로 넘어갔다. 그리고 섀도스의 행크 마빈조차도 1977년 재결합 당시 뿔테를 버리고 조종사형 안경을 썼다. 그때는 이미 독실한 신자가 된 클리프 리처드도 마찬가지였다.

상이 흔들리면서 나타난 다소 민망한 집단적 신경쇠약 증세에 기인하는 면이 더 크다고 보았다. 1960년대에 불어닥친 극적인 사회 변화에 휘청이는 동시에 여전히 진행 중이던 베트남전·워터게이트·중동 분쟁 그리고 하늘 높은 줄 모르고 치솟는 유가에 직면한 "미국인은 자신에게 몰아닥친 고난을 이겨내고야 말겠다는 듯이…… 무엇이든 큰 것을 찾았다. 큰 바지에 큰 다리. 큰 재킷에 큰 칼라. 큰 터틀넥에 큰…… 터틀넥. 큰 무늬. 큰 머리. 큰 호박 목걸이. 큰 신발. 큰 안경."⊙⊙

파셀이 보기에 조종사 안경은 "독단과 편견이 가득하던 1970년대 '곤조※'에 기막히게 어울리는 물건"이었다. 글에서 언급하지는 않았지만, 이런 안경을 유행시킨 또 다른 인물로는 자유분방하며 몰입감 높은 이른바 '곤조'형 글쓰기의 전형을 보여 준 비소설 작가 헌터 S. 톰슨이 있었다. 파셀은 그보다 안경테로서 조종사 안경이 "착용자의 얼굴을 삼킬 만큼 거대하지만, 특대형 렌즈를 적절히 소화할 만한 플라스틱의 심미적인 특색은 갖추지 못했다"고 평했다.

이 말도 어느 정도 사실이기는 하지만, 1970년대 차별 반대 정책을 지향하는 평등권 수정안이 비준에 실패한

⊙⊙1970년대식 칼라를 단 셔츠를 1980년대 내 주위에서는 공항 이름을 따서 "개트윅"이라고 불렀다.
※68혁명의 분위기가 사그라들던 1970년대 기득권에 큰 반감을 표시하며 주관적이고 독단적인 취재를 강행하던 저널리즘을 가리키는 말이다.

사건을 조명한 2020년 텔레비전 미니시리즈 『미세스 아메리카』는 페미니스트 작가이자 활동가인 글로리아 스타이넘이 당시 대표적인 조종사형 금테 안경 착용자였다는 사실을 되새기게 해 주었다. (이따금 렌즈에 살짝 색을 입히기도 했지만.) 그리고 여성해방운동가가 쓴 안경이라고는 해도, 조종사 안경은 급진적인 동시에 세련된 물건이었다. 이름에서 드러나듯 조종사 안경은 조종사로부터 유래했고, 그 원형은 미 육군의 뛰어난 조종사 존 매크리디 중위가 쓰던 선글라스였다. 제1차 세계대전 기간에 텍사스주 브룩스필드 기지에 있는 미국육군조종사학교에서 항공기 조종을 가르치던 매크리디는 당대 모든 미군 조종사가 교과서로 삼은 지침서를 집필했고, 종전 후에는 오하이오주 데이턴 인근 맥쿡필드 기지에서 최초의 시험비행 과정을 이끌었다. 1922년에는 고도 만 2천 미터에 달하는 세계 비행 신기록을 달성하고 이듬해에는 오클리 켈리 중위와 함께 단엽 비행기 포커기로 중간 착륙 없이 미국 대륙을 최초로 횡단 비행 했다. 뉴욕 롱아일랜드에서 캘리포니아 샌디에이고에 이르는 이 동서 해안 대장정에는 거의 스물일곱 시간이 걸렸다. 또한 1924년에는 최초로 항공 방제를 했고, 미국 최초의 항공 측량에도 참여했다.

주로 강철관과 철사·합판으로 만든 개방형 조종실을 단 비행기를 타던 매크리디와 동료들이 비행 고도를 높이기 시작하면서 맞닥뜨린 문제 중 하나는 얼어붙을 듯한 추위였다. 고도 9천 미터를 넘어가면 기온이 영하 60도까지 떨어졌다. 이런 환경을 견디려고 솜을 댄 가죽 항공복에 모피 안감을 댄 헬멧과 고글을 썼는데, 고글은 조종사의 눈이 얼어붙는 것은 막아 주어도 상공에 내리꽂히는 강렬한 햇빛을 충분히 막아주지는 못했다. 딸 샐리 매크리디 윌리스에 따르면, 매크리디는 바슈롬과 협업해 성층권의 눈부심 현상을 막아 줄 안경을 만들기 시작했다.

그렇게 매크리디의 고글이 탄생했다고 한다. 그중에는 열기를 흡수하는 짙은 녹회색 고글도 있었다. 그러나 매크리디가 참여한 더욱 상업성 있는 제품은 1937년 바슈롬이 출시한 스포츠용 선글라스 제품군이었다. 물방울 모양 유색 렌즈를 철제 안경테에 끼운 것으로, 과학 저술가 겸 역사가 페이건 케네디의 매력적인 시적 표현에 따르면 "복엽 비행기 날개 받침만큼 가녀린" 이런 안경은 골프선수 바이런 넬슨에 도전하거나 키웨스트 해안에서 헤밍웨이와 함께 청새치를 쫓기 원하는 사람에게는 "진정 과학적으로 눈부심을 막아 주는" 물건이었다. 골프와 낚시처럼 프로와 아마추어가 공존하는 운동 종목을 겨냥한 이 제품군은 저렴하게는 몇 센트에도 선글라스를 살 수 있었던 당시에 몇 달러대의 높은 가격으로 팔렸다. 영국 공군의 보호용 고글을 제작한 막스와이즈먼앤드컴퍼니가 이미 2년 전부터 생산 중이던 제품군과 외관이 비슷한 까닭에 논쟁이 일었지만 제2차 세계대전이 발발할 무렵에는 두 회사 모두 광학 장비 생산에 돌입했고, 매크리디는 현역으로 복귀해 북아프리카 지역 12공군에서 복무했다. 바슈롬은 미국 공군에 눈부심 방지 안경과 사격 조준기·항공 촬영 및 지도 제작 장비를, 해군에는 쌍안경·육분의·거리계 등을 납품했다.

그러나 전시뿐 아니라 종전 후로도 오랫동안 바슈롬 선글라스를 떠올리게 한 가장 유명한 인물은 남서 태평양에서 연합군을 지휘한 고압적인 미 육군 장군 더글러스 맥아더였다. 요란하게 장식한 모자를 쓰고 양상추를 통째로 씹어 먹는 특이한 습관과 더불어, 선글라스는 아예 입에 뿌리를 내린 듯하던 옥수숫대 파이프와 마찬가지로 맥아더가 꾸며낸 공적 자아에서 중요한 부분을 차지했다. 미국 대통령 트럼프가 가장 좋아하는 장군이라고 공언한 바 있는 맥아더의 제일 유명한 사진은 1944년 필리핀 레이테섬 상류 장면을 담은 흑백사진이다. 2년 전 바탄 전투로 일본에 점령당한 그 섬을 탈출한 후 필리핀 국민에게 돌아가겠다고 했던 약속을 멋지게 지켜 낸 맥아더는 일부러 무릎 깊이의 해안을 헤치며 걸어 들어갔다. 조종사 선글라스로 눈을 가린 장군은 불패를 확신하며 온몸에서 자만심이 흘러넘치는 근엄한 모습을 보여준다. 선글라스와 옥수숫대 파이프는 1950년대 초 한국에서도 함께 했는데, 이번에는 자만이 지나친 나머지 중공군의 지원을 등에 업은 북한군을 상대로 전면전을 고집하다가 트루먼 대통령의 명령으로 물러나게 된다. 전후에는 젊은이들이 군용 장비를 자기 필요에 맞게 재활용한 사연이 패션 업계를 휩쓸었고, 해군용 더플코트를 걸친 알더마스턴※의 핵무기 반대론자들과 미육군 파카를 입은 모드 집단, 군용 코트와 전투복 재킷 차림의 히피들로 계속 이어졌다. 전시에 생산된 레넌의 할머니 안경, 즉 P3 안경과 조종사 안경이 거리에 넘쳐 난 것은 물론이다.

그러나 글로리아 스타이넘이 선택한 옛 군용 안경은 미묘하게 정치적 입장을 드러내는 점에서, 게다가 '개인적인 것이 정치적인 것'이라는 구호를 내세우는 운동에 쓰였다는 점에서 훨씬 더 파괴적인 면이 있었다. 원래는 기

※영국 핵무기연구소가 있던 곳으로, 1958년 반핵운동가들이 벌인 첫 번째 반핵 평화 행진의 목적지였다.

사가 신던 롱부츠와 마찬가지로 여성이 남성적인 군용품을 선택한 또 하나의 사례를 만들어 낸 것이다. 여성 '해방 운동가'의 외모에 관한 편견도 깨뜨렸다. 스타이넘의 외모는 『반가워 스쿠비 두』로 치자면 꾀죄죄한 책벌레 벨마보다는 멋쟁이 다프네에 더 가까웠다. 구두법을 무시하는 이 텔레비전 만화영화 시리즈 속 캐릭터가 매사추세츠주 5개 대학 컨소시움의 전형적인 재학생을 모델로 했다는 이야기가 있는가 하면, 두꺼운 자일 안경을 쓴 똑똑한 말괄량이 벨마는 스타이넘이 다녔던 매사추세츠주 노샘프턴의 여성 자유 교양 대학 스미스컬리지를 대표한다는 설도 있다.

회고록이자 페미니스트 자조 지침서인 『셀프 혁명』에서 스타이넘은 자신이 6학년 때부터 안경을 썼고, 스미스컬리지 재학 중이던 1950년대에는 "할리퀸 안경을 쓰고 머리는 질끈 묶은" 오동통하고 "소심한 여학생"이었다고 회상한다. 데이턴과 매크리디의 비행장에서 차로 두 시간 조금 넘는 거리에 있는 오하이오주 털리도에서 나고 자란 스타이넘은 뉴욕에 도착한 후로 고향과 가족으로부터 일부러 거리를 두었다고 털어놓는다. 인도에서 2년 동안 여성들 사이의 유대감을 경험한 후 프리랜서 작가로 살아가려고 시도하던 중 영화 『티파니에서 아침을』을 보았고,

기자회견장의 글로리아 스타이넘.

"매일 조금씩 더 멀리 흙길을 걸으며, 삶의 짐을 너무 일찍 떠맡은 가난한 소녀의 삶에서 차근차근 빠져나온" 홀리 골라이틀리 역을 맡은 오드리 헵번에게 영감을 받아 영화 속 배우의 모습처럼 외모를 바꾸기로 마음먹었다. 회고록에 따르면, 스타이넘은 "헵번을 따라서 짙은 머리카락에 도드라진 금발 머리 장식을 얹고, 헵번처럼 커다란 선글라스를 썼다. 통통했던 어린 시절부터 콘택트렌즈가 자꾸 빠져서 쓸 수 없을 정도로 두툼했던 눈두덩이를 감추고 싶었다."

40년이 지난 후 돌아보니 당시에는 실제 자신이 누구인지는 생각하지 않고 사회에서 통용되는 "1950년대 '대학생'"이나 "1960년대 '반항아'"로서의 여성의 이미지를 그저 흉내 냈을 뿐이었다고 스타이넘은 말한다. 그러다 페미니즘을 만나 구원을 받고는 "단순하고 편한 청바지에 스웨터 그리고 부츠 차림"을 받아들이게 되었다. 이런 간단한 옷차림이 특대형 안경의 인상을 훨씬 도드라지게 했다. 10대 시절 너무 큰 키를 감추려고 어깨를 움츠리고 다닌 것과 마찬가지로 조종사 안경은 사자 갈기 같은 머리와 함께 자신을 숨기고 싶어서 쓰던 것으로, 외모에 대한 열등감을 상징하는 물건이었다. 그러나 약점을 가리려고 입은 갑옷이 오히려 강점이 되기도 하듯이, 그 안경은 가부장제에 맞서 싸우는 스타이넘에게 확실히 힘을 실어 주었다. 학식을 뽐내는 벨마 같은 유형으로 쉽게 치부하지 못하게 한 것이다. 언론에서는 스타이넘의 사상보다 외모에 관심을 더 기울이곤 했지만, 그 외모가 보는 사람의 마음을 무장해제시키는 역할을 한 것도 사실이다. "공중 납치범과의 위험천만한 전쟁"을 주제로 브래니프 항공 727 제트기 사진을 표지에 담은 1972년 8월 11일 자 『라이프』는 두 면에 걸쳐 "높은 곳에 영광을※: 스타이넘 룩"이라는 기사를 실었는데, 스타이넘과 똑같은 안경을 쓰고 머리 모양도 똑같은 여성 열다섯 명의 얼굴 사진을 제시하며 독자에게 누가 스타이넘인지 찾아보도록 했다.

30년 전 눈꺼풀 수술을 한 뒤로 스타이넘은 조종사 안경을 벗고 소프트 콘택트렌즈를 썼다. 1992년 쓴 글에 따르면, "그 커다란 안경은 대체 어찌 된 건가요?"라고 묻는 편지가 쏟아졌다고 한다. 그러나 그때는 이미 조종사 안경이 진지한 급진주의자와의 동행을 끝내고 반동적 보수주의자·컴퓨터 너드·라디오원 디제이·공포물 작가·속속들이 소름 끼치는 외톨이 괴짜 등에게 넘어간 후였다. 조종사 안경의 대중적 이미지를 망가뜨린 이러한 인물로는 각각 대통령 조지 부시·사업가 빌 게이츠·희극인 마이크 리

※Gloria in Excelsis, 글로리아의 이름이 들어간 천주교 성가곡 '대영광송'을 원용한 것이다.

드·디제이 사이먼 베이츠·작가 스티븐 킹·작가 숀 허트
슨·연쇄 폭탄테러범 테드 카진스키·연쇄 살인범 데니스
닐슨·제프리 다머 등을 꼽아야 할 것이다. 다머가 마침내
경찰에 체포당한 뒤 찍힌 범인 사진에서 듬성듬성한 금발
콧수염과 투명 렌즈를 끼운 조종사 안경을 발견한 프레스
턴 파셀은 이로써 미국에서 조종사 스타일은 끝장나 버렸
다는 사실을 직감했다. 다시는 회복할 수 없는 죽음의 일격
이었다. 트러커캡※과 팹스트 블루 리본 맥주를 좋아하는
포스트 밀레니얼 세대를 반영해, 삐딱함을 멋진 것으로 그
리며 그저 웃기는 데만 집중한 독립 희극 영화 『나폴레옹
다이너마이트』에서 제목과 이름이 같은 괴짜 역으로 등장
한 존 헤더가 조종사 안경을 쓴 것만 봐도 알 수 있듯이, 아
무리 역설적인 설정이라고 하더라도 그 안경의 이미지를
완전히 뒤집기는 불가능했다. 한때 클론 수염과 플라스틱
조종사 안경으로 유명했던 『보그』의 패션 사진작가 테리
리처드슨도 최근에는 젊은 여성 모델에게 무수한 성폭력
을 저지른 혐의가 제기되었으니 도움이 되지 못한다. 아마
도 이 사태를 보완할 수 있는 사람은 『미세스 아메리카』에
서 스타이넘 역을 맡아 다시 한번 그 "영웅적인" 안경을 쓰
고 사회를 바꾸려는 젊은 여성의 모습을 멋지게 보여 준 로

※챙 있는 일명 야구모자를 가리킨다.

즈 번밖에 없을 듯하다.

능 력 자 의
옷 차 림

모든 형태의 성차별을 끝내자는 평등권 수정안 투쟁이 벌
어진 이듬해인 1973년, 하버드대학교에서 타자 사무원으
로 일하던 캐런 누스바움과 앨런 캐시디라는 두 여성이 여
성 사무원 급여와 근무 환경 개선을 위해 싸우는 단체를 설
립했다. 1970년대에는 미국 전체 여성 노동자 중 3분의
1이 사무직에 종사하고 있었지만, 변변찮은 업무를 하기
일쑤인 데다 승진 기회도 매우 적었다. 남성이 지배하는 사
무실과 기업에는 성차별이 만연하고 체계적이기까지 했
다. 보스턴 지역의 여성 비서 여덟 명과 함께 시작한 '나인
투파이브'는 곧 전국적인 여성 노동자 단체로 성장했다. 마
거릿 대처가 영국 최초 여성 총리가 된 1979년에는 배우
이자 정치운동가인 제인 폰다가 뉴욕·보스턴·볼티모어·
피츠버그·데이턴·신시내티 등 미국 6개 도시를 휘젓고
다니며 여성 노동자 결집과 권리 투쟁을 촉구하면서 운동

이 더욱 탄력을 받았다. 폰다는 누스바움 소개로 만난 비서 40명으로부터 일터에서 겪는 모욕적인 대우 그리고 여성 혐오적인 상사와 함께 일하고 있으면서도 여전히 마음에 품고 있는 꿈에 관해 들었다. 그 이야기에 감화받은 폰다는 다음 영화를 여성 세 명이 이끄는 "반격에 나선 페미니스트 판타지"를 담은 로맨틱 코미디로 제작하기로 하고, 더 많은 자료를 모으려고 각본가 퍼트리샤 리즈닉을 고용해 보험 회사 비서로 잠입시켰다. 누스바움을 기리며 『나인투 파이브』라는 제목을 붙인 그 영화의 신나는 주제곡은 컨트리 음악 스타 돌리 파튼이 쓰고 불렀으며, 파튼은 이 작품에서 처음으로 연기에도 도전해 무례하고 맹목적인 상사에게 끊임없이 성희롱을 당하는 풍만한 비서 도랄리 로즈역으로 출연했다. 한편 폰다는 한참 어린 비서와 바람난 남편에게 버림받은 후 사무직을 구해야 하는 처지가 된 아내 주디 번리 역을 맡았다. 출근 첫날, 좋은 인상을 주고 싶었던 번리는 지나치게 부풀린 머리에 나비매듭이 달린 모자를 쓰고 대처 여사의 옷장에서 슬쩍 빼 온 듯한 프릴 가득한 블라우스를 받쳐 입어 마치 기업판 홀리 하비※같은 모습으로 사무실에 나타난다. 꽃무늬 의류 브랜드 로라 애슐리와 소설 『초원의 집』 작가 로라 잉겔스 와일더를 합친 격

※커다란 보닛 모자와 원피스 차림이 인상적인 그림책 등장인물로 작가와 이름이 같다.

이었다. 이 모든 것을 제쳐 두고 가장 눈에 띄는 물건은 금색 사슬을 단 거대한 투명 플라스틱 안경이었다. 영화 평론가 크리스토퍼 루이스는 최근 "무서울 만치 1980년대 미감으로 가득 찬" 이 영화에 관해 논하면서 폰다의 안경이 브루스 스프링스틴의 대히트곡 "「Dancing in the Dark」의 신시사이저에 맞먹는 시각적 효과"를 발휘한다고 설명했다.⊙

바지통과 옷깃이 점차 좁아지고, 남성과 여성 모두 머리카락이 짧아지고, 대처와 로널드 레이건이 복지 정책을 걷어 내면서 대처가 '그런 것은 세상에 없다'고 말한 '사회'를 시장화하기 시작하던 1970년대 말에서 1980년대 초, 안경은 어깨심과 마찬가지로 오히려 더욱 커졌다. 1980년대를 흔히 '디자이너 시대'라고 하지만, 브랜드에 대단히 민감한 소비자 문화를 탄생시킨 씨앗은 이미 1970년대 말에 싹트고 있었다.

1978년, 미국연방거래위원회가 아직 남아 있던 미국

⊙1982년 영화 『투시』Tootsie에서 극중 의학 드라마 『사우스웨스트 종합병원』의 주연 배역을 따 내려고 여장을 하고 우여곡절을 겪는 배우 마이클 도시로 분한 더스틴 호프먼은 극중 여성 자아인 도로시 마이클스로 변장하면서 이와 놀라울 정도로 비슷한 안경을 쓰고 마찬가지로 프릴 가득한 블라우스를 입었다. 잡지 『80년대 최고의 영화』에 따르면, 처음에 카메라 감독 오웬 로이즈먼은 그 안경을 반대했는데, 시험 촬영을 해 보니 그 안경이 호프먼의 도드라진 코가 "눈에 덜 띄게" 해 도로시를 "더욱 여성적으로" 보이게 해 주고, "도로시와 마이클 사이 성별을 더 뚜렷이 구분"해 준다는 사실을 깨달았다고 한다.

내 안경 광고 가격 표시 제한을 모두 폐지했다. 그리고 갈색 플라스틱 귀갑테 안경을 쓴 크리스토퍼 리브가 리처드 도너의 영화 『슈퍼맨』에서 대형 스크린에 클라크 켄트를 선보이려던 때에 (이때 클라크는 꽤 말쑥한 모습을 보여 준다. 칼 엘이 입는 슈퍼맨 망토와 타이츠는 영화 시작 후 50분이 지날 때까지 등장하지 않는다), 유통 잡지 『리테일 위크』는 다음 해에 "주요 상권의 백화점에는 거의 다 디자이너 안경이 다량" 입고될 것이며, "철테"가 여전히 "여성보다는 남성용에서 더 강세"를 보이기는 하겠지만 "플라스틱테가 철테보다 좀 더 많이 팔릴 것"이라고 예측했다. 이를 강조하기라도 하듯, 텔레비전 드라마 『댈러스』 2기가 전파를 타던 이듬해 여름 텍사스주광학회사는 잠재 고객에게 디자이너 안경 신제품군을 홍보하려고 "파베르제·디오르·지방시·드 라 렌타를 만나 보세요"라며 주 전역에서 광고전을 벌였다. 지역 잡지 광고에는 배우 파라 포셋처럼 흩날리는 금발 머리를 한 여성 사진을 실었는데, 섹스 인형을 확대한 듯 볼록하게 벌어진 화사하고 붉게 반짝이는 입술 사이로 진주같이 하얀 치아가 보이고 뺨은 분홍빛으로 물들어 있었다. 역시 완벽하게 단장한 푸른 눈은 안경 너머로 비쳐 보였다. 커다랗고 둥근 플라스틱 재질의 연한 귀갑

미국 광고에 실린 디자이너 안경.

테에 다리를 렌즈 테두리의 아래쪽에 달아 위아래가 바뀐 듯 기이한 느낌을 주는 안경이었다. "그저 안경을 쓰는 것과 TSO 파베르제를 쓰는 것의 차이"라는 문구와 함께, 마치 텍사스 사람이라면 NBA 농구선수 유잉 정도 갑부가 아니어도 디자이너 안경을 쉽게 살 수 있다는 듯이 "편리한 카드 결제 가능"이라는 문구도 덧붙였다.

영국은 여전히 이러한 주요 언론 광고를 금지하고 있었다. 그러나 1979년 1월, 부분적으로는 미국의 변화에 대응하는 의미에서 가격 표시 및 광고 금지 정책을 해제해야 한다는 주장을 담은 보고서가 나왔다. 노동당 정부의 가격 및 소비자 보호부 장관 로이 해터슬리 명의의 보고서였다.

우리는 효율성과 비용 절감을 촉진하려고 경쟁을 활용하도록 허용하는 것이 중요하다고 본다. 이 규정을 통과시킨다면 가격 표시 및 광고 제한의 실효성이 떨어질 것이다. 소비자 보호와 전혀 거리가 먼 이 제도는 안경 및 부품 제작에서 고비용 생산 방식과 높은 판매 수익을 장려하는 결과를 낳을 것이다. 더욱이 안경원 가격 수준을 일반적으로 통용되는 가격 범위에 따라 고정할 경우, 이렇게 개선한 생산 방식으로 더욱 효과적인 생산 구조를 갖춘 업체는 높은 이익을 얻겠지만 소비자에게는 아무 이득이 없을 것이다.

친시장적인 권고를 담은 이 보고서는 노동당 정부가

의회에 제출한 법안에 첨부한 것으로, 도매업에 먼저 적용된 후 마거릿 대처의 차기 보수당 행정부에서 이어 나갔다. 2기 내각에서 보수당은 기존에 무료로 안경을 받을 수 있던 계층에게 자산에 따라 차등 지급하는 바우처 제도를 도입하면서 NHS 안경테에 종말을 고했고, '빅뱅' 정책으로 런던의 금융 규제를 갑자기 완화한 것과 마찬가지로 광고 및 가격 표시 규제를 풀어 업계에 자유 경쟁을 도입했다.

불길하게도, 영국 최초 여성 총리를 선출한 1979년 5월 선거 당시 차트 1위 곡이 죽어가는 토끼의 사그라드는 삶을 노래한 우울한 발라드 「Bright Eyes」였다. 마이크 뱃이 쓰고 아트 가펑클이 부른 이 노래는 애니메이션 영화 『워터십 다운』 삽입곡이었다. 대처 임기 중에 확실히 안경은 더 화려하고 훨씬 더 상업적인 공산품으로 변해 갔다. 1980년대 규제 완화가 가져온 기회를 포착하고 번화가에 새로이 등장한 기업 중 하나가 바로 안경원 체인 스펙세이버스다. 기업가적 면모를 갖추고 웨스트 컨트리에서 이미 안경사 인맥을 형성하고 있던 검안사 더그와 메리 퍼킨스가 채널 제도에 있는 조세회피처 건지 섬에 설립한 회사다.

1979년의 또 다른 대형 히트곡은 「Video Killed the Radio Star」였다. 기계가 교향곡을 작곡하고 라디오 디제이가 비디오와 텔레비전 화면에 밀려나는 방송 친화적 근미래상을 보여 준 J. G. 밸러드의 단편 소설에서 영감을 받은, 과학소설 느낌이 물씬 나는 신스팝 곡이었다. 제작자 겸 가수 트레버 혼과 건반 연주자 제프리 다운스가 결성한 녹음실 밴드 버글스가 내놓은 이 곡은 내용에 걸맞게 최신 기술로 제작한 영상을 홍보 자료로 썼다. 당시 최첨단 기술로 통하던 감광 효과를 곁들이고, 반짝이는 전신 타이츠를 입고 괴이한 가발을 쓴 채 유리관 속에 들어 있는 여성의 모습처럼 프리츠 랑의 영화 『메트로폴리스』를 떠올리게 하는 몇 가지 장면을 삽입한 이 영상에는 신시사이저, 깜빡이는 텔레비전 화면, 낡은 라디오 기기로 가득한 공간에서 가느다란 넥타이에 은색 가죽 재킷을 맞춰 입고 공연하는 두 사람과 그 주위를 폴짝대며 돌아다니는 인물들이 등장했다. 1950년대식 크롬 마이크를 잡고 노래하는 혼은 특대형 하얀 플라스틱 안경을 써서 눈이 거의 곤충처럼 왜곡된 모습이었다. 이런 안경은 밴드 예스·에이비시·프랭키 고즈 투 할리우드 등의 음반을 제작하며 전성기를 누린 1980년대에 혼의 전매특허가 되다시피 했다. '탐욕은 좋은 것※'이라는 당대의 치솟는 야심에 걸맞게 크고 '웅장한' 소리를 추구하는 뮤지션들이 커다란 안경을 쓴 그 남자에

※뒤에 나오지만 영화 『월스트리트』의 대사로 잘 알려진 문장이다.

게 몰려들었다. 그러나 2018년 『가디언』을 통해 밝힌 바와 같이, 혼이 그 안경을 쓸 생각을 하게 만든 이는 똑같이 가느다란 넥타이를 매던 뉴웨이브 가수 엘비스 코스텔로였다. 혼은 이렇게 회상했다. "안경원에 가서 이 커다란 안경을 쓰고 돌아와서는 제프에게 말했죠. "나 이제 진짜 곤충buggle이야."라고."

긁 히 지   않 는
렌 즈 를   찾 아

다음 10년을 여는 첫 달에 발매한 버글스의 데뷔 앨범 제목은 『The Age of Plastic』이었다. 그리고 이때를 기점으로 안경 렌즈를 유리가 아닌 플라스틱으로 만드는 경우가 더 많아졌다. 이 변화로 큰 안경을 쓰더라도 그다지 무겁게 느껴지지 않았기 때문에 안경테 자체의 모양과 크기를 실험할 수 있는 폭이 매우 넓어졌다. 1980년, '개성을 찾아라'라는 제목으로 『산업디자인매거진』에 실린 안경 관련 기사에서는 "플라스틱으로 더욱더 가볍고 일부 디자이너의 관심을 끌 독특한 렌즈를 만들 수 있다"고 했다. 그러면서 크리스티앙 디오르와 지방시 같은 브랜드를 언급했다.

플라스틱을 안경 렌즈로 활용하는 과정에 관한 이야기는 피츠버그판유리회사의 자회사인 오하이오주 바버턴의 컬럼비아남부화학회사가 알릴 디글리콜 카보네이트라는 새로운 투명 플라스틱 수지를 개발한 때로 거슬러 올라간다. 이 새로운 화합물은 원단과 종이에 잘 결합해 단단한 보호막을 입힌 '강화' 재료를 생산하기 좋았고, 나중에는 일련번호인 '컬럼비아 수지 39번'을 줄여 쓴 CR-39라는 이름으로 널리 알려졌다. 미국이 전쟁에 뛰어든 후에는 이 물질을 B-17 폭격기용 경량 연료탱크 제작에 사용했고, 유리 재질이라 전투 중에 깨져 조종실에 휘발유를 뿜어낼 위험이 컸던 비행기 연료 선 점검관을 대체하기도 했다. 평화기가 오고 군수품 공급 계약이 줄줄이 파기되자, 이 회사는 철도 차량을 가득 채운 만 7천 킬로그램 상당의 알릴 디글리콜 카보네이트 재고를 떠안아야 했다. 이 물질의 유통기한이 얼마나 될지, 시간이 흐르면 수지가 굳어 쓸모없는 거대한 탱크 모양 플라스틱 덩어리를 남기지나 않을지 확실치 않은 상황에서 회사는 이 군용 악성 재고를 사들일 민간인 구매자를 찾으려 필사적으로 노력했다. 그 소식이 어찌어찌 로버트 클라크 그레이엄의 귀에 들어갔다.

대단히 월등한 백인종을 탄생시키려는 야심을 가진 우생학자로서, 1970년대 말 샌디에이고에 있는 자신의 농장 뒷마당 지하 벙커에 '천재정자은행(공식 명칭은 생식세포선택보관소)'을 설립하려 했던 그레이엄은 검안사라기에는 더없이 끔찍한 인물이었다. 게다가 나치즘과 맞서 싸우는 데 썼던 물질을 인종주의적 육종 음모에 활용하려고 상당한 자산을 끌어모아야 했다는 사실을 생각하면 더욱더 마음이 무거워진다. 그러나 그레이엄은 CR-39의 가능성을 알아보았을 뿐 아니라 그 물질을 플라스틱 렌즈의 주재료로 만든 결정적 인물이기도 했다.

한때 바슈롬 직원이었던 그레이엄은 1945년에는 오하이오주 데이턴의 유니비스 렌즈회사 영업부에서 분명 순회 설명회 비슷한 직무를 맡고 있었다. 그 회사 산하에는 언브레이커블렌즈컴퍼니라는 광학회사도 있었는데, 전쟁 전부터 플렉시글라스로 성능 좋은 플라스틱 렌즈를 생산하는데 전념해 온 곳이었다. 그레이엄은 마침 언브레이커블렌즈컴퍼니 연구진이 쓸 잔여 CR-39 몇 갤런을 확보했고, 그 후 돌아온 초기 보고서를 보고 고무되었다. 모회사가 비용 문제에 더해 영국에서 이미 보유 중인 특허에 따라 저작권 침해가 제기될 위험을 고려해 플라스틱 렌즈 부서를 폐지하자 그레이엄은 연구팀 하나만 뺀 부서 전체를 데리고 나가 패서디나에 회사를 차렸다. 그레이엄이 세운 아머라이트컴퍼니는 1947년 CR-39 렌즈 생산 준비를 마쳤고, 6년간의 독점권이 만료된 후에는 프랑스의 에실로와 호주의 솔라 그리고 안마당에서는 미국광학회사, 심지어 유니비스마저 일제히 수지 광학 렌즈 제작에 돌입했다.

그러나 CR-39를 안경 렌즈로 사용하는 데는 커다란 걸림돌이 있었으니, 유리보다 너무 쉽게 긁힌다는 점이었다. 아머라이트 연구진은 2천 가지가 넘는 긁힘 방지용 보호막을 실험했고, 그러는 동안 손상이나 수축이 덜한 렌즈를 만드는 방법을 알아내기는 했지만 긁힘 문제를 제대로 해결하지는 못했다.

이 문제는 결국 1970년대에 가서 자기 녹음테이프와 눌어붙지 않는 테플론 코팅팬·방수 스프레이 스카치가드 등을 생산하는 미네소타마이닝앤드매뉴팩쳐링 컴퍼니, 즉 3M이 뛰어들고 나서야 해결되었다. 보호막 자체도 중요하기는 하지만, 해법은 보호막이 아니라 보호막을 입히는 환경에 있다는 사실을 알아낸 것이다. 광학렌즈에 제대로 기능하는 보호막을 입히려면 사전에 먼지뿐 아니라 모든 불순물을 완벽히 제거해야 했다. 도막 공정을 정화하는 데만 2년을 보낸 후인 1978년, 3M이 새롭게 가공한 하드 수지 렌즈 2만 5천 벌이 미국 5개 주에서 시험 판매에 들어갔다. 대단히 성공적인 결과를 얻자 1979년 3M은 아머라이트를 통째로 인수했고, RLX 플러스라는 상품명으로 긁힘 방지 보호막을 씌운 신형 렌즈를 찍어 내기 시작했다. 마치 영화 『스타워즈』에서 빠져나온 드로이드가 만든 것처럼 들리는 이름이었다. 같은 기간에 근시를 위한 기체 투과성 하드 렌즈와 바슈롬이 '소프렌즈'라는 상품명으로 처음 출시한 "장시간 착용 가능한" 소프트렌즈가 모두 미 식품의약국 승인을 받았다. 1950년대에 미국으로 이주해 광고업계에서 상업 미술에 도전하던 때에 돈을 아끼려고 아동용 안경을 구매한 적이 있는 팝아트 작가 앤디 워홀이 이 소프트렌즈를 썼다. 1981년 워홀이 밝힌 바로는 "한밤중에 깼는데 사방이 또렷이 보인다는 게 얼마나 무서운 일인지" 알게 되었다고는 하지만.

1980년 로널드 레이건이 당선되면서 미국은 최초의 배우 출신일 뿐 아니라 최초로 콘택트렌즈를 쓰는 대통령을 맞이하게 되었다. 열세 살에 시력이 무려 20/200인 심각한 근시로 진단받고 두꺼운 교정용 안경을 썼던 레이건은 아이오와의 한 방송국에서 스포츠 아나운서로서 라디오 방송을 시작할 때만 해도 별다른 문제를 겪지 않았다. 그러나 배우로 전향하고 할리우드로 이주하자 곧바로 안경을 벗으라는 조언을 들었고, 1937년 워너브러더스에서 맨눈으로 시험 촬영을 마친 뒤 직접 콘택트렌즈를 맞췄다. 역설적이게도 첫 영화 『사랑은 전파를 타고』에서 '더치' 레이건이 맡은 배역은 안경을 쓰지 않은 라디오 아나운서였다. 1942년 입대를 시도했지만 근시 때문에 전투병이 되지 못했고, 전쟁 기간 대부분을 캘리포니아 버뱅크 부대에서 훈련 영상을 제작하며 보냈다. 그래도 영화에서는 FBI 정보원 역으로 출연하는 한편, 1946년에는 뿔테 안경을 쓰고 나중에 조지프 매카시가 공산주의자 마녀사냥을 벌였던 하원 비미활동위원회에 출석해 증언하기도 했다. 정치에 입문하던 1960년대 중반에는 할리우드 검안사 에스텔 헤런에게서 맞춘 투오이의 하드 플라스틱 각막 콘택트렌즈를 썼다. 하지만 정치 연설을 할 때는 오른쪽 렌즈를 뺐는데, 이렇게 하면 단안경을 쓰는 것과 마찬가지로 왼쪽 눈으로는 멀리 떨어진 군중의 반응을 살피고 오른쪽 눈으로는 가까이 있는 원고를 볼 수 있었다. 왼손잡이지만 학교에서 오른손을 쓰도록 강요당했던 탓에 왼쪽보다 오른쪽 렌즈가 더 빼기 쉬웠던 모양이다. 1987년 예산 개혁에 관한 연설을 하던 중 왼쪽 눈이 유난히 부풀어 오른 모습이 드러났을 때는 대중을 안심시키려고 백악관 의사 존 허턴이 나서서 레이건이 콘택트렌즈를 빼다가 아래쪽 눈꺼풀에 멍이 든 것뿐이라고 성명을 발표해야 했다.

레이건은 "최초의 리얼리티 텔레비전 스타 대통령"으로 불렸다. 1950년대에서 1960년대 초까지 CBS 『제너럴 일렉트릭 텔레비전 극장』을 진행하던 당시 이 배우는 방송 시청자에게 퍼시픽 팰리세이즈 언덕 위에 새로 마련한 '완전 전기 동력' 저택을 공개했다. 영화평론가 데이비드 톰슨에 따르면, 대통령이 된 후에도 레이건은 "가상의 친구 역을 연기"했고, 텔레비전 너머 "집무실이 너무 편안한 최고 권력자"로서 존재했다.

그 밖에 1981년에 새롭게 출현한 것으로 최초의 개인 컴퓨터인 IBM PC 그리고 긴 말 없이 「Video Killed the Radio Star」를 띄우며 등장한 24시간 뮤직비디오 방송 MTV가 있었다. 2012년 잡지 『와이어드』가 실시한 '미래를 결정한 시대' 설문에서는 MTV의 등장이 "문화적 영향력 측면에서 시각이 청각과 경쟁하는 새로운 시대를 여는" 신호라는 평이 나왔다. 1930년대 촬영장에서 발생한 권총 사고로 시력만큼이나 청력도 크게 떨어졌고, 1983년부터는 보청기를 꼈던 레이건은 이런 변화에 가장 잘 맞는 대통령이었다.

　개인 컴퓨터와 비디오 녹화기·게임기 등 새로운 기기가 직장과 가정에 널리 퍼지고 미국 전역에 케이블 방송이 깔린 후로 사람들이 화면을 들여다보는 시간이 비약적으로 늘었다. 게다가 더 건강하고 오래 사는 사람이 늘면서 맨눈으로 잘 살아 온 사람들에게도 안경의 필요성이 점차 커졌다. 변화의 바람을 눈치챈 모양인지 선글라스 제조사 포스터 그랜트가 1980년에 기성품 독서용 안경 '스페어 페어' 제품군을 가지고 광학 시장에 발을 들였는데, 이 제품은 곧 미국에서 두 번째로 높은 인기를 끌었다.

　같은 해인 1980년 개봉한 영화 『아메리칸 플레이보이』에서 당시 그다지 유명하지 않았던 이탈리아 의류 디자이너 조르지오 아르마니가 리처드 기어의 의상을 디자인했다. 기어가 맡은 역할은 로스앤젤레스에서 돈만 좇으며 자기애 강한 천박한 남창으로 살아가는 줄리언 케이였다. 처음에는 정장을 입은 채로 등장하는 기어는 다음 장면에서 코카인을 한번 들이킨 다음 낙낙하지만 흠잡을 데 없이 잘 빠진 아르마니 투피스 정장을 몸에 걸친다. 이 영화로 미국에 아르마니 광팬이 생겼고, 1980년대 내내 월가의 늑대라면 누구나 입는 품 넓은 업무용 정장의 전형이 생겨났다. 영화의 성공에 힘입은 아르마니는 이듬해 남성 캐주얼웨어를 출시했고, 아르마니가 내놓은 '디자이너' 청바지는 지구상에서 가장 인기 있는 의류가 되었다. 1982년에는 향수를 출시하고 속옷 판매도 개시했으며 차차 액세서리로도 영역을 넓혔다.

그즈음 이탈리아 안경 회사 룩소티카 창립자 레오나르도 델 베키오 회장이 안경 상표권 제휴를 타진하고자 아르마니에게 접근했다. 베키오는 아르마니 정장은 아무나 갖기 어렵지만 디자이너의 이름을 단 안경은 야심가들이 살 만할 것이며 브랜드에 누를 끼치지도 않을 것이라고 설득했다. 이 거래는 올리버 스톤 감독의 영화 『월스트리트』에서 부도덕한 금융인 고든 게코 역을 맡은 마이클 더글러스가 줄무늬 셔츠를 입고 멜빵을 멘 채 으스대던 1980년대 말에 이르러 결국 성사되었다. 『블레이드 러너』의 안드로이드 로이 배티처럼 해변에서 일출을 바라보며 몽상에 빠진 게코가 자신이 키운 후배 버드 폭스에게 전화를 거는 장면에서 등장하고 평소 돈 버는 데에도 쓰는 백과사전만 한 휴대전화는 제인 폰다의 안경만큼이나 "무섭도록 80년대다운" 물건이다. (찰리 쉰이 맡은 버드 폭스는 결국에는 도덕적 양심을 회복하는 주식 중개인인데, 지금 보면 더더욱 현실성이 없어 보인다.) 영화 속에서 "그게 나한테 무슨 이득이 되지?" 같은 길이 남을 대사를 읊을 때 제임스 스페이더가 쓰고 있는 유리창만 한 안경만큼이나 80년대다운 물건은 둘 중 어느 쪽일까? 어느 경우든, 『나인투파이브』에서 폰다가 쓴 안경은 1982년 처음 공개된 폰다의 에어로빅 책과 비디오만큼 강한 인상을 남기지는 못했다. 첫 번째 비디오는 전 세계적으로 1,700만 개가 팔려 나갔고, 이후로도 줄곧 가장 많이 팔린 비디오테이프로 남아 비디오테이프 계의 「스릴러」라 할 만큼 대단한 인기를 누렸다. 평론가 리처드 시켈은 폰다가 1980년대에 "탄탄하고 건강한 페미니스트의 전형"을 보여 주며 에어로빅 비디오 분야로 진출한 것은 "시기적으로 완벽한" 선택이었으며, 이를 통해 "지나치게 위협적이던 페미니즘 운동 초기의 히스테리를 벗어나 유순하고 돈 되는 자유주의 페미니즘"을 제시했다고 평했다. 그리고 덧붙이기를 "정치적 목적도 달성했다. 그러나 더 좋은 점은, 성공담이란 게 늘 그렇듯이 그 비디오 덕에 폰다가 엄청난 돈을 벌었고, 미국인들이 바라보는 자신의 이미지를 만회할 수 있었다는 사실이다"라고 했는데, 다소 냉정하지만 완전히 틀리지도 않은 말이었다. 부유함과 건강, 운동을 연결 짓는 현상은 9장에서 보았듯이 Run-DMC 같은 힙합 가수가 독일제 '캐지스'를 끈 없는 아디다스 운동화와 굵직한 보석과 함께 매치하는 모습부터 랄프 로렌의 컨트리클럽용 폴로 안경을 향한 선망에 이르기까지, 아래로부터 시작된 '신선한' 길거리 패션과 화려한 안경의 결합으로 나타났다.

틀 에 서 벗 어 나 기

화사한 원색으로 칠한 춤추는 아기와 짖고 있는 개의 형상을 활용한 역동적인 작품을 장미셸 바스키아, 팹 파이브 프레디, 케니 샤프 같은 뉴욕 그라피티 예술가들의 작품과 나란히 이스트 빌리지 펀 갤러리에 걸었던 키스 해링. 왜소한 체구에 안경 쓴 게이였던 해링은 지하철 드로잉을 하던 초기에 은색 안경을 쓴 해골 모양의 모순적인 자화상을 그린 적이 있는데, 서른한 살이라는 젊은 나이에 에이즈 관련 합병증으로 비참하게 목숨을 잃어 에이즈라는 딱지에 쓰디쓴 고통을 더했다. 임대료가 아직 저렴하고 범죄율은 높던 시절, 용광로 같던 뉴욕 도심의 미술계와 음악계에 녹아들어 간 해링은 머드 클럽과 패러다이스 개러지 같은 업소에 주구장창 드나들었고, NYC 피치보이스, 에마논, 그레이스 존스, 맬컴 맥라렌, 실베스터, Run-DMC 등의 음반 표지에 비트박스를 의인화한 그림과 팝핀을 추는 인물을 그려 넣었다. 한편 해링이 쓰던 안경은 타임스퀘어 아파트에서 잠시 함께 살았던 샤프의 손에서 변신을 거듭했다. 해링이 한때 말하기를, "케니는 집 안에 있는 물건을 계속 칠했어요…… 전화기부터 텔레비전, 그 밖에 모든 물건을. 제 안경도 거기 있었던 거죠. 케니가 말하더라고요. "안경도 칠할게"라고. 그때부터 제 안경은 2주에 한 번씩 케니가 칠한 색으로 계속 바뀌었어요."

집 안에 이런 디자이너가 없는 사람들도 곧 다채로운 색이나 줄무늬·기타 여러 가지 무늬를 입힌 안경테를 구할 수 있게 되었다. 앵글로아메리칸 광학이라든지, 잭슨 폴록을 떠올리게 하는 흩뿌린 색깔 무늬로 마감한 여성용 안경테 '조'를 출시한 브루리머 같은 업체에서 말이다. 더할 나위 없이 1980년대 느낌으로 가득한 투라 광고에는 "손쉽게 완성하는 스타일!"이라는 제목 아래 머리띠를 하고 라켓을 든 테니스 선수부터 줄무늬 더블 재킷 정장을 입고 진주 목걸이를 두른 여성 사업가, 배우 돈 존슨처럼 티셔츠 위에 크림색 재킷을 걸친 남자 등 진취적인 인상을 주는 사람들이 안경을 쓰고 늘어서 있었다. "색상 선택의 폭이 가장 넓은 안경"이라는 문구와 함께 잠재 구매자에게 "다양한 라이프스타일에 맞는 안경을 고르는 즐거움을 누리세요"라고 권했다.

카시오 같은 일본 회사에서 생산하는 저렴한 전자시계에 대응하려고 1983년 창립 후 선명한 색상을 입힌 플라스틱 시계를 생산하고 있던 스위스 회사 스와치에도 해링의 그림이 들어갔다. "스위스 시계의 새로운 물결"이라는 문구를 단 스와치 시계는 힙합 프로젝트 '월드슈프림팀'을 떠올리게 하는 스크래칭과 힙합 비트를 배경에 깔고 근력 운동·폰다식 에어로빅·윈드서핑·수영·스키 같은 각종 스포츠 장면을 담은 텔레비전 광고를 대대적으로 진행했다. 그리고 이런 믹스 앤드 매치 스타일을 젤리빈처럼 다채롭고 요란한 색을 입힌 "재미"있고 활동적인 느낌의 안경테를 장착한 안경에서도 흔히 볼 수 있었다.

고리타분하고 뒤떨어진 갈색·검은색·금속 안경테의 제약에서 유쾌하게 탈출할 생각으로 시작한 일이 어느 틈에 엉뚱함 그 자체를 추구하는 방향으로 너무 확 튀어 버린 모양이다. 1980년대에 새로 등장한 타이랙이나 삭숍 같은 액세서리 매장에서 처음 맞닥뜨렸을 때는 재미있어 보였을 웃기는 양말과 만화캐릭터가 그려진 넥타이 따위가 금세 자신의 개성이나 유머 감각을 증명하려는 따분한 회계 담당자의 복장으로 자리 잡은 것처럼 말이다. 그런 식으로 커다랗고 다채로운 플라스틱 안경에 점차 엉뚱하고 '괴짜 같은' 이미지가 얹혔다. 채널4에 출연하는 박식한 와인 평론가 잰시스 로빈슨보다는 한눈에 웃음을 터트리게 하는 수 폴러드 같은 인기 시트콤 배우에게 더 어울리고, 쾌활하고 토실한 배우이자 퀴즈 프로그램 터줏대감인 크리스토퍼 비긴스에게는 너무 잘 어울리지만 신랄한 음식점 및 건축물 비평가 조너선 미데스에게는 별로 안 어울리는 그런 안경으로 말이다. 원한다면 지나치게 활달한 아침 텔레비전 쇼 진행자 티미 몰렛을 탓하도록 하자.⊙

죽 여 주 는   안 경

1991년 브렛 이스턴 엘리스가 쓴 풍자소설 『아메리칸 사이코』에서 언급한 일련의 상품명 중에 디자이너 안경 제조

⊙그래도 비긴스는 나중에 빅토리아 여왕 역할을 맡아 여장을 하고 출연한 미데스의 2001년 텔레비전 다큐멘터리 『빅토리아 시대는 1901년에 끝났지만 지금도 우리 곁에 살아 있다』에서는 철테 안경을 썼다.

사 올리버 피플스가 들어 있었다. 애초에 이 소설을 출간하려던 곳은 사이먼앤드슈스터 출판사였는데, 『타임』이 "누벨퀴진부터 시작해 고문·살인·절단 등 어디서도 볼 수 없는 끔찍한 묘사를 좋아하는 월가의 여피yuppie※가 등장하는 유치한 공포 판타지"라고 악평하자 출간을 취소했다.

이러한 비평에 대응해, 작가 엘리스는 1991년 3월 『뉴욕타임스』에서 다음과 같이 설명했다. "겉모습이 전부인 사회를 비판하고자 했다. 음식·옷 등 표면적인 것만 보고 사람을 판단하는 사회 말이다." 1980년대는 "비틀린 10년"이었으며, 얄팍하고 도덕 관념 없고 살의를 품은 채 상표에 집착하는 스물여섯 살 먹은 투자은행가인 소설 속 주인공 패트릭 베이트먼은 그 사실을 대표하는 인물로서 단지 코믹한 효과를 위해 과장한 것뿐이라고 엘리스는 말했다. 캐스웰메이시의 스크럽 세안제부터 발렌티노 쿠튀르의 리넨 정장 그리고 당연하게도 시디로 듣는 제네시스와 필 콜린스·휴이 루이스 앤드 더 뉴스같은 1980년대 음반("『Duke』※※ 이전에 나온 음반은 죄다 지나치게 예술적이고 학구적이야")까지, 베이트먼은 자신이 사는 모든 물건에 지나치게 까다롭게 군다. 게다가 실제 연쇄 살인범 데니스 닐슨 그리고 『아메리칸 사이코』가 우여곡절 끝에 출

※1980년대 대도시를 중심으로 나타난 고학력 고소득 전문직 청년층을 가리키는 말이다.
※※제네시스가 1980년 발매한 음반이다.

간된 지 불과 몇 달 후에 체포된 제프리 다머와 마찬가지로 베이트먼도 안경을 쓴다. 물론 아주 특별한 제품을 쓰기는 하지만. 외톨이·실패자·괴짜 들이나 쓰는 철제 조종사 안경은 베이트먼에게 어울리지 않는다. 선글라스는 안전하게 레이밴 웨이페어러를 고른다.

"도수 없는 렌즈"를 쓰는 베이트먼은 안경이 필요해서 쓰는 게 아니다. 먹고, 마시고, 입고, 씻는 데 쓰는 다른 모든 물건과 마찬가지로 겉모습을 가꾸려고, 자신의 재산과 우월한 안목을 드러내려는 의도로 신중하게 고른 장신구다. 베이트먼이 적극적으로 선택한 안경은 지나치게 경쟁적인 동료 중에도 몇 명이 쓰고, 때로는 도수 없이도 당당히 쓰는 브랜드인 "올리버 피플스의 레드우드 안경"이다. 은행가이며 술친구인 테일러 프레스턴은 어느 술집에서 "안경을 벗어서 (물론 올리버 피플스다) 아르마니 손수건으로 렌즈를 닦으며 하품을 한다." 다른 대목에서 회의에 참석하는 친구 크레이그 맥더멋은 "새로 나온 도수 없는 올리버 피플스 레드우드 안경을 쓰고, 이번 주 『뉴욕』과 오늘 자 『파이낸셜타임스』를 한 부씩 들고 걸어간다." 그리고 어느 날 폴 스미스 의류 매장에 쇼핑하러 간 베이트먼은 똑같이 머리를 바짝 빗어 넘기고 올리버 피플스 안경을 쓴 월가 은행가 찰스 해밀턴과 그와 가장 가까운 게이 동료 루이스 캐러더스를 발견하고 낙담한다. 다행히 베이트먼은 자신이 쓴 안경이 "그래도 도수 없는" 안경이라는 사실을 떠올리고 마음을 놓는다.

『아메리칸 사이코』가 나올 당시 올리버 피플스는 사업을 시작한 지 겨우 4년밖에 안 되었고, 의식적으로 1980년대 안경 디자인과 차별화한 제품 이미지를 형성했다. 현재 올리버 피플스 수석 디자이너 중 한 명인 잠피에로 탈리아페리는 2017년 『20/20』에서 회사 설립 30주년을 맞아 이렇게 말했다. "1987년 창립 당시 올리버 피플스는 고전적인 미감을 뚜렷이 드러내며 당대의 화려한 안경 유행에 도전했다." 그런데도, 퇴보적으로 보이는 그 미감은 세월이 흘러도 과거의 영광이 이어지기를 바라던 그 시대의 열망에 발맞추고 있는 듯하다. 이미 단추 달린 리바이스 501 청바지와 사각팬티를 다시 매대에 올려놓았고, 위트 스틸먼의 영화 『메트로폴리탄』이 진짜라고 믿는다면 뉴욕 상류층 자제들 사이에 윙 셔츠※와 탈착식 칼라를 유행시킨 그 열망 말이다.

2011년, 올리버 피플스 공동창업자 래리 라이트는 당시 자신이 추구한 것이 "미국 지식인" 스타일이었다고 회

※칼라가 나비 날개처럼 뾰족하게 생긴 셔츠로, 턱시도나 정장에 받쳐입고 보타이를 매는 경우가 많다.

상했다. "이제 더는 볼 수 없는 스타일이지만, 우리가 만들려고 한 것은 지적이고, 중성적이고, 말쑥하고, 세련된 안경테였다. 마놀로 블라닉 하이힐이나 리바이스 청바지처럼, 안경 분야에서 지적인 레트로 제품군에 영원히 남을 만한 안경을 창조해 냈다."

미   래   지   향

1991년 3월 13일 『시애틀타임스』는 미국 내 수많은 신문과 마찬가지로 광학 제품 소매점 렌즈크래프터스의 설문 관련 기사를 실었다. 렌즈크래프터스는 프록터앤드갬블에서 판촉 담당자로 세탁 세제 치어와 폴저스 커피 광고를 진행했던 딘 버틀러가 1983년 설립한 회사로, 앞서가는 업체들로부터 심하게 비웃음을 당하면서도 '한 시간 내 제작 완료' 및 '전 품목 3일 이내 환불' 제도를 도입해 큰 호응을 얻었다. 1986년 한 해에만 일주일에 두 곳씩 매장을 개점하는 등 1980년대에서 1990년대 초까지 급속히 성장해 『시애틀타임스』 기사가 나온 지 몇 달 만에 가장 강력한 경쟁업체인 펄을 제치고 미국 최대 안경 소매점으로 등극

했다. 버틀러는 1987년 회사를 넘긴 후 영국에 비전 익스프레스 체인을 설립해 번화가의 다양성을 잠식하는 전략이 대서양 반대쪽에서도 통한다는 사실을 확인했다.

그런데 신문이 보도한 내용은 렌즈크래프터스가 인사 담당자를 대상으로 진행한 여러 가지 안경테 스타일에 관한 설문 결과였다. 동일한 사람이 "짙은 색 플라스틱 안경테"와 "밝은 철테 안경"을 쓴 사진을 각각 보여 주고 직업과 수입을 추측해 보라고 했다. 인사부장들은 사진 속 짙은 플라스틱 안경을 쓴 남자는 학교 교사로 연 수입이 3만 달러 정도에 불과할 거라고 했다. 반대로 철테 안경을 쓴 사람은 주식 중개인이며 연봉이 20만 달러는 될 거라고 했다. 1990년대에 이미 교직이 경제적으로 얼마나 평가절하당하고 있었는지 보여 주기도 하지만, 다소 비과학적으로 들리는 이 시장 조사를 통해 독자에게 전하고자 한 내용은 철테 안경으로 바꾸면 17만 달러 더 많이 버는 사람처럼 보일 수 있다는 메시지였다. 절대 입 밖에 내지는 않았지만, 그 변신을 렌즈크래프터스가 도울 수 있다는 암시와 함께.

설문에 사용한 철테는 타원형 렌즈에 무테안경으로, 당시 "정상에 오른 남자를 위한 안경", "전문가를 위한 브랜드"라고 홍보하던 에실로의 로고 파리 브랜드 안경 중에서 판촉 부사장 프레더릭 그레델이 '능력자 안경'이라고 불렀던 제품과 흡사했다. 이렇게 더 작고 좁은 안경테가 부활하는 현상은 1990년대에 이케아가 간소한 북유럽식 조립 가구로 로라 애슐리 스타일의 꽃무늬 가구를 밀어낸 것처럼 형태 면에서 분명 이전 시기 유행에 대한 반발인 동시에 기능적인 신소재 등장에 발맞춘 기술적 대응이기도 했다. 특히 티타늄이 그랬고, 기존 플라스틱 렌즈보다 45퍼센트 더 얇고 가벼우며 유리 렌즈보다 50퍼센트 더 얇고 80퍼센트 더 가벼운 '하이퍼인덱스' 렌즈도 그랬다.

자연 발생하는 원소인 티타늄 광석은 1791년 결핵을 앓던 목사이자 아마추어 화학자인 윌리엄 그레거가 콘월 주 마나칸 해변의 검은 모래에서 처음 발견했다. 순수 티타늄을 산업용으로 다량 추출하는 공정은 1930년대 들어서야 실현되었고, 항공, 해운 및 냉전 시대 항공우주 사업에 활용되면서 기적의 금속이라는 찬사를 받은 것은 1950년대에서 1960년대에 이르러서였다. 가볍고 놀랍도록 튼튼하며 부식에 대단히 강한 이 물질은 곧 지붕 판재와 테니스 채·라크로스 채 등 내구성 높은 스포츠 장비와 단단한 서류 가방 및 여행 가방에 활용되었다. 안경에는 1981년 일본에서 처음 사용했는데, 유럽 및 미국 제조사들은 1980년대 말까지도 티타늄테를 상용화하지 않고 있었다.

1988년, 간소함이 국가 정체성이나 다름없는 덴마크에서 '간결성'을 디자인 철학으로 삼은 린드버그광학회사가 무게감이 거의 없는 에어 티타늄 무테안경을 선보였다.

같은 해 뉴욕 멜빌에 위치한 마르숑이 캘빈 클라인과 제휴해 에어 티타늄에 비해 간결한 아름다움은 덜하지만 그만큼 획기적인 플렉슨 소재의 '아우토플렉스' 안경군을 출시했다. 플렉슨은 막 특허를 받은 '형상 기억력'을 지닌 티타늄 복합재료로, 망치로 계속 두드려도 원래 형태로 되돌아가는 성질을 지녔다. 1960년대 미국항공우주국이 미사일 열 차폐용 합금을 연구하던 도중에 탄생한 물질이었다. 지적이고 세련된 이미지를 담아 '똑똑한' 안경이라고 홍보했던, 놀랍도록 탄성이 좋은 "플렉슨 안경테는 심지어 프레첼처럼 비틀어도 즉시 원래 모양으로 돌아간다." 일단 당시에는 그렇게 주장했다. 하지만 지금 마르숑사는 더 신중해져서 홈페이지에 이런 경고문을 올려놓았다. "내구성이 좋기는 하지만 전혀 깨지지 않는 것은 아닙니다. 플렉슨 안경테는 90도 이상 꺾으면 안 되고, 다리는 손가락 한 바퀴 이상 감아서는 안 됩니다." 그래도 잘 휘어지는 안경테가 탄생했다는 사실은 변함없었다. 그리고 티타늄은 신소재라는 점과 유연성, 항공우주 사업과의 역사적 연관성 때문이었는지, 새천년을 앞두고 더욱 탄력 있는 미래지향적 안경테가 등장하는 발판을 제공했다.☉

그러나 일본에서는 티타늄을 안경테 재료로 사용하는 단계에서 그치지 않고, 안경 디자인 및 판매에 컴퓨터를 활용하는 더욱 혁신적인 방법을 개발했다. 1994년, 5년에 걸친 연구 끝에 컴퓨터로 구동하는 미키시메스 디자인 시스템을 개발한 일본 안경 소매점 파리미키는 이 기기를 시험 가동할 장소로 파리 루브르에 있는 자사 매장을 선택했다. 매장에 설치한 미키시메스를 통해 고객들은 진정 세계 최초로 안경을 선택하고 디자인하는 과정을 함께 경험할 수 있었다. 이제는 어울리는 제품을 찾으려고 안경을 계속 바꿔 써 볼 필요가 없어졌다. 안경사는 끝없이 진열장에서 새 안경테를 꺼내거나 서랍을 뒤적이는 대신 고객 얼굴을 디지털 사진으로 찍기만 하면 되었다. 그러면 미키시메스가 이 사진에서 고객 얼굴의 특징을 분석해 냈다. 해당 고객이 선호하는 스타일을 '격식을 갖춘'·'전통적인'·'활동적인'·'우아한' 등 여러 가지 형용사로 저장해 두고, 특정한 크기와 모양에 따라 추천하는 안경테를 골라 고객 얼굴 사

☉2001년 가을 공개 예정으로 "놀라움 그 자체", "모든 금속이 플렉슨이라면" 등의 문구와 함께 뉴욕엠파이어 스테이트 빌딩을 닮은 구조물이 저공비행 하는 제트기의 경로를 피해 휘어지는 모습을 담은 플렉슨 광고가 지면 및 텔레비전에 공개될 예정이었는데, 911 세계무역센터 테러가 발발하는 바람에 취소해야 했다.

진에 씌운 이미지를 나열했다. 어울리는 스타일을 찾은 고객은 안경사의 도움을 받아 렌즈 테와 브릿지, 경첩, 다리 등을 더 조정해 자신의 패션 스타일과 어울리고 눈에도 잘 맞는 안경을 만들어 낼 수 있었다. 초기에는 고객에게 최종 결과물 이미지를 출력해 주고 한 시간 내에 새 안경을 가지고 돌아갈 수 있게 해 주었지만, 시간이 흐르면서 고객이 화면에 비친 이미지에 익숙해지자 출력물은 거의 필요치 않게 되었다.

어제, 오늘 그리고 내일

현실을 넘어 가상을, 실물을 넘어 디지털을 보여 주면서 인터넷은 우리 삶의 거의 모든 부분을 변화시켰고, 이전까지 등장한 그 어떤 시각화 기술보다 현실을 확장했다. 그러나 인터넷이 처음 등장한 때부터 과거를 살펴보고 보존하는 활동이 얼마나 많았는지 돌아보면 무척 흥미롭다. 초기 비주류 영화팬들의 대화방에서 유튜브까지 그리고 프렌즈 리유나이티드 같은 커뮤니티 게시판에서부터 오래 잊고 지내던 지인과 이제 막 만난 친구를 타임라인에서 별 다를 바 없이 마주하게 만드는 페이스북 같은 거대 소셜미디어까지, 온라인에서 마주치는 지난 시절은 현재보다 더 생생할 때가 많다. 원래 자동차나 와인에만 붙이던 '빈티지'라는 개념이 패션계에서는 적어도 1970년대 초반부터 주기적으로 돌아오고 있다. 하지만 '빈티지'와 '레트로'라는 비슷한 두 단어가 경제적으로 훨씬 커다란 파급력을 갖게 된 데는 온라인 상점 '옥션웹'의 역할이 컸다. 1995년 피에르 오미디아가 실리콘밸리 자택의 남는 방에서 구축한 뒤 고장 난 레이저 포인터 하나를 14.83달러에 등록하며 문을 열었고, 얼마 안 가 이베이로 개칭한 그 사이트에서는 시중에서 더는 찾아볼 수 없는, 한물간, 버려진, 심지어 아예 못 쓰게 된 물건이라도 여전히 누군가 찾는 사람이 있었다. 그리고 오미디아의 첫 번째 판매 물품이 그랬듯, 판매자들은 아무리 낡고 쓸모없는 물건이라도 누군가에게 떠넘길 수 있을 뿐 아니라 적지 않은 돈까지 받을 수 있다는 사실을 깨달았다. 그리하여 서랍장을 정리하다 찾아냈거나 어릴 때 쓰다 말았거나 고인이 된 먼 친척이 갖고 있었거나 하던 오래된 안경 수천 수백만 벌이 시장에 쏟아져 나왔다.

이와 동시에 디자이너·예술가·영화 제작자·음악가

가 가까운 과거를 더 세밀하게 활용하기 시작했다. 나중에는 온라인에서 오래된 물건을 찾기가 더 쉬워진 것도 도움이 되었다. 초기에는 다소 볼썽사납고 역설적인 포스트모던 현상을 표현하려 했다면, 점차 과거의 것이라면 무엇이든 집요하게 달려들 기세를 보였다. 밴드 너바나의 커트 코베인은 『에드 설리번 쇼』 같은 흑백 텔레비전 쇼의 한 장면을 패러디한 「In Bloom」 뮤직비디오에 치렁치렁하던 금발머리를 싹둑 자르고 두꺼운 뿔테 안경을 쓰고 등장해, 자신을 그런지 록의 얼굴로 보는 시선을 고의적이고 역설적으로 조롱했다. 헤어메탈계의 경쟁상대이던 밴드 건즈앤드로지스는 안경을 쓰지 않았다. 정장이나 나이 든 사람이 걸치는 울 카디건을 입지도 않았다. 그들이 공통으로 했던 것은 헤로인과 강렬한 기타 연주뿐이었다.

그러나 점진적으로, 특히 새천년 이후로는 집요하게 설계한 세련미를 보여 주는 웨스 앤더슨 감독풍 영화와 자비스 코커 특유의 복고풍 옷차림 사이의 거리, 즉 흥미로우면서도 유치한 느낌을 만들어 내려고 선택한 것과 단순히 복고적이라고 부르는 스타일 간의 차이가 점차 사라졌다. 부모 세대에 유행하다 사라진 할리퀸 테나 눈썹 안경을 쓰고 싶으면 그저 온라인에서 그 시대 안경을 검색하거나 재고 상품 전문 매장에 찾아가 이른바 '헤리티지'라는 제품군에서 레트로 또는 모던 스타일 안경을 사면 그만이었다.

알가 웍스의 '새빌 로' 브랜드에 의뢰하면 한때 NHS 안경이었고 존 레넌이 쓰기도 한 도금한 둥근 판토 안경테를 제작할 수 있었다. 그때와 똑같은 방식 똑같은 공장 똑같은 재료와 거의 똑같은 도구 및 기계로, "비슷한 제품이 아니라" "바로 그때 그 안경테"를 말이다.

인터넷 활용법을 여전히 돈벌이 방법 정도로 인식하던 2002년에 나온 책 『가상 빈티지샵 ― 온라인에서 패션을 사고파는 방법』에서 안경에 관한 장을 보면 제품 사진과 이베이에 등록된 모습뿐 아니라 브랜드 인지도와 유명인 착용 여부에 따라 소비자 반응이 어느 정도로 나타났는지까지 전부 일러 준다. "방송기자 애슐리 밴필드가 쓴 라퐁의 대표적인 티타늄 안경이든 바슈롬의 레이밴 웨이페어러든, 온라인을 뒤져 보면 얼마든지 찾아낼 수 있다…… 우리는 이런 전자상거래 사이트에서 빈티지 베르사체, 크리스티앙 라크루아, 잔프랑코 페레, 오클리, 조르지오 아르마니도 발견했다." 아르마니가 안경류를 출시한 시기가 1980년대 끝 무렵이었던 점을 생각하면 제품이 '빈티지'로 분류되기까지 걸리는 시간이 점점 줄어들고 있다는 걸

알 수 있다.

배우이자 상속인인 글로리아 밴더빌트는 직접 디자인한 청바지를 판매하기 시작한 1976년에 자기 이름을 단 안경류를 출시해 유명인 안경 사업 영역을 개척했고, 1980년대에 접어든 후에는 이탈리아 스타 소피아 로렌도 그 뒤를 따랐다. 1990년대 인기 시트콤 드라마『사인필드』의 "안경" 편에서는 글로리아 밴더빌트 컬렉션 안경을 언어유희로 사용했는데, 키 작고 대머리에 철테 안경을 쓴 신경증적인 인물 조지가 헬스클럽에서 안경을 도둑맞고 새 안경을 샀다가 그것이 하필 "여성용 안경"이라는 사실을 깨닫고 창피해하는 내용이다.

그러나 그때 조지가 실수로 산 "여성용 안경"은 슈퍼모델 크리스티 브링클리 같은 이들이 광고하던 안경일 수도 있었다. 노보아이웨어에서 맞춤 제작한 브링클리의 안경은 "미국의 모든 미녀가 가볍게 완성할 수 있는 스타일을 제공"한다는 명목으로 판매하던 제품이었다. 21세기에 접어들고서는 대중의 끝없는 욕구에 부응한다며 지극히 사소한 유명인의 일상을 보도하는『헬로!』와『오케이!』같은 잡지의 영향으로 안경 시장 도처에 "시그니처" 안경이 깔렸다. 오늘날 안경에 자신의 이름을 새길 의향이 있는 유명인은 스파이시 걸스 출신 빅토리아 베컴에서 스타 스누커※ 선수 데니스 테일러까지 차고 넘친다.

데니스 테일러 안경은 위아래가 뒤집힌 듯한 안경테에 판유리만큼 커다란 렌즈를 끼운 것으로, 숙련된 안경 제작자에서 스누커 방송 해설자이자 당구 광팬으로 변신한 잭 카넴이 특별히 맞춤 제작 한 것이었다. 다소 우스꽝스러워 보이는 면이 있기는 하지만, 안경계의 키높이 구두라 할 이 안경은 테일러의 약한 시력을 보완해 주었고 1985년 세계 챔피언십 우승에도 확실히 도움을 주었다. 우승 당시 쓴 안경 모양 그대로 제작해 "데니스 테일러의 '스누커 선수용' 안경"이라는 상표명으로 2016년 브루리머광학그룹이 출시한 안경은 당구대 색깔을 닮은 초록색 지퍼를 달고 테일러의 서명을 찍은 안경집에 담겨 나왔다. 이 서명은 안경 양쪽 다리에도 새겨져 있는데, 언뜻 보아서는 레이 리어든이나 허리케인 히긴스 등 다른 스누커 선수가 쓴 안경으로 착각할 가능성이 있었다.

미국에서 지금까지 글로리아 밴더빌트 안경 판매권을 보유한 자일로웨어아이웨어에서는 뮤지션이자 『아메리칸 아이돌』 심사위원을 맡은 랜디 잭슨, 쿠바계 미국인 텔레비전 쇼 진행자 데이지 푸엔테스, 전 프로 농구 선수

※당구의 일종으로 영국에서 특히 인기가 높다.

샤킬 오닐 등 수많은 유명인 고객을 위한 안경을 생산하고 있다. 일류라고 꼽을 만한 사람들은 아니다. 최근 이 명단에 추가로 이름을 올린 이로는 디즈니 채널 시트콤에서 주연을 맡아 10대의 우상으로 떠올랐던 배우 겸 가수 힐러리 더프가 있다. 2018년 글래스USA와 함께 동기부여 하는 의미를 담아 출시한 '뮤즈 엑스' 안경 컬렉션은 여성의 자긍심을 드높이는 도구라는 명목으로 판매되었다. 동봉한 두툼한 홍보자료에는 "포장에 담은 팬들에게 보내는 짧은 개인적 메시지 하나하나가 모여 자기 확신을 북돋우는 메시지를 만들어 냅니다. 더프는 이렇게 말합니다. '자기 피부색을 있는 그대로 받아들이고 스스로 자랑스러워한다면 인생의 중요한 부분에 집중할 수 있을 거예요.'" 힐러리 더프 안경을 갖고 싶어 하는 사람이 어떻게 자기 원래 모습에 확신을 가질 수 있다는 것인지 궁금해하는 사람도 있겠지만, 소비자 자본주의라는 게 바로 이런 것이다.

더프의 안경은 비교적 부담 없는 가격으로 시장에 나왔다. 그러나 일부 디자이너 안경의 금전적 가치에 대한 의문은 별 이름 없는 안경보다는 유명인의 이름이 붙은 안경을 선택함으로써 얻는 잠재적인 치유 효과가 있다는 주장에 슬그머니 묻힌다. 2007년 룩소티카 부사장 피에르 페이는 "환자가 처방받은 안경에 만족하고 잘 쓰고 다니게 만드는 핵심 요소는 브랜드일 수 있다"고 천명했다. 맨디 라이스데이비스※의 표현을 빌리자면, 그 사람이야 당연히 그렇게 말하겠지, 안 그런가? 이 글을 쓰는 중에 확인한 룩소티카의 자체 제작 및 협약 브랜드는 다음과 같다. 아르마니·브룩스브러더스·버버리·샤넬·코치·DKNY·돌체앤드가바나·마이클 코어스·오클리·올리버 피플스·퍼솔·폴로 랄프 로렌·레이밴·티파니·발렌티노·보그·베르사체. 더불어 이 이탈리아 회사는 미국 안경 체인 렌즈크래프터스 그리고 한때 렌즈크래프터스와 경쟁하던 펄비전에다 시어스광학·존루이스광학·데이비드 클루로·선글라스 헛도 가지고 있다.

2018년에는 프랑스의 거대 렌즈 제조사 에실로와 합병해 초거대기업 에실로룩소티카로 재탄생함으로써 세계 시장에서 지분을 강화했다. 7세기도 더 전에 안경을 처음 발명한 이래로 이탈리아와 프랑스의 안경 제작자가 이렇게 엄청난 영향력을 발휘한 적은 한 번도 없었을 것이다. 물론 그 안경을 생산하는 과정은 현재 10대에서 청년층까지, 90퍼센트 정도가 근시로 집계된 중국에 대부분 위탁한 상태이기는 하지만 말이다. 안경 착용에 대한 낙인이 절대

※1960년대 영국 국무장관 프러퓨모가 성추문 및 기밀 누설 혐의로 논란에 휩싸였을 때 상대로 지목되었던 인물이다. 뒤에 인용된 문장은 프러퓨모가 추문을 부인했다는 말을 들은 맨디가 대답한 말로 알려져 있다.

덜하지 않고 유행은 예전만 하지 않을 테지만, 안경의 필요성은 그 어느 때보다 높아졌다. 갓난아기 때부터 일상의 상당 부분을 실내에서 그리고 화면 앞에서 보내는 오늘날, 세계는 갈수록 더욱 심각한 시력 문제가 확산할 가능성에 직면하고 있다. 그러나 이런 상황을 초래한 요인이기도 한 기술이 동시에 해법이 될 수도 있다.

"벗어놓기에는 너무 멋진", 런던 스토크뉴잉턴의 처치가에 위치한 안경원에 놓인 간판.

1 3 장
2 1 세 기 의
정 상 시 력

"눈에서 색이 있는 부분은 포스터물감을 칠한 다음 물을 바른 거예요. 동공의 검은 부분은 인화지를 썼고." 은퇴한 검안 안경사이자 골동품 안과 장비 수집가인 존 딕슨 솔트가 유리 덮개 아래 의안이 가득 든 보관함을 끌어당기는 참이다. 일렬로 늘어서서 전등 빛을 살짝 반사하는 의안은 어쩐지 보석 가게의 약혼반지처럼 불안해 보이고, 떼 지어 지나가는 물고기처럼 일렁거린다. 고대 그리스인은 악을 쫓고 자신을 목적지까지 무사히 안내해 주기를 바라며 뱃머리에 눈 모양을 그려 넣고 대리석 조각을 붙이기도 했다는 것을 이제 우리는 안다. 공교롭게도 지금 우리가 있는 곳도 바닷가이다. 비록 에게해에서는 한참 떨어져 있고 훨씬 더 쌀쌀한 서식스 해안의 내 고향, 워딩이기는 하지만. 이 의안은 딕슨 솔트와 작고한 그의 부친 윌리엄이 1970년대에 아크릴로 직접 제작한 것으로, 대부분 내 나이만큼 오래된 대단히 특별한 물건이다. 하지만 이 의안을 통해 우리는 더 이전 시대까지 거슬러 올라가 볼 수 있다. 1970년대 당시만 해도 이미 번화가 안경원에서 직접 의안을 제작하는 일이 아주 드물었기 때문이다. 그러나 딕슨 솔트에 따르면 "빅토리아 시대 신사 그 자체"였던 부친은 항상 모든 의안을 손수 만들고 아들에게도 그리하도록 시켰다. 두 사람은 평범한 일상용품을 정말이지 기발하게 활용해 거의 진짜처럼 보이는 인공 대체물을 제작해 냈다. 존은 무서울 정도로 실감 나는 충혈된 느낌의 푸른 눈을 자랑스러운 듯 가리키며 "전부 펠트 펜으로 그리고, 일부는 실크 리본 조각을 안에 심은 겁니다."라고 말했다.

무성 희극 영화에서 대리석으로 오인당하거나 맥주잔 속으로 빠지곤 하던 유리 볼 모양의 전통 의안과 달리 딕슨 솔트 의안은 반구형 원반, 즉 모양과 두께가 구체에서 4분의 1 정도 떼어 낸 조각 같은 모양이다. 존의 설명에 따르면 이 형태는 눈구멍에 꽂아 넣는 아크릴 연결 부속 표면

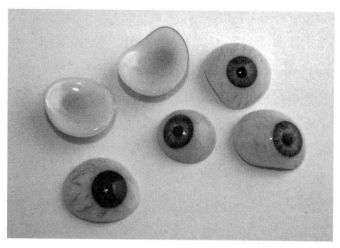

수제 의안.

에 맞춘 것이다. 그런 다음 눈구멍 속 근육을 연결 부속에 묶으면 위치가 잘 잡힌 경우 환자의 온전한 다른 눈과 동시에 움직일 수 있어 다른 사람의 눈에 덜 띄었다. 하지만 정말로 어려운 작업은 흰자 색을 맞추는 일이었다. "나이가 들면 안구도 노랗게 변하는데, 한쪽 눈은 노랗고 한쪽 눈은 듀럭스 페인트처럼 새하얗게 보이면 싫겠죠." 해법은 어느 날 우연히 발견했는데, 부친의 파이프에서 담뱃가루가 혼합 재료 속으로 조금 떨어지니 "멋진 니코틴 빛이 돌면서 딱 적당한 색이 나왔"다고 한다. 그 후로는 늘 시니어서비스 담배를 손에 들고 다녔다는 모양이다.

호리호리하고, 원래 짙은 색이었다가 은발로 변한 듯하지만 여전히 숱 많고 탄탄한 머리카락을 지닌 딕슨 솔트는 안경을 쓴 채로 책도 보고 세밀한 작업도 하는 원기 왕성한 60대 현역이다. 우리가 만난 그날 오후에는 말이다. 2019년 11월 메트로랜드에서 조금 떨어진 곳에 있는 자택에서 만났을 때는 부친이 1956년에 처음 시작한 가업을 막 정리한 후였다. 애초에 휴양 및 은퇴 후 생활을 주로 하는 이 지역을 영업지로 고른 것은 영리한 행보였다. 나이많은 거주자가 점차 늘면서 주민 중 안경이 필요한 사람도 늘었으니 말이다. (1961년에는 31퍼센트였고 10년 후에는 34퍼센트까지 올라갔다.)

그래도 은퇴 후 딕슨 솔트는 평소 버스 운전사가 휴일에 즐기는 취미 정도로 하던 안과 골동품 수집에 더욱 몰두할 수 있게 되었다. 희귀한 안경테와 안과 장비를 모으는 것뿐 아니라 전통 도구와 재료로 오래된 안경을 제작 및 수리하는 기술을 익히는 것까지. 지금은 뿔테 작업을 하고 있다고 내게 일러 주었다. 게다가 광학업계 선조들이 처했던 작업 조건을 더욱 제대로 느껴 보려고 촛불 아래서 안경을 만드는 실험까지 해 보는 중이라고 했다. 존이 수집한 모든 물품은 집 뒤에 꾸며 놓은 작업장에 진열되어 있다. 남자의 동굴이자 광학 분야의 흥미를 자극하는 호기심의 방으로, 아이들이 어릴 때는 "삐친 아빠 방"이라고 명명했던 공간이기도 하다. 아이들이 선물한 이 멋진 문구가 담긴 간판과 공룡 그림 한 장이 아직도 문에 걸려 있다.

벽마다 늘어선 갈색 목제 및 유리 캐비닛 그리고 각종 서랍·보관함·상자 안에 상상할 수 있는 거의 모든 형태의 안경과 광학 장비가 들어 있다. 대못 안경, 가죽·은·진주 갑에 담은 손잡이 안경, 지팡이 망원경, 청철테 철도 안경에서부터 조각한 안경집, 색맹 검사표 그리고 흔히 나타나는 질병을 구분하는 방법을 학생들에게 가르칠 때 사용하는 소름 끼치는 병증 의안 한 세트까지. 원래부터 사용하던 아크릴 진열함에 담긴 NHS 안경테 일체를 바라보는 딕슨 솔트의 머릿속에는 1980년대 말 안경 유료화 직전 시력검사를 받으려 미친 듯이 몰려들던 행렬이 떠오른다. "15년 동안 한 번도 못 본 환자들이 갑자기 몰려오는데, 정말 광기가 대단했죠. 그러다가 제도가 바뀌고 1년 반 동안은 찾아오는 사람이 거의 아무도 없었어요." 딕슨 솔트는 여전히 NHS와 함께하고 그 서비스를 진심으로 신뢰하지만, 안경 디자인 측면에서는 NHS가 "발목을 잡았"다고 생각한다. "오랫동안 안경에는 색이란 게 없었죠." 선사 시대 호박에 갇힌 곤충처럼 이제는 사라진 세상을 대변하는 듯 투명 플라스틱 상자에 진열되어 있던 갈색, 까만색 그리고 '살색을 띤' 분홍색 524 NHS 안경테를 함께 들여다보다가 존이 슬그머니 덧붙인 말이다. 골동품 안경을 살피다 보면 출신지를 파악할 단서를 보여 주는 디자인이나 재료의 미묘한 차이를 발견한다고 한다. 예를 들어, 대대로 미국인은 곧게 뻗은 안경다리를 단 사각형과 직사각형에 가까운 안경테를 선호했지만, 영국인은 아치형 브릿지에 동그란 테를 좋아했다. 설명이 다소 부족할 때가 많은 이베이 같은 경매사이트에서는 이런 사실을 바탕으로 잘못 표기되거나 저평가된 보물과 쓸모없는 가짜를 가려낸다.

하지만 이날 오후 존이 보여 준 물건 중에서 가장 인상적이었던 것은 의안이었다.

앞서 나는 딕슨 솔트에게 영국인의 시력이 어떤 상태인지, 20~30년 전에 비해 좋아지거나 나빠졌다고 생각하는지 물었다. 그러자 의료 측면에서는 모든 게 "환상적으로 좋아졌"다고 단언했다. "세상에, 외과 수술·약물치료·항염제·자가면역질환 치료제 같은 것만 봐도 말이에요, 엄청나죠. 이제는 왼쪽·오른쪽·가운데까지 시력을 다 보호할 수 있어요." 딕슨 솔트 부자의 의안은 수준 높은 광학 보조기 제작 기술을 바탕으로 애착을 갖고 구상하고 제작한 것이기는 하지만, 인생의 전망이 지독히도 암울했던 시절이자 내가 살아온 때이기도 한 옛 시대를 약간은 가혹하게 떠올리게 한다. 다행히도 이런 물건의 필요성이 줄어든 과정을 간단히 설명하면서 딕슨 솔트는 손가락을 꼽아가며 그 요인을 읊어 주었다. 항생제·탈산업화·작업장 보건 안전 규제 개선 그리고 무엇보다 중요한 것으로 세계대전이 더는 발발하지 않았다는 사실. 20세기 전반 안구 손실의 주요인은 불결한 생활 환경과 활동 조건 속에서 치른 전투와 값비싼 의료 서비스 때문이라는 게 딕슨 솔트의 주장이다.

정말로 끔찍한 시절이었고, 그 후유증이 몇십 년 동안 이어졌다. 딕슨 솔트가 1970년대 말 젊은 학부 졸업생으로 지역 병원에서 근무할 때만 해도 끔찍한 안구 상태를 직접 목격하곤 했다. 이제는 선제적인 현대 치료법 덕분에 다 사라지고 없지만. 그러나 주로 부친이 갖고 있던 기술인 렌즈 생산 및 가공, 안경 제작 및 수리에 관한 유용한 지식이 사라질 위기에 처했다는 점은 안타까워하고 있었다.

존의 수집품은 대부분 영국 제품이며, 골동품 관련 부

문에서는 오히려 좋아할 상황이기도 하겠지만 영국산 안경테와 그 기술이 사라져 가는 탓에 이런 제품의 부속품과 관련해서는 비교적 최근에 자취를 감춘 서비턴의 해들리나 돌런드앤드애치슨 같은 안경 제조사의 이름이 여전히 오르내린다. 딕슨 솔트의 집에서 1.6킬로미터도 안 되는 거리인 동시에 내 어릴 적 고향이며 여전히 부모님이 사는 곳과 가까운 지역에 돌런드앤드애치슨 전용 플라스틱 렌즈 제조 공장인 매릴본광학제작사가 있었다는 사실은 자랑스러웠다. 여드름·근시·더 스미스의 음악으로 점철된 비관적인 10대 시절 나는 거의 매일 자전거로 그 앞을 지나갔다. 1980년대 광학 제조 공정이 해외로 이전되기 시작하면서 쓰러진 영국의 렌즈 및 안경테 제작사 수백여 곳보다 오래 버티던 그 공장은 1990년대 중반 즈음 문을 닫았다.

그래도 그 시절 나는 소수자였다. 지금은 영국의 10대 다섯 명 중 한 명이 근시다. 열 살에서 열여섯 살 사이만 놓고 보면 내가 태어난 거의 50년 전의 두 배에 달한다. 현재 영국 인구 3분의 1이 근시로 집계되는 한편, 동남아시아 지역에서는 70퍼센트에 달하고, 2012년 한국에서 진행한 연구에 따르면 19세 남성 중 무려 96.5퍼센트가 근시였다.

이러한 증가세가 계속될 경우 2050년에는 세계 인구 절반이 근시일 것으로 예상한다.

검안사전문학교 교지인 『어큐이티』 2019년 봄호에 실린 기사에서 매들린 베일리는 이처럼 갑작스러운 근시 증가의 이면에 숨은 요인을 검토했다. 그 글을 읽는 동안, 맑은 날에도 커튼을 친 채 방안에 틀어박혀 데이비드 보위의 「Absolute Beginners」와 「The Outsider」에 열광하고 음악 전문지 『사운즈』와 『엔엠이』를 탐독하면서 「Power, Corruption & Lies」와 「Fried」, 「Brilliant Trees」를 들으며 지냈던 내 10대 시절 초반을 돌이켜 보니 알지 못하는 사이에 내 눈에 무슨 짓을 했나 하는 깊은 후회가 밀려왔다. 베일리가 썼듯이 "근시에는 분명 유전적 요소"가 있지만, 주범은 "우리 일상이 갈수록 실내에 국한되고 있는" "최근 몇십 년 사이의 급격한 변화"일 가능성이 있다. 베일리는 "야외에서 시간을 보내는 것"이 "근시 발생을 막는 데" 도움이 된다는 호주와 아시아의 최근 연구 내용을 인용했다. '이미 발생한 근시의 악화를 막는' 데는 소용이 없지만 말이다. 베일리는 "실내에서 보내는 시간이 왜, 어떤 면에서 근시의 핵심 요인이 되는지 정확히 아는 사람은 아무도 없다"라고 인정한다. 그러나 한 가지 이론은 "햇빛이 망막 내 도파민 분비를 자극"해 근시를 유발할 정도로 안구가 커지지 않도록 막아 준다는 것이다. 역으로 햇빛에 덜 노출될 경우 그 여파로 비타민D 부족 현상이 발생해 "안구 성장에 비슷한 효과를 줄 수도 있다"는 반론도 있다.

근시 유발 요인이 계속 수수께끼에 머물 경우, 전 지구적으로 눈 건강이 악화하는 재앙이 벌어지지 않도록 젊은 층 사이에서 근시가 확산하는 현상을 막기 위해 안과 전문가들이 훨씬 더 적극적으로 개입할 의무가 있다고 베일리는 말한다. 멀리 있는 물체를 보려고 안경을 써야 하는 문제 외에, 근시인 사람은 노년기에 전 세계적으로 돌이킬 수 없는 시력 상실의 주요인 중 하나인 녹내장을 앓을 위험이 매우 크다. 최소한 아이들, 특히 부모가 근시인 아동의 경우 "야외 활동에 시간을 많이 보내는 활동적인 생활 방식"을 더욱 고수할 필요가 있다. 말이 쉽지, 실행하기 어려운 일이다. 코로나로 인한 전면 통제가 해제된다고 해도 말이다. 실제로 비교적 활동적인 근시인 부모에게서 태어난 부끄럼 많은 책벌레였던 나는 실내에서 책만 읽으려 했다. 밖에 나가거나 운동하는 것을 정말로 싫어했다. 우리가 자랄 때는 심지어 인터넷도 없었는데도.

전문가들은 더 실효성 있는 대책을 '과학'에서 찾고 있

런던 달스턴 킹스랜드로드의 안경원 유리에 붙은 카잘 광고.

다. 홍콩 및 기타 지역에서 다초점 소프트 콘택트렌즈를 활용해 여덟 살에서 열세 살 사이 아동의 근시 진행을 늦추려는 시도가 일부 긍정적 결과를 얻었다. 한편 동남아시아 지역에서는 심박이 낮을 때와 수술 중 타액 분비량을 줄이는 데에 그리고 항콜린제로도 사용하는 알칼로이드 아트로핀 성분이 약간 들어간 안약을 꾸준히 투여해 아동의 근시 진행을 막는 방법이 비슷한 효과를 내는 것으로 보인다. 글을 쓰는 동안, 노안과 백내장 발생을 앞당길 가능성 등 잠재적인 부작용에 대한 우려가 여전해 영국에서는 사용 허가가 나오지 않았다. 그렇지만 얼스터대학교에서는 현재 아동 근시 진행에 대한 아트로핀 처방법 연구를 진행하고 있다.

검안사전문학교에서 임상 자문을 맡고 있는 대니얼 하디먼매카트니는 안경조합의 조합원이기도 하다. 경마로 유명한 서퍽주 상업도시 뉴마켓에 개인 작업실이 있는데, 특이하게도 거기서 안경을 팔지는 않는다. 삐죽삐죽한 흑발에 턱수염을 기르고 짙은 갈색 뿔테를 쓰고 데님 셔츠를 입은 대니얼은 의료인이라기보다는 한때 인기 있었던 그런지 뮤지션처럼 보인다. 그러나 직접 만났을 때 그리고 이후 이메일을 통해서 안과의학 및 안경이 나아갈 방향에 관해 상당히 풍부한 의견을 들려주었다.

근시는 첫째에게 생길 가능성이 더 높다는 말을 들으니 나쁜 일은 왜 항상 내게만 일어나는가 하는 생각이 더 강해지긴 하지만, 그래도 대니얼은 "근시에 관해서 우리가 아직 충분히 이해하지 못하고" 있다고 고백했다. 하지만 "콘택트렌즈나 안약 어느 쪽으로든 근시 진행을 50퍼센트 정도" 줄일 가능성을 대니얼은 대단히 긍정적으로 본다. 치료가 "앞으로 10년 안에는 어려울 것"이라는 의견은 "그럴싸하게 들리는 이야기"긴 하지만 자신이 살아 있는 동안에는 "아마도 실현될 것"이라고 생각한다.

덧붙여 이런 이야기도 했다. "노안에 대해서는 몇몇 회사에서 안구에 이식해 거리를 조절하고 실제 눈에 가깝게 초점을 맞출 수 있는 렌즈를 연구하고 있습니다. 이 렌즈는 널리 시행하고 있는 백내장 수술 도중에 삽입할 수 있어요. 공식적으로 다음 10년 사이에 가능해질 것으로 봅니다. 그러면 70대 이상 노인층이 멀리 보거나 책을 읽을 때 안경을 쓸 필요가 없어질 거예요." 현 상황으로는, "영국에서 시력 교정 수술이 매년 10만 건 정도 시행되고 있어요. 레이저 수술이나 렌즈 이식 등인데, 수술 결과가 점점 좋아지고 있고 안경의 필요성도 낮추고 있지요."

각막을 절개해 안구를 평평하게 만들어서 근시를 줄이는 '방사상 각막절개술'은 1880년 네덜란드 안과의사 레인더르트 얀 란스가 토끼 실험을 거쳐 처음 제안한 것이다. 사람에게는 1930년대 말이 되어서야 일본 안과의사 쓰토무 사토가 처음 실행했다. 이후 스페인의 호세 이그나시오 바라케르 교수와 소련의 안외과 의사 스뱌토슬라프 표도로프가 수술 기법을 더 발전시켰다. 표도로프는 1960년 사토가 사망한 직후 일본을 방문해 기법을 익혔다. 그러나 미국에서는 1978년 이전까지는 수술을 하지 않았다. 수술에 쓸 만큼 세밀한 작업을 할 수 있는 도구가 등장한 것은 정밀 절단용 엑시머 레이저가 개발된 후였다. 엑시머 레이저는 로널드 레이건이 적극 추진했던 '스타워즈' 즉 전략방위구상을 위해 IBM이 개발한 것으로, 안과 영역에서는 1983년 스티븐 트로켈이 원숭이와 토끼의 각막에 처음 사용했다. 1995년 최초의 레이저 안과 수술인 굴절교정 레이저 각막절제술 허가가 나왔고, 4년 후에는 그리스 안과의사 요안니스 팔리카리스가 처음 개척한 라식, 즉 레이저 각막절삭 가공성형술이 더 보편적으로 권장하는 교정수술이 되었다. 각막 덮개를 잘라 내어 아래쪽 조직을 레이저로 교정하는데, 근시는 각막을 평평하게 하고 원시는 봉긋하게, 난시는 형태를 알맞게 교정한다. 교정을 마치고 나면 덮개는 거의 아무 일도 없었던 것처럼 원래대로 돌아간다.

보톡스나 다른 미용 목적의 성형 수술과 마찬가지로 레이저 눈 수술은 이제 번화가에서 언제든지 받을 수 있다. "영국 최고의 레이저 눈 수술 병원"이라고 주장하는 옵티컬 익스프레스 체인은 수백 곳에 달하는 지점을 거느리고 있으며, 라식은 "교정 수준에 따라 몇 초에서 몇 분 안에 모든 과정이 끝나는 간단한 수술"이라고 홍보한다. 그러나 이런 수술은 모든 환자에게 다 맞는 것이 아니고, 위험이 전혀 없지도 않다. 소비자 잡지 『위치?』 2019년 11월호가 958명을 대상으로 실시한 설문에서는 "11퍼센트가 수술 전에 기대한 것보다 시력이 더 나빠졌다"라고 했다. 또한 "지난 5년 사이에 수술을 받은 응답자 중 15퍼센트가 이러한 시력 저하가 발생할 수 있다는 고지를 미리 듣지 못했다고 답했다."

하디먼매카트니는 "수술로 인한 위험을 인지시키는 것은 시술자가 해야 할 역할"이라고 생각한다. "위험이 천분의 1이라고 하면 아주 작아 보이지만 그 말은 곧 교정 수술을 받으면서 기대한 것보다 시력이 더 나빠지는 사람이 해마다 수백 명에 달한다는 뜻"이다. 그러나 미래를 예측한다면 여전히 "50년 안에 부유한 나라에서는 시민 대다수가 안경이나 콘택트렌즈를 쓸 필요가 없어질 가능성이 있다"고 믿는다. "근시는 줄어들거나 치료 가능할 것이고, 노안은 수술로 교정하고, 시력교정 수술은 선호하는 교정 방법으로 자리 잡을 것"이다. 하디먼매카트니가 언급한 거의 임박한 혁신 중에서, 안압을 측정해 녹내장 및 기타 질환을 진단하거나 혈당 수치를 검사해 당뇨병을 찾아낼 수 있는 '스마트' 콘택트렌즈는 이미 개발에 들어간 상태다.

자신이 처음 업계에 발을 디딘 때로 시계를 되돌려 보며, 하디먼매카트니는 당시 진료 예약을 받을 때 "진료 항목은 시력검사나 콘택트렌즈 맞춤이 거의 전부"였는데 오늘날 안과의사는 아예 "진료 목록"을 제시하고, "안구 건강 관련 진료를 하는 경우가 점차 늘고 있다"고 말한다. 확실히 녹내장 검사를 받은 내 경험을 비춰 봐도 맞는 말인 것이, 솔직히 지난 수십 년 동안 이런 검사를 받아 본 기억이 없다. 하지만 이 또한 시대 자체보다는 내 나이(와 노화)로 인한 것일 뿐일지도 모르겠다.

소매업자라면 다 그렇듯이 안경사는 온라인 경쟁에 익숙해져야 한다. 그러나 하디먼매카트니는 곧 시력검사를 "집에서 편하게 앱을 통해 할 것이고, 아마 타액으로 유전자 검사까지 병행할 것"이며, "인공지능 시스템이 결과를 관찰하고 안경이 필요하거나 전문 의료인의 안과 치료가 필요한 경우를 알아낼 것"이라고 확신한다. 검안사와 안과의사 등 "이런 직업인은 일상적인 검진과 안경 처방보다는 안과 치료가 필요한 사람 또는 복합적 진단을 받은 사람 등에 한정해 집중적으로 진료하게 될 것"이라며, "노년층 대상으로 할 일이 아주 많을 것"이라고 건조하게 덧붙인다. 의료 발달로 궁극적으로는 안경이 쓸모없어지겠지만, "패션을 위해서 그리고 정보 검색용으로" 계속 안경을 쓰는 사람이 많을 것이라고 확신한다.

2012년 스마트 안경 분야를 뒤흔들며 치고 들어온 실리콘밸리 거인 구글글래스에 대한 언론의 반응이 초기에는 긍정적이었다는 사실이 떠오른다. 잠시 동안 구글글래스는 기술 분야 임원과 패션 감각 있는 사람이라면 군침을 흘릴 정도로 갖기 원하는 웨어러블 기기였다. 비욘세, 빌 머리 그리고, 음…… 찰스 왕자 등이 모두 구글글래스를 쓰고 사진을 찍었다. 『타임』은 "올해 최고의 발명품"으로 지목했고 『보그』 2013년 9월호는 열두 쪽에 걸쳐 기사를 게재했다. 드라마 『스타트렉』을 연상시키며 "최후의 개척자"라는 제목을 단 그 기사에는 스티븐 클라인이 찍은 과학 영화 속 장면 같은 사진이 여러 장 실려 있다. 사진의 미학을 강조하는 다음 문장과 함께. "푸른 지평선 너머 미래 패션이 모습을 드러낸다. 용기 있고 강인한 사람에게 딱 맞는 아름다운 미니멀리즘이다." 디스토피아 분위기에 들어맞게 윤기가 흐르는 까만 머리를 한 모델이 디자이너 스텔라 매카트니의 3,855달러짜리 북슬북슬한 자수정색 펠트 코트를 입고 장갑 낀 손으로 구글글래스를 조정하는 사진에는 "차가운 가을 기온에 단색 코트나 정장으로 온몸을 감싼 방랑자 세 명은 버려진 지구에 돌아온 미래 인간처럼 랜섬 캐니언을 돌아다닌다"라는 설명이 붙어 있다. 물론, 곧 드러났듯이 패션 액세서리로서 구글글래스의 전망은 암울했다. 자랑스레 내놓은 기술 중 다수가 부적절하다는 기술 분야 매체의 지적이 쏟아졌고, 더 일반적으로는 착용자가 주위를 촬영해 사생활을 침해할 수 있다는 염려와 함께 '재수 없는 글래스'라는 비난이 쇄도하여 2015년에 조용히 폐기되었다. 그러나 이만큼 널리 알려지는 않았지만, 대중이 거의 모르는 사이에 구글은 작업용으로 제품의 용도를 바꾸어 계속 개발했고 아주 좋은 성과를 얻었다. 글래스 엔터프라이즈 에디션 또는 글래스 EE라 하는 이 제품은 GE·보잉·DHL·폭스바겐에서 시험을 거쳐 2017년 출시되었다. 홍보를 위해 패션쇼나 스카이다이빙팀을 동원하지 않았어도 공장과 병원에서 각광받고 있다. 병동에서는 진료 기록을 디지털로 불러오고 환자의 증상을 사진 및 영상으로 촬영해 의료진에 공유할 수 있는 기능이 진단 과정을 단축하는 등 다양한 긍정적 성과를 거두었다. 2025년에는 "미국 노동자 1,440만 명 가까이가 스마트 안경을 쓸 수도 있다"라는 전망이 나왔다. 구글과 비슷한 차질을 겪기는 했지만 사진영상 채팅 사이트 스냅챗 또한 현재 소비자용 3세대 카메라 안경을 개발하고 있다.

하디먼매카트니는 우리가 전화기와 모니터를 오래 들여다보는 만큼 스마트 안경은 "여러 면에서 합리적"이며, 신뢰 문제를 넘어서고 나면 "안경 또는 콘택트렌즈로 보는 화면"은 "헤드폰만큼이나 널리 쓰일 것"이라고 주장한다.

또한 기술은 분명 안경 제작과 구매 과정을 바꾸어 놓을 것이다. 3D 프린터로 고객이 자기에게 맞는 안경을 직접 디자인할 수 있을 것이다. 1990년대 파리미키가 매장에서 처음 시도한 가상 착용 기술은 이미 '장인의 안경'이라 할 만한 부류를 대표하는 큐비츠 같은 여러 온라인 광학 웹사이트에서 보편적인 기능이 되었다.

다가올 안경 없는 미래에 관한 대화가 머릿속에 가득 찬 채로 검안사전문학교를 나와, 채링크로스에서 코번트가든까지 느긋이 걷는다. 새뮤얼 피프스가 처음 눈에 문제가 생겼다고 불평한 지 불과 한 달 뒤인 1662년 5월 9일, 인형극 『펀치 앤드 주디』를 보러 방문해서는 "멋쟁이가 가득한 곳"이라고 묘사한 지역이다. 이 일기작가가 오늘날 멋쟁이보다 더 많은 안경원이 거리에 늘어선 모습을 본다면 아마 놀랄 것이다. 중앙 광장과 주변 샛길을 한번 돌아보면 바·식당·극장·옷가게·거리공연자·행위예술가 사이로 부츠더케미스트 같은 거대 체인과 데이비드 클루로(룩소티카 운영), 에이스앤드테이트 같은 중형 체인에서부터 톰 데이비스 "맞춤 안경원"·올리 퀸·모스콧 같은 소규모 매장과 스펙스인더시티·베일리 넬슨·큐비츠 같은 특색 있는 안경 제작실 등 형태와 규모가 각기 다른 다양한 안경사와 안경원이 나타난다.

외벽을 흙으로 바른 무수한 테라스와 곡선으로 길게 늘어선 주택들, 벨그래이비어·핌리코·클래펌·밀뱅크의 광장뿐 아니라 브라이튼의 켐프타운·와이트섬의 오스본 등을 건설한 한 조지 왕조 시대 건축가 토머스와 윌리엄 그리고 루이스 큐빗을 기리며 사명을 지은 큐비츠는 역사에 관심이 큰 신생 회사다. 최근까지 문구사 스크리블러 지점이 있던 자리에 들어선 큐비츠의 코번트가든 매장은 너도

나도 애플 컴퓨터처럼 은색과 흰색으로 치장한 다른 안경 매장과 달리 무수한 짙은 나무색 목재로 꾸며져 있다. 그와 비슷한 널빤지로 관을 만들었던 장례업체 A. 프랜스앤드 선의 응접실로 쓰였던 이 건물의 전사를 드러내는 부분이다. 그러나 현대적인 만큼 매력적인 구식 인테리어가 평생을 바친 전문가의 손길을 떠올리게 하고, 작업실은 장터를, 그 안에 있는 안경은 수제 진이나 천연 발효빵만큼이나 장인을 떠올리게 한다. 이 회사가 제공하는 또 하나의 서비스인 안경 제작 수업은 완성한 제품만 아니라 경험까지 얻고자 하는 소비자의 열망을 드러낸다.

처음 안경사를 만났던 경험을 돌이켜 보니, 기능에만 충실해 치과 상담실 비슷한 으스스한 분위기에 죄다 쭈글쭈글해진 『내셔널 지오그래픽』과 『선데이타임스』 같은 잡지가 놓여 있던 검사실로부터 우리가 얼마나 멀리 왔는지 극명하게 느껴진다. 한편으로 이는 안경의 젠트리피케이션, 특히 가격 상승을 보여 주는 실례이기도 하다. 한때 NHS에서 부담 없이 살 수 있었던 안경테가 이제 디자이너 제품군으로 팔리고 있다. 어느 정도는 개선도 되었고, 개인 맞춤 형태로 변하기도 했지만. 동시에 이는 안경이 이제 의복의 일부로서 활용되고 있으며 수 세기 동안 뿌리박은 부정적 인식이 뒤집히고 있음을 뜻한다. 우리가 살펴본 바와 같이 안경은 사실 도입 초기부터 언제나 유행을 타는 모습을 보였다.

존 딕슨 솔트와 뒤이어 주고받은 이메일에 호러스 듀크라는 특이한 인물이 등장했다. 딕슨 솔트에 따르면 워딩에 있는 메릴본광학에서 감독으로 일한 듀크는 완성된 안경을 실크 손수건으로 하나하나 닦았던 것으로 유명했다. 그런데도, 일이 끝나면 해럴드 로이드가 쓰던 것 같은 밀짚모자를 쓰고 단안경을 낀 채로 자전거로 네 시간 넘게 동네를 돌며 회전교차로나 주요 교차로에 정지한 자동차 운전자에게 담뱃대를 입에 꼭 문 채 손을 흔드는 괴짜로 더 유명했다. 그 입에서는 자주 욕설이 튀어나왔다는 사실도 밝혀 두어야겠다. 그러나 듀크는 사람들의 시선을 받으면서도 동시에 자기 눈으로 렌즈 너머 세상을 바라보았다. 안경을 쓰는 사람이라면, 시력이 얼마든 상관없이 모두가 자부심을 품고 해야 마땅한 행동이다.

THE HAPPY
READER

With JARVIS COCKER (interviewed)
& urgent sci-fi classic WE (thoroughly investigated).

Bookish Magazine — Issue n° 10 — Winter 2017

잡지『해피리더』의 표지 모델로 등장한 자비스 코커.

나 오 는 말
: 이 책 과
함 께 한 사 람 들

제일 먼저 감사 인사를 전할 사람은 편집자 리처드 비스윅에게 나를 소개해 준 셔메인 러브그러브이다. 리처드는 안경에 관한 책을 쓰면서 내가 내놓은 발상에 따뜻하게 응답해 주었을 뿐 아니라 다소 오래 끌었던 작업을 기다려 주고 과하게 길었던 초안을 간결하게 다듬을 수 있도록 소중한 제안을 해 주었다. 성실하게 교열을 본 대니얼 발라도, 교정을 맡은 레이철 크로스, 초안을 정서해 준 니시아 래, 사진을 전적으로 맡아 준 린다 실버먼에게 한없이 감사한다. 보 디들리가 "표지만으로 책을 판단해서는 안 된다네"라고 노래했어도 대부분 그러기 마련이다. 그러니 이 책에 근사한 표지를 입혀 준 미셸 톰슨과 디자인 과정을 감독한 샬럿 스트루머에게 감사 인사를 전하고 싶다. 홍보를 맡은 그레이스 빈센트와 이 책을 위해 애써 준 리틀, 브라운 출판사의 모든 사람에게 감사한다.

검안사전문학교의 영국광학협회박물관 학예사이자 디자이너 안경을 완벽히 조명한 책 『전설이 된 안경』Cult Eyewear 저자인 닐 핸들리의 조언과 어마어마한 지식이 없었다면 이 책은 상당히 부실했을 것이다. 박물관과 교내 도서관을 찾아갔을 때 핸들리는 전시 물품만큼이나 중요한 정보를 제공해 주었다. 코로나19로 인해 도서관이 휴관한 후로 내가 보낸 수많은 이메일에 친절히 답해 주었고 이 책에 담긴 사진 대부분을 포함해 추가 자료를 원격으로 제공해 주었다.

학교에서 직접 만나 대화할 시간을 내주고 이메일로 보낸 질문에 기나긴 답장을 보내 주었을 뿐 아니라 대단히 중요한 글을 여러 편 제공해 준 대니얼 하디먼매카트니에게도 감사한다. 마찬가지로 나를 집으로 초대해 어마어마한 소장품을 보여 주고 이 책에 담긴 수제 의안 사진을 제공해 주는 등 온·오프라인으로 시간과 지혜를 내어 준 존 딕슨 솔트에게도.

스미드가에 있는 알가 웍스를 둘러보게 해 준 새빌 로 안경 소장 이언 샌더슨에게 감사한다. 전설적인 안경 제작자 로렌스 젠킨과의 인터뷰 기록을 제공해 준 버지니아 아이언사이드에게도 감사를 전하고 싶다. 그리고 퍼트리샤 하이스미스, 앨프리드 히치콕과 『열차 안의 낯선 자들』의 미리엄의 안경에 관한 질문에 답해 준 잭 본드와 앤드루 윌슨, 수많은 레코드 표지 스캔을 맡은 폴 켈리에게도 감사한다.

늘 그렇듯, 이 책을 쓰려고 빼낸 무수한 레코드·책·학술지·잡지·소책자를 제공해 준 세인트판크라스의 영국 도서관·세인트제임스의 런던 도서관·스토크 뉴잉턴 도서관·해크니 도서관 직원들에게 신세를 졌다.

전문가의 눈으로 초안을 검토해 준 피터 토마세비치에게 무한한 감사를 전한다. 당연히도, 남아 있는 오류는 전적으로 내 책임이지만 몇 가지 세부 사항을 확인하는 데 큰 도움을 받았다.

이번에도 작업 도중에 훌륭한 조언을 해 준 닉 레니슨과, 특히 코로나19로 인해 몇 달에 걸친 봉쇄를 겪은 후에도 조언을 마다하지 않은 탁월하고 아름다운 나의 아내 에밀리 빅에게 고마운 마음을 전한다.

대서양 양쪽에 있는 친구와 가족·동료·협업한 이들·그간 친절하게 의뢰해 준 편집자·축제 접수 담당자·행사

주최자·라디오 프로듀서 등 최근 몇 년 동안 내게 힘이 되어 준 모든 사람에게 감사한다. 또 만나기를.

옮긴이의 말
: 안경 너머의
세 계 를
종 횡 무 진 하 다

밥을 먹다가, 길을 걷다가, 텔레비전을 보다가, 빨래를 개다가, 그렇게 별다를 것 없는 일상을 보내다가 문득 사소한 물건이나 대상에 호기심이 솟는 순간이 있다. 너무 가까이 있어 평소 의식조차 못 하던 대상에 관해. 이를테면 이런 것이다. 안경은 대체 어디서 온 걸까?

지식을 생성·유통·관리하는 기관의 권위가 뚜렷하던 20세기만 해도 이런 질문의 답을 찾는 과정이 그리 복잡하지 않았다. 하지만 2021년을 사는 우리는 사정이 다르다. 우선 시작하기는 훨씬 쉬워졌다. 옆 사람과 어디서 들은 고만고만한 지식을 짜내어 입씨름하거나 시간을 들여 도서관을 찾아가는 대신 곧바로 시리나 구글 같은 인공지능 비서에게 물어보면 된다. 빠르고 간편하다. 문제는,

답이 한두 개 정도로 끝나지 않는다는 거다. 누가 언제 어디서 어떻게 질문하느냐에 따라 답이 달라지는 경우도 허다하다. 여기서 21세기식 입씨름이 시작된다. 그럴듯하게 잘 만든 이야기와 각종 전문가가 내놓은 상충하는 주장 사이에서 길을 잃기 일쑤다.

번역을 시작하기 전에, 나도 잠시 목소리를 가다듬고 내 손 안의 비서에게 물어보았다. 안경을 누가 처음 만들었어? 그러자 구글이 즉시 어느 안과 블로그에 실린 내용을 찾아서 읽어 준다. "시력 교정용 안경은 지금으로부터 약 8백 년 전에 이탈리아…… 수도사 알렉산드로 드 스피나와 물리학자 살비노 데질르 알망티가 발명한 것으로 알려져 있다고 합니다." 궁금증이 해결되기는커녕 오히려 늘어났다. 이탈리아? 독일이 아니라? 수도사가 왜? 중세에도 물리학자가 있었어? 이번에는 직접 검색창을 열어 화면을 스무 번 정도 넘겨 보며 각종 자료와 주장을 섭렵한다. 비슷하게 복제된 이야기가 자주 나오는데, 원형을 찾기 쉽지 않다. 이대로는 안 되겠다 싶어 도서관으로 달려간다. 몇 권 안 되는 안경 관련 도서에 담긴 내용은 검색 결과와 크게 다르지 않다. 막다른 골목에 서니 갑자기 정신이 든다. 그런데나, 뭐 하던 중이었지?

　트래비스 앨버러는 이런 우리 처지를 잘 아는 작가다. 안경사도 아니고 안과의사도 아니고 심지어 역사학자도 아니지만, 역사·철학·과학·문화 등 다양한 방면에서 안경에 관한 흥미로운 정보를 찾아내어 엮어 주는 노련한 지식 안내자다. 작가 자신이 어릴 때 빠져 살았다는 드라마 『닥터 후』의 타임로드처럼 파랗고 각진 공중전화부스 타디스에서 불쑥 튀어나와, 막다른 골목에 선 독자를 이끌고 안경 너머 세계로 나아간다.

　그 안에서 우리는 고대와 중세의 각종 기록과 인물뿐 아니라 르네상스 이후 보티첼리·엘 그레코·터너 같은 화가의 그림, 만국박람회, 제1·2차 세계대전 같은 역사적 사건, 움베르토 에코의 소설 『장미의 이름』, 앨프리드 히치콕 감독의 영화 『열차 안의 낯선 자들』, 제리 시걸과 조 슈스터의 만화 『슈퍼맨』 같은 각종 픽션 그리고 벤저민 프랭클린·해럴드 로이드·올더스 헉슬리·매릴린 먼로·르 코르뷔지에·버디 홀리·존 레넌·글로리아 스타이넘·로널드 레이건·제인 폰다·Run-DMC·키스 해링·힐러리 더프 등 수많은 근현대 인물과 마주친다. 이미 책을 읽은 사람이라면 이 목록이 극히 일부에 불과하다는 사실을 알 것이다. 그리고 구글이 알려준 그 답에 얼마나 많은 맥락이 숨겨져 있는지도 말이다.

도대체 이런 것까지 알아야 해? 하는 생각이 들라치면, 꼼꼼하고 재치 있는 우리의 안내자가 금세 그 이야기와 안경 사이의 연결고리를 일러 준다. 그러면서도 어느 것 하나 정답이라고 단정 짓지 않는 태도를 보인다. 번역하는 입장에서는 끝없이 이어지는 부연 설명과 시도 때도 없이 등장하는 'accordingly', 'apparently', 'seemingly' 같은 부사 때문에 문장을 완성하는 데 꽤 애를 먹었다. 하지만 근대 과학의 핵심이라 할 반증 가능성과 다양한 시각의 공존을 인정하는 태도야말로 이른바 '21세기를 사는 우리'에게 꼭 필요한 덕목이 아닌가. 앨버러가 안내한 경로 또한 안경의 과거·현재·미래를 가늠하는 갖가지 경로 중 하나에 불과하다는 말이다. 솔직히 목적지보다는 경로 자체가 너무 재밌어서 앞으로도 여러 번 더 타고 싶은 마음이 들긴 하지만.

타디스에서 내려 바라보는 세상은 전보다 훨씬 다채롭다. 힙합 아티스트가 왜 그리 번쩍이는 선글라스를 즐겨 쓰는지, 잠자리 안경(조종사 안경)이 어째서 미묘하게 불량한 느낌을 주는지, 어릴 때 보던 영화 속 사감 선생은 왜 꼭 끝이 뾰족한 안경을 손끝으로 밀어 올리는 모습을 보여 주었는지, 전에는 한 번도 생각해 본 적 없던 의문과 답이 동시에 퐁퐁 솟아오른다. 부작용이 있다면 그렇게 떠오른 정보를 옆 사람에게 자꾸 흘려보내지 않고는 참을 수 없다는 점이다. 한동안 '그거 알아?'를 금지어로 지정해 두는 편이 현명할 것이다.

독자로서는 '이것까지 알아야 해?'라고 할 정보를 하나 보태자면, 사실 나도 10대 중반에 처음 안경을 쓴 후로 평생 하루도 안경 없이 산 적 없는 근시이고, 버디 홀리와 존 레넌처럼 큰맘 먹고 안과에서 하드 콘택트렌즈를 맞췄다가 눈물만 줄줄 흘리고 버린 전적이 있다. 20세기 초 라이스 박사와 만, 피리 같은 안경 반대자들이 비판한 것처럼 격렬한 활동을 좋아하지 않고 책만 들여다보는 책벌레에다 '온갖 세세한 부분에 관심이 많은' 다소 음침한 구석이 있는 아이로 자랐다.

그리하여 어른이 된 후의 삶도 그리 어두침침했는가 하면, 글쎄. 그건 친구들의 의견을 들어 봐야 알 수 있을 듯하다. 하여간 그럭저럭 활발하게 성인기를 보내던 나도 저자와 마찬가지로 1년 전에 노안 판정을 받아 다초점 안경을 쓰기 시작했다. 젊음이 꺾인 듯 상심한 앨버러와 달리 나는 안경 하나로 멀리도 보고 가까이도 볼 수 있다는 게 그저 신기하고 즐거울 따름이었다. 지난 수십 년 동안 나를 안전하게 지켜 준 근시 안경과 이별하는 아쉬움만큼이나 현재와 미래를 꾸려 나갈 새로운 동반자를 맞이하는 기쁨이 컸다. 이제는 기술을 발휘할 일이 줄어든 의안 제작자 존 딕슨 솔트와 안경 장인 하디먼매카트니가 내다본 것처럼 정말로 머지않아 안경이 필요 없는 세상이 도래한다면, 그때는 미련 없이 안경을 벗어던지게 될까? 잘 모르겠다. 레이저 수술을 받기가 조금 무섭기도 하지만, 적어도 아직은 안경 너머 보이는 세상이 내 눈에 충분히 아름답기 때문이다.

사 진 출 처

한국의 독자들에게

턴브리지웰스의 안경테 제조사 웰비 광고, 1970년. 검안사전문학교 내
영국광학협회박물관 소장.

들어가는 말

NHS가 제공한 안경 안내문, 1985년 4월. 검안사전문학교 내
영국광학협회박물관 소장.

1장

세바스천 브랜트, 「바보배」, 바젤: 올페의 요한 베르그만, 1494년 2월 11일.
의회도서관 LC-USZ62-110317.
필립 갈레, 판화 「안경: 안경의 발명」, 1600년경. 의회도서관 LC-DIG-
ppmsca-38361.

2장

엘 그레코, 「페르난도 니뇨 데 게바라의 초상」, 1600년. 뉴욕
메트로폴리탄미술관

4장

에드워드 스칼릿의 명함. 1728년-1730년경. 검안사전문학교 내
영국광학협회박물관 소장.

벤저민 마틴의 광학 안경, 1756년-1758년경. 검안사전문학교 내
영국광학협회박물관 소장.

외알 안경. 검안사전문학교 내 영국광학협회박물관 소장.

5장

철도 안경, 로버트 H. F. 리펀이 그린 삽화, 존 브라우닝, 『눈 사용법 그리고
안경으로 눈을 보호하는 방법』(London: Chatto & Windus, 1883).
저자 소장.

코안경, 로버트 H. F. 리펀이 그린 삽화, 존 브라우닝, 『눈 사용법 그리고
안경으로 눈을 보호하는 방법』(London: Chatto & Windus, 1883).
저자 소장.

6장

브라이튼 이스트가에 위치한 베이트먼 안경원. 검안사전문학교 내
영국광학협회박물관 소장.

시력검사 중인 안과의사, 로코 그리티가 그린 삽화, 『Dell'ottalmoscopa
e delle malattie end-oculari per esso riconoscibili』, 1862년
밀라노. 검안사전문학교 내 영국광학협회박물관 소장.

7장

영화 잡지에 등장한 해럴드 로이드, 1920년. 저자 소장.

코안경 "피츠 유 윈저" 삽화, 1919년 11월 웰스워스 사보 표지.
검안사전문학교 내 영국광학협회박물관 소장.

8장

웅거앤드애드콕의 캐츠아이 안경, 스탠리 웅거, 1950년대 초, 'the 48/K
 with additional ear motif "Chinese Flame"'. 검안사전문학교 내
 영국광학협회박물관 소장.

9장

디지 길레스피, 칼 반 베흐텐, 의회도서관, LC-USZ62-92016.

버디 홀리, 음반 『That 'Tex-Mex Sound'』 표지, 작가 표기 없음, Coral
 Mono FEP 2006/보그레코드사, 1964년 영국. 저자 소장.

10장

소설 『국제첩보국』의 표지, 1966년 팬더 크라임밴드판, 표지 작가 표기 없음,
 저자 소장.

12장

기자회견장의 글로리아 스타이넘, 여성행동동맹Women's Action Alliance,
 사진작가 불명. 의회도서관, LC-DIG-ppmsc-03684.

미국 광고에 실린 디자이너 안경, 1977. 검안사전문학교 내
 영국광학협회박물관 소장.

"벗어 놓기에는 너무 멋진", 런던 스토크뉴잉턴의 처치가에 위치한 안경원에
 놓인 간판, 2020년. 저자 소장.

13장

수제 의안, 존 딕슨 솔트 제공. 게재 허가에 감사하며.

런던 달스턴 킹스랜드로드의 안경원 유리에 붙은 카잘 광고, 2020년. 저자
　　소장.

잡지 『해피리더』의 표지 모델로 등장한 자비스 코커 © The Happy Reader,
　　Seb Emina and Ralitsa Chorbadzhiyska. 게재 허가에 감사하며.

참 고 자 료

수많은 책·학술지·잡지·보고서·소책자·신문·웹사이트·소설·희곡·회고록·영화·노래가 없었다면 이 책을 쓰지 못했을 것이다. 『디옵티션』, 『국제안과 골동품 수집 클럽 소식지』 등의 과월호와 20세기 초 미국광학회사가 발간한 『웰스워스』 같은 업계 홍보 잡지 등은 꾸준히 정보와 영감을 안겨주는 원천이었다. 아래 참고자료 목록으로 이 작업에 기여한 이들을 제대로 알리고, 더 자세한 내용을 알고자 하는 사람에게 제대로 방향을 일러 줄 수 있기를 바란다.

안경 관련 1차 참고자료

Agarwal, Sunita, Pallikaris, Ioannis G., & Agarwal, Athiya, Refractive Surgery (London: Jaypee Brothers Medical Publisher Ltd, 2000).

Al- Khalili, J., 'In retrospect: Book of Optics', Nature, 518, 2015, 164-165쪽.

Azar, Dimitri T., Koch, Douglas 엮음, LASIK (Laser in Situ Keratomileusis): Fundamentals, Surgical Techniques, and Complications (Florida: CRC Press, 2002).

Bailey, Madeleine, 'Turning the Tide', Acuity, Spring 2019, 18-23쪽.

Barker, David, How Glasses Caught a Killer: And Other Stories of How Optics Changed the World (feedaread.com 웹출판서비스, 2015).

Barty-King, Hugh, Eyes Right: The Story of Dolland & Aitchinson Opticians 1750-1985 (London: Quiller Press, 1986).

Bates, William Horatio, The Bates Method for Better Eyesight Without

Glasses (New York: Henry Holt, 1943).

Bates, William Horatio, The Cure of Imperfect Sight by Treatment without Glasses (New York: Central Fixation Publishing Co, 1925).

The Beveridge Report Ad Hoc Committee, The Place of the Optical Profession in the Health Services of the Nation (London: Beveridge Report Ad Hoc Committee, Optical Profession (England), 1944).

Bilton, Nick, 'Disruptions: Why Google Glass Broke', The New York Times, 4 February 2015.

Bowden, Timothy J., Contact Lenses: The Story (Kent: Bower House Publication, 2009).

Brown, Vanessa, Cool Shades: The History and Meaning of Sunglasses (London: Bloomsbury 2015).

Browning, John, How to Use our Eyes, and How to Preserve Them by the Aid of Spectacles (London: Chatto & Windus, 1883년 및 1892년판).

Brueneni, Joseph, More than Meets the Eye: The Stories Behind the Development of Plastic Lenses (Pittsburgh: PPG Industries, 1997).

Cahan, David, Helmholtz: A Life in Science (Chicago: The University of Chicago Press, 2018).

Chance, James Frederick, A History of the Firm of Chance Brothers & Co. Glass and Alkali Manufacturers (London: printed for private circulation, 1919).

Collins, Edward Treacher, The History & Traditions of Moorfields Eye Hospital. One Hundred Years of Ophthalmic Discovery and

Development, etc (London: H. K. Lewis & Co, 1929).

Corson, Richard, Fashions in Eyeglasses (London: Peter Owen, 1967).

Crestin- Billet, Frédérique (프랑스판 영역자 Jonathan Sly), Collectable Eyeglasses (Paris: Flammarion; London: Thames and Hudson, 2004).

Darrigol, Olivier, A History of Optics: From Greek Antiquity to the Nineteenth Century (Oxford: OUP, 2012).

Davidson, Derek & MacGregor, Ronald, Spectacles, Lorgnettes, and Monocles (Princes Risborough: Shire, 2002).

Egerton, Samuel Y., The Mirror, the Window, and the Telescope: How Renaissance Linear Perspective Changed Our Vision of the Universe (Ithaca: Cornell University Press, 2009).

Fassell, Preston, 'Hindsight is 20/20: Aviator Eyeglasses', 20/20, December 2013.

Fassell, Preston, 'Hindsight is 20/20: The Browline', 20/20, January 2013.

Fontana, Michela, Matteo Ricci: A Jesuit in the Ming Court (London: Rowan and Littlefield, 2011 & 2015 개정판).

Frank, Alex, Oliver Peoples: California As We See It (New York: Assouline, 2019).

Goes, Frank Joseph, The Eye in History (London: Jaypee Brothers Medical Publisher Ltd, 2013).

Gooding, Joanne, 'Rather unspectacular: design choices in National Health Service glasses', Sound and Vision, Spring 2017, http://dx.doi.org/10.15180/170703.

Gorin, George, History of Ophthalmology (Wilmington, Delaware: Publish or perish, 1982).

Gottschalk, Mary, 'Imagine Changing Glasses', Seattle Times, 13 March 1991.

Gross, Kim Johnson, Solomon, Michael, Stone, Jeff, Chic Simple Components: Spectacles (London: Thames and Hudson, 1994).

Handley, Neil, Cult Eyewear: The World's Enduring Classics (London: Merrill, 2011).

Heaf, Jonathan 엮음, Gill A. A. 서문, Forty Years of Vision and Style 1969-2009 (London: Cutler and Gross, 2009).

Herron, Estelle, 'Reflections: Fitting the Famous', Optometric Management, August 2011, https://www.optometricmanagement.com/issues/2011/august-2011/reflections.

Horner 교수, On Spectacles: their history and uses (London: Baillière, Tidal & Cox, 1887).

Horsfall, Nicholas, 'Rome without Spectacles', Greece & Rome, 42 (1), April 1995, 49-56쪽, https://www.jstor.org/stable/643072.

Huxley, Aldous, The Art of Seeing (London: Chatto & Windus, 1943).

Ilardi, Vincent, 'Eyeglasses and Concave Lenses in Fifteenth-Century Florence and Milan: New Documents', Renaissance Quarterly, 29 (3), Autumn 1976, 341-360쪽, https://www.jstor.org/stable/2860275.

Ilardi, Vincent, Renaissance Vision from Spectacles to Telescopes (Philadelphia: American Philosophical Society, 2007).

Ings, Simon, The Eye: a natural history (London: Bloomsbury, 2007).

Ironside, Virginia, 'How I Live: Lawrence Jenkin, spectacle-maker', The Idler, 69, November/December 2019.

Johansen, T. K., Aristotle on the Sense Organs (Cambridge: CUP,

2008).

Kennedy, Maev, 'Spectacles provide clue to the secret of Turner's
    visual style', Guardian, 18 November 2003.

Kennedy, Pagan, 'Who Made That Eye Chart?', The New York Times
    Magazine, 24 May 2013.

Kennedy, Pagan, 'Who Made Those Aviator Sunglasses?', The New
    York Times Magazine, 3 August 2012.

Keynes, Milo, 'Why Pepys Stopped Writing his Diary: his dimming
    eyes and ill- health', Journal of Medical Biography, 5(1),
    February 1997.

King, Henry C., The History of the Telescope (London: Charles Griffin
    & Co Ltd, 1955, New York: Dover 2003).

Knight, Sam, 'The Long Read: The spectacular power of Big Lens',
    Guardian, 10 May 2018.

Law, Frank W., The Worshipful Company of Spectacle Makers: a
    history (London: The Company, 1979).

Leaver, Peter K., The History of Moorfields Eye Hospital (London:
    Royal Society of Medicine, 2004).

Leffler, Christopher T., Schwartz, Stephen G., Wainsztein, Ricardo
    D., Pflugrath, Adam & Peterson, Eric, 'Ophthalmology in North
    America: Early Stories (1491-1801)', Ophthalmology and Eye
    Diseases, 9, 2017, 1-51.

Levene, John R., Clinical Refraction and Visual Science (London:
    Butterworths, 1977).

Levy, Steven, 'Google Glass 2.0 Is a Startling Second Act', Wired,
    10 July 2017, https://www.wired.com/story/google-glass-2-is-
    here/.

Lingberg, David C. C., Theories of Vision from Al-kindi to Kepler (Chicago: University of Chicago Press, 1996).

Lipow, Moss, Eyewear: A Visual History 1491-Today (London: Taschen, 2001).

Maldonado, Tomás, 'Taking Eyeglasses Seriously', Design Issues, 17 (4), 2001, 32-43쪽, https://www.jstor.org/stable/1511918.

Mann, I. & Pirie, A., The Science of Seeing (London: Penguin, 1946).

Margolin, Jane-Claude & Paul Bierent (영역자 Tulett, Barry), Pierre Marly: Spectacles and Spyglasses (Paris: Editions Hoebeke, 1988).

Marmor, Michael F. & Albert, Daniel M., ed, Foundations of Ophthalmology: Great Insights that Established the Discipline (Cham: Springer International Publishing, 2017).

Martin, Benjamin, An Essay on Visual Glasses, Vulgarly Called Spectacles etc. (London: printed for the author, 1756).

Mazza, Samuel, Spectacles, (San Francisco: Chronicle Books, 1995).

Milburn, John R., Benjamin Martin: author, instrument-maker and 'Country showman' (Leiden: Noordhoff, 1976).

Mitchell, Margaret, History of the British Optical Association 1895-1978 (London: The British Optical Association, 1982).

Murray, Simon & Albrechtsen, Nicky, Fashion Spectacles, Spectacular Fashion (London: Thames & Hudson, 2012).

The Newsletter of the Ophthalmic Antiques International Collectors Club, 1982년부터 2019년까지 여러 호, https://oaicc.com/quarterly-journal/.

The Optician, London, 1891년부터 2019년까지 여러 호.

New Yorker 저자 표기 없음, 'Spectacles, Talk of the Town', New Yorker,

20 February 1960.

Orr, Hugh, Illustrated History of Early Antique Spectacles (Beckenham: Hugh Orr, 1985).

Pearl, Joanna, 'Which? reveals best and worst laser eye surgery companies', Which, 7 November 2019, https://www.which.co.uk/news/2019/11/which-reveals-best-and-worst-laser-eye-surgery-companies.

Pedersen, Nate, 'The Mysterious Disappearance - and Strange Reappearance - of Dr. William Horatio Bates', Mental Floss, 8 March 2018, http://mentalfloss.com/article/516460/mysterious-disappearance-and-strange-reappearance-drwilliam-horatio-bates.

Poulet, W., (영역자 C. Blodi 교수), Atlas on the History of Spectacles (Bonn: Wayborgh, 1978).

Power, D'arcy, 'Medical History of Mr and Mrs Samuel Pepys', The Lancet, 1 June 1895.

Rasmussen, Otto, Chinese Eyesight and Spectacles (Tonbridge: Tonbridge Free Press, 1946).

Rosen, Edward, 'The Invention of Eyeglasses', Journal of the History of Medicine, 1, 1956, https://www.jstor.org/stable/24619648.

Rosenthal, J. William, Spectacles and Other Vision Aids: A History and Guide to Collecting (San Francisco: Norman Publishing, 1996).

Sambrook, Stephen, The Optical Munitions Industry in Great Britain, 1888-1923 (Abingdon: Routledge, 2015).

Segrave, Kerry, Vision Aids in America: A Social History of Eyewear and Sight Correction (Jefferson, North Carolina: McFarland &

Co Inc, 2011).

Shilling, Donovan A., A Photographic History of Bausch & Lomb (Victor, NY: Pancoast Publishing, 2011).

Smith, Mark, A., From Sight to Light: The Passage from Ancient to Modern Optics (Chicago: University of Chicago Press, 2015).

Strauss, D. Pieter, 'Why Did Goethe Hate Glasses? Two Puzzling Passages in the "Wahlverw and tschaften" and the "Wanderjahre" ', The Journal of English and Germanic Philology 80 (2), April 1981, 176-187쪽.

Temple, Robert, The Crystal Sun: Rediscovering a Lost Technology of the Ancient World (London: Century, 2000).

Trevor-Roper, P. D., The World Through Blunted Sight: An Inquiry into the Influence of Defective Vision on Art and Character (London: Allen Lane, 1988).

Vogue 저자 표기 없음, 'Beauty Bulletin: How Not to Miss a Thing ... The Techniques for Doing it Dashingly', Vogue, New York, 146 (1), 1 July 1965.

Wade, Nicholas, A Natural History of Vision (Cambridge, Mass: MIT Press, 1998).

Wells, John Seolberg, On long, short, and weak Sight and their treatment by the Scientific Use of Spectacles (London, 1862).

Wellsworth, The American Optical Journal, Southbridge Mass, 1916년 5월부터 1934년 12월까지 여러 호.

Willach, Rolf, The Long Route to the Invention of the Telescope (Philadelphia: American Philosophical Society, 2008).

Wilson, Graham A., Field, Amanda P., Fullerton, Susannah, 'The Big Brown Eyes of Samuel Pepys', Archives of Ophthalmology, 120,

July 2002.

Wilson, Graham A., Ravin, James, 'Blinking Sam: The Ocular
　　Afflictions of Dr Samuel Johnson', Archives of Ophthalmology,
　　22, September 2004.

Wilson, Ryan, 'Vision Care, Fashion Frames: Movie stars lookgreat
　　in glasses so why shouldn't you?', Cincinnati Magazine, 30 (3),
　　December 1996.

Winkler, Wolk 엮음, A Spectacle of Spectacles: Exhibition
　　Catalogue (National Museum of Scotland, Edinburgh/Leipzig:
　　EditionLeipzig, 1988).

Wodehouse, P. G., 'In Defense of Astigmatism: A Brief inFavor of
　　Specs, Pince- nez and Goggles', Vanity Fair, January 1916,
　　https://archive.vanityfair.com/article/1916/1/in-defense-of-
　　astigmatism.

2차 참고자료

Abel, Richard 엮음, Encyclopedia of Early Cinema (Abingdon:
　　Routledge, 2004).

Amann, Elizabeth, Dandyism in the Age of Revolution: The Art of the
　　Cut (Chicago: The University of Chicago Press, 2015).

Ashley, Benedict M., The Dominicans (Eugene, Oregon: Wipf and
　　Stock Publishers, 1990).

Bentley, James, Restless Bones: The Story of Relics (London:
　　Constable, 1985).

Bosworth, Patricia, Jane Fonda: The Private Life of a Public Woman
　　(Boston: Houghton Mifflin Harcourt, 2011).

Bradley, Simon, The Railways: Nation, Network and People (London:

Profile Books, 2015).

Braun, Michael, Love Me Do: The Beatles' Progress (London: Penguin, 1977).

Bray, Christopher, Michael Caine: A Class Act (London: Faber & Faber, 2005).

Brock, William H, William Crookes (1832-1919) and the Commercialization of Science (Abingdon: Routledge, 2008).

Bryne Curtis, Emily, Glass Exchange between Europe and China: 1550-1800 (Farnham: Ashgate, 2009).

Caine, Michael, What's It All About? (London: Arrow, 2010).

Carlin, Martha, Medieval Southwark, (London: Hambledon Press, 1996).

Carr, Roy, Case, Brian, Dellar, Fred, The Hip: Hipsters, Jazz and the Beat Generation (London: Faber & Faber, 1986).

Carreri, Patrizia Maria, Serraino, Diego, 'Longevity of popes and artists between the 13th and the 19th century', International Journal of Epidemiology, 34, 2005, 1435-1444쪽.

Chamberlain, E. R., The Bad Popes (Stroud: The History Press, 2003).

Clair, Colin, A History of European Printing (London: Academic Press, 1976).

Cohen, Jean-Louis (서문) and Benton, Tim (장 도입부 서문), Le Corbusier le Grand (London: Phaidon, 2014).

Cohodas, Nadine, Spinning Blues Into Gold: The Chess Brothers and the Legendary Chess Records (London: Aurum, 2000).

Connolly, Ray, Being John Lennon (London: Weidenfeld & Nicolson, 2018).

Coomes, David, Dorothy L. Sayers: A Careless Rage for Life (Oxford:

Lion, 1992).

Cordle, Celia, Out of the Hay and into the Hops: Hop Cultivation in
Wealden Kent and Hop Marketing in Southwark, 1744-2000
(Hatfield: University of Hertfordshire Press, 2011).

D'Agostino, Annette M., The Harold Lloyd Encyclopedia (London:
McFarland, 2004).

Dardis, Tom, Harold Lloyd: The Man on the Clock (London: Penguin,
1983).

Deighton, Len, Action Cook Book: Len Deighton's Guide to Eating
(London: Harper Perennial, 2009년판)

Didier Aaron Inc, 도록, Horace Vernet 1789-1863: Incroyables et
merveilleuses: 25 Watercolours from the Collection of the
Duchesse de Berry (London: Hazlitt, Gooden & Fox, 1991).

Dringoli, Angelo, Merger and Acquisition Strategies: How to Create
Value (Cheltenham: Edward Elgar Publishing Ltd, 2016).

Dringoli, Angelo, Corporate Strategy and Firm Growth: Creating
Value for Shareholders (Cheltenham: Edward Elgar Publishing
Ltd, 2011).

Dubois, J. Harry, Plastics History U.S.A. (Boston: Cahners Books,
1972).

Dundaway, David, Aldous Huxley Recollected: An Oral History (New
York: Carroll & Graf, 1995).

Eisenstein, Elizabeth L., The Printing Revolution in Early Modern
Europe (Cambridge: CUP, 2012).

Ellis, Markman, The Coffee House: A Cultural History (London:
Weidenfeld & Nicolson, 2011).

Epstein, Daniel Mark, The Ballard of Bob Dylan: A Portrait (New York:

Harper Perennial, 2011).

Flint, Anthony, Modern Man: The Life of Le Corbusier, Architect of
 Tomorrow (Seattle: New Harvest, Amazon Publishing, 2014).

Flowers, Benjamin, Skyscraper: The Politics and Power of Building
 New York City in the Twentieth Century (Philadelphia:
 University of Pennsylvania Press, 2009).

Freeman, Charles, Holy Bones, Holy Dust: How Relics Shaped the
 History of Medieval Europe (New Haven, Connecticut: Yale
 University Press, 2011).

Fullerton, John & Söderbergh Widding, Astrid, Moving Images from
 Edison to the Webcam (Sydney: John Libbey and Company
 Publishers, 2000).

Giles, George Henry, The Ophthalmic Services under the National
 Health Service Acts, 1946-1952 (London: Hammond, Hammond
 & Co, 1953).

Godard, Simon, Mozipedia: The Encyclopedia of Morrissey and the
 Smiths (London: Ebury, 2012).

Goodwin, George, Benjamin Franklin in London: the British life of
 America's Founding Father (London: Weidenfeld & Nicolson,
 2016).

Gordon, Ian, The Persistence of an American Icon: Superman (New
 Brunswick: Rutgers University Press 2017).

Gordon, Michael R., Murder Files from Scotland Yard and the Black
 Museum (Jefferson, North Carolina: Exposit/McFarland & Co
 Inc, 2018).

Green, Matthew Dr, 'The surprising history of London's
fascinating (but forgotten) coffeehouses', Daily Telegraph, 6 March

2017.

Gregorin, Christina, Heyl, Norbert, Scarabello, Giovanni, Venice
　　　　Master Artisans (Ponzano/Treviso: Grafiche Vianello, 2005).

Guiles, Fred Lawrence, Norma Jean: The Life of Marilyn Monroe
　　　　(London: W. H. Allen, 1969).

Hart, Anne, Agatha Christie's Miss Marple: The Life and Times of
　　　　Miss Jane Marple (London: HarperCollins, 2014년판).

Hayes, R. M., 3-D Movies: A History and Filmography of Stereoscopic
　　　　Cinema (Jefferson, North Carolina: McFarland & Co Inc,
　　　　1999년판).

Hiney, Tom, Raymond Chandler: A Biography (London: Vintage
　　　　1998).

Hutchinson, Robert, The Last Days of Henry VIII: Conspiracy, Treason
　　　　and Heresy at the Court of the Dying Tyrant (London: Orion,
　　　　2005).

John, Elton, Me: Elton John (London: Pan Macmillan, 2019).

Kercher, Stephen E., Revel with a Cause: Liberal Satire in Post-War
　　　　America (Chicago: University of Chicago Press, 2006).

Larman, Alexander, Blazing Star: The Life and Times of John Wilmot,
　　　　Earl of Rochester (London: Head of Zeus, 2014).

Leaming, Barbara, Marilyn Monroe: A Biography (New York: Crown
　　　　Publishing, 2000).

Le Corbusier (Cohen, Jean- Louis 서문, 영역자 Goodman, John),
　　　　Towards an Architecture (London: Frances Lincoln, 2008).

Lehmer, Larry, The Day the Music Died: The Last Tour of Buddy
　　　　Holly, the Big Bopper and Ritchie Valens (London: Prentice Hall
　　　　International, 1997).

Leland, John, Hip, the history (New York: Ecco, 2004).

Lewis, Roger, The Life and Death of Peter Sellers (London: Arrow, 1995).

Lindroth, Linda & Tornello, Deborah Newell, Virtual Vintage: The Insider's Guide to Buying and Selling Fashion Online (New York: Random House, 2002).

Lloyd, Harold, '공동저자' Stout, Wesley W., An American Comedy (London: Constable, 1971).

MacAdams, Lewis, Birth of the Cool: Beat, Bebop, and the American avant-garde (London: Free Press, 2001).

Man, John, The Gutenberg Revolution: The Story of a Genius and an Invention that Changed the World (London: Review, 2002).

Marcello, Patricia Cronin, Gloria Steinem: A Biography (Westport, Connecticut: Greenwood Press, 2004).

Mathieson, Kenny, Giant Steps: Bebop and the Creators of Modern Jazz 1945-65 (Edinburgh: Payback Press, 1999).

McCray, W. Patrick, Glassmaking in Renaissance Venice: The Fragile Craft (Farnham: Ashgate, 1999).

Meade, Marion, Dorothy Parker: What Fresh Hell is This? (London: Heinemann, 1988).

Miles, Barry 엮음, John Lennon in His Own Words (London: Omnibus Press, 1980).

Monroe, Marilyn with Hecht, Ben, My Story (Lanham, Maryland: First Taylor Trade Publishing, 2007).

Mouskouri Nana, 공동저자 Duroy, Lione, 영역자 Leggatt, Jeremy, Memoirs (London: Weidenfeld & Nicolson, 2007).

Murray, Nicholas, Aldous Huxley: An English Intellectual (London:

Little, Brown, 2002).

Nachman, Gerald, Seriously Funny: The Rebel Comedians of the 1950s and 1960s (New York: Pantheon Books, 2003).

Newton, Francis (Hobsbawm, Eric), The Jazz Scene (London: Penguin, 1961).

Nicholson, Virginia, Singled Out: How Two Million Women Survived Without Men After the First World War (London: Viking, 2007).

Norman, Philip, Buddy: The Definitive Biography of Buddy Holly (London: Pan Books, 2009).

Norman, Philip, John Lennon: The Life (London: HarperCollins, 2008).

Paglia, Camille, Sexual Personae: Art and Decadence from Nefertiti to Emily Dickinson (New Haven, Connecticut: Yale University Press, 1990).

Pepys, Samuel, Latham, Robert & Matthews, William 엮음, The Diary of Samuel Pepys Vol 1-9 (London: HarperCollins, 1995).

Perry, David M., Sacred Plunder: Venice and the Aftermath of the Fourth Crusade (University Park, Pennsylvania: Pennsylvania State University Press, 2015).

Pine, B. Joseph II, & Gilmore, James H., The Experience Economy: Competing for Customer Time, Attention and Money (Boston: Harvard Business Review Press, 2019).

Piper, Leonard, Murder by Gaslight (London: Michael O'Mara, 1991).

Rees, Fran, Gutenberg: Inventor of the Printing Press (Minneapolis: Compass Point Books, 2006).

Robinson, James, Finer Than Gold: Saints and Relics in the Middle Ages (London: British Museum Press, 2011).

Sanders, Dennis & Lovallo, Len, The Agatha Christie Companion: The

Complete Guide to Agatha Christie's Life and Work (London: W. H. Allen, 1985).

Siegel, Jerry, Johns, Geoff, Shuster, Joe and various, Superman: A Celebration of 75 Years (Burbank: DC Comics, 2013).

Smiles, Sam, 'Turner's Last Works and his critics' in Amigoni, David & McMullan, Gordon 엮음, Creativity in Later Life: Beyond Late Style (Abingdon: Routledge, 2018).

Starkey, David 엮음, The Inventory of King Henry VIII (London: Harvey Miller for the Society of Antiquaries of London, 1998).

Steinberg, Avi, 'Checking Out,' Paris Review, 26 December 2012, https://www.theparisreview.org/blog/2012/12/26/checking-out/.

Steinem, Gloria, Revolution from Within: A Book of Self-Esteem (New York: Little, Brown, 1992). 글로리아 스타이넘, 최종희 역, 『셀프 혁명』, 국민출판사, 2016

Strathern, Paul, The Medici: Godfathers of the Renaissance (London: Jonathan Cape, 2003).

Stross, Randall E., The Wizard of Menlo Park: How Thomas Alva Edison Invented the Modern World (New York: Three Rivers Press/Crown Publishing, 2007).

Thomson, David, Bette Davis (London: Penguin, 2009).

Thomson, David, Television: A Biography (London: Thames & Hudson, 2016).

Vaughan, Herbert M., The Medici Popes: Leo X and Clement VII (London: Methuen, 1908).

Vogel, Michelle, Marilyn Monroe: Her Films, Her Life (Jefferson, North Carolina: McFarland & Co Inc, 2014).

Walker, Michael, Hitchcock's Motifs (Amsterdam: Amsterdam University Press, 2005).

Walsh Larry 엮음, Keith Haring: Haring-ism (Princeton: Princeton University Press, 2020).

White, George R, Living Legend: Bo Diddley (Chessington: Castle Communications, 1995).

Williams, Tom, A Mysterious Something in the Light: The Life of Raymond Chandler (London: Aurum, 2012).

Wesley Wishart, Alfred, A Short History of Monks and Monasteries (Trenton: Albert Brandt Publisher, 1900).

Wilson, Andrew, Beautiful Shadow: A Life of Patricia Highsmith (London: Bloomsbury, 2003).

소설, 희곡, 회고록, 시

Bloch, Robert, 'The Cheaters', Pleasant Dreams: Nightmares (London: Ronald Whiting & Wheaton, 1967).

Calvino, Italo, 'The Adventure of a Near- Sighted Man', Difficult Loves: Smog - A Plunge into Real Estate (London: Vintage, 1999).
이탈로 칼비노, 이현경 역, 「어느 근시의 모험」, 『힘겨운 사랑』, 민음사, 2016

Chandler, Raymond, The Little Sister (London: Penguin, 1949).
레이먼드 챈들러, 박현주 역, 『리틀 시스터』, 북하우스, 2005

Chandler, Raymond, The Raymond Chandler Omnibus: Four Famous Classics (The Big Sleep, Farewell, My Lovely, The High Window, The Lady in the Lake) (New York: Alfred A. Knopf, 1964).

Christie, Agatha, An Autobiography (London: Fontana, 1978). 애거서

크리스티, 김시현 역, 『애거서 크리스티 자서전』, 황금가지, 2014

Christie, Agatha, A Caribbean Mystery (London: Collins, 1964).
애거사 크리스티, 송경아 역, 『카리브 해의 비밀』, 황금가지, 2008

Christie, Agatha, At Bertram's Hotel (London: Collins, 1965). 애거사
크리스티, 원은주 역, 『버트럼 호텔에서』, 황금가지, 2013

Christie, Agatha, Murder at the Vicarage (London: W. Collins and
Son, 1930). 애거사 크리스티, 김지현 역, 『목사관의 살인』, 황금가지,
2007

Christie, Agatha, Miss Marple and Mystery: The Complete Short
Stories (London: HarperCollins, 2011).

Christie, Agatha, The Mirror Crack'd From Side to Side (London:
Collins, 1962). 애거사 크리스티, 한은경 역, 『깨어진 거울』, 황금가지,
2008

Deighton, Len, The Ipcress File (London: Hodder & Stoughton, 1962).

Doyle, Arthur Conan, 'The Adventure of the Golden Pince-Nez', The
Return of Sherlock Holmes, (London: Penguin, 2011년판). 아서
코난 도일, 이경아 역, 「금테 코안경」, 『셜록 홈스의 귀환』, 엘릭시르,
2016

Eco, Umberto, The Name of the Rose (이탈리아판 영역자 William
Weaver) (London: Secker & Warburg, 1980). 움베르토 에코,
이윤기 역, 『장미의 이름』, 열린책들, 2016

Ellis, Bret Easton, American Psycho (London: 40주년 기념판 2012,
1991) 브렛 이스턴 엘리스, 이옥진 역, 『아메리칸 사이코』, 황금가지,
2009

Fitzgerald, F. Scott, This Side of Paradise (London: Penguin,
1974년판). F. 스콧 피츠제럴드, 이화연 역, 『낙원의 이편』,
펭귄클래식코리아, 2011

Fitzhugh, Louise, Harriet the spy, (New York: Harper & Row, 1966, c1964). 루이스 피츠허그, 이선오 역, 『탐정 해리엇』, 엘빅미디어, 2009

Hegley, John, Glad to Wear Glasses (London: Deutsch, 1990).

Highsmith, Patricia, Strangers on a Train (London: Vintage, 1999년판) 퍼트리샤 하이스미스, 홍성영 역, 『열차 안의 낯선 자들』, 오픈하우스, 2015

Holtby, Winifred, Poor Caroline (London: Virago, 1985년판).

Huxley, Aldous, Antic Hay (London: Flamingo, 1994년판).

Knausgaard Ove, Karl, The End: My Struggle Book Six (London: Harvill Secker, 2018).

Lessing, Doris, The Memoirs of a Survivor (London: Picador, 1981년판). 도리스 레싱, 이선주 역, 『생존자의 회고록』, 황금가지, 2007

Mayor, Flora Macdonald, The Rector's Daughter (London: Virago, 1987년판).

Parker, Dorothy, The Collected Dorothy Parker (London: Penguin, 2001년판).

Prouty, Higgins Olive, Now, Voyager (London: Hodder & Stoughton, 1942).

Sayers, Dorothy L. (Walter, Harriet Dame 서문), Gaudy Night (London: Hodder, 2009년판).

Sayers, Dorothy L., Unnatural Death (London: Ernest Benn, 1927). 도로시 L. 세이어즈, 김영애 역, 『부자연스러운 죽음』, 블루프린트 2015

Sayers, Dorothy L, Whose Body? (London: T. Fisher Unwin, 1923). 도로시 L. 세이어즈, 박현주 역, 『시체는 누구?』, 시공사, 2010

Shakespeare, William, As You Like It (Oxford: OUP, 2008년판). 윌리엄 셰익스피어, 뜻대로 하세요, 부크크, 2018

Viorst, Judith, 'New York Visit 1969', New York magazine (7 April 1969).

Warner, Sylvia Townsend, Lolly Willowes: or The Loving Huntsman (London: Virago, 2012년판).

Warner, Sylvia Townsend, Scenes of Childhood (London: Faber & Faber, 2011).

Warner, Sylvia Townsend, 'The Foregone Conclusion', Selected Stories (London: Virago, 2011).

찾 아 보 기

거의 모든 안경의 역사
: 보이지 않는 것을 보게 하는 도구의 위대한 탄생

2022년 5월 24일   초판 1쇄 발행

지은이   **옮긴이**
트래비스 엘버러   장상미

펴낸이   **펴낸곳**   **등록**
조성웅   도서출판 유유   제406-2010-000032호 (2010년 4월 2일)

            주소
            서울시 마포구 동교로15길 30, 3층 (우편번호 04003)

전화   **팩스**   **홈페이지**   **전자우편**
02-3144-6869   0303-3444-4645   uupress.co.kr   uupress@gmail.com

                    페이스북   **트위터**   **인스타그램**
                    facebook.com   twitter.com   instagram.com
                    /uupress   /uu_press   /uupress

편집   **디자인**   **조판**   **마케팅**
인수, 백도라지   이기준   정은정   황효선

제작   **인쇄**   **제책**   **물류**
제이오   (주)민언프린텍   다온바인텍   책과일터

ISBN 979-11-6770-028-5 03900